O VOO
DA VESPA

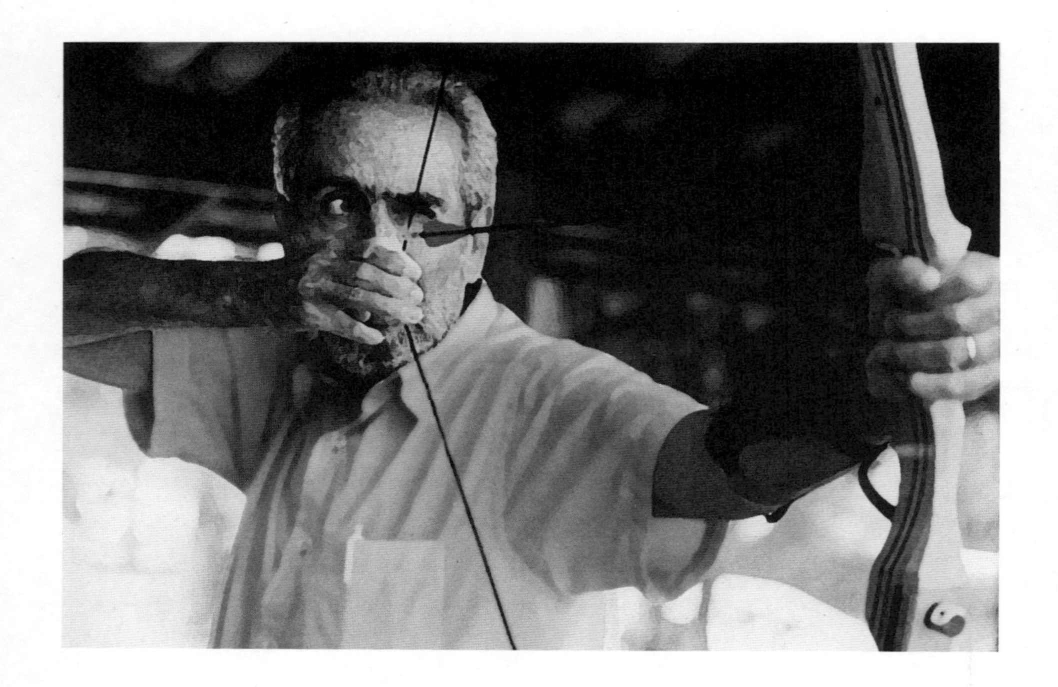

O Arqueiro

Geraldo Jordão Pereira (1938-2008) começou sua carreira aos 17 anos, quando foi trabalhar com seu pai, o célebre editor José Olympio, publicando obras marcantes como *O menino do dedo verde*, de Maurice Druon, e *Minha vida*, de Charles Chaplin.

Em 1976, fundou a Editora Salamandra com o propósito de formar uma nova geração de leitores e acabou criando um dos catálogos infantis mais premiados do Brasil. Em 1992, fugindo de sua linha editorial, lançou *Muitas vidas, muitos mestres*, de Brian Weiss, livro que deu origem à Editora Sextante.

Fã de histórias de suspense, Geraldo descobriu *O Código Da Vinci* antes mesmo de ele ser lançado nos Estados Unidos. A aposta em ficção, que não era o foco da Sextante, foi certeira: o título se transformou em um dos maiores fenômenos editoriais de todos os tempos.

Mas não foi só aos livros que se dedicou. Com seu desejo de ajudar o próximo, Geraldo desenvolveu diversos projetos sociais que se tornaram sua grande paixão.

Com a missão de publicar histórias empolgantes, tornar os livros cada vez mais acessíveis e despertar o amor pela leitura, a Editora Arqueiro é uma homenagem a esta figura extraordinária, capaz de enxergar mais além, mirar nas coisas verdadeiramente importantes e não perder o idealismo e a esperança diante dos desafios e contratempos da vida.

KEN FOLLETT

O VOO DA VESPA

Título original: *Hornet Flight*

tradução: Haroldo Netto

preparo de originais: BR75 | Silvia Rebello

revisão: Luis Américo Costa e Rafaella Lemos

projeto gráfico e diagramação: Valéria Teixeira

capa: www.blacksheep-uk.com

adaptação de capa: Miriam Lerner

imagens de capa: Bildarchiv Hansmann/Interfoto/Latinstock (mapa)
William Bertalan/Hulton Archive/Getty Images (casal)

impressão e acabamento: Associação Religiosa Imprensa da Fé

CIP-BRASIL. CATALOGAÇÃO NA PUBLICAÇÃO
SINDICATO NACIONAL DOS EDITORES DE LIVROS, RJ

F724v Follett, Ken
O voo da vespa/ Ken Follett; tradução de Haroldo Netto. São Paulo: Arqueiro, 2017.
416 p.; 16 x 23 cm.

Tradução de: Hornet flight

ISBN 978-85-8041-709-8

1. Ficção inglesa. I. Netto, Haroldo. II. Título.

CDD 823
17-40171 CDU 821.111-3

Todos os direitos reservados, no Brasil, por
Editora Arqueiro Ltda.
Rua Funchal, 538 – conjuntos 52 e 54 – Vila Olímpia
04551-060 – São Paulo – SP
Tel.: (11) 3868-4492 – Fax: (11) 3862-5818
E-mail: atendimento@editoraarqueiro.com.br
www.editoraarqueiro.com.br

PARTE DO QUE SE SEGUE REALMENTE ACONTECEU.

PRÓLOGO

O HOMEM DA PERNA de pau avançou pelo corredor do hospital.

Era um tipo baixo, vigoroso, de corpo atlético, com uns 30 anos. Trajava um terno cinza-escuro comum e calçava sapatos com os bicos reforçados. Andava rápido, mas, graças a uma ligeira irregularidade dos passos, era possível notar que mancava: tap-tap, tap-tap. Talvez por reprimir uma emoção profunda, tinha o rosto imobilizado em uma expressão amarga.

Ele chegou ao fim do corredor e parou diante da mesa da enfermeira.

– Tenente-aviador Hoare? – perguntou.

A enfermeira consultou uma lista. Era uma garota bonita, de cabelos negros, e falava com o sotaque suave do condado de Cork.

– O senhor deve ser parente, certo? – perguntou, com um sorriso amistoso.

Seu encanto não produziu efeito.

– Irmão – informou o visitante. – Qual é o leito?

– Último à esquerda.

Ele se virou e seguiu pelo corredor até o fim da enfermaria. Sentado em uma cadeira ao lado da cama, um homem de roupão marrom estava de costas para o salão, olhando pela janela, fumando.

O visitante hesitou.

– Bart?

O homem da cadeira levantou-se e virou para trás. Tinha uma bandagem na cabeça e o braço esquerdo numa tipoia, mas sorria. Era uma versão mais jovem e mais alta do visitante.

– Oi, Digby.

Digby passou os braços em torno do irmão e o abraçou com força.

– Pensei que você estivesse morto – disse.

E começou a chorar.

~

– Eu estava pilotando um Whitley.

O Armstrong Whitworth Whitley era um bombardeiro pesadão, de manejo difícil e cauda longa, que voava em uma posição estranha, com o nariz apontado para baixo. Na primavera de 1941, o Comando de Bombardeiros tinha uma centena deles, de um total de aproximadamente setecentas aeronaves.

– Um Messerschmitt atirou em nós e fomos atingidos diversas vezes – continuou Bart. – Mas ele devia estar com pouco combustível, porque deu o fora sem nos liquidar. Achei que fosse meu dia de sorte, mas logo começamos a perder altitude. O Messerschmitt deve ter danificado nossos dois motores. Jogamos fora tudo o que não estava aparafusado, para reduzir o peso, mas não adiantou. Íamos mergulhar no mar do Norte.

Digby sentou-se na beira da cama. Já não chorava, apenas examinava o rosto do irmão, que tinha o olhar distante enquanto rememorava.

– Falei para a tripulação se livrar da porta de trás e se posicionar para o mergulho da aeronave no mar, agarrando-se na divisória central.

O Whitley tinha cinco tripulantes, lembrou Digby.

– Quando atingimos altitude zero, puxei o manche e abri todos os aceleradores, mas a aeronave se recusou a nivelar e atingimos a água com um impacto enorme. Então eu desmaiei.

Eles eram meios-irmãos, com oito anos de diferença. A mãe de Digby morrera quando ele tinha 13 anos e seu pai se casara com uma viúva que tinha um filho. Desde o princípio Digby cuidara do irmão mais novo, protegendo-o dos valentões e ajudando-o com os deveres de casa. Ambos eram loucos por aviões e sonhavam ser pilotos. Digby tinha perdido a perna direita em um acidente de moto, fora estudar engenharia e trabalhar na construção de aeronaves, mas Bart realizara seu sonho.

– Quando acordei, senti cheiro de fumaça. O avião flutuava e a asa direita pegava fogo. Era uma noite escura como um túmulo, mas eu podia enxergar graças à luz das chamas. Arrastei-me pela fuselagem e encontrei o kit de sobrevivência no mar, que continha um bote de borracha. Joguei-o pela janela dos fundos e pulei. Meu Deus, como aquela água estava gelada!

Sua voz era baixa e calma, mas ele sugava o cigarro com força, tragando a fumaça até o fundo dos pulmões e soltando-a, em um longo jato, por entre os lábios contraídos.

– Eu estava usando um colete salva-vidas e voltei à superfície como uma rolha. O mar estava bastante ondulado e eu não parava de subir e descer. Por sorte, o bote estava bem na minha frente. Puxei a cordinha e no mesmo instante ele inflou, mas eu não conseguia entrar. Não tinha forças para sair da água. Na hora não consegui entender o motivo, porque não sabia que estava com um ombro deslocado, um pulso quebrado, três costelas fraturadas e tudo mais. Assim, me limitei a ficar ali, segurando no barco, morrendo de frio.

Digby se lembrou de que em certa época achara que Bart fosse o sortudo.

– Jones e Croft acabaram aparecendo. Tinham ficado agarrados na cauda até ela afundar. Nenhum dos dois sabia nadar, mas o colete os salvou. Eles conseguiram pular para dentro do bote e me puxar.

Bart acendeu outro cigarro.

– Não cheguei a ver Pickering. Não sei o que aconteceu com ele, mas presumo que esteja no fundo do mar.

Ele ficou em silêncio. Digby deu-se conta de que faltava um membro da tripulação e perguntou, depois de uma pausa:

– E o quinto homem?

– John Rowley, o artilheiro, estava vivo. Ouvimos seus gritos. Eu estava meio tonto, mas Jones e Croft tentaram remar na direção da voz dele.

Ele balançou a cabeça em um gesto que indicava seu desalento.

– Você não pode imaginar como foi difícil. As ondas deviam ser de 1 metro, 1,5 metro, e, como as chamas estavam se apagando, não conseguíamos enxergar muita coisa. O vento uivava terrivelmente. Jones gritava... e olha que ele tem uma voz forte. Jones berrava, Rowley respondia, aí o bote subia pelo lado de uma onda e descia pelo outro e, quando Rowley gritava de novo, a voz dele parecia vir de uma direção completamente diferente. Não sei quanto tempo isso durou. Rowley continuou gritando, mas sua voz ia ficando cada vez mais fraca com todo aquele frio.

O rosto de Bart se contraiu.

– Ele começou a ficar meio patético, chamando por Deus e pela mãe, esse tipo de bobagem. Depois de algum tempo, calou a boca.

Digby notou que estava prendendo o fôlego, como se o mero som de sua respiração representasse uma intrusão naquela lembrança tão pavorosa.

– Fomos encontrados logo depois do raiar do dia por um destróier em missão de patrulha. Lançaram um escaler ao mar e nos içaram para bordo.

Bart desviou o olhar para a janela, ignorando a paisagem verdejante de Hertfordshire, contemplando uma cena diferente, distante.

– Na verdade, uma baita sorte – disse.

~

Eles ficaram quietos por algum tempo.

– A incursão deu certo? – perguntou Bart, quebrando o silêncio. – Ninguém quer me dizer quantos voltaram.

– Foi desastrosa – disse Digby.

– E a minha esquadrilha?

– O sargento Jenkins e sua tripulação voltaram em segurança. – Digby puxou um pedaço de papel do bolso. – Arasaratnam, o oficial aviador, também. De onde ele é?

– Do Ceilão.

– O avião do sargento Riley foi atingido, mas ele conseguiu voltar.

– Irlandês de sorte – comentou Bart. – E o resto?

Digby apenas balançou a cabeça.

– Mas havia seis aviões da minha esquadrilha nesse ataque! – protestou Bart.

– Eu sei. Assim como o seu, dois outros foram derrubados. Tudo indica que sem sobreviventes.

– Então Creighton-Smith está morto. E Billy Shaw. E... Meu Deus! – exclamou Bart, virando a cabeça.

– Sinto muito.

O estado de espírito de Bart mudou do desespero para a raiva.

– Não basta sentir muito – disse. – Nós estamos sendo enviados para a morte!

– Eu sei.

– Pelo amor de Deus, Digby, você faz parte desse maldito governo!

– Eu trabalho para o primeiro-ministro, sim.

Churchill gostava de recrutar gente da iniciativa privada para o governo, e Digby, um bem-sucedido projetista de aeronaves, era um de seus solucionadores de problemas.

– Então você é tão culpado quanto os outros. Não devia estar gastando seu tempo visitando os doentes. Dê o fora daqui e faça algo a respeito.

– Já estou fazendo – disse Digby, com calma. – Incumbiram-me de descobrir o que está acontecendo. Perdemos metade das aeronaves nessa incursão.

– Traição nos altos escalões, desconfio. Ou algum general de três estrelas imbecil se gabando no clube que frequenta sobre a missão do dia seguinte, enquanto o homem do bar, nazista, toma nota de tudo atrás dos barris de cerveja.

– É uma possibilidade.

Bart suspirou.

– Sinto muito, Diggers – disse ele, usando um apelido de infância. – A culpa não é sua, é que estou furioso.

– Falando sério, tem alguma ideia do motivo pelo qual tantos aviões estão sendo derrubados? Você já voou em mais de dez missões. Qual é a sua opinião?

Bart ficou pensativo.

– Eu não estava exagerando quando falei a respeito de espiões. O negócio é que, quando chegamos à Alemanha, eles já estão nos esperando. Eles sabem quando estamos chegando.

– O que o faz pensar isso?

– Os caças estão no ar, à nossa espera. Você sabe como é difícil para uma força na defensiva calcular com precisão a hora de reagir. A esquadrilha tem que se espalhar no momento exato; é necessário que os caças partam de suas bases para a área em que se imagina que o ataque acontecerá. Eles têm então que ganhar uma altitude maior que a nossa e, depois, é preciso que nos encontrem no escuro. O processo todo leva tanto tempo que nós deveríamos ser capazes de soltar nossa encomenda em cima deles e dar o fora antes que nos pegassem. Só que não é isso o que vem acontecendo.

Digby balançou a cabeça. A experiência de Bart era igual à dos outros pilotos que interrogara. Ia dizer alguma coisa quando Bart ergueu os olhos e sorriu por cima do ombro de Digby. O mais velho se virou e avistou um homem negro envergando o uniforme de comandante de esquadrilha. Tal como Bart, era bem jovem para o posto, e Digby achou que ele devia ter recebido as promoções automáticas que vêm com a experiência de combate – tenente-aviador depois de doze surtidas e comandante de esquadrilha após quinze.

– Olá, Charles – cumprimentou Bart.

– Você nos deixou preocupados, Bartlett. Como vai?

O sotaque do recém-chegado era caribenho, misturado com a fala lenta de Oxford ou Cambridge.

– Dizem que eu talvez sobreviva.

Com a ponta do dedo, Charles tocou no dorso da mão de Bart, bem onde acabava a cobertura da tipoia. Um gesto curiosamente afetuoso, pensou Digby.

– Fico feliz em saber isso – disse Charles.

– Charles, este é meu irmão, Digby. Digby, Charles Ford. Fomos colegas no Trinity College até sairmos para ingressar na Força Aérea.

– Foi o único jeito de não fazermos as provas – brincou Charles, apertando a mão de Digby.

– Como os africanos estão tratando você? – perguntou Bart.

Charles sorriu e explicou a Digby do que se tratava:

– Tem uma esquadrilha de rodesianos na nossa base. São pilotos de primeira classe, mas têm dificuldade de lidar com um oficial da minha cor. Nós os chamamos de africanos, o que parece irritá-los um pouco. Não consigo imaginar o motivo.

– Evidentemente você não está permitindo que isso o abale – disse Digby.

– Acredito que com paciência e mais educação conseguiremos um dia civilizar essa gente, por mais primitiva que pareça ser.

Charles desviou os olhos e Digby vislumbrou a raiva que se escondia sob seu bom humor.

– Acabei de perguntar a Bart por que ele acha que estamos perdendo tantos bombardeiros – disse Digby. – Qual é a sua opinião?

– Não fui nessa incursão – respondeu Charles. – O que, pelo que sabemos agora, foi uma sorte. Mas outras operações recentes têm sido bastante ruins. A impressão que tenho é que a Luftwaffe é capaz de nos seguir por entre as nuvens. Será possível que eles tenham algum tipo de instrumento a bordo que lhes permita nos encontrar mesmo quando não estamos visíveis?

Digby balançou a cabeça.

– Cada aeronave inimiga derrubada é examinada minuciosamente, e nunca vimos nada que dê a entender o que você sugere. Trabalhamos duro para criar esse tipo de instrumento, e sem a menor dúvida o inimigo também se empenha nisso, mas estamos muito longe de conseguir. Quanto ao inimigo, temos convicção de que se encontra muito atrás de nós. Não creio que seja isso.

– Bem, é o que parece.

– Eu ainda acho que são espiões – disse Bart.

– Interessante. – Digby levantou-se. – Tenho que voltar para Whitehall. Muito obrigado por suas opiniões. É sempre útil conversar com os homens que ocupam a posição mais difícil.

Ele apertou a mão de Charles e tocou no ombro bom de Bart.

– Veja se repousa e melhora logo.

– Dizem que estarei voando de novo em poucas semanas.

– Não posso dizer que isso me alegre.

Quando Digby se virou para ir embora, Charles dirigiu-se a ele:

– Posso lhe fazer uma pergunta?

– Naturalmente.

– Numa incursão como essa, o custo para substituirmos as aeronaves perdidas deve ser maior que o custo para o inimigo reparar os danos causados por nossas bombas.

– Sem dúvida.

– Então... – Charles levantou os braços em sinal de incompreensão. – Então por que fazemos isso? De que adianta bombardear?

– Sim – respondeu Bart. – Eu também quero saber.

– O que mais podemos fazer? – indagou Digby. – Os nazistas controlam a Europa: Áustria, Tchecoslováquia, Holanda, Bélgica, França, Dinamarca, Noruega. A Itália é aliada, a Espanha é simpatizante, a Suécia é neutra e eles têm um pacto com a União Soviética. Não temos forças militares no continente. Não temos outro modo de reagir.

Charles aquiesceu.

– Quer dizer então que nós somos tudo o que vocês têm.

– Exatamente – concordou Digby. – Se o bombardeio acabar, a guerra termina e Hitler sai vitorioso.

~

O primeiro-ministro estava assistindo a um filme chamado *O falcão maltês*. Um cinema particular fora construído recentemente na antiga cozinha da sede do Almirantado. Tinha cinquenta ou sessenta poltronas luxuosas e uma cortina de veludo vermelho, mas era geralmente usado para exibir filmes de incursões aéreas às áreas bombardeadas e projetar peças de propaganda antes de serem mostradas ao público.

Tarde da noite, depois de todos os memorandos serem ditados, cabogramas expedidos, relatórios anotados e minutas rubricadas, quando se sentia preocupado, furioso e tenso demais para dormir, Churchill se sentava com um copo de conhaque em uma das amplas poltronas VIP da fileira da frente e se deixava levar pelos últimos encantos de Hollywood.

Quando Digby entrou, Humphrey Bogart estava explicando a Mary Astor que, quando o parceiro de um homem é morto, espera-se que esse homem tome alguma providência. O ar estava denso de fumaça de charuto. Churchill apontou para uma poltrona. Digby sentou-se e assistiu aos últimos minutos do filme. Quando os créditos apareceram sobre a estatueta de um falcão negro, Digby disse a seu chefe que a Luftwaffe parecia ser avisada com antecedência das incursões do Comando de Bombardeiros.

Quando ele terminou, Churchill ficou olhando fixamente para a tela por algum tempo, sem dizer nada. Havia ocasiões em que ele era encantador, com um sorriso envolvente nos lábios e um brilho cintilante nos olhos azuis, mas naquela noite parecia mergulhado em tristeza. Até que, por fim, perguntou:

– O que a Força Aérea Real acha?

– A RAF culpa as más formações de voo. Em teoria, se os bombardeiros voassem em formação cerrada, sua artilharia deveria cobrir todo o céu, de maneira que qualquer caça inimigo que aparecesse deveria ser abatido imediatamente.

– E o que você acha disso?

– Bobagem. Formação de voo nunca funcionou. Algum fator novo entrou na equação.

– Concordo. Mas o quê?

– Meu irmão culpa os espiões.

– Todos os espiões que pegamos eram amadores, mas exatamente por isso foram apanhados. Pode ser que os competentes tenham escapado.

– Talvez os alemães tenham conseguido um avanço técnico.

– O Serviço Secreto me diz que o inimigo está muito atrás de nós no desenvolvimento do radar.

– O senhor confia na opinião do Serviço Secreto?

– Não.

As luzes do teto foram acesas. Churchill vestia traje a rigor. Ele sempre parecia dinâmico, mas seu rosto estava vincado de cansaço. Pegou do bolso do colete uma folha de papel fino dobrada.

– Aqui está uma pista – disse, entregando o papel a Digby.

Digby examinou o que estava escrito. Parecia ser o texto decifrado de uma mensagem da Luftwaffe, em alemão e inglês. Dizia que a nova estratégia da Luftwaffe de combate noturno – Dunkle Nachtjagd – obtivera um grande triunfo, graças à excelente informação da Freya. Digby leu a mensagem em inglês e depois releu em alemão. "Freya" não era uma palavra em nenhuma das duas línguas.

– O que isto significa?

– É o que quero que você descubra. – Churchill pôs-se de pé e vestiu o paletó. – Venha comigo.

Na saída, ele se virou para a cabine de projeção.

– Muito obrigado! – exclamou.

– Por nada, senhor, foi um prazer – respondeu o operador.

Enquanto atravessavam o prédio, dois homens passaram a segui-los: o inspetor Thompson, da Scotland Yard, e o guarda-costas particular de Churchill. Saíram em um campo de parada, passaram por uma equipe que armava um balão de barragem e chegaram à rua através de uma passagem na cerca de arame farpado. Londres estava às escuras por causa do blecaute, mas a lua crescente proporcionava claridade suficiente para que encontrassem seu caminho.

Lado a lado, Churchill e Digby andaram alguns metros pela Horse Guards Road e o Storey's Gate até o número 1. Uma bomba danificara a parte de trás do número 10 da Downing Street, a residência tradicional do primeiro-ministro, e por isso Churchill estava morando perto dali, em um anexo do complexo subterrâneo conhecido como Gabinete de Guerra. A entrada era protegida por uma parede à prova de bombas. O cano de uma metralhadora aparecia através de um buraco na parede.

– Boa noite, senhor – despediu-se Digby.

– As coisas não podem continuar assim – disse Churchill. – Neste ritmo, o Comando de Bombardeiros não existirá mais no Natal. Preciso saber o que ou quem é Freya.

– Descobrirei.

– Com o máximo de rapidez.

– Sim, senhor.

– Boa noite – despediu-se o primeiro-ministro.

PARTE UM

CAPÍTULO UM

NO ÚLTIMO DIA de maio de 1941, um estranho veículo foi visto nas ruas de Morlunde, uma cidade da costa ocidental da Dinamarca.

Era uma motocicleta Nimbus, dinamarquesa, com *sidecar*. Por si só, o veículo já seria uma visão rara, pois não havia gasolina para ninguém, exceto para médicos, policiais e, é claro, as tropas alemãs que ocupavam o país. Mas havia mais a estranhar: aquela Nimbus tinha sido modificada. O motor a gasolina de quatro cilindros fora substituído por um motor a vapor tirado de uma lancha. O banco do *sidecar* fora removido para dar lugar a uma caldeira, uma fornalha e uma chaminé. O motor substituto tinha pouca força e a velocidade máxima da moto era de cerca de 35 quilômetros por hora. Em vez do costumeiro ronco do escape de uma moto, naquela só havia o delicado silvo do vapor. O silêncio incomum e o ritmo lento lhe davam um ar majestoso.

Quem ocupava o selim era Harald Olufsen, um jovem de 18 anos alto e louro, com o cabelo penteado para trás e a testa larga. Harald parecia um viking vestindo um blazer escolar. Tinha economizado durante um ano para comprar a Nimbus, que lhe custara 600 coroas. Só que, um dia depois de comprá-la, os alemães haviam imposto as restrições de combustível.

Harald ficara furioso. Que direito tinham de fazer aquilo? Mas decidira agir em vez de se queixar.

Fora preciso um ano inteiro para modificar a moto, trabalhando nos feriados escolares, revezando a atividade mecânica com os estudos necessários para seu exame de ingresso na universidade. Hoje, saindo do internato para passar o feriado de Pentecostes com a família, passara a manhã memorizando equações de física e a tarde prendendo a roda dentada de um cortador de grama enferrujado na roda de trás da Nimbus. Agora, com a motocicleta funcionando perfeitamente, encaminhava-se para um bar onde esperava ouvir um pouco de jazz e, quem sabe, conhecer algumas garotas.

Ele amava jazz. Depois da física era a coisa mais interessante que lhe acontecera. Os músicos americanos eram os melhores, claro, mas valia a pena ouvir até mesmo seus imitadores dinamarqueses. Às vezes era possível ouvir bom jazz em Morlunde, talvez porque fosse um porto internacional, visitado por marinheiros de todo o mundo.

Mas quando Harald chegou ao clube Hot, no coração da zona portuária, sua porta estava fechada e as janelas, cerradas.

Ele ficou espantado. Eram oito horas de uma noite de sábado e aquele era um dos pontos mais populares da cidade. Deveria estar sacudindo ao ritmo da música.

Harald ficou sentado, olhando fixamente para o prédio silencioso. Um transeunte parou, interessado na moto.

– O que é essa engenhoca?

– Uma Nimbus a vapor. Sabe de alguma coisa a respeito do clube?

– Sou o dono dele. O que a moto usa como combustível?

– Qualquer coisa que queime. Eu uso turfa. – Ele apontou para a pilha na parte de trás do *sidecar*.

– Turfa? – O homem riu.

– Por que as portas estão fechadas?

– Os nazistas mandaram fechar.

Harald ficou desolado.

– Por quê?

– Por empregar músicos negros.

Harald nunca vira um músico negro em carne e osso, mas sabia pelos discos que eram os melhores.

– Os nazistas são porcos ignorantes – disse, furioso.

Sua noite tinha sido arruinada.

O dono do clube olhou para os dois lados da rua para se assegurar de que ninguém tinha ouvido. Os alemães tinham ocupado a Dinamarca, mas a governavam com mão leve. Ainda assim, algumas pessoas insultavam abertamente os nazistas. Não havia, contudo, ninguém à vista. Ele voltou a concentrar a atenção na motocicleta.

– Funciona?

– Claro que funciona.

– Quem fez a conversão para você?

– Eu mesmo fiz.

A diversão do homem estava se transformando em admiração.

– Muito hábil, você.

– Obrigado.

Harald abriu a válvula que levava vapor para dentro do motor.

– Sinto muito pelo que aconteceu com o seu clube.

– Espero que eles me deixem abrir de novo dentro de poucas semanas. Mas terei que prometer só empregar músicos brancos.

– Jazz sem negros? – Harald balançou a cabeça, enojado. – Mesma coisa que banir os cozinheiros franceses dos restaurantes.

Ele tirou o pé do freio e a moto deslocou-se lentamente.

Pensou em ir ao centro da cidade para ver se conhecia alguém nos cafés e bares em torno da praça, mas sentia-se tão desapontado com o que acontecera com o clube de jazz que decidiu que seria deprimente permanecer por ali. Harald seguiu para o porto.

Seu pai era pastor da igreja de Sande, uma ilhota situada a 3 quilômetros do litoral. A pequena barca que fazia o transporte até a ilha estava atracada, e ele seguiu diretamente para ela. A embarcação estava cheia, e ele conhecia a maioria das pessoas que viu. Um grupo alegre de pescadores que tinham participado de um jogo de futebol e tomaram umas e outras depois da partida; duas mulheres ricas, de chapéu e luvas, com uma pilha de compras e uma carruagem de duas rodas puxada por um pônei; uma família de cinco pessoas que voltava de uma visita a amigos na cidade. O casal bem-vestido, que ele não reconheceu, provavelmente ia jantar no hotel da ilha, cujo restaurante era de alta classe. Sua motocicleta atraiu a atenção de todos e ele teve que dar explicações sobre o motor mais uma vez.

No último minuto apareceu um sedã Ford fabricado na Alemanha. Harald conhecia o carro, que pertencia a Axel Flemming, proprietário do hotel da ilha. Os Flemmings eram hostis à família de Harald. Axel Flemming achava que era o líder natural da comunidade da ilha, um papel que o pastor Olufsen acreditava lhe pertencer, e o atrito entre os patriarcas rivais afetava todos os outros membros das famílias. Harald gostaria de saber como Flemming conseguira combustível para o seu carro. Concluiu que, para os ricos, a tarefa não devia ser tão difícil quanto para o resto da população.

O mar estava agitado e havia nuvens escuras no céu ocidental. Uma tempestade estava a caminho, mas os pescadores disseram que estariam em casa antes que ela chegasse. Harald abriu o jornal que pegara na cidade. Intitulado *Realidade*, era uma publicação ilegal, impressa a despeito das ordens do governo de ocupação e distribuída gratuitamente. A polícia dinamarquesa não tentara reprimir sua circulação e os alemães pareciam achar que aquilo não merecia especial atenção. Em Copenhague, todo mundo o lia abertamente nos trens e nos bondes. Como ali as pessoas eram mais discretas, Harald o dobrou para esconder a manchete enquanto lia uma reportagem sobre a falta de manteiga. A Dinamarca produzia toneladas de manteiga todos os anos, mas quase tudo seguia para a Alemanha, o que deixava os dinamarqueses praticamente sem acesso ao produto. Esse era o tipo de matéria que nunca aparecia na imprensa censurada.

Eles se aproximavam da ilha, com sua familiar forma achatada e seus 20 quilômetros de comprimento e 2 de largura, e uma aldeia em cada ponta. As casas dos pescadores e a igreja com seu presbitério constituíam a aldeia mais antiga, na ponta sul. Também na ponta sul ficava uma escola de navegação, há muito abandonada, que fora tomada pelos alemães e transformada em base militar. O hotel e as casas maiores ficavam na ponta norte. Entre uma e outra, a ilha era constituída principalmente de dunas de areia e mato ralo, com poucas árvores e sem elevações. Ao longo de quase toda a orla, uma praia magnífica estendia-se por pouco mais de 15 quilômetros.

Harald sentiu algumas gotas de chuva quando a barca se aproximou do cais na ponta norte da ilha. A carruagem do hotel aguardava o casal bem-vestido. Os pescadores foram recepcionados pela mulher de um deles, conduzindo uma carroça. Harald decidiu atravessar a ilha e ir para casa pela praia – que, com sua areia compacta, já fora usada para testes de velocidade de carros de corrida.

Estava a meio caminho entre o cais e o hotel quando ficou sem vapor. Harald usava o tanque de combustível da moto como reserva de água e acabara de concluir que ele não era suficientemente grande. Seria necessário ter também um tambor de óleo de 19 litros no *sidecar*. Mas, antes disso, precisava de água para chegar em casa.

Havia apenas uma casa à vista e, infelizmente, era a de Axel Flemming. Apesar da rivalidade, os Olufsens e os Flemmings se davam: todos os membros da família Flemming iam à igreja aos domingos e se sentavam bem na frente, juntos. Na verdade, Axel era diácono. Mesmo assim, Harald não gostava muito da ideia de ter de pedir ajuda aos Flemmings. Chegou a pensar em caminhar 500 metros até a casa mais próxima, mas concluiu que seria tolice. Respirou fundo e começou a andar.

Em vez de bater à porta da frente, contornou a casa e dirigiu-se aos estábulos. Ficou satisfeito ao ver um criado guardando o Ford na garagem.

– Olá, Gunnar – disse Harald. – Posso usar um pouco de água?

O homem foi amável.

– Sirva-se à vontade – disse. – Há uma torneira no jardim.

Harald encontrou um balde perto da torneira e o encheu. Depois voltou à estrada e encheu o tanque de água. Talvez conseguisse concluir a missão sem encontrar nenhum membro da família. Mas, quando retornou com o balde para o jardim, lá estava Peter Flemming.

Alto, insolente, 30 anos, vestindo um terno de tweed claro bem cortado, Peter era filho de Axel. Antes da briga entre as duas famílias, fora muito amigo de Arne, irmão de Harald. Na adolescência, os dois tinham feito fama como grandes conquistadores. Arne seduzia as garotas com seu charme malicioso e Peter, com sua sofisticação indiferente. Peter mudara-se para Copenhague, mas devia ter vindo visitar a família no feriado.

Ele estava lendo o *Realidade*. Levantou os olhos do jornal para ver Harald.

– O que você está fazendo aqui? – perguntou.

– Olá, Peter, vim pegar um pouco de água.

– Suponho que este lixo aqui seja seu.

Harald tocou no bolso e constatou, pesaroso, que o jornal devia ter caído no chão quando se abaixara para pegar o balde.

Peter, que o observava atentamente, percebeu o que acontecera.

– Obviamente é seu – disse. – Você sabe que pode ir para a cadeia só por ter uma coisa destas em seu poder?

Aquelas não eram palavras vazias, e sim uma ameaça real. Peter era detetive da polícia.

– Todo mundo lê na cidade – disse Harald, tentando soar desafiador.

Na verdade sentia-se um pouco amedrontado. Peter era mau-caráter o bastante para prendê-lo.

– Não estamos em Copenhague – retrucou Peter com ar solene.

Harald sabia que Peter adoraria a oportunidade de prejudicar um Olufsen. No entanto, estava hesitando, e Harald desconfiou do motivo.

– Você vai fazer papel de bobo se prender um estudante em Sande por fazer algo que metade da população faz abertamente. Até porque todos aqui sabem que você guarda ressentimento do meu pai.

Peter ficou visivelmente dividido entre a vontade de humilhar Harald e o medo de passar vergonha.

– Ninguém tem o direito de violar a lei – disse ele.

– Que lei? A nossa ou a dos alemães?

– A lei é a lei.

Harald sentiu-se mais confiante. Peter não estaria argumentando de forma tão defensiva se estivesse mesmo pensando em prendê-lo.

– Você diz isso porque o seu pai ganha muito dinheiro dando boa vida aos nazistas no hotel.

Essas palavras o acertaram em cheio. O hotel era muito popular entre os oficiais alemães, que tinham mais dinheiro para gastar que os dinamarqueses. Peter ficou vermelho de raiva.

– Enquanto seu pai faz sermões provocativos – rebateu.

Era verdade: o pastor tinha pregado contra os nazistas; o tema do sermão fora "Jesus era judeu".

– Ele tem ideia do problema que vai haver se ele provocar um levante da população?

– Com certeza. O fundador da religião cristã também era criador de casos.

– Não me fale sobre religião. Tenho que manter a ordem aqui na Terra, não no céu.

– Vá pro inferno com a ordem! Fomos invadidos! – A frustração de Harald pela noite malsucedida atingiu seu ápice. – Que direito têm os nazistas de nos dizer o que fazer? O que devíamos fazer era chutar essa cambada para fora da nossa terra!

– Você não devia odiar os alemães, eles são nossos amigos – disse Peter, com um ar de plena superioridade moral que enfureceu Harald.

– Eu não odeio os alemães, seu idiota, tenho primos alemães.

A irmã do pastor tinha se casado com um dentista de Hamburgo, jovem e bem-sucedido, que viera passar férias em Sande na década de 1920. Monika, a filha deles, foi a primeira garota que Harald beijou.

– Eles sofreram mais com os nazistas que nós – acrescentou Harald.

Tio Joachim era judeu e, embora tivesse sido batizado como cristão e desempenhasse funções importantes na sua igreja, os nazistas disseram que ele só podia tratar judeus, arruinando assim sua carreira como médico. Um ano atrás fora preso sob a suspeita de esconder ouro e mandado para um tipo de prisão especial chamada *Konzentrazionslager*, na pequena cidade bávara de Dachau.

– As pessoas criam os próprios problemas – disse Peter, com um ar de imensa sabedoria. – Seu pai jamais deveria ter permitido que a irmã se casasse com um judeu.

Ele atirou o jornal no chão e se afastou.

A princípio Harald ficou espantado demais para dizer qualquer coisa. Inclinou-se e apanhou o jornal. Só então respondeu, voltado para as costas de Peter, já alguns passos distante.

– Você está começando a falar como um nazista!

Ignorando-o, Peter desapareceu na entrada da cozinha e bateu a porta.

Harald sentiu que perdera a discussão, o que era exasperador, porque sabia que Peter tinha dito algo ultrajante.

Começou a chover forte quando ele voltava para a estrada. Ao chegar à moto, descobriu que o fogo da caldeira tinha se apagado.

Tentou acendê-lo de novo. Tinha o *Realidade* e uma caixa de fósforos de madeira de boa qualidade, o que sempre ajudava. Mas não trouxera o fole que usara para acender o fogo ao sair de casa. Depois de 20 minutos de frustração na chuva, desistiu. Teria que voltar para casa a pé.

Levantou a lapela do blazer.

Empurrou a moto por uns 500 metros até o hotel, deixou-a na pequena área de estacionamento e saiu andando pela praia. Naquela época do ano, a três semanas do solstício de verão, só escurecia lá pelas onze horas, mas, com o céu nublado e a chuva que caía, a visibilidade ficava reduzida. Harald seguiu margeando as dunas; o barulho do mar chegava ao seu ouvido direito e o guiava. Em pouco tempo suas roupas estavam tão encharcadas quanto se ele tivesse ido para casa a nado.

Harald era um rapaz forte, esguio como um galgo de corrida, mas, depois de duas horas daquela caminhada, estava cansado, gelado e todo dolorido. Ao esbarrar na cerca que delimitava o perímetro da nova base alemã, deu--se conta de que teria que caminhar mais de 3 quilômetros para contorná--la se quisesse chegar à sua casa, que ficava a poucos metros dali.

Se a maré estivesse baixa, teria continuado pela praia, pois, embora aquele trecho fosse oficialmente fora dos limites, os guardas não seriam capazes de vê-lo em uma noite tão escura. No entanto, a maré estava alta e a cerca ficava mergulhada na água. Passou-lhe pela cabeça nadar aquele último trecho, mas desistiu imediatamente da ideia. Como típico integrante de uma comunidade de pescadores, Harald tinha grande respeito pelo mar e sabia do perigo de nadar à noite com aquele tempo, principalmente estando tão exausto.

Restava-lhe ainda a opção de pular a cerca.

A chuva tinha diminuído e a lua crescente aparecia entre nuvens velozes, banhando intermitentemente com sua luz incerta a paisagem alagada. Harald podia ver a cerca de tela de arame com 1,80 metro de altura encimada por dois fios de arame farpado. A tarefa era bastante difícil, mas não chegava a ser um obstáculo intransponível para uma pessoa determinada e em boa forma física. Quase 50 metros para dentro, a cerca passava através de um pequeno bosque de árvores mirradas e era encoberta por arbustos. Era por ali que ele teria que passar.

Sabia bem o que encontraria do outro lado da cerca. No último verão trabalhara ali, como operário na obra do que, naquele tempo, nem imaginava que viria a ser uma base militar. Os construtores, de uma firma de Copenhague, tinham dito a todo mundo que ali funcionaria uma nova estação da Guarda Costeira. Talvez tivessem dificuldade para recrutar trabalhadores se dissessem a verdade à época da obra – Harald, por exemplo, se soubesse, não teria trabalhado para os nazistas. Depois, quando os prédios foram edificados e a cerca fixada, todos os dinamarqueses foram demitidos. Alemães vieram instalar o equipamento. Mas Harald conhecia a disposição dos edifícios. A antiga escola de navegação fora reformada e dois prédios novos haviam sido construídos, um de cada lado. Todas as edificações eram recuadas em relação à praia, portanto era possível atravessar a base sem se aproximar delas. Além do mais, grande parte do terreno daquele lado estava coberta de arbustos baixos que ajudariam a escondê-lo. Só teria que ficar de olho nos guardas que patrulhavam as instalações.

Correu até o bosque, galgou a cerca, transpôs cuidadosamente os dois fios de arame farpado e saltou para o outro lado, aterrissando suavemente na areia molhada. Olhou em torno, numa tentativa de enxergar através da escuridão, e viu apenas o vulto vago das árvores. Mesmo sem distinguir os prédios, podia ouvir música ao longe, assim como, ocasionalmente, uma explosão de risos. Era sábado à noite e talvez os soldados estivessem tomando cerveja enquanto os oficiais jantavam no hotel de Axel Flemming.

Ele atravessou a base. À luz intermitente da lua, movia-se o mais depressa possível, permanecendo o mais perto que podia da vegetação. Orientava-se pelas ondas à direita e pela música indistinta à esquerda. Passou por uma estrutura alta que reconheceu, na escuridão, como a torre do farol. Toda a área podia ser iluminada em uma emergência, mas normalmente a base ficava no escuro.

Uma súbita explosão de som à sua esquerda o assustou e ele se agachou, o coração batendo acelerado. Olhou na direção dos edifícios. Uma porta entreaberta deixava escapar um facho de luz. Enquanto olhava, um soldado saiu correndo. Outra porta abriu-se em um prédio diferente e o soldado correu na sua direção.

O coração de Harald bateu mais devagar.

Ele passou em meio a um renque de coníferas e mergulhou num declive do terreno. Quando chegou à parte mais baixa, viu uma estrutura diferente em meio à escuridão. Não foi capaz de distingui-la claramente, mas não conseguiu se lembrar de nada que houvesse sido construído naquele lugar. Aproximando-se mais, notou uma parede de concreto recurvada mais ou menos da altura da sua cabeça. Acima da parede algo se movia e ele ouviu um zumbido baixo, como o de um motor elétrico.

Aquilo devia ter sido construído pelos alemães depois que os trabalhadores locais foram dispensados. Harald gostaria de saber por que nunca vira aquela estrutura de fora da cerca e logo concluiu que as árvores e a depressão do terreno a esconderiam de praticamente todos os pontos de observação, exceto talvez da praia – cujo acesso era proibido a partir da área da base.

Quando levantou a cabeça e tentou distinguir os detalhes, a chuva caiu em seu rosto e fez arder seus olhos. Mas ele era curioso demais para desistir. Por um momento a lua clareou a cena e Harald tentou de novo, estreitando os olhos. Acima da parede circular conseguiu identificar uma grade de metal ou arame, de cerca de 3,5 metros. Toda a engenhoca rodava como um carrossel, completando uma rotação a intervalos de poucos segundos.

Harald ficou fascinado. Era uma máquina de um tipo que nunca vira antes, e o engenheiro que havia nele deixou-se enfeitiçar. O que ela fazia? Por que girava? O barulho não queria dizer nada – era apenas o motor que acionava a coisa. Com certeza não se tratava de uma arma – pelo menos não do tipo convencional, pois não tinha cano. Seu melhor palpite era de que tivesse algo a ver com rádio.

Alguém tossiu ali perto.

Harald reagiu instintivamente. Deu um pulo, passou os braços por cima da beirada da parede e levantou o corpo. Deixou-se ficar por um segundo na estreita superfície superior da parede, sentindo-se perigosamente visível, e passou para o lado de dentro. Teve medo de pisar em algum mecanismo em movimento, embora tivesse certeza quase absoluta de que haveria um passadiço em torno do aparelho para permitir que os engenheiros fizessem a manutenção. Após um momento de tensão, tocou num piso de concreto. O zumbido ali era mais alto e dava para perceber o cheiro de óleo de motor. Sentiu na língua o gosto peculiar da eletricidade estática.

Quem tossira? Presumiu ter sido alguma sentinela que estivesse passando por perto, cujas passadas certamente foram abafadas pelo vento e pela chuva. Por sorte, o vento e a chuva abafaram também o barulho que Harald fizera para escalar o muro. Mas a sentinela o teria visto?

Espremeu o corpo contra uma parte curva da parede, respirando fundo, esperando que a qualquer momento o facho de uma lanterna poderosa o denunciasse. O que aconteceria se o apanhassem? Os alemães eram amáveis ali no interior. A maioria não andava se pavoneando como conquistadores e chegava inclusive a parecer quase envergonhada por estar no comando. Provavelmente o entregariam à polícia dinamarquesa. Quanto a esta, ele não tinha certeza de qual linha de ação adotaria. Se Peter Flemming fizesse parte da força local, faria de tudo para assegurar sofrimento máximo a Harald. Mas, por sorte, ele estava baseado em Copenhague. O que Harald temia, mais que qualquer punição oficial, era a ira de seu pai. Já podia ouvir o interrogatório sarcástico do pastor: "Você pulou a cerca? E entrou numa área militar secreta? À noite? E usou isso como um atalho para voltar para casa porque estava chovendo?"

Mas nenhuma luz se acendeu sobre Harald. Ele esperou e, enquanto estava ali, olhou fixamente para a silhueta escura do aparelho que tinha à sua frente. Achou ter visto cabos grossos saindo da parte inferior da grade e desaparecendo na outra extremidade da cavidade. Aquilo só podia ser um meio de enviar ou receber sinais de rádio, pensou.

Passados alguns minutos, teve certeza de que o guarda se afastara. Escalou a parede e tentou enxergar através da chuva. De cada lado da estrutura conseguiu ver duas formas escuras menores, mas eram estáticas e só podiam fazer parte da máquina. Não havia sentinelas em seu campo de visão. Deslizou para a parte externa da parede e saiu andando outra vez pelas dunas.

Em um momento de maior escuridão, quando a lua se escondeu atrás de uma nuvem grossa, ele deu de cara numa parede de madeira. Chocado e momentaneamente assustado, praguejou baixinho. Um segundo depois percebeu que tinha esbarrado na parede de uma velha casa de barcos usada antigamente pela escola de navegação. Estava abandonada e os alemães não a tinham reparado, aparentemente por não terem uso para ela. Ficou imóvel por um instante, ouvindo, mas só conseguiu escutar as batidas do próprio coração. Seguiu em frente.

Chegou à cerca sem maiores incidentes. Pulou-a e foi para casa.

~

Primeiro dirigiu-se à igreja. O lugar era iluminado através da longa fileira de pequenas janelas quadradas do lado do mar. Espantado com a presença de qualquer pessoa na igreja àquela hora da noite de um sábado, olhou para dentro dela.

A igreja era comprida e de teto baixo. Em ocasiões especiais, podia abrigar os quatrocentos residentes da ilha, mas na conta exata. As fileiras de bancos ficavam de frente para um púlpito de madeira. Não havia altar. As paredes eram nuas, exceto por alguns textos emoldurados.

Os dinamarqueses não eram dogmáticos em questões de religião e a maioria da nação seguia o luteranismo evangélico. Os pescadores de Sande, contudo, tinham sido convertidos, um século antes, a um credo mais rigoroso. E nos últimos trinta anos o pai de Harald conservara acesa a fé do seu rebanho dando, com a própria vida, um exemplo de puritanismo inflexível, fortalecendo a determinação de seus fiéis em sermões semanais de retórica apaixonada e confrontando pessoalmente os apóstatas com a irresistível santidade de seus olhos azuis. A despeito do exemplo dessa convicção ardorosa, seu filho não era devoto. Harald comparecia aos serviços religiosos sempre que estava em casa – não queria magoar os sentimentos do pai –, mas, em seu coração, discordava. Ainda não tinha se decidido a respeito de religião, de um modo geral, mas sabia que não acreditava em um Deus de regras mesquinhas e punições vingativas.

Enquanto olhava pela janela, Harald ouviu música. Seu irmão, Arne, estava ao piano, tocando uma melodia de jazz com um estilo muito delicado. Harald sorriu satisfeito. Arne viera passar o feriado em casa. Ele era divertido e sofisticado e animaria os longos dias na residência do pastor.

Harald deu a volta e entrou. Sem olhar para trás e sem se interromper, Arne mudou a música para um hino religioso. Harald riu. Arne ouvira a porta se abrindo e pensara que fosse o pai. O pastor não aprovava o jazz e certamente não permitiria que fosse tocado em sua igreja.

– Sou eu – avisou Harald.

Arne se virou. Estava usando o uniforme marrom do Exército. Dez anos mais velho que Harald, era instrutor de voo da aviação militar, baseado na escola de pilotos perto de Copenhague. Os alemães tinham interrompido toda a atividade militar dinamarquesa e as aeronaves ficavam em terra a maior parte do tempo, mas os instrutores podiam dar aulas em planadores.

– Vendo você com o canto do olho, achei que fosse o velho. Arne avaliou Harald de cima a baixo, afetuosamente. – Você está cada vez mais parecido com ele.

– Isso quer dizer que vou ficar careca?
– Provavelmente.
– E você?
– Acho que não. Saí à mamãe.

Era verdade. Arne tinha cabelo grosso e escuro e olhos cor de avelã. Harald era louro como o pai e, além dos olhos azuis, também herdara o olhar penetrante com que o pastor intimidava seu rebanho. Tanto Harald quanto o pai eram formidavelmente altos, fazendo Arne parecer baixo com seu 1,80 metro.

– Quero que você escute isto – disse Harald. Arne levantou-se e Harald sentou-se ao piano. – Aprendi de um disco que levaram para a escola. Você conhece Mads Kirke?

– É primo do meu colega Poul.

– Exato. Ele descobriu um pianista americano chamado Clarence Pine Top Smith. – Harald hesitou. – O que o velho está fazendo?

– Escrevendo o sermão de amanhã.

Ótimo.

O piano não podia ser ouvido da casa, a 50 metros de distância, e era improvável que o pastor interrompesse seus preparativos para dar uma incerta na igreja, especialmente com aquela chuva. Harald começou a tocar "Pine Top's Boogie-Woogie" e o salão da igreja se encheu das harmonias sensuais do Sul dos Estados Unidos. Ele era um pianista inspirado, embora sua mãe dissesse que tinha a mão pesada. Como não conseguia ficar quieto para tocar, levantou-se, chutou o banco para trás, derrubando-o, e passou a tocar em pé, inclinando o corpo comprido sobre o teclado. Assim ele cometia mais erros, mas isso não parecia importar desde que mantivesse o ritmo da música. Quando martelou o último acorde, disse, em inglês, "É disso que estou falando!", exatamente como Pine Top dizia no disco.

Arne riu.

– Nada mau!
– Você devia ouvir o original.
– Vamos até a varanda. Quero fumar.
– O velho não vai gostar.
– Estou com 28 anos – disse Arne. – Velho demais para que meu pai diga o que devo fazer.
– Eu concordo. Mas e ele?
– Você tem medo dele?

– Claro! Assim como mamãe e praticamente todas as outras pessoas desta ilha... inclusive você.

Arne sorriu.

– Está bem, mas talvez só um pouco.

Os dois irmãos se postaram do lado de fora da igreja, protegidos da chuva por um pequeno pórtico. Na outra ponta de uma faixa de terreno arenoso podiam ver a silhueta escura da residência destinada ao pastor. Luz projetava-se pela janelinha em forma de losango da porta da cozinha. Arne pegou seus cigarros.

– Teve notícias de Hermia? – perguntou Harald.

Arne estava noivo de uma inglesa que não via há bem mais de um ano, desde que os alemães tinham ocupado a Dinamarca.

Arne balançou a cabeça.

– Tentei escrever para ela. Descobri o endereço do consulado inglês em Gotemburgo. – Os dinamarqueses eram autorizados a escrever para a Suécia, que era neutra. – Enderecei a carta para ela, sem mencionar o consulado no envelope. Achei que tinha sido muito esperto, mas os censores não se deixam enganar tão facilmente. Meu comandante trouxe a carta de volta e disse que, se eu tentasse algo assim de novo, seria levado à corte marcial.

Harald gostava de Hermia. Algumas das namoradas de Arne tinham sido... bem, eram louras burras mesmo, mas Hermia tinha inteligência e coragem. Assustava um pouco no começo, com sua aparência dramática e seu jeito direto de falar, mas conquistara a afeição de Harald por tratá-lo como homem, não como o irmão mais moço de Arne. Além do mais, era sensacionalmente voluptuosa vestindo um maiô.

– Você ainda quer se casar com ela?

– Por Deus, sim, se ela ainda estiver viva. Pode ter sido morta por uma bomba em Londres.

– Deve ser duro não saber.

Arne assentiu e disse:

– E você? Alguma novidade?

Harald deu de ombros.

– Garotas da minha idade não se interessam por estudantes.

O tom com que disse isso foi leve, mas escondia um ressentimento. Tinha sofrido duas dolorosas rejeições.

– Suponho que queiram sair com um cara que possa gastar algum dinheiro com elas.

– Exatamente. E garotas mais jovens... Conheci uma garota na Páscoa, Birgit Claussen.

– Claussen? Da família de construtores navais de Morlunde?

– Isso mesmo. Ela é bonita, mas só tem 16 anos e é muito chata.

– Ainda bem. A família dela é católica. O velho não aprovaria.

– Eu sei. – Harald franziu a testa. – Mas ele é estranho. Na Páscoa pregou sobre tolerância.

– Ele é tão tolerante quanto Vlad, o Empalador. – Arne jogou fora o resto do cigarro. – Vamos lá, falar com o velho tirano.

– Antes de irmos...

– O quê?

– Como vão as coisas no Exército?

– Mal. Não podemos defender o país e na maior parte do tempo não tenho autorização para voar.

– Quanto tempo as coisas vão continuar assim?

– Quem sabe? Para sempre, talvez. Os alemães conquistaram tudo. Não há oposição, salvo os ingleses. E mesmo eles estão por um fio.

Harald baixou a voz, embora não houvesse quem pudesse escutá-lo:

– Certamente alguém em Copenhague deve estar dando início a um movimento de resistência...

Arne deu de ombros.

– Se houvesse, e eu tivesse conhecimento, não poderia dizer a você, poderia?

Antes que Harald pudesse falar alguma coisa. Arne saiu correndo debaixo da chuva na direção da luz da cozinha de casa.

CAPÍTULO DOIS

HERMIA MOUNT OLHOU desolada para o seu almoço – duas salsichas carbonizadas, uma bola de purê de batatas e uma porção de repolho cozido em excesso – e se lembrou com saudade de um bar na zona portuária de Copenhague que servia três tipos de arenque com salada, picles, pão quente e cerveja.

Ela fora criada na Dinamarca. Seu pai, diplomata britânico, passara a maior parte da carreira em países escandinavos. Hermia trabalhara na embaixada de Copenhague, primeiro como secretária e mais tarde como assistente de um adido naval que na verdade trabalhava para o MI6, o Serviço Secreto britânico. Quando o pai de Hermia morreu, sua mãe voltou para Londres, mas ela continuara na Dinamarca, em parte por causa do emprego, mas principalmente porque estava noiva de um piloto dinamarquês, Arne Olufsen.

Então, em 9 de abril de 1940, Hitler invadiu a Dinamarca. Quatro longos dias mais tarde, Hermia e um grupo de funcionários britânicos partiram em um trem diplomático especial que os levou através da Alemanha até a fronteira holandesa, de onde seguiram viagem cortando a neutra Holanda até chegarem de volta a Londres.

Agora, aos 30 anos, Hermia era analista de informações, encarregada da seção da Dinamarca no MI6. Juntamente com a maior parte do Serviço, fora transferida da sede londrina, no número 54 da Broadway, perto do palácio de Buckingham, para Bletchley Park, uma grande casa de campo na periferia de uma aldeia situada 80 quilômetros ao norte da capital.

Um galpão em forma de meio cilindro tinha sido erguido rapidamente no terreno da casa a fim de servir de cantina. Hermia sentia-se feliz por estar longe da blitz aérea, mas gostaria de que, por algum milagre, tivessem evacuado também um dos encantadores restaurantes italianos ou franceses de Londres, para que tivesse algo para comer. Pôs na boca uma garfada de purê e obrigou-se a engolir.

Para não pensar mais no gosto da comida, colocou o *Daily Express* ao lado do prato. Os ingleses tinham acabado de perder a ilha de Creta, no Mediterrâneo. O jornal tentava encarar o assunto com bravura, afirmando que a batalha pela posse da ilha custara 18 mil homens a Hitler, mas a verdade deprimente era que se tratava de mais um na longa lista de triunfos dos nazistas.

Levantando os olhos, ela avistou um homem baixo, mais ou menos da sua idade, que vinha na sua direção carregando uma xícara de chá. Caminhava com vigor, embora fosse visivelmente manco.

– Posso me sentar com você? – perguntou ele em tom animado. Sentou-se diante de Hermia sem esperar a resposta. – Sou Digby Hoare. Sei quem você é.

Ela levantou uma sobrancelha.

– Fique à vontade.

A ironia na sua voz não surgiu efeito. Ele limitou-se a agradecer:

– Obrigado.

Hermia já o vira por ali uma ou duas vezes. Tinha um ar enérgico, apesar de mancar. Não era nenhum bonitão como os ídolos das matinês, com seu cabelo escuro rebelde, mas tinha belos olhos azuis e as feições agradavelmente marcadas, ao jeito de Humphrey Bogart.

– Em que departamento você trabalha? – perguntou Hermia.

– Na verdade, eu trabalho em Londres.

Aquilo não era uma resposta à sua pergunta, e Hermia percebeu. Ela empurrou o prato para o lado.

– Não gosta da comida? – perguntou ele.

– Você gosta?

– Vou lhe dizer uma coisa. Interroguei pilotos que foram abatidos na França e conseguiram voltar. Nós achamos que estamos vivendo tempos de austeridade, mas não conhecemos o significado real dessa palavra. Os franceses estão morrendo de fome. Depois de ouvir essas histórias, tudo passou a ser saboroso para mim.

– Austeridade não é desculpa para cozinhar mal – retrucou Hermia bruscamente.

Ele sorriu.

– Bem que me disseram que você tinha a língua afiada.

– O que mais lhe disseram?

– Que você domina igualmente o inglês e o dinamarquês, o que explica estar na chefia da seção da Dinamarca, imagino.

– Não, quem explica é a guerra. Antes da guerra nenhuma mulher no MI6 ocupava cargos acima do nível de secretária. Não tínhamos mentes analíticas, sabe? Éramos mais adequadas aos trabalhos domésticos e à criação dos filhos. Mas, desde que começou a guerra, o cérebro das mulheres passou por uma melhoria notável e nos tornamos capazes de executar trabalhos que antes só podiam ser confiados à mente masculina.

Ele encarou o sarcasmo de Hermia com bom humor:

– Também notei isso. Milagres acontecem...

– Por que todo esse interesse em mim?

– Duas razões. A primeira, porque você é a mulher mais linda que já vi. – Dessa vez ele não estava sorrindo.

Digby conseguiu surpreendê-la. Não era sempre que os homens diziam que ela era linda. Bonita, talvez; atraente, às vezes; interessante, com frequência. Seu rosto era longo, oval, perfeitamente regular, mas com severos cabelos escuros, olhos entreabertos e um nariz grande demais para ser bonito. Hermia não foi capaz de imaginar uma réplica inteligente.

– Qual é a outra razão?

Ele olhou para os lados. Duas mulheres mais velhas estavam sentadas à mesma mesa e, embora estivessem conversando, provavelmente entreouviam o que Hermia e Digby falavam.

– Eu lhe direi em um minuto – prometeu ele. – Você gostaria de ir lá fora?

Ele a surpreendera novamente.

– O quê?

– Quer sair comigo?

– Claro que não.

Por um momento ele pareceu perplexo. Depois seu sorriso voltou.

– Não doure a pílula, seja franca.

Ela não pôde deixar de sorrir.

– Podíamos ir ao cinema – insistiu ele. – Ou ao pub Shoulder of Mutton, em Old Bletchley. Ou a ambos.

Ela balançou a cabeça.

– Não, obrigada – disse firmemente.

– Ah! – Ele pareceu desapontado.

Hermia apressou-se em esclarecer que não o estava rejeitando por conta do seu defeito físico.

– Sou noiva – disse, mostrando-lhe o anel na mão esquerda.

– Não reparei.

– Os homens nunca reparam.

– Quem é o felizardo?

– Um piloto do Exército dinamarquês.

– Está por lá, imagino.

– Até onde eu sei, sim. Não tenho notícias dele há um ano.

As duas senhoras saíram e Digby mudou completamente. O rosto ficou sério e a voz, mesmo baixa, ganhou um tom de urgência:

– Dê uma olhada nisto aqui, por favor.

Ele tirou do bolso uma folha bem fina de papel e entregou-a a ela.

Hermia já vira folhas iguais àquela em Bletchley Park. Como esperava, era um sinal de rádio inimigo decifrado.

– Imagino que não preciso lhe dizer que isto é absolutamente secreto – lembrou Digby.

– Não precisa.

– Acredito que você fale alemão, além de dinamarquês.

Ela assentiu.

– Na Dinamarca, todas as crianças aprendem alemão, inglês e latim na escola.

Hermia estudou o documento por um instante.

– Informação de Freya?

– É o que nos intriga. Não é uma palavra alemã. Achei que podia ter algum significado em um dos idiomas escandinavos.

– Sim – disse ela. – Freya é uma deusa nórdica; na verdade, é a Vênus dos vikings, a deusa do amor.

– Ah! – exclamou Digby, pensativo. – Bem, já é alguma coisa, mas não nos leva muito longe.

– De que se trata?

– Estamos perdendo um número excessivo de aviões bombardeiros.

Hermia franziu a testa, preocupada.

– Li nos jornais a respeito da última grande incursão... Dizia que foi um grande sucesso.

Digby limitou-se a olhar para ela.

– Ah, eu entendo. Vocês não contam a verdade aos jornais.

Ele permaneceu em silêncio.

– Na realidade, toda a minha visão da campanha dos nossos bombardeiros não passa de fruto da propaganda do governo – prosseguiu ela. – Acontece que a campanha é um desastre completo.

Para espanto de Hermia, ele ainda assim não a contradisse.

– Pelo amor de Deus, quantas aeronaves nós perdemos?

– Cinquenta por cento.

– Céus! – Hermia desviou o olhar. Alguns daqueles pilotos tinham noivas, pensou. – Se isso continuar...

– Exatamente.

Ela olhou de novo para o pedaço de papel que ele trouxera.

– Freya é um espião?

– Meu trabalho é descobrir quem é Freya.

– O que eu posso fazer?

– Fale-me mais sobre essa deusa.

Hermia recorreu às suas lembranças. Aprendera sobre os mitos nórdicos na escola, mas isso fora há muito tempo.

– Freya usa um colar de ouro muito precioso. Foi dado a ela por quatro anões. Quem toma conta dele é o vigia dos deuses... Heimdal... acho que o nome do vigia é Heimdal.

– Um vigia. Faz sentido.

– Freya pode ser um espião com acesso às informações sobre incursões aéreas.

– Também pode ser uma máquina destinada a detectar as aeronaves que se aproximam, antes que sejam visíveis.

– Já ouvi dizer que temos máquinas assim, mas não tenho ideia de como funcionam.

– Há três modos possíveis: infravermelho, LIDAR e radar. Os aparelhos que funcionam à base de infravermelho detectam as ondas emitidas pelo calor do motor da aeronave, ou mesmo do escapamento. LIDAR é um sistema de pulsos óticos emitidos pelo aparelho de detecção e refletidos pela aeronave. Radar é a mesma coisa, mas com pulsações em frequência de rádio.

– Acabo de me lembrar de mais um detalhe. Heimdal é capaz de enxergar a 160 quilômetros de distância, de dia ou à noite.

– O que nos leva a pensar mais em uma máquina que em um espião.

– Foi o que pensei.

Digby terminou seu chá e se levantou.

– Se lhe ocorrer mais alguma ideia, você pode me dizer?

– Claro. Onde o encontro?

– Número 10 da Downing Street.

– Ah... – Ela ficou impressionada.

– Adeus.

– Adeus – disse Hermia, observando Digby enquanto ele se afastava.

Ela permaneceu sentada por mais um tempo. Tinha sido uma conversa interessante em mais de um aspecto. Digby Hoare era muito bem posicionado e o primeiro-ministro devia estar pessoalmente preocupado com a perda de bombardeiros. O uso do codinome Freya seria mera coincidência ou haveria mesmo uma conexão escandinava?

Gostara do convite feito por Digby. Mesmo que não estivesse interessada em sair com outro homem, era bom ser convidada.

Depois de algum tempo a visão do almoço não saboreado começou a incomodá-la. Levou a bandeja à mesa dos despejos e raspou o prato para dentro da lata de lixo. Em seguida foi ao toalete feminino.

Enquanto estava fechada no banheiro, ouviu um grupo de mocinhas entrar, tagarelando animadas. Estava a ponto de sair quando uma delas disse: "Aquele tal de Digby Hoare não perde tempo... trabalha realmente depressa."

Hermia ficou imóvel, a mão na maçaneta.

– Eu o vi atacando a Srta. Mount – disse uma voz mais velha. – Deve gostar de mulheres peitudas.

As outras deram risadinhas. Hermia irritou-se um pouco com a referência à sua figura generosa.

– Acho que ela deu o fora nele – disse a primeira garota.

– E você não daria? Não consigo me imaginar com um homem que tem uma perna de pau.

– Eu queria saber se ele tira a perna quando transa – disse uma terceira voz, com sotaque escocês, e todas riram.

Hermia já ouvira o bastante. Abriu a porta, saiu e disse:

– Se eu descobrir, informo a vocês.

Chocadas, as três garotas calaram a boca e Hermia foi embora antes que tivessem tempo para se recuperar.

Ela saiu da construção de madeira. O amplo gramado, com seus cedros e um lago para cisnes, tinha sido desfigurado pelas barracas erguidas apressadamente para acomodar as centenas de pessoas transferidas de Londres. Hermia atravessou o parque na direção da casa, uma bela mansão vitoriana revestida de tijolos vermelhos.

Passou pelo grande pórtico e dirigiu-se para sua sala, situada nas antigas dependências para criados, um espaço minúsculo em forma de L que provavelmente tinha sido um depósito de botas. Tinha uma janelinha alta demais para que se visse o lado de fora, portanto ela trabalhava de luz acesa o dia inteiro. Havia um telefone em cima da mesa e uma máquina de escrever na mesinha lateral. Seu predecessor tivera uma secretária, mas sempre se espera que as mulheres se encarreguem, elas mesmas, da própria datilografia. Em cima da mesa, Hermia encontrou um pacote vindo de Copenhague.

Depois que Hitler invadira a Polônia, ela lançara os alicerces de uma pequena rede de espionagem na Dinamarca. O líder dessa rede era Poul Kirke, amigo de seu noivo. Ele reunira um grupo de rapazes que acreditavam que seu pequeno país ia ser invadido pelo vizinho maior e que o único modo de lutar pela liberdade era cooperar com os ingleses. Poul declarara que o grupo, autodenominado Vigilantes Noturnos, não se dedicaria a sabotagens nem assassinatos, e sim ao fornecimento de informações militares à Inteligência britânica. Essa realização de Hermia – inédita em se tratando de uma mulher – a fizera ser promovida a chefe da seção da Dinamarca.

O pacote continha alguns frutos de sua visão sempre à frente dos acontecimentos. Havia um punhado de relatórios, já decodificados pelo pessoal que trabalhava na sala de cifras, sobre a disposição das forças alemãs na Dinamarca; as bases do Exército na ilha central de Fyn; o tráfego naval no Kattegat, o mar que separava a Dinamarca da Suécia; e os nomes dos oficiais alemães mais graduados baseados em Copenhague.

No pacote havia também um jornalzinho clandestino chamado *Realidade*. A imprensa clandestina era, até então, o único sinal de resistência aos nazistas na Dinamarca. Ela deu uma espiada e leu um artigo indignado com a falta de manteiga no país porque tudo era enviado para a Alemanha.

O pacote fora contrabandeado para fora da Dinamarca até um mensageiro na Suécia, que, por sua vez, o passara para o homem do MI6 na legação britânica em Estocolmo. Com o pacote viera ainda um bilhete do mensageiro dizendo que também havia entregado uma cópia do jornalzinho ao serviço telegráfico da Reuters. Hermia fez cara feia ao ler isso. À primeira vista parecia uma boa ideia divulgar notícias sobre as condições de vida na Dinamarca ocupada, mas ela não gostava que seus agentes misturassem espionagem com outro trabalho. O trabalho da Resistência podia atrair a atenção das autoridades para um espião que, de outra forma, talvez passasse despercebido anos a fio.

Ao voltar a atenção para os Vigilantes Noturnos, ela se lembrou com tristeza do noivo. Arne não pertencia ao grupo. Sua maneira de ser não combinava com a atividade clandestina. Ela o amava por sua despretensiosa alegria de viver. Ele a fazia relaxar, especialmente na cama. Mas um homem despreocupado, sem cabeça para detalhes de ordem prática, não era o tipo mais adequado para atuar como agente secreto. Em seus momentos de maior sinceridade, ela admitia para si própria que não tinha certeza se ele tinha a coragem necessária. Arne era um ás no esqui – eles tinham se conhecido em uma montanha norueguesa, onde ele era o único esquiador mais hábil que Hermia –, mas ela não sabia ao certo como ele reagiria aos terrores mais sutis das operações secretas.

Tinha pensado em enviar-lhe uma mensagem pelos Vigilantes Noturnos. Poul Kirke trabalhava na escola de pilotagem e, se Arne ainda estivesse por lá, os dois deveriam se ver de vez em quando. Seria vergonhosamente antiprofissional utilizar-se das redes de espionagem para uma comunicação pessoal, mas isso não a teria impedido. A tentativa logo seria conhecida, porque suas mensagens precisavam ser codificadas pelos especialistas, mas tampouco isso a deteria. O que a impediu foi o perigo que sua mensagem talvez representasse para Arne. Mensagens secretas sempre podiam cair nas mãos do inimigo. Os códigos usados pelo MI6 eram muito simples, resquícios do tempo de paz, e podiam ser decifrados facilmente. Se o nome de Arne aparecesse em uma mensagem da Inteligência britânica destinada aos espiões dinamarqueses, ele provavelmente perderia a vida. A pergunta que Hermia fizesse sobre ele podia transformar-se em uma sentença de morte. Assim, continuava trabalhando em seu depósito de botas, ardendo de ansiedade.

Redigiu uma mensagem para o intermediário sueco, dizendo-lhe para ficar de fora da propaganda de guerra e ater-se às funções de mensageiro. Em seguida datilografou um relatório para seu chefe com todas as informações militares recebidas no pacote, acrescentando cópias a carbono para outros departamentos.

Saiu às quatro da tarde. Tinha muito a fazer, e voltaria ao trabalho em duas horas, mas por ora tinha que se encontrar com a mãe para um chá.

Margaret Mount morava em uma casa pequena em Pimlico. Depois que o pai de Hermia morrera de câncer, com menos de 50 anos, sua mãe tinha passado a morar com uma amiga solteira do tempo de escola, Elizabeth. As duas chamavam-se uma à outra de Mags e Bets, apelidos da adolescência. Naquele dia tinham tomado um trem para vir inspecionar o quarto de Hermia.

Ela atravessou a aldeia em passo rápido até a rua onde alugava um quarto. Encontrou Mags e Bets na sala de visitas, conversando com a dona da casa, a Sra. Bevan. A mãe de Hermia estava usando seu uniforme de motorista de ambulância, com calça comprida e boné. Quanto a Bets, era uma mulher bonita, e usava um vestido de mangas curtas estampado com flores. Hermia abraçou a mãe e beijou Bets no rosto. Hermia e Bets nunca tinham sido muito íntimas, e Hermia às vezes achava que tinha ciúmes da forte ligação dela com sua mãe.

Hermia levou-as para cima. Bets olhou com certo desdém para o quartinho sem graça, com sua cama de solteiro, mas Margaret disse, com entusiasmo:

– Não é nada mau para tempos de guerra.

– Não passo muito tempo aqui – mentiu Hermia, que na verdade passava longas noites ali, lendo e ouvindo rádio.

Acendeu o gás para fazer chá e fatiou um bolo que tinha comprado para a ocasião.

– Você segue sem notícias de Arne, não é? – indagou a mãe.

– Isso. Escrevi para ele por intermédio da legação britânica em Estocolmo e eles reenviaram a carta, mas não tive resposta. Portanto, não sei se ele a recebeu.

– Que pena.

– Eu gostaria de tê-lo conhecido – disse Bets. – Como ele é?

Apaixonar-se por Arne tinha sido meio parecido com descer uma encosta de esqui, pensou Hermia: é preciso um empurrãozinho para começar a descida, logo vem um súbito aumento de velocidade e aí, antes que a pessoa esteja pronta, a sensação fantástica de voar pista abaixo numa rapidez alucinante, sem chance de frear. Mas como explicar isso?

– Ele parece um artista de cinema, é um atleta maravilhoso e tem o encanto de um irlandês, mas não é só isso – disse Hermia. – É muito fácil estar ao seu lado. O que quer que aconteça, ele se limita a rir. Às vezes fico furiosa, embora nunca com ele, e Arne sorri e jura que não existe ninguém como eu. Meu Deus, como sinto falta dele. – Ela teve que lutar com as lágrimas.

– Muitos homens amaram você com paixão – disse sua mãe abruptamente –, mas não foram muitos os que conseguiram aguentar o seu jeito. – O estilo de conversar de Mags era tão direto e sem adornos quanto o da filha. – Você deveria ter pregado os pés dele no chão quando teve a oportunidade.

Hermia mudou de assunto e perguntou a elas sobre a blitz. Bets se protegia durante os ataques aéreos embaixo da mesa da cozinha, mas Mags dirigia sua ambulância em meio às bombas. A mãe de Hermia sempre fora uma mulher formidável, um tanto direta demais e sem tato para uma esposa de diplomata, mas a guerra despertara sua força e sua coragem, da mesma forma que o Serviço Secreto subitamente desprovido de homens permitira a Hermia florescer.

– A Luftwaffe não pode manter esse ritmo indefinidamente – disse Mags. – Eles não têm um suprimento interminável de aviões e pilotos. Se nossos aviões continuarem bombardeando a indústria alemã, vão acabar produzindo algum efeito.

– Enquanto isso, as mulheres e as crianças alemãs inocentes sofrem tanto quanto nós.

– Eu sei, mas guerra é assim mesmo.

Hermia relembrou a conversa que tivera com Digby Hoare. Pessoas como Mags e Bets imaginavam que a campanha da aviação britânica estava minando o poderio bélico nazista. Ainda bem que nem desconfiavam de que a metade dos bombardeiros tinha sido abatida. Se o povo soubesse da verdade, poderia desistir.

Mags começou a contar uma longa história a respeito do resgate de um cachorro de um edifício em chamas e Hermia ouviu com um ouvido só, enquanto pensava em Digby. Se Freya fosse uma máquina e os alemães a estivessem usando para defender seu território, era bem possível que estivesse na Dinamarca. Havia alguma coisa que pudesse fazer para investigar? Digby dissera que a máquina podia emitir alguma espécie de raios – pulsos óticos ou ondas de rádio. Tais emissões deviam ser detectáveis. Talvez seus Vigilantes Noturnos pudessem fazer algo.

Começou a se entusiasmar com a ideia. Podia mandar uma mensagem para eles. Mas antes precisava de mais informações. Começaria a trabalhar naquela noite mesmo, decidiu, assim que Mags e Bets tomassem o trem de volta.

Começou a sentir-se impaciente para que fossem embora.

– Mais bolo, mamãe? – perguntou.

CAPÍTULO TRÊS

A JANSBORG SKOLE TINHA 300 anos e se orgulhava disso.

Originalmente a escola consistia em uma igreja e uma casa onde os meninos comiam, dormiam e estudavam. Agora era um complexo de edifícios novos e velhos de tijolos vermelhos. A biblioteca, que já fora a melhor da Dinamarca, ficava em um prédio à parte tão grande quanto a igreja. Havia laboratórios de ciências, dormitórios modernos, uma enfermaria e um ginásio instalado em um celeiro convertido.

Harald Olufsen, vindo do refeitório, encaminhava-se para o ginásio. Era meio-dia e todos já tinham almoçado: um sanduíche aberto montado pelos garotos, com picles e carne de porco fria, a mesma refeição servida todas as quartas-feiras nos sete anos em que Harald estudava ali.

Ele estava pensando na idiotice que era sentir orgulho pelo fato de o estabelecimento ser antigo. Quando os professores falavam reverentemente da história da escola, ele se lembrava das mulheres dos velhos pescadores de Sande que gostavam de dizer com um sorriso tímido e certo orgulho: "Já estou com mais de 70 anos."

Quando passou pela casa do diretor da escola, a esposa dele saiu e sorriu para Harald.

– Bom dia, Mia – cumprimentou ele polidamente.

O diretor era chamado sempre de Heis, a palavra do grego clássico para número um, e sua esposa era Mia, o feminino de Heis. As aulas de grego tinham acabado havia cinco anos, mas as tradições persistiam.

– Alguma notícia, Harald? – perguntou ela.

Harald tinha um rádio feito em casa que pegava a BBC.

– Os rebeldes iraquianos foram derrotados – disse ele. – Os ingleses entraram em Bagdá.

– Uma vitória britânica – disse ela. – Já é uma mudança.

Mia era uma mulher simples, com rosto feio e cabelos castanhos sem vida, sempre com roupas disformes, mas, por ser uma das duas únicas mulheres da escola, os rapazes viviam especulando como seria nua. Harald gostaria de saber se algum dia seria obcecado por sexo. Teoricamente, ele acreditava que, depois de dormir com a esposa por anos a fio, um homem acabava se acostumando e até mesmo se entediando, só que ele não conseguia imaginar isso.

Deveria ter em seguida uma aula de duas horas de matemática, mas naquele dia tinham um visitante. Era Svend Agger, um ex-aluno que agora representava sua cidade natal no Rigsdag, o Parlamento da Dinamarca. Toda a escola iria ouvi-lo no ginásio, o único local grande o bastante para acomodar os 120 alunos. Harald teria preferido a aula de matemática.

Não conseguia se lembrar do momento preciso em que as atividades escolares passaram a ser interessantes. Quando pequeno, considerara cada aula um irritante desvio de ações muito mais importantes, como represar riachos e construir casas em árvores. Lá pelos 14 anos, quase sem perceber, começara a achar física e química mais interessantes do que brincar na floresta. Ficara entusiasmadíssimo ao descobrir que o inventor da física quântica tinha sido um dinamarquês, Niels Bohr. A interpretação dele da tabela periódica dos elementos, explicando as reações químicas pela estrutura atômica dos elementos envolvidos, pareceu a Harald algo como uma revelação divina, uma explicação fundamental e profundamente satisfatória do universo e de sua constituição. Ele cultuara Bohr do mesmo modo como os outros garotos adoravam Kaj Hansen – o "Pequeno Kaj" –, herói do futebol que jogava como atacante no time conhecido como B93 København. Harald candidatara-se a estudar física na Universidade de Copenhague, onde Bohr era diretor do Instituto de Física Teórica.

Educação custava dinheiro. Por sorte, o avô de Harald, vendo o próprio filho seguir uma profissão que o manteria pobre pelo resto da vida, assegurara os estudos dos netos. Seu legado custeara a Jansborg Skole para os dois irmãos, Arne e Harald, e financiaria também a universidade de Harald.

Ele entrou no ginásio. Os garotos mais jovens tinham arrumado bancos em fileiras meticulosamente dispostas. Harald sentou-se atrás, ao lado de Josef Duchwitz. Josef era muito pequeno e, considerando que seu sobrenome equivalia à palavra "pato", recebera o apelido de Anaticula, a palavra latina para "patinho". Com o passar dos anos, o apelido encolhera para Tik. Os dois garotos eram de origens completamente diferentes – Tik nascera em uma rica família judia – e mesmo assim foram amigos íntimos durante todo o tempo de escola.

Pouco tempo depois, Mads Kirke veio sentar-se ao lado de Harald. Mads estava na mesma série que ele. Vinha de uma destacada família de militares: o avô fora general e o pai, já falecido, ministro da Defesa nos anos 1930. Seu primo, Poul, era piloto, juntamente com Arne, na escola de aviação.

Os três amigos eram estudantes de ciências. Vistos normalmente juntos, eram comicamente diferentes – Harald, alto e louro; Tik, baixo e moreno; Mads, ruivo e sardento –, portanto, quando um arguto professor de inglês se referiu a eles como "os três patetas", o apelido pegou.

Heis, o diretor, entrou acompanhando o visitante e os alunos se levantaram educadamente. Heis era alto e magro, com os óculos encarapitados no nariz bicudo. Servira dez anos no Exército, mas era fácil perceber por que se tornara professor. Um homem de maneiras conciliatórias, ele parecia estar constantemente a desculpar-se por ser obrigado a exercer sua autoridade. Era mais amado que temido. Os garotos lhe obedeciam porque não queriam ferir seus sentimentos.

Quando todos se sentaram novamente, Heis apresentou o parlamentar, um homenzinho tão apagado que qualquer um imaginaria que fosse um professor pré-escolar e Heis, o distinto visitante. Agger começou a falar sobre a ocupação alemã.

Harald lembrava-se do dia em que ela começara, catorze meses antes. Acordara no meio da noite com o ronco dos motores dos aviões bem em cima da escola. Os três patetas subiram para o telhado do dormitório a fim de observar os acontecimentos, mas, depois que uns dez aviões passaram e nada mais aconteceu, eles voltaram para a cama.

Ele não soube de mais nada até o dia amanhecer. Estava escovando os dentes no banheiro comunitário quando um professor entrou correndo e disse: "Os alemães aterrissaram!" Depois do café da manhã, às oito horas, quando se reuniam no ginásio para a canção matinal e os avisos, o diretor dera a notícia. "Vão para seus quartos e destruam qualquer coisa que possa indicar oposição aos nazistas ou simpatia pelos ingleses", disse ele. Harald tirara da parede seu pôster favorito, a foto do biplano Tiger Moth com os distintivos redondos da RAF nas asas.

Algum tempo depois naquele mesmo dia – uma terça-feira –, os garotos mais velhos tinham sido designados para encher sacos de areia e carregá-los para a igreja, a fim de cobrir os inestimáveis trabalhos de entalhe e sarcófagos antigos. Atrás do altar ficava o túmulo do fundador da escola, com sua estátua em pedra, deitada, vestindo uma armadura medieval em que a área da genitália chamava a atenção por ser muito grande. Harald fez com que todo mundo risse muito ao colocar um saco de areia em cima daquela protuberância. Heis não gostou da brincadeira e a punição de Harald foi passar a tarde transferindo as pinturas para a cripta, onde ficariam mais seguras.

Todas as precauções foram desnecessárias. A escola ficava em uma aldeia e passou-se um ano para que vissem o primeiro alemão. Nunca houve bombardeio ou mesmo tiros de armas comuns.

A Dinamarca tinha se rendido em 24 horas.

– Os eventos subsequentes demonstraram a sabedoria dessa decisão – disse o orador com irritante presunção. Houve um sussurro de discordância entre os garotos, que se remexeram desconfortavelmente nas cadeiras. – Nosso rei continua no trono – prosseguiu Agger.

Ao lado de Harald, Mads grunhiu, enojado. Harald compartilhava do aborrecimento do amigo. O rei Cristiano X andava a cavalo quase todos os dias, mostrando-se para o povo nas ruas de Copenhague, no que parecia ser um gesto vazio.

– A presença alemã tem sido de modo geral benigna – continuou o orador. – A Dinamarca provou que a perda parcial da independência, devido às exigências da guerra, não conduz obrigatoriamente a privações e lutas. A lição para rapazes como vocês é a de que pode haver mais honra na submissão do que numa rebelião insensata. – Com estas palavras, ele sentou-se.

Heis bateu palmas polidamente e os alunos o imitaram, sem o menor entusiasmo. Se o diretor tivesse captado o estado de espírito da plateia, teria encerrado a sessão naquela hora. Mas, ao contrário, sorriu e perguntou:

– Bem, rapazes, alguma pergunta para o nosso convidado?

Mads pôs-se em pé num instante.

– Senhor, a Noruega foi invadida no mesmo dia que a Dinamarca, mas os noruegueses lutaram por dois meses. Isso não faz de nós uns covardes?

Seu tom de voz era meticulosamente educado, mas a pergunta era desafiadora e houve um burburinho de concordância dos garotos.

– Um ponto de vista ingênuo – disse Agger.

Seu tom de desdém enfureceu Harald.

Heis interveio:

– A Noruega é uma terra de montanhas e fiordes, difícil de conquistar – disse, apelando para sua sabedoria militar. – A Dinamarca é uma terra plana, com um bom sistema rodoviário, impossível de defender contra um grande exército motorizado.

– Resistir – acrescentou Agger – teria causado um desnecessário derramamento de sangue e o resultado final não teria sido diferente.

– Exceto pelo fato de que poderíamos andar com a cabeça erguida, em vez de olhando para o chão, envergonhados – retorquiu Mads.

Harald imaginou que Mads talvez tivesse ouvido aquilo em casa, de seus parentes militares.

Agger ficou ruborizado.

– A melhor parte da coragem é a prudência, como Shakespeare escreveu.

– Na verdade, senhor – retrucou Mads –, isso foi dito por Falstaff, o covarde mais famoso da literatura mundial.

Os garotos riram e bateram palmas.

– Ora, ora, Kirke – disse Heis, em tom conciliatório –, sei que você tem fortes convicções a esse respeito, mas não há necessidade de ser indelicado.

Ele olhou em torno e apontou para um dos garotos menores.

– Sim, Borr...

– O senhor não acha que a filosofia de Herr Hitler de orgulho nacional e pureza racial poderia ser benéfica se adotada aqui na Dinamarca?

Woldemar Borr era filho de um proeminente nazista dinamarquês.

– Alguns de seus elementos, talvez – respondeu Agger. – Mas a Alemanha e a Dinamarca são países diferentes.

Aquilo era pura e simples má-fé, pensou Harald, furioso. Será que aquele sujeito não tinha coragem para dizer que perseguição racial era errado?

– Será que nenhum de vocês – disse Heis, em tom queixoso – gostaria, talvez, de fazer uma pergunta ao Sr. Agger sobre seu trabalho diário como membro do Rigsdag?

Tik se levantou. O tom de autossatisfação de Agger também o irritara.

– O senhor não se sente um fantoche? – perguntou. – Afinal de contas, são os alemães que realmente nos governam. O senhor apenas finge estar no comando.

– O país continua a ser governado pelo nosso Parlamento – replicou Agger.

– Sim, para que o senhor conserve seu emprego – resmungou Tik.

Os garotos próximos a ele ouviram e riram.

– Os partidos políticos continuam a existir... inclusive os comunistas – prosseguiu Agger. – Temos a nossa própria polícia, as nossas Forças Armadas.

– Mas, no minuto em que o Rigsdag fizer algo que os alemães desaprovam, será fechado e a polícia e os militares serão desarmados – retrucou Tik. – Assim sendo, o que o senhor está fazendo não passa de uma farsa.

Heis começou a se aborrecer.

– Olhe os modos, Duchwitz, por favor – disse, impaciente.

– Não tem problema, Heis – interveio Agger. – Gosto de uma discussão animada. Se Duchwitz pensa que nosso Parlamento é inútil, devia comparar a nossa situação com as circunstâncias que se apresentam na França. Por causa da nossa política de cooperação com os alemães, a vida é muito melhor para o dinamarquês comum do que poderia ser.

Harald já ouvira o bastante. Levantou-se e falou sem esperar a permissão de Heis:

– E se os nazistas vierem prender Duchwitz? O senhor continuará aconselhando uma cooperação amistosa?

– E por que eles haveriam de prender o Sr. Duchwitz?

– Pelo mesmo motivo que prenderam meu tio em Hamburgo: por ser judeu.

Alguns dos garotos se viraram, interessados. Provavelmente não tinham percebido que Tik era judeu. A família Duchwitz não era religiosa e Tik comparecia aos cultos na antiga igreja de tijolos vermelhos como todos os demais.

Agger se mostrou irritado pela primeira vez:

– As forças de ocupação demonstraram absoluta tolerância para com os judeus dinamarqueses.

– Até agora. Mas e se mudarem de ideia? Suponha que decidam que Tik é tão judeu quanto meu tio Joachim. Aí, qual será seu conselho para nós? Deveremos ficar quietos enquanto eles entram aqui marchando e o prendem? Ou devemos organizar agora um movimento de resistência e nos preparar para esse dia?

– O melhor plano que você pode formular é assegurar-se de que nunca terá que se defrontar com uma decisão dessas, o que será possível se apoiar a política de cooperação.

A resposta evasiva enfureceu Harald.

– Mas e se não funcionar? – persistiu. – Por que o senhor não responde à pergunta? O que faremos se os nazistas vierem buscar nossos amigos?

Heis interveio:

– Você está fazendo o que se chama de uma pergunta hipotética, Olufsen. Na vida pública, os homens não gostam de enfrentar os problemas antes da hora.

– A questão é até que ponto vai a política de cooperação dele – retrucou Harald acaloradamente. – E não haverá tempo para debate quando baterem na nossa porta no meio da noite, Heis.

Por um momento, Heis deu a impressão de que ia repreender Harald por sua rudeza, mas por fim respondeu de forma amena:

– Você levantou uma questão muito interessante e o Sr. Agger a respondeu por completo. Agora, acho que tivemos uma boa discussão e já está na hora de voltar às aulas. Mas, antes, vamos agradecer ao nosso convidado por ter cedido um pouco de tempo de sua vida atribulada para nos visitar.

Ele levantou as mãos para puxar uma salva de palmas.

Harald o interrompeu gritando:

– Faça com que ele responda! Devemos ter um movimento de resistência ou permitir que os nazistas façam o que bem entenderem? Pelo amor de Deus, que aulas podem ser mais importantes do que isso?

O ginásio ficou quieto. Discutir com os professores era permitido, dentro do razoável, mas Harald passara dos limites e partira para o confronto.

– Acho que é melhor você sair – disse Heis. – Se retire agora e eu o verei depois.

Aquela atitude deixou Harald furioso. Fervendo de frustração, ele se levantou. O ginásio permaneceu em silêncio enquanto todos os garotos observavam Harald dirigir-se para a porta. Ele sabia que devia sair calado, mas não conseguiu se controlar. Virou-se da porta e apontou um dedo acusador para Heis.

– O senhor não seria capaz de dizer à Gestapo para se retirar deste maldito ginásio! – exclamou.

Em seguida saiu e bateu a porta.

CAPÍTULO QUATRO

O RELÓGIO DESPERTADOR DE Peter Flemming disparou às cinco e meia da manhã. Ele o desligou, acendeu a luz e sentou-se na cama. Inge estava deitada de costas, os olhos abertos e fixos no teto, inexpressivos como os de um cadáver.

Ele entrou na minúscula cozinha do apartamento em Copenhague e ligou o rádio. Um repórter dinamarquês lia uma baboseira sentimental escrita pelos alemães sobre o almirante Lutjens, morto no afundamento do *Bismarck* dez dias antes. Pôs uma panelinha com aveia e leite para fazer mingau e arrumou uma bandeja. Passou manteiga em uma fatia de pão de centeio e preparou uma imitação de café, que substituía o café de verdade, absolutamente impossível de se obter naqueles dias. Sentia-se otimista e, após um momento, lembrou o motivo. Na véspera tinha havido uma evolução no caso em que estava trabalhando.

Peter era detetive-inspetor na unidade de segurança, uma seção do departamento de investigação criminal da cidade de Copenhague, cujo trabalho era acompanhar as atividades dos organizadores de sindicatos, comunistas, estrangeiros e outros potenciais arruaceiros. O chefe do departamento e seu superior imediato, o superintendente Frederik Juel, era inteligente, mas preguiçoso. Educado na famosa Jansborg Skole, Juel gostava do provérbio latino *Quieta non movere*: não mexer no que está quieto. Descendia de um herói da história naval dinamarquesa, mas o espírito bélico fora eliminado da sua natureza havia muito tempo.

Nos últimos catorze meses o trabalho deles tinha aumentado, já que o departamento passara a ter de observar também os opositores dos alemães.

Até então o único sinal visível de resistência havia sido a circulação de jornais clandestinos como o *Realidade*, aquele que o menino Olufsen deixara cair. Juel acreditava que jornais clandestinos eram inofensivos, ou mesmo benéficos, por servirem de válvula de escape, e se recusara a perseguir os editores. Essa atitude enfureceu Peter. Deixar criminosos à solta, permitindo que continuassem a violar a lei, parecia-lhe pura maluquice.

Os alemães na verdade não gostavam da atitude *laissez-faire* de Juel, mas até então não haviam encarado diretamente essa questão. A ligação do superintendente com a força de ocupação dos alemães era feita pelo general

Walter Braun, um oficial de carreira que perdera um pulmão na Batalha da França. O objetivo de Braun era manter a Dinamarca tranquila a qualquer custo. Não passaria por cima das decisões de Juel a menos que fosse forçado a fazê-lo.

Peter soubera recentemente que o *Realidade* estava sendo contrabandeado para a Suécia. Até o momento fora obrigado a não se meter, submetendo-se à regra adotada pelo chefe. No entanto, esperava agora que a complacência de Juel fosse abalada pela notícia de que o jornalzinho estava saindo do país. Na noite anterior, um detetive sueco que era amigo pessoal de Peter telefonara para dizer que, ao que tudo indicava, o jornal clandestino seria transportado em um voo da Lufthansa de Berlim para Estocolmo que fazia escala em Copenhague. Isso explicava a animação de Peter quando acordou. Ele podia estar próximo de um triunfo.

Quando a aveia estava cozida, acrescentou mais um pouco de leite e açúcar e levou a bandeja para o quarto. Ajudou Inge a se sentar. Experimentou o mingau para se assegurar de que não estava quente demais e depois começou a alimentá-la com uma colher.

Há um ano, pouco antes do racionamento do consumo de gasolina, Peter e Inge tinham ido à praia e um rapaz, dirigindo um carro esporte novo, bateu no carro deles. Peter quebrou ambas as pernas e se recuperou rapidamente. Inge teve o crânio esmagado e nunca mais seria a mesma.

O outro motorista, Finn Jonk, filho de um professor universitário muito conhecido, foi lançado do carro e caiu em um arbusto, ileso.

Ele não tinha carteira de motorista – cassada pela Justiça por conta de um acidente anterior – e estava bêbado. Mas a família Jonk contratou um advogado de primeira linha que conseguiu adiar o julgamento por um ano e Finn ainda não tinha, portanto, sido punido por destruir o cérebro de Inge. A tragédia pessoal de Inge e Peter foi também um exemplo de como os crimes podem ficar impunes na sociedade moderna. Apesar de tudo que se podia dizer contra os nazistas, eles eram gratificantemente duros com criminosos.

Depois que Inge comeu, Peter levou-a ao banheiro e deu banho nela. Ela sempre fora extremamente limpa e arrumada, e amava ser assim. Em especial, era limpa no tocante ao sexo, lavava-se sempre cuidadosamente depois – algo que ele apreciava. Nem todas as garotas eram assim. Uma mulher com quem dormira, uma cantora de boate que conhecera durante um ataque aéreo e com quem tivera um breve caso, reclamara dele por lavar-se depois do sexo, dizendo que não era romântico.

Inge não apresentava reações quando ele a banhava. Peter tinha aprendido a ser igualmente impassível, inclusive quando tocava nas partes mais íntimas do seu corpo. Secou sua pele delicada com uma toalha grande e depois a vestiu. A parte mais difícil era calçar as meias. Ele enrolava toda a meia, começava a desenrolá-la pelos dedos dos pés, depois ia subindo – pé, calcanhar, tornozelo, perna e joelho – até finalmente prender a parte de cima nas presilhas da cinta. Quando começara a fazer aquilo, puxava um fio todas as vezes, mas era um homem persistente e sabia ser paciente quando cismava em fazer algo. Em pouco tempo tornara-se um perito.

Vestiu-a com um alegre vestido de algodão amarelo, depois acrescentou um relógio dourado e uma pulseira. Inge não era capaz de ver as horas, mas às vezes ele achava que ela quase sorria ao ver o brilho das joias nos pulsos.

Quando ele terminou de escovar seu cabelo, os dois se olharam no espelho. Ela era loura, bonita, e antes do acidente tinha um sorriso coquete e um jeito recatado de bater os cílios. Agora era inexpressiva.

Na visita de Pentecostes à ilha de Sande, o pai de Peter tentara persuadi-lo a internar Inge em uma casa de saúde particular. Peter não poderia arcar com a despesa, mas Axel, seu pai, estava disposto a pagar. Disse que queria que o filho ficasse livre, embora na verdade estivesse desesperado para ganhar um neto que levasse seu nome. Peter, contudo, achava que seu dever era cuidar da mulher. E, para ele, o dever era a mais importante das obrigações de um homem. Não se respeitaria se fugisse daquela missão.

Levou Inge para a sala e sentou-a perto da janela. Deixou o rádio em volume baixo tocando música e voltou para o banheiro.

O rosto refletido no espelho enquanto fazia a barba era regular e bem-proporcionado. Inge costumava dizer que ele parecia um artista de cinema. Desde o acidente notara o surgimento de fios brancos na barba ruiva e havia rugas de cansaço em torno dos olhos castanho-claros. Mas havia um jeito orgulhoso na maneira como sustentava a cabeça e uma inalterável moralidade na linha reta de seus lábios.

Depois de fazer a barba, deu o nó na gravata e prendeu o coldre com sua pistola de serviço Walther 7.65mm, na versão menor, de sete tiros, designada "PPK", usada por detetives. Em seguida, foi para a cozinha, onde comeu três fatias de pão seco, economizando a manteiga escassa para Inge.

A enfermeira devia chegar às oito horas.

Entre oito e oito e cinco, o estado de espírito de Peter modificou-se. Começou a andar de um lado para outro no pequeno corredor do apartamento. Acendeu um cigarro, que logo apagou, impaciente. De segundo em segundo consultava o relógio de pulso.

Entre oito e cinco e oito e dez, ficou furioso. Já não tinha problemas suficientes? Além de cuidar da mulher paralisada, tinha que dar conta de um emprego muito exigente e de enorme responsabilidade como detetive. A enfermeira não tinha o direito de deixá-lo na mão.

Quando ela tocou a campainha, às oito e quinze, ele escancarou a porta e gritou:

– Como se atreve a chegar atrasada?

A enfermeira era uma garota gordinha de 19 anos, com um uniforme cuidadosamente passado, o cabelo meticulosamente preso sob a touca de enfermeira, o rosto redondo com um leve toque de maquiagem. Ficou chocada com a raiva de Peter.

– Desculpe – disse.

Peter afastou-se um pouco para que entrasse. Sentiu uma forte tentação de dar-lhe uns tapas e, obviamente, ciente disso, ela passou por ele, nervosa, o mais depressa que pôde.

Peter seguiu-a até a sala.

– Você teve tempo para se pentear e se pintar – disse, furioso.

– Já pedi desculpas.

– Não percebe que tenho um emprego muito exigente? Você não tem nada mais importante na cabeça do que passear com os rapazes nos Jardins do Tivoli e mesmo assim não consegue chegar ao trabalho na hora certa!

Ela olhou, nervosa, para a arma no coldre de Peter, como se receasse que ele fosse atirar nela.

– O ônibus atrasou – disse, com voz trêmula.

– Pegue um ônibus mais cedo, sua vaca preguiçosa!

– Oh! – Ela deu a impressão de que ia chorar.

Peter virou-se, lutando contra o desejo de esbofeteá-la. Se ela fosse embora, ele se veria às voltas com um problema pior. Vestiu o paletó e se dirigiu para a porta.

– Nunca mais chegue atrasada! – berrou. E saiu.

Uma vez na rua, pulou em um bonde que ia para o centro da cidade. Acendeu um cigarro e fumou em rápidas baforadas, tentando se acalmar, mas ainda estava furioso quando saltou diante do Politigaarden, o quartel-general ousadamente moderno da polícia. A visão do prédio, contudo, o tranquilizou: era baixo e largo e transmitia uma impressão de força. O mármore branquíssimo que o revestia remetia à pureza, e as fileiras de janelas idênticas simbolizavam a ordem e a previsibilidade da Justiça. Ele passou pelo vestíbulo sombrio. Escondida no centro do edifício, havia uma grande área aberta, circular, com um anel de pilastras duplas marcando um passadiço abrigado, como o claustro de um mosteiro. Peter cruzou essa área e entrou na sua seção.

Foi saudado pela detetive Tilde Jespersen, uma das poucas mulheres que integravam a força policial de Copenhague. Viúva de policial, Tilde era jovem, esperta e durona, como qualquer um de seus colegas do departamento. Peter frequentemente a requisitava para serviços de vigilância, papel em que uma mulher costumava gerar menos suspeitas. Era bastante atraente, de olhos azuis, cabelo louro ondulado e um corpo pequeno e cheio de curvas que as outras mulheres chamariam de gordo demais e os homens consideravam exatamente no ponto.

– O ônibus atrasou? – perguntou ela, mostrando-se solidária.

– Não. A enfermeira de Inge apareceu um quarto de hora atrasada. Uma cabeça de vento.

– Que coisa...

– Alguma coisa acontecendo?

– Receio que sim. O general Braun está com Juel. Queriam vê-lo assim que você chegasse.

Que falta de sorte, uma visita do general Braun justo no dia em que Peter estava atrasado.

– Maldita enfermeira! – resmungou, dirigindo-se para a sala do chefe.

O porte aprumado e os olhos azuis penetrantes de Juel faziam jus a seu ancestral homônimo da Marinha. Falou em alemão como uma cortesia a Braun. Todos os dinamarqueses educados sabiam se fazer entender em alemão, assim como em inglês.

– Por onde andava, Flemming? – disse a Peter. – Estávamos esperando.

– Peço-lhe desculpas – respondeu Peter, igualmente em alemão.

Não deu o motivo do seu atraso. Desculpas eram uma coisa indigna.

O general Braun tinha seus 40 anos. Provavelmente fora um homem bonito, só que a mesma explosão que destruíra seu pulmão levara-lhe também parte da mandíbula, deformando o lado direito de seu rosto. Talvez por causa da sua aparência, ele sempre usava um uniforme de campanha completo, com botas de cano alto e uma pistola no coldre preso ao cinto.

Seu modo de falar era cortês e ponderado. A voz era quase um sussurro.

– Dê uma olhada nisto aqui, por favor, inspetor Flemming – disse.

Ele espalhou diversos jornais em cima da mesa, todos dobrados de forma a exibir uma determinada matéria. Peter viu que era a mesma história em todos os jornais: uma reportagem sobre a falta de manteiga na Dinamarca, acusando os alemães de serem responsáveis, por ficarem com toda a produção. Os jornais eram o *Toronto Globe and Mail*, o *Washington Post* e o *Los Angeles Times*. Também em cima da mesa estava o jornal clandestino dinamarquês *Realidade*, mal impresso e com aparência amadorística, ao lado das publicações legítimas, mas contendo a história original que os demais tinham copiado. Um pequeno triunfo da propaganda.

– Nós conhecemos a maioria das pessoas que produzem esses jornais caseiros – disse Juel.

Ele falou num tom de autoconfiança indiferente que irritou Peter. Pelo jeito, parecia até que não era ele quem estava ali, e sim seu famoso ancestral, o almirante que derrotara a Marinha sueca na batalha da baía de Koge.

– Podemos prender todos, claro. Mas prefiro deixá-los em paz e ficar de olho neles. Aí, se fizerem alguma coisa grave, como dinamitar uma ponte, saberemos quem prender.

Peter achava que isso era estupidez. Eles deviam ser presos imediatamente, para não chegarem a dinamitar pontes. Mas, como já discutira isso com Juel, cerrou os dentes e nada disse.

– Isso podia ser aceitável – disse Braun – enquanto as atividades deles estavam confinadas à Dinamarca. Mas essa história se espalhou pelo mundo todo! Berlim está furiosa. E a última coisa de que precisamos aqui são restrições. Aí teremos a maldita Gestapo desfilando por toda a cidade com as suas botas de cano alto, criando problemas e prendendo um monte de gente. Deus sabe como isso terminaria!

Peter sentiu-se gratificado. A notícia do *Realidade* estava produzindo o efeito que ele desejava.

– Já estou trabalhando nisso – disse. – Todos esses jornais americanos receberam a notícia do serviço telegráfico da Reuters, que a recebeu em Estocolmo. Acredito que o *Realidade* esteja sendo contrabandeado para fora do país.

– Bom trabalho! – aplaudiu Braun.

Peter olhou de relance para Juel, que parecia zangado. Pois que ficasse. Peter era melhor detetive que seu chefe e episódios como aquele comprovavam isso. Dois anos antes, quando o cargo de chefe da unidade de segurança vagara, Peter se candidatara, mas Juel fora escolhido. Peter era um pouco mais jovem, mas tinha um currículo com maior número de casos resolvidos a seu favor. Juel, no entanto, integrava uma elite metropolitana presunçosa que frequentara as mesmas escolas e – Peter tinha certeza – conspirava para conservar os melhores cargos e impedir o acesso de gente de fora, mesmo que talentosa.

– Mas como é que o jornal foi contrabandeado? – indagou Juel. – Todos os pacotes são inspecionados pelos censores.

Peter hesitou. Preferia confirmar o que sabia antes de revelar suas suspeitas. A informação que viera da Suécia podia estar errada. Mas Braun estava diante dele, tão impaciente que lembrava um cavalo escavando a terra e bufando. Não era hora de desconversar.

– Recebi uma pista – disse ele. – Ontem à noite falei com um detetive sueco amigo meu que trabalha em Estocolmo e que andou fazendo algumas perguntas discretas no escritório da agência telegráfica. Ele acha que o jornal sai naquele voo de Berlim para Estocolmo com escala aqui.

Braun concordou, assentindo animadamente.

– Quer dizer então que, se revistarmos cada passageiro que entrar no avião aqui em Copenhague, deveremos encontrar a última edição?

– Sim.

– Tem esse voo hoje?

O coração de Peter ficou apertado. Não era assim que ele trabalhava. Preferia verificar a informação antes de sair em diligência. Mas ficou feliz com a atitude agressiva de Braun – um agradável contraste com a indolência e a precaução costumeiras de Juel. De qualquer modo, não podia interromper a avalanche desencadeada pela ansiedade de Braun.

– Sai em poucas horas – respondeu, ocultando seus receios.

– Então vamos andando!

A pressa podia arruinar tudo. Peter não podia deixar que Braun assumisse a operação.

– Posso apresentar uma sugestão, general?

– Naturalmente.

– Temos que agir discretamente, para não chamarmos a atenção do nosso suspeito. Vamos montar uma equipe de detetives e oficiais alemães, mas a conservamos aqui no QG até o último minuto. Deixamos os passageiros se reunirem para embarcar, antes de aparecermos. Vou sozinho ao aeroporto de Kastrup para providenciar discretamente o que for preciso. Depois que os passageiros tiverem entregado a bagagem, que o avião aterrissar e for reabastecido, e que todos estiverem prontos para embarcar, será tarde demais para alguém fugir despercebido. Aí poderemos dar o bote.

Braun sorriu com ar de quem tinha percebido o alcance do plano de Peter.

– Você está com medo de que um monte de alemães juntos denuncie a jogada.

– Em absoluto, senhor – contestou Peter com a maior cara de pau. Quando os alemães faziam graça deles mesmos, não era aconselhável engrossar o coro. – Será importante que o senhor e seus homens nos acompanhem, para o caso de haver necessidade de interrogar cidadãos alemães.

Braun fechou a cara ao ver seu sarcasmo ser rejeitado.

– Exatamente – disse, encaminhando-se para a porta. – Telefone para o meu escritório quando a sua equipe estiver pronta para sair.

Peter sentiu-se aliviado. Pelo menos tinha recuperado o controle. Sua única preocupação era que o entusiasmo de Braun pudesse forçá-lo a agir cedo demais.

– Parabéns por ter rastreado a rota do contrabando – disse Juel de forma condescendente. – Bom trabalho de detetive. Mas teria sido mais diplomático falar comigo antes de contar para Braun.

– Sinto muito, senhor – disse Peter.

Na verdade, não teria sido possível: Juel já tinha ido para casa quando o detetive sueco telefonou na noite anterior. Mas Peter não deu a explicação.

– Está certo – disse Juel. – Monte uma equipe e mande que se apresente a mim para que eu dê as instruções. Depois vá para o aeroporto e me telefone quando os passageiros estiverem prontos para embarcar.

Peter se retirou da sala de Juel e retornou para a mesa de Tilde no escritório principal. Ela vestia casaquinho, blusa e saia em diferentes tons de azul-claro, como uma garota em uma pintura francesa.

– Como foi lá? – perguntou ela.

– Cheguei tarde, mas compensei o atraso.

– Excelente.

– Haverá uma diligência no aeroporto esta manhã – disse ele. Sabia quais detetives queria em sua companhia. – Vou levar Bent Conrad, Peder Dresler e Knut Ellegard.

O detetive-sargento Conrad simpatizava entusiasticamente com os alemães. Já os detetives Dresler e Ellegard não tinham fortes convicções políticas ou patrióticas, mas eram policiais conscienciosos que cumpriam as ordens e faziam um trabalho meticuloso.

– E eu gostaria que você também fosse, se quiser, para o caso de haver suspeitos do sexo feminino a serem revistados.

– Claro.

– Juel dará as instruções para todos. Eu vou na frente.

Peter saiu andando na direção da porta, mas parou no meio do caminho e se virou para trás.

– Como vai o pequeno Stig?

Tilde tinha um filho de 6 anos que ficava com a avó enquanto a mãe trabalhava. Ela sorriu.

– Está ótimo. Aprendendo a ler bem depressa.

– Um dia ele será chefe de polícia.

Ela ficou vermelha.

– Não quero que ele seja policial.

Peter assentiu, compreensivo. O marido de Tilde morrera numa troca de tiros com uma quadrilha de contrabandistas.

– Eu entendo.

Ela acrescentou, na defensiva:

– Você gostaria que seu filho fizesse este nosso trabalho?

Ele deu de ombros.

– Não tenho filhos, e não é provável que venha a ter.

Tilde dirigiu-lhe um olhar enigmático.

– Nunca se sabe o que o futuro nos reserva.

– É verdade. – Ele se virou de novo. Não queria dar início a uma discussão em dia de trabalho. – Eu telefono.

– Está bem.

Peter pegou um dos Buicks do departamento, um carro preto descaracterizado e equipado recentemente com aparelhos de comunicação por rádio. Saiu da cidade e atravessou a ponte que fazia a ligação com a ilha de Amager, onde estava localizado o aeroporto de Kastrup. Era um dia ensolarado e, da estrada, ele podia ver a praia cheia.

Parecia um homem de negócios ou um advogado em seu terno conservador de risca de giz e sua gravata de estampa discreta. Não portava uma valise de couro, mas, para ficar mais verossímil, trouxera uma pasta de cartolina cheia de papéis que pegara na cesta de lixo.

Sentia-se ansioso ao se aproximar do aeroporto. Se dispusesse de mais um ou dois dias, teria sido capaz de descobrir se todos os voos carregavam pacotes ilegais ou se isso acontecia apenas em alguns. Havia uma possibilidade extremamente irritante de que não encontrasse nada, e, pior ainda, de que com essa sua incursão ele alertasse o grupo subversivo, que poderia mudar para uma rota alternativa. Nesse caso, teria que começar tudo de novo.

O aeroporto compunha-se de alguns prédios baixos dispersos em um dos lados da rodovia. Era fortemente guardado por tropas alemãs, mas os voos civis continuavam a ser operados pela companhia aérea dinamarquesa DDL, pela sueca ABA e também pela Lufthansa.

Peter estacionou diante do escritório do controlador do aeroporto. Disse à secretária que era do Departamento de Segurança da Aviação e assim foi admitido imediatamente. O controlador, Christian Varde, era um sujeito baixinho com o sorriso fácil dos vendedores. Peter mostrou sua identidade de policial.

– Haverá uma verificação especial de segurança no voo de hoje da Lufthansa para Estocolmo. Foi autorizada pelo general Braun, que está por chegar. Temos de preparar tudo.

Uma expressão de medo surgiu no rosto do controlador. Ele já ia levantar o telefone quando Peter cobriu o aparelho com a mão.

– Não – disse ele. – Não avise ninguém, por favor. Você tem uma lista dos passageiros que devem entrar no avião aqui?

– Minha secretária tem.

– Peça a ela para trazer.

Varde ligou para a secretária e ela trouxe uma folha de papel que ele entregou a Peter.

– Este é o voo que vem de Berlim? – perguntou Peter.

– É. – Varde consultou o relógio. – Deve aterrissar em 45 minutos.

Havia tempo suficiente.

A tarefa de Peter seria mais simples se ele revistasse apenas os passageiros que embarcassem na Dinamarca.

– Quero entrar em contato com o piloto e dizer a ele que ninguém será autorizado a desembarcar do avião em Kastrup hoje. Isso inclui passageiros e tripulação.

– Muito bem.

Ele avaliou a lista que a secretária trouxera. Dela constavam quatro pessoas: três dinamarqueses, dois homens e uma mulher, e um alemão.

– Onde estão os passageiros agora?

– Devem estar se apresentando no balcão de embarque.

– Recebam a bagagem deles, mas não a embarquem enquanto meus homens não a revistarem.

– Muito bem.

– Os passageiros também serão revistados antes do embarque. Haverá mais alguma coisa a ser embarcada aqui, além dos passageiros e da bagagem deles?

– Café e sanduíches e uma saca de correspondência.

– A comida e a bebida têm que ser examinadas, assim como a correspondência. Um dos meus homens observará o reabastecimento.

– Ótimo.

– Agora vá e comunique-se com o piloto. Depois que todos os passageiros tiverem se apresentado, vá se encontrar comigo no salão de embarque. Mas, por favor, tente dar a impressão de que não está acontecendo nada de especial.

Varde saiu.

Peter se dirigiu para a área de embarque, espremendo o cérebro para se certificar de que pensara em tudo. Sentou-se no salão e discretamente estudou os passageiros, imaginando qual deles iria terminar o dia na cadeia em vez de embarcar no avião. Naquela manhã havia voos destinados a Berlim, Hamburgo, Oslo, Malmö e à ilha dinamarquesa de Bornholm, de modo que ele não tinha como saber ao certo quem estava indo para Estocolmo.

Havia apenas duas mulheres na sala de espera: uma jovem mãe com duas crianças e uma senhora mais velha, lindamente vestida e de cabelos brancos. A mais velha podia ser a contrabandista, pensou Peter. Sua aparência seria perfeita para afastar suspeitas.

Três dos passageiros usavam uniformes alemães. Peter verificou a lista que tinha em mãos. Um certo coronel Von Schwarzkopf deveria embarcar ali com destino a Estocolmo. Apenas um daqueles militares era coronel. Mas era muitíssimo improvável que um oficial alemão fosse levar jornais clandestinos dinamarqueses para fora do país.

Todos os demais estavam, como Peter, de terno e gravata, com o chapéu pousado no colo.

Tentando demonstrar que estava entediado, mas paciente, como se esperasse pelo seu voo, ele examinou cuidadosamente as outras pessoas ali sentadas, atento para reconhecer sinais de que alguém pressentira a revista iminente. Alguns passageiros pareciam nervosos, mas podia ser que estivessem apenas com medo de voar. O que mais preocupava Peter era assegurar-se de que ninguém tentasse jogar algum pacote fora ou esconder papéis em algum lugar da sala de espera.

Varde reapareceu, radiante como se estivesse deleitado por rever Peter.

– Todos os passageiros se apresentaram no balcão.

– Ótimo. – Estava na hora de começar. – Diga a eles que a Lufthansa gostaria de lhes oferecer alguma hospitalidade especial e os leve para o seu escritório. Eu vou para lá em seguida.

Varde aquiesceu e seguiu para o balcão da Lufthansa. Enquanto pedia aos passageiros da companhia para se adiantarem, Peter foi para um telefone público, ligou para Tilde e disse a ela que tudo estava pronto para a operação. Varde liderou o grupo de quatro pessoas e Peter incorporou-se à pequena procissão.

Já reunidos na sala de Varde, Peter revelou sua identidade, mostrando o crachá da polícia ao coronel alemão.

– Estou agindo sob ordens do general Braun – disse, para impedir protestos. – Ele está vindo para cá e explicará tudo.

O coronel pareceu ficar aborrecido, mas sentou-se sem fazer comentários. Os outros três passageiros – a senhora de cabelos brancos e os dois homens de negócios dinamarqueses – fizeram o mesmo. Peter encostou-se na parede, observando tudo, alerta para reconhecer qualquer movimento suspeito. Cada um dos quatro carregava uma bolsa ou uma pasta: a da velha era uma bolsa grande; a do oficial, uma pasta de papéis fina; e as dos homens de negócios eram pastas de couro. Qualquer um deles podia estar carregando um jornal clandestino.

– Posso lhes oferecer chá ou café enquanto esperam? – perguntou Varde alegremente.

Peter deu uma olhada no relógio. O voo que saíra de Berlim estava para chegar. Ele olhou pela janela da sala de Varde e viu a aeronave se aproximando para aterrissar. Era um Junkers Ju-52 trimotor – uma máquina feia, pensou. Sua superfície era corrugada, como o telhado de um galpão, e o terceiro motor, projetando-se do nariz, parecia o focinho de um porco. Mas ele se aproximou a uma velocidade incrivelmente reduzida para um aparelho tão pesado e o efeito foi majestoso. Logo estava tocando no solo e taxiava rumo ao terminal. A porta se abriu e a tripulação jogou os blocos que serviam para calçar as rodas enquanto a aeronave estivesse estacionada.

Braun e Juel chegaram com os quatro detetives que Peter tinha escolhido, enquanto os passageiros bebiam uma xícara da imitação de café no balcão do aeroporto.

Peter observou com atenção seus detetives esvaziarem as pastas dos homens e a bolsa da senhora de cabelos brancos. Era bem possível que o espião transportasse o jornal clandestino na bagagem de mão. Assim o traidor poderia alegar que tinha trazido o jornal para ler no avião. Não que isso fosse ajudar.

Mas os conteúdos eram inocentes.

Tilde levou a senhora para outra sala a fim de revistá-la, enquanto os três homens tiraram o casaco. Braun revistou o coronel, e o sargento Conrad, os dinamarqueses. Nada foi encontrado.

Peter ficou desapontado, mas disse a si próprio que era muito mais provável que o contrabando estivesse na bagagem.

Os passageiros tiveram autorização para voltar ao salão de espera, mas não para embarcar. A bagagem ficou alinhada sobre a área cimentada do lado de fora do terminal: duas malas novas de couro de crocodilo, que sem dúvida pertenciam à velha senhora; uma bolsa de lona que provavelmente era do coronel, uma valise de couro marrom-clara e uma outra, barata, de papelão.

Peter sentiu-se confiante de que encontraria um exemplar do *Realidade* em alguma delas.

Bent Conrad pegou as chaves com os passageiros.

– Aposto que está na mala da velha – cochichou para Peter. – Ela tem cara de judia.

– Abra as malas – ordenou Peter, sem dar confiança para ele.

Conrad obedeceu e Peter pôs-se a revistá-las, com Juel e Braun olhando por cima dos seus ombros e uma multidão assistindo pela janela do salão de embarque. Ele imaginou o instante em que encontrasse o jornal e, triunfante, o erguesse, vitorioso, diante de todo mundo.

As malas de crocodilo estavam entulhadas de roupas antiquadas, que ele foi atirando no chão. A bolsa de lona continha um aparelho de barbear, uma muda de roupa de baixo e uma camisa de uniforme passada com perfeição. A mala de couro tinha papéis e roupas, e Peter a examinou cuidadosamente, mas não encontrou jornais nem nada suspeito.

Deixou por último a mala de papelão, imaginando que o passageiro mais pobre tivesse maior probabilidade de ser o espião.

A mala estava quase vazia. Continha apenas uma camisa branca e uma gravata preta, o que confirmava a história do homem de que ia a um funeral. Tinha também uma Bíblia preta bem surrada. Mas nada de jornal.

Peter, desesperado, começou a se perguntar se seus receios não teriam sido bem fundados e se aquele seria um mau dia para a operação. Sentiu-se furioso por ter permitido que o forçassem a agir prematuramente. Mas controlou sua fúria. Ainda não tinham terminado.

Pegou um canivete do bolso. Com a ponta, furou o forro da dispendiosa mala da velha senhora e abriu um rasgão na seda branca. Ouviu Juel resmungar qualquer coisa, surpreso com a súbita violência do seu gesto. Passou a mão dentro do forro. Para sua aflição, não havia nada escondido ali.

Fez o mesmo na mala de couro, com idêntico resultado. Já a mala de papelão não tinha forro, e Peter não viu nada em sua estrutura que pudesse servir de esconderijo.

Ruborizado de frustração e vergonha, cortou os pontos da base de couro da bolsa de lona do coronel e procurou papéis escondidos. Não havia nada.

Levantou os olhos para Braun, Juel e os detetives, que o encaravam. Seus rostos exibiam fascinação e um toque de medo. Ele percebeu que seu comportamento estava começando a parecer um tanto louco.

Ao diabo com aquilo.

– Talvez a sua informação estivesse errada, Flemming – disse Juel, com ar de cansaço.

E como isso o deixaria feliz, pensou Peter, ressentido. Mas ele ainda não terminara.

Viu Varde olhando do salão de embarque e o chamou. O sorriso dele pareceu tenso quando constatou o estado caótico das bagagens dos passageiros.

– Onde está o saco da correspondência postal? – perguntou Peter.

– No depósito.

– Bem, o que está esperando, idiota? Traga-o aqui!

Varde saiu voando. Peter apontou para a bagagem com um gesto de repugnância e dirigiu-se a seus detetives:

– Livrem-se dessa droga.

Dresler e Ellegard refizeram as malas de qualquer maneira. Um carregador veio apanhá-las e levá-las para o avião.

– Espere aí – disse Peter quando o homem começou a apanhar as malas. – Reviste-o, sargento.

Conrad revistou o homem e nada encontrou.

Varde trouxe o saco do correio e Peter esvaziou-o, jogando as cartas no chão. Todas traziam o carimbo do censor. Havia dois envelopes grandes o bastante para conter um jornal: um branco e outro de papel pardo. Ele abriu o branco. Continha seis cópias de um documento legal, um tipo qualquer de contrato. O de papel pardo tinha o catálogo de uma fábrica de utensílios de vidro de Copenhague. Peter praguejou em voz alta.

Um carrinho com uma bandeja de sanduíches e diversos bules de café foi trazido para a inspeção de Peter. Era sua última esperança. Abriu todos os bules e derramou o café no chão. Juel resmungou qualquer coisa sobre aquilo ser desnecessário, mas Peter estava desesperado demais para se importar. Afastou os guardanapos de linho que cobriam a bandeja e saiu apalpando tudo entre os sanduíches. Para seu horror, não havia nada. Num ataque de raiva, pegou a bandeja e atirou os sanduíches no chão, na esperança de encontrar um jornal por baixo, mas só havia outro guardanapo de linho.

Ele viu que ia sair completamente humilhado e isso o deixou ainda mais furioso.

– Comecem a reabastecer – disse. – Eu acompanho.

Um caminhão-tanque foi levado para perto do Junkers. Os detetives apagaram os cigarros e observaram o combustível ser bombeado para os tanques existentes nas asas da aeronave. Peter sabia que era inútil, mas perseverou obstinadamente, de cara fechada, porque não era capaz de imaginar outra coisa a fazer. Os passageiros do avião observavam, curiosos, pelas janelas retangulares do Junkers, sem dúvida querendo saber por que um general alemão e tantos civis precisariam observar o reabastecimento da aeronave.

Os tanques foram enchidos e novamente tampados.

Peter não conseguia imaginar outro modo de adiar a decolagem. Estava errado e agora parecia um idiota.

– Deixem os passageiros embarcarem – disse, com fúria contida.

Retornou ao salão de embarque, totalmente humilhado. Tinha vontade de estrangular alguém. Fizera uma completa confusão na frente do general Braun e do superintendente Juel. A junta que designava os policiais para novas funções ficaria extremamente feliz por ter indicado Juel em vez de Peter. E Juel podia inclusive usar aquele fiasco como desculpa para afastar Peter e colocá-lo em um departamento com menos visibilidade, como o de trânsito, por exemplo.

Ele parou no meio do salão a fim de observar a decolagem. Juel, Braun e os detetives esperaram com ele. Varde ficou por perto, esforçando-se ao máximo para dar a impressão de que nada fora do comum tinha acontecido. Assistiram ao embarque dos quatro passageiros furiosos. Os calços foram removidos das rodas pela equipe de terra e jogados a bordo do aparelho. Depois a porta foi fechada.

Quando a aeronave começou a se deslocar, Peter teve uma inspiração.

– Pare o avião! – disse para Varde.

– Pelo amor de Deus! – exclamou Juel.

Varde dava a impressão de que ia cair no choro. Ele virou-se para o general Braun.

– Senhor, meus passageiros...

– Pare o avião! – repetiu Peter.

Varde continuou a olhar para Braun com uma expressão de súplica. Depois de um momento, Braun concordou.

– Faça o que ele diz.

Varde pegou um telefone.

– Meu Deus, Flemming – disse Juel –, desta vez você vai ter que acertar.

A aeronave seguiu rolando pela pista, fez uma volta completa e voltou para onde estava. A porta se abriu e os calços foram jogados para a equipe de terra.

Peter saiu à frente do resto dos detetives. As hélices giraram cada vez mais devagar e pararam. Dois homens de macacão foram colocar os calços na frente das rodas principais. Peter dirigiu-se a um deles.

– Passe-me esse calço.

O homem pareceu amedrontado, mas fez o que lhe foi ordenado.

Peter pegou o calço de sua mão. Era um bloco de madeira triangular com uns 30 centímetros de altura – sujo, pesado e sólido.

– O outro calço também – disse Peter.

Mergulhando debaixo da fuselagem, o mecânico pegou o outro calço e o entregou.

Parecia igual ao primeiro, só que mais leve. Peter revirou-o nas mãos e descobriu que em uma das faces havia uma tampa deslizante. Abriu-a. Dentro do calço de madeira havia um pacote cuidadosamente embrulhado em tecido impermeável.

Peter deu um suspiro de profunda satisfação.

O mecânico virou-se e saiu correndo.

– Detenham-no! – gritou Peter, mas foi desnecessário.

O homem desviou-se dos detetives e tentou passar por Tilde, imaginando, sem dúvida, que pudesse empurrá-la facilmente. Mas Tilde virou-se como uma dançarina, deixando que passasse, e então esticou o pé. Ele tropeçou e se estatelou.

Dresler pulou sobre ele, levantou-o e torceu-lhe o braço nas costas.

Peter fez um gesto de cabeça para Ellegard.

– Prenda o outro mecânico. Ele devia saber o que estava acontecendo.

Peter voltou sua atenção para o pacote e o desembrulhou. Dentro havia dois exemplares do *Realidade*. Entregou-os a Juel.

Juel deu uma olhada nos papéis e encarou Peter, que sustentou seu olhar, sem dizer nada, só esperando.

– Muito bem, Flemming – disse Juel por fim, relutante.

Peter sorriu.

– Só cumpri o meu dever, senhor.

Juel virou de costas.

Peter se dirigiu aos seus detetives.

– Algemem os dois mecânicos e levem-nos para serem interrogados no QG – ordenou.

Havia algo mais no pacote. Peter puxou um punhado de papéis presos por um clipe. Estavam cobertos por caracteres datilografados em grupos de cinco letras que não faziam sentido. Examinou aquilo por um momento, perplexo. Quando parou para pensar, viu que tinha em mãos um trunfo maior do que jamais sonhara.

Os papéis continham uma mensagem em código.

Peter entregou-os a Braun.

– Acho que descobrimos uma rede de espionagem, general.

Braun olhou os papéis e empalideceu.

– Meu Deus, você está certo.

– O Exército alemão tem um departamento especializado em decifrar códigos inimigos?

– Claro que tem.

– Ótimo.

CAPÍTULO CINCO

UMA ANTIGA CARRUAGEM puxada por dois cavalos pegou Harald Olufsen e Tik Duchwitz na estação ferroviária de Kirstenslot, a aldeia onde Tik morava. Tik explicou que a carruagem apodrecia havia anos em um celeiro e fora ressuscitada quando os alemães impuseram o racionamento de combustível. A tinta fresca aplicada no corpo da carruagem brilhava, mas a parelha era, obviamente, de cavalos comuns utilizados na fazenda. O cocheiro dava a impressão de que estaria se sentindo mais à vontade atrás de um arado.

Harald não sabia ao certo por que Tik o convidara para o fim de semana. Os três patetas nunca haviam se visitado, embora tivessem sido muito amigos durante os sete anos de escola. Talvez o convite fosse consequência da explosão antinazista de Harald. Talvez os pais de Tik estivessem curiosos para conhecer o filho de pastor que se mostrara tão preocupado com a perseguição aos judeus.

Saíram da estação e entraram numa pequena aldeia com uma igreja e uma taverna. Na outra ponta, abandonaram a rua e passaram entre um par de imponentes leões de pedra. Depois de percorrerem um caminho com uns 800 metros, Harald viu um castelo de conto de fadas com torres e ameias.

Havia centenas de castelos na Dinamarca, e Harald às vezes se consolava com isso. Embora fosse um país pequeno, nem sempre a nação se rendera abjetamente a seus vizinhos beligerantes. Talvez tivesse lhes restado qualquer coisa do espírito viking.

Alguns castelos eram monumentos históricos, mantidos como museus e visitados por turistas. Muitos eram simplesmente mansões rurais ocupadas por prósperas famílias dedicadas à agricultura. Entre um tipo e outro havia inúmeras casas espetaculares pertencentes aos mais ricos. Kirstenslot – a casa tinha o mesmo nome da aldeia – era uma dessas.

Harald ficou intimidado. Sabia que a família Duchwitz era rica – o pai e os tios de Tik eram banqueiros –, mas não estava preparado para aquilo. Perguntou-se ansioso se saberia como se comportar. Nada na sua vida passada na residência de um pastor o tinha preparado para um lugar assim.

A tarde de sábado já estava quase terminando quando a carruagem deixou-os na entrada da frente, que lembrava o pórtico de uma catedral.

Harald entrou, carregando sua malinha. O hall de piso de mármore era repleto de peças antigas de mobília e decorado com vasos, estátuas pequenas e quadros grandes. A família de Harald era inclinada a cumprir literalmente o Segundo Mandamento, aquele que proíbe que sejam reproduzidas quaisquer coisas existentes no céu ou na Terra, e, portanto, não havia retratos na residência do pastor (embora Harald soubesse que ele e Arne tinham sido fotografados secretamente quando bebês, pois encontrara as fotos escondidas na gaveta de meias da mãe). A riqueza da arte na casa da família Duchwitz o deixou ligeiramente constrangido.

Tik o levou a um quarto depois de subir uma escadaria imponente.

– Este é o meu quarto – disse.

Ali não havia antigos mestres da pintura nem vasos chineses, só o tipo de coisas que um rapaz de 18 anos coleciona: uma bola de futebol, uma foto sensual de Marlene Dietrich, um clarinete e um cartaz emoldurado de um anúncio do Lancia Aprilia, o carro esporte projetado pela empresa italiana Pininfarina.

Harald pegou um porta-retratos com uma foto de Tik com uns 4 anos e uma garota da mesma idade.

– Quem é a menina? – perguntou.

– Minha irmã gêmea, Karen.

– Oh.

Harald sabia vagamente que Tik tinha uma irmã gêmea. Ela era mais alta que ele na foto. Era um retrato em preto e branco, mas ela parecia ser mais clara.

– Evidentemente não são gêmeos idênticos – brincou Harald. – Ela é muito mais bonita que você.

– Gêmeos idênticos têm que ser do mesmo sexo, idiota.

– Onde ela estuda?

– No Balé Real da Dinamarca.

– Eu não sabia que o balé tinha uma escola.

– Se você quer pertencer ao corpo de baile, precisa frequentar a escola. Algumas garotas começam aos 5 anos. Comparecem a todas as aulas normais e também estudam dança.

– Ela gosta?

Tik deu de ombros.

– Diz que é muito trabalhoso.

Ele abriu a porta e saiu andando por um corredor curto até um banheiro e um outro quarto, menor que o seu. Harald seguiu-o.

– Você ficará neste aqui, se estiver tudo bem para você – disse Tik. – Nós vamos compartilhar o banheiro.

– Ótimo – aprovou Harald, largando a mala em cima da cama.

– Você podia ficar com um quarto maior, mas seria a quilômetros de distância.

– Aqui é melhor.

– Vamos cumprimentar minha mãe.

Harald seguiu o amigo pelo corredor principal do andar térreo. Tik parou diante de uma porta, bateu, abriu-a um pouco e disse:

– Você está recebendo visitas de cavalheiros, mãe?

– Entre, Josef – respondeu uma voz.

Harald entrou atrás de Tik no *boudoir* da Sra. Duchwitz, um belo aposento com porta-retratos em todas as superfícies horizontais. A mãe de Tik era bem baixinha e se parecia com ele. Tinha os mesmos olhos escuros do filho, embora fosse gordinha, e ele, magro. Estava com cerca de 40 anos, mas seu cabelo negro já exibia muitos fios brancos.

Tik apresentou Harald, que apertou sua mão com uma pequena reverência. A Sra. Duchwitz indicou que os dois se sentassem e lhes fez perguntas sobre a escola. Ela era amável e de conversa fácil, e Harald começou a se sentir menos apreensivo em relação ao fim de semana.

Após algum tempo ela disse:

– Agora vão e se preparem para o jantar.

Os meninos voltaram para o quarto de Tik.

– Você não veste nada especial para o jantar, veste? – perguntou Harald ansioso.

– Seu paletó e a gravata estão ótimos.

Era tudo o que Harald tinha. O paletó da escola, mais as calças, o sobretudo e o boné, além do uniforme de ginástica, representavam uma despesa grande para a família Olufsen, ainda mais que tudo tinha que ser substituído constantemente, já que ele crescia consideravelmente a cada ano. Harald não tinha outras roupas, com exceção de suéteres para o inverno e shorts para o verão.

– O que é que você vai vestir? – perguntou a Tik.

– Um paletó preto e uma calça de flanela cinza.

Harald sentiu-se feliz por ter trazido uma camisa branca limpa.

– Você vai querer tomar banho antes? – perguntou Tik.

– Claro.

A ideia de ter que tomar banho antes do jantar parecia estranha a Harald, mas ele disse a si próprio que estava aprendendo os costumes dos ricos.

Ele lavou o cabelo durante o banho, enquanto Tik aproveitou para fazer a barba.

– Você não faz a barba duas vezes por dia na escola – comentou Harald.

– Mamãe é muito exigente. E minha barba é escura. Ela diz que fica parecendo que trabalho em uma mina de carvão quando não me barbeio à noite.

Harald vestiu a camisa limpa e as calças da escola e depois foi para o quarto pentear o cabelo molhado em frente ao espelho que ficava em cima da penteadeira. Enquanto se penteava, uma garota entrou sem bater.

– Oi – disse ela. – Você deve ser o Harald.

Era a garota do retrato, mas a foto em preto e branco não lhe fizera justiça. Tinha a pele muito branca, olhos verdes e o cabelo cacheado exibia os tons intensos do vermelho-acobreado. Alta, trajando um vestido comprido verde-escuro, parecia deslizar pelo quarto. Com a força graciosa de uma atleta, pegou uma cadeira pesada pelo encosto e virou-a para se sentar. Cruzou as longas pernas.

– E então? – insistiu. – Você é o Harald?

Ele conseguiu falar.

– Sou, sim – disse, sem graça por estar descalço. – Você é a irmã de Tik.

– Tik?

– É como chamamos o Josef na escola.

– Bem, eu sou Karen, e não tenho apelido. Soube da sua explosão na escola. E acho que está absolutamente certo. Odeio os nazistas. Quem eles pensam que são?

Tik saiu do banheiro enrolado numa toalha.

– Você não tem consideração com a privacidade de um cavalheiro?

– Não, não tenho. Quero um coquetel e não posso ser servida enquanto não houver pelo menos um homem na sala. Acredito que os criados inventam essas regras, sabe?

– Bem, olhe para outro lado por um instante – disse Tik e, para surpresa de Harald, deixou cair a toalha.

Karen não se perturbou com a nudez do irmão e também não se deu ao trabalho de virar o rosto.

– De qualquer modo, como vai você, seu anão de olhos negros? – disse ela amavelmente enquanto ele vestia a cueca.

– Vou bem, mas estaria bem melhor se os exames já tivessem terminado.

– O que acontecerá se você for reprovado?

– Suponho que irei trabalhar no banco. O pai provavelmente me fará começar de baixo, enchendo os tinteiros dos escriturários menos graduados.

– Ele não vai ser reprovado – disse Harald, dirigindo-se a Karen.

– Suponho que você seja inteligente como Josef – replicou ela.

– Muito mais inteligente, na verdade – disse Tik.

Harald não podia, honestamente, negar. Sentindo-se envergonhado, perguntou:

– Como é frequentar uma escola de balé?

– Um meio-termo entre servir ao Exército e estar na prisão.

Harald não conseguia tirar os olhos de Karen, fascinado. Não sabia se a considerava uma garota ou uma deusa. Ela brincava com o irmão como se fosse uma menina e, no entanto, era extraordinariamente graciosa. Sentada ali na cadeira, balançando um braço, ou apontando ou descansando o queixo em uma das mãos, parecia dançar. Todos os seus movimentos eram harmoniosos. Mesmo assim, a postura não a endurecia, e Harald observou todas as expressões cambiantes do seu rosto como se estivesse hipnotizado. A boca, de lábios cheios, exibia um sorriso largo ligeiramente torto. Na verdade, o rosto de Karen era um pouco irregular – o queixo e o nariz podiam ser mais certinhos –, mas o efeito geral traduzia-se na mais bela garota que ele já vira.

– É melhor você se calçar – Tik lembrou a Harald.

Harald bateu em retirada para o seu quarto e terminou de se vestir. Quando voltou, encontrou Tik todo elegante, de paletó preto, camisa branca e gravata escura comum, e, metido no seu blazer, sentiu-se mais que nunca um garoto de escola.

Karen desceu a escada na frente deles. Entraram numa sala comprida, aparentemente desorganizada, com diversos sofás grandes, um piano de cauda e um cachorro velho em cima de um tapete diante da lareira. O ambiente informal contrastava com a formalidade asfixiante da casa, embora ali as paredes também estivessem cheias de pinturas a óleo.

Uma jovem de vestido preto e avental branco perguntou a Harald o que ele gostaria de beber.

– O que Josef for beber – respondeu ele.

Não havia álcool na casa do pastor. Na escola, no último ano, os meninos eram autorizados a beber um copo de cerveja cada um nas reuniões das noites de sexta-feira. Harald nunca bebera um coquetel e não sabia ao certo o que era.

Para ter algo a fazer, ele se abaixou e deu uma palmadinha no cachorro. Era um grande setter irlandês com uns salpicos de branco no pelo sedoso e vermelho-escuro. Ele abriu um olho e sacudiu a cauda uma vez, em polido agradecimento às atenções de Harald.

– Esse é o Thor – disse Karen.

– O deus do trovão – disse Harald com um sorriso.

– É um nome bobo, confesso, mas foi Josef quem escolheu.

Tik protestou:

– Você queria que ele se chamasse Botão-de-ouro!

– Eu só tinha 8 anos nesse tempo.

– Eu também. Além do mais, Thor não é um nome bobo. Ele parece um trovão quando peida.

Nesse exato momento o pai de Tik entrou na sala. Era tão parecido com o cachorro que Harald quase riu. Alto e magro, estava elegantemente vestido com um paletó de veludo e gravata-borboleta preta. Seu cabelo ruivo encaracolado começava a branquear. Harald se levantou e apertou sua mão.

O Sr. Duchwitz o cumprimentou com a mesma preguiçosa cortesia que o cachorro demonstrara.

– É um grande prazer conhecer você – disse ele, com um jeito arrastado de falar. – Josef está sempre falando a seu respeito.

– Você agora já conhece toda a família – ressaltou Tik.

– Como vão as coisas na escola, depois da sua explosão?

– Não fui punido, o que achei estranho – respondeu Harald. – Já tive que cortar a grama com uma tesourinha de unhas por ter dito "mentira" quando um professor fez uma afirmativa idiota em classe. Fui muito mais rude com o Sr. Agger. Mas Heis, o diretor, só me passou um sermão tranquilo sobre como eu poderia ter provado de modo muito mais efetivo o meu ponto de vista se tivesse me controlado.

– Dando o exemplo ele próprio, por não ter ficado furioso com você – disse o Sr. Duchwitz com um sorriso.

Harald percebeu então que tinha sido exatamente isso o que Heis fizera.

– Pois eu acho que o seu diretor errou – disse Karen. – Às vezes é preciso ofender para a pessoa ser ouvida.

Aquilo soou como verdade aos ouvidos de Harald, que lamentou não ter pensado em dizer isso a Heis. Karen era tão inteligente quanto bonita. Mas ele aguardava com ansiedade uma chance de fazer uma pergunta ao pai dela.

– Sr. Duchwitz, o senhor não se preocupa com o que os nazistas possam lhe fazer? Nós sabemos como os judeus foram maltratados na Alemanha e na Polônia.

– Eu me preocupo, sim. Mas a Dinamarca não é a Alemanha, e os alemães parecem nos considerar primeiro dinamarqueses e depois judeus.

– Até agora, pelo menos – interveio Tik.

– É verdade. Mas aí também há a questão de quais são as opções disponíveis para nós. Suponho que eu poderia fazer uma viagem de negócios à Suécia e lá providenciar um visto para os Estados Unidos. Levar toda a família para fora seria mais difícil. E pensar que estaria deixando para trás um negócio que foi fundado pelo meu bisavô, esta casa onde meus filhos nasceram, uma coleção de pinturas que levei a vida inteira para montar... Olhando-se as coisas desse modo, parece mais simples ficar quieto e torcer pelo melhor.

– De qualquer modo, não é como se fôssemos comerciantes, pelo amor de Deus – disse Karen jovialmente. – Odeio os nazistas, mas o que é que eles vão fazer com a família que é proprietária do maior banco do país?

Aquele argumento pareceu burro a Harald.

– Os nazistas podem fazer o que lhes der na telha, você já devia saber disso a esta altura – retrucou ele, desdenhoso.

– Eu devia? – replicou Karen friamente, e ele percebeu que a ofendera.

Harald ia explicar como o tio Joachim fora perseguido, mas naquele instante a dona da casa juntou-se a eles e todos começaram a falar sobre a atual produção do Balé Real da Dinamarca, que era "Les Sylphides".

– Adoro a música – disse Harald. Ele a ouvira no rádio e era capaz de tocar diversos trechos ao piano.

– Você assistiu ao balé? – perguntou a Sra. Duchwitz.

– Não.

Harald sentiu um impulso de dar a impressão de ter assistido a muitos balés, tendo perdido aquele em particular, mas deu-se conta de como seria arriscado fazer isso diante de uma família tão culta.

– Para ser sincero, nunca fui ao teatro – confessou.

– Que coisa horrível! – disse Karen, com ar de superioridade.

A Sra. Duchwitz lançou um olhar de desaprovação para a filha.

– Então Karen deve levá-lo – disse.

– Mamãe, eu estou terrivelmente ocupada – protestou Karen. – Sou a substituta de um papel principal!

Harald ficou magoado com a rejeição dela, mas imaginou que estivesse sendo punido por ter desfeito dela no caso dos nazistas.

Ele esvaziou o copo. Tinha apreciado o gosto agridoce do coquetel, que, se lhe dera uma agradável sensação de bem-estar, também podia tê-lo tornado menos cuidadoso com o que dizia. Arrependia-se de ter afrontado Karen. Agora que, de repente, ela passara a tratá-lo com frieza, percebeu o quanto gostara da irmã de Tik.

A criada que trouxera as bebidas anunciou que o jantar estava servido e abriu a porta de duas folhas que dava no salão de jantar. Todos entraram e sentaram-se à mesa comprida. A criada ofereceu vinho, mas Harald não quis.

Tomaram sopa de legumes e comeram bacalhau ao molho branco e costeletas de carneiro. Havia muita comida, a despeito do racionamento, e a Sra. Duchwitz explicou que a maior parte do que comiam vinha da fazenda.

Durante a refeição Karen nada disse diretamente a Harald, dirigindo-se o tempo todo ao grupo de um modo geral. Mesmo quando ele lhe fazia uma pergunta, olhava para os outros ao responder. Aquilo abalou Harald. Karen era a garota mais encantadora que já conhecera e, em menos de duas horas, conseguira irritá-la.

Depois do jantar voltaram para a sala de estar e tomaram café de verdade. Harald gostaria de saber onde o Sr. Duchwitz o teria comprado. Café era como ouro em pó e certamente não crescia nas terras de uma fazenda dinamarquesa.

Karen foi fumar um cigarro no terraço e Tik explicou que seus pais, antiquados como eram, não gostavam de ver uma garota fumando. Harald ficou encantado com a sofisticação de uma garota que bebia coquetéis e fumava.

Quando ela voltou, o pai sentou-se ao piano e pôs-se a folhear as partituras que estavam na estante do instrumento, com a mulher logo atrás dele.

– Beethoven? – perguntou ele.

A Sra. Duchwitz concordou, assentindo. Depois que o marido tocou umas poucas notas, ela começou a cantar uma canção em alemão. Harald ficou impressionado e, no fim, aplaudiu.

– Cante outra, mãe – pediu Tik.

– Está bem – concordou ela. – Mas depois você vai ter que tocar alguma coisa.

Quando os pais terminaram a segunda música, Tik pegou o clarinete e tocou uma canção de ninar de Mozart. O Sr. Duchwitz voltou ao piano e tocou uma valsa de Chopin, de "Les Sylphides", o que levou Karen a tirar os sapatos e mostrar a todos uma das danças que faziam parte do seu repertório como substituta de uma das protagonistas.

Quando terminou, todos olharam para Harald, na expectativa.

Ele percebeu que tinha que fazer qualquer coisa. Não sabia cantar, salvo algumas canções folclóricas dinamarquesas, as quais, na verdade, eram mais gritadas que cantadas. Assim, teria que tocar piano.

– Não sou muito bom em música clássica – desculpou-se.

– Bobagem – retrucou Tik. – Você me contou que toca o piano da igreja do seu pai.

Harald sentou-se diante do teclado. Na verdade, não podia forçar uma família judia a ouvir hinos luteranos. Hesitou e começou a tocar "Pine Top's Boogie-Woogie". Principiou com um trinado desferido pela mão direita. Depois a mão esquerda deu início ao insistente padrão rítmico nos graves, enquanto a direita executava os sedutores acordes dissonantes do blues. Após alguns momentos ele perdeu o acanhamento, começou a sentir a música e foi tocando cada vez mais alto e com mais ênfase, gritando em inglês nos pontos mais destacados, exatamente como Pine Top: "Everybody, boogie-woogie!" Quando a canção chegou ao clímax, ele exclamou: "That's what I'm talking about!"

Harald foi saudado por um silêncio tumular. A expressão dolorida do Sr. Duchwitz lembrava a de um homem que, acidentalmente, tivesse engolido alguma comida podre. Até Tik pareceu envergonhado. A Sra. Duchwitz foi a única que falou:

– Bem, devo dizer que nunca se ouviu algo assim aqui nesta sala.

Harald viu que cometera um erro. A ilustre família Duchwitz desaprovava o jazz tanto quanto os seus pais. Eram cultos, mas isso não fazia com que tivessem a mente aberta.

– Foi mal – disse ele. – Estou vendo agora que não foi o tipo certo de música.

– Na verdade, não foi – concordou o Sr. Duchwitz.

Parada atrás do sofá, Karen atraiu a atenção de Harald, que esperava ver um sorriso de desdém. Mas, para sua surpresa e deleite, ela piscou um olho. Aquilo fez com que seu vexame valesse a pena.

~

Na manhã de domingo ele acordou pensando em Karen.

Tinha esperança de que ela aparecesse no quarto dos rapazes para bater papo, como fizera na véspera, mas eles não a viram. Também não apareceu no café da manhã. Esforçando-se ao máximo para aparentar indiferença, perguntou a Tik por ela. Desinteressado, Tik disse que provavelmente estaria fazendo seus exercícios.

Depois do café, os dois estudaram durante duas horas, fazendo uma revisão para os exames. Ambos esperavam passar com facilidade, mas não queriam se arriscar, já que o resultado decidiria sua ida para a universidade. Às onze horas saíram para dar uma volta.

Perto do fim da longa entrada para carros, parcialmente escondido por um renque de árvores, havia um mosteiro em ruínas.

– Foi confiscado pelo rei após a Reforma e usado como casa por um século – explicou Tik. – Depois Kirstenslot foi construída e a velha casa caiu em desuso.

Os dois exploraram os claustros por onde os monges tinham caminhado. As celas serviam agora de depósito de equipamentos de jardinagem.

– Algumas dessas coisas não são sequer vistas por ninguém há décadas – disse Tik, cutucando uma roda de ferro enferrujada com a ponta do pé.

Ele abriu uma porta que dava em um aposento grande e iluminado. Não havia vidros nas janelas estreitas, mas era limpo e seco.

– Aqui era o dormitório – explicou Tik. – Ainda é usado no verão por trabalhadores temporários da fazenda.

Eles entraram na antiga igreja, agora um depósito de sucata. O cheiro de mofo era bem forte. Um gato preto e branco olhou para eles como se quisesse saber quem lhes dera o direito de ir entrando ali daquele modo e depois escapou por uma janela sem vidro.

Harald levantou uma lona, expondo um reluzente Rolls-Royce montado sobre blocos de madeira.

– Do seu pai? – perguntou.

– É. Foi posto de lado até que voltem a vender gasolina.

Uma bancada com um torno e uma coleção de ferramentas, que certamente eram usadas para fazer a manutenção do carro quando ele funcionava, ficava ao lado do Rolls-Royce. No canto, havia um lavatório com uma única torneira. Encostadas na parede, tinham sido empilhadas caixas que originalmente continham sabão e laranjas. Harald deu uma espiada em uma delas e encontrou uma confusão de carrinhos de lata. Pegou um deles. Tinha um motorista pintado, de perfil, na janela lateral, e de frente no para-brisa. Lembrou-se do tempo em que desejava com todas as forças um carrinho como aquele. Recolocou-o no lugar cuidadosamente.

Do lado oposto a eles, havia um avião monomotor sem asas.

Harald examinou-o, interessado.

– O que é aquilo?

– Um Hornet Moth, construído pela De Havilland, a companhia inglesa. O pai o comprou há cinco anos, mas não aprendeu a pilotar.

– Você já andou nele?

– Ah, sim, fizemos grandes passeios quando era novo.

Harald tocou na grande hélice, que tinha quase 2 metros de comprimento. As curvas matematicamente precisas a transformavam em uma obra de arte a seus olhos. O avião estava ligeiramente inclinado para um lado e ele viu que o que causava isso era o trem de pouso danificado e um dos pneus furado.

Apalpou a fuselagem e surpreendeu-se ao ver que era de tecido esticado sobre uma estrutura, com pequenos rasgos e pregas aqui e ali. Era pintado de azul-claro, com uma listra quadriculada em preto e branco, mas a pintura, que, quando nova, devia ser cheia de vida, agora era fosca, sem graça, empoeirada e riscada de óleo derramado. Tinha asas, sim, ele via agora – asas de biplano, pintadas de prata –, mas dobradas e viradas de tal modo que as pontas estavam direcionadas para trás.

Deu uma olhada dentro da cabine pela janela lateral. Lembrava bastante a parte da frente de um carro. Havia dois assentos, um do lado do outro, e um painel de instrumentos confeccionado em madeira envernizada com uma variedade de mostradores. O tecido de um dos assentos tinha rasgado e o estofo estava saindo. Tudo indicava que camundongos haviam feito um ninho ali.

Harald achou a maçaneta e entrou com alguma dificuldade, ignorando o ruído quase inaudível de pequeninos animais em fuga. Sentou-se no banco que estava intacto. Os controles lhe pareceram simples. No meio havia um botão de comando em forma de Y que podia ser operado de qualquer um dos bancos. Segurou-o e pôs os pés sobre os pedais. Pensou que voar devia ser ainda mais emocionante que andar de moto. Imaginou-se voando sobre o castelo como uma ave gigantesca, com o ronco do motor nos ouvidos.

– Você já pilotou? – perguntou a Tik.

– Não. Mas Karen andou tendo umas aulas.

– É mesmo?

– Ela não tinha idade para conseguir o brevê, mas era muito boa.

Harald experimentou os controles. Avistou dois interruptores. Acionou-os, mas nada aconteceu. O manche e os pedais pareciam soltos, como se não estivessem conectados a nada. Tik viu o que ele estava fazendo e esclareceu:

– Alguns dos cabos foram retirados no ano passado, para reparar uma das máquinas da fazenda. Vamos embora.

Harald poderia passar mais uma hora mexendo no avião, mas, como Tik estava impaciente, desceu da cabine.

Saíram pela parte de trás do mosteiro e seguiram uma trilha de carroça através de um bosque. Anexa a Kirstenslot, havia uma grande fazenda.

– A fazenda está alugada à família Nielsen desde antes de eu nascer – disse Tik. – Eles criam porcos para a fabricação de toucinho, têm um rebanho leiteiro premiado e cultivam cereais em centenas de acres.

Harald e Tik contornaram um campo imenso plantado com trigo, atravessaram um pasto cheio de vacas malhadas de preto e branco e sentiram o cheiro dos porcos a distância. Na estrada de terra que dava na casa da fazenda encontraram um trator e um reboque. Um rapaz de macacão examinava o motor. Tik apertou a mão dele.

– Olá, Frederik, o que houve?

– O motor morreu no meio da estrada. Eu estava levando o Sr. Nielsen e a família à igreja no reboque.

Harald olhou de novo para o reboque e viu que tinha dois bancos.

– Os adultos foram a pé para a igreja e as crianças voltaram para casa – completou Frederik.

– Meu amigo Harald aqui é um verdadeiro mágico em motores de todos os tipos.

– Eu não me incomodaria se ele desse uma olhada.

O trator era um modelo atualizado, com motor a diesel e pneus de borracha em vez de rodas de aço. Harald se debruçou para examinar as entranhas do motor.

– O que acontece quando você dá a partida?

– Vou lhe mostrar.

Frederik puxou um cabo. O arranque girou, mas o motor não pegou.

– Acho que precisa de uma bomba de combustível nova – disse.

Frederik balançou a cabeça, desesperado.

– Não conseguimos arranjar peças para nenhuma das nossas máquinas.

Harald franziu a testa, cético. Podia sentir o cheiro de combustível, o que sugeria que a bomba estava trabalhando mas o óleo diesel não chegava aos cilindros.

– Quer dar a partida mais uma vez?

Frederik puxou a empunhadura do cabo. Harald teve a impressão de ver o cano de saída do filtro de combustível se mover. Olhando mais de perto, viu que o óleo diesel vazava pela válvula. Estendeu a mão e sacudiu a porca. Todo o conjunto da válvula saiu, desligando-se do filtro.

– Aqui está o problema – disse Harald. – A rosca desta porca gastou por alguma razão e está deixando vazar combustível. Você tem um pedaço de arame?

Frederik enfiou as mãos nos bolsos da calça de lã.

– Tenho aqui um pedaço de barbante.

– Vai servir por ora. – Harald recolocou a válvula na posição correta e amarrou-a ao filtro para que não balançasse. – Tente dar a partida de novo.

Frederik segurou a empunhadura, puxou o cabo de novo e o motor pegou.

– Puxa vida! – exclamou, muito feliz. – Você conseguiu!

– Quando tiver uma oportunidade, substitua o barbante por arame. Aí não vai precisar de uma peça nova.

– Será que você não pode ficar por aqui mais uma ou duas semanas? – perguntou Frederik. – Tem muita máquina quebrada aqui nesta fazenda.

– Não, sinto muito, tenho que voltar para a escola.

– Bem, boa sorte. – Frederik subiu no trator. – Vou poder chegar à igreja a tempo de pegar os Nielsens, graças a você.

E assim ele foi embora.

Harald e Tik prosseguiram a caminhada de volta para o castelo.

– Essa foi impressionante – comentou Tik.

Harald deu de ombros. Tanto quanto podia se lembrar, sempre fora bom em consertar máquinas.

– O velho Nielsen é um entusiasta das últimas invenções – acrescentou Tik. – Máquinas para semear, ceifar e até mesmo para ordenhar.

– Ele consegue combustível para fazê-las funcionar?

– Consegue. Você tem direito se for para produzir alimentos. Mas não há peças de reposição para nada.

Harald deu uma olhada no relógio. Estava ansioso para rever Karen no almoço. Iria lhe perguntar sobre as aulas de pilotagem.

Na aldeia, pararam na taverna. Tik comprou dois copos de cerveja e eles se sentaram do lado de fora para aproveitar o sol. Do outro lado da rua, os fiéis começavam a sair da igrejinha de tijolos vermelhos. Frederik passou dirigindo o trator e acenou. Cinco pessoas vinham sentadas no reboque. O grandalhão de cabelos brancos e rosto castigado pela vida ao ar livre devia ser Nielsen, o fazendeiro, pensou Harald.

Um homem vestindo um uniforme negro de policial saiu da igreja. Tinha pelo braço a mulher, miúda e com ar tímido, e duas crianças pequenas. Ele dirigiu um olhar hostil a Tik ao se aproximar.

Uma das crianças, uma garota com seus 7 anos, perguntou, em voz alta:

– Por que eles não vão à igreja, papai?

– Porque são judeus – respondeu o homem. – Não acreditam em nosso Senhor.

Harald olhou para Tik.

– O policial da aldeia, Per Hansen – esclareceu Tik baixinho. – E representante local dos nazistas dinamarqueses, o Partido Nacional Socialista dos Trabalhadores Dinamarqueses.

Harald balançou a cabeça. Os nazistas dinamarqueses eram um partido fraco. Nas últimas eleições gerais, dois anos antes, tinham ganhado apenas três cadeiras no Rigsdag. Mas a ocupação insuflara suas esperanças e, como seria fácil de prever, os alemães pressionaram o governo dinamarquês a dar um ministério para o líder dos nazistas, Fritz Clausen. Ainda assim, o rei Cristiano resistira obstinadamente e bloqueara a manobra, fazendo os alemães recuarem. Hansen e os membros do partido ficaram desapontados, mas aguardavam uma mudança de ventos. Pareciam confiantes, acreditando que a hora deles havia de chegar. Quanto a Harald, receava que tivessem razão.

Tik acabou sua cerveja.

– Hora do almoço.

Voltaram ao castelo. No jardim, Harald surpreendeu-se ao ver Poul Kirke, o primo de Mads, colega dele e de Tik, e amigo de Arne, seu irmão. Poul estava de short e com uma bicicleta ao lado, encostado no grande pórtico de tijolos. Harald já o conhecia e parou para falar com ele, enquanto Tik entrou.

– Está trabalhando aqui? – perguntou-lhe Poul.

– Não, só visitando. As aulas ainda não acabaram.

– Sei que a fazenda contrata estudantes nas férias. O que é que você vai fazer no verão?

– Não sei ao certo. No ano passado trabalhei em uma construção lá em Sande. – Ele fez uma careta. – Acabou que era uma base alemã, embora eles não tivessem dito nada.

Poul pareceu interessado.

– Que espécie de base?

– Um tipo qualquer de estação de rádio, acho. Despediram todos os dinamarqueses antes de instalarem o equipamento. Provavelmente vou trabalhar em um barco de pesca neste verão e fazer as leituras preliminares do meu curso universitário. Tenho esperança de estudar física com Niels Bohr.

– Que ótimo. Mads sempre diz que você é um gênio.

Harald já ia perguntar o que Poul estava fazendo ali em Kirstenslot quando a resposta tornou-se óbvia. Karen surgiu da lateral da casa empurrando uma bicicleta.

Ela estava encantadora de short cáqui, com as pernas compridas de fora.

– Bom dia, Harald – cumprimentou. Aproximou-se de Poul e o beijou. Harald reparou, com inveja, que tinha sido um beijo nos lábios, embora de leve. – Oi – ela cumprimentou Poul.

Harald ficou desolado. Estava contando com Karen na hora do almoço. Mas ela ia sair de bicicleta com Poul, que, obviamente, era seu namorado, embora fosse dez anos mais velho. Harald via agora, pela primeira vez, que Poul era um homem bonito, com feições regulares e um sorriso de artista de cinema, com dentes perfeitos.

Ele segurou as mãos de Karen e olhou-a de cima a baixo.

– Você está absolutamente deliciosa – disse. – Gostaria de ter um retrato seu assim.

Ela reagiu com um sorriso gracioso.

– Muito obrigada.

– Pronta?

– Prontíssima.

Os dois montaram em suas bicicletas.

Harald chegou a sentir-se mal. Observou-os vencendo, lado a lado, os 600 metros da entrada de Kirstenslot, iluminados pelo sol.

– Bom passeio! – gritou.

Karen acenou sem olhar para trás.

CAPÍTULO SEIS

HERMIA MOUNT ESTAVA prestes a ser despedida.

Nunca lhe acontecera antes. Inteligente e conscienciosa, seus chefes sempre a consideraram um tesouro, apesar da sua língua afiada. Mas seu chefe atual, Herbert Woodie, ia dizer-lhe que estava despedida assim que tivesse coragem.

Dois dinamarqueses que trabalhavam para o MI6 tinham sido presos no aeroporto de Kastrup. Estavam agora detidos, sendo interrogados. Tratava-se de um golpe sério nos Vigilantes Noturnos. Woodie trabalhava no MI6 desde antes da guerra, um burocrata com bastante tempo de serviço. Precisava de alguém para culpar, e Hermia era uma candidata apropriada.

Hermia compreendia o cenário. Ela trabalhava no serviço público britânico havia uma década e conhecia bem o seu funcionamento. Se Woodie fosse forçado a aceitar que a culpa era do seu departamento, responsabilizaria seu integrante menos graduado. Até porque ele nunca se sentira à vontade trabalhando com uma mulher e ficaria feliz se Hermia fosse substituída por um homem.

A princípio sentiu-se inclinada a entregar ela mesma o seu cargo. Não chegara a conhecer os dois mecânicos de aeronaves – eles tinham sido recrutados por Poul Kirke –, mas, como a rede de espionagem tinha sido criada por ela, sentia-se responsável pelo destino dos homens presos. Estava transtornada como se eles já tivessem morrido e não queria continuar.

Afinal de contas, quanto realmente fizera para ajudar o esforço de guerra? Só estava acumulando informações. Nenhuma delas jamais fora usada. Homens arriscavam a vida para lhe enviar fotografias do porto de Copenhague, onde nada estava acontecendo. Tudo aquilo agora lhe parecia tolice.

Mas, na verdade, Hermia sabia a importância desse laborioso trabalho de rotina. Em algum momento, no futuro, um avião de reconhecimento iria fotografar o porto cheio de navios e os engenheiros militares precisariam saber se aquilo representava o tráfego normal ou se significava o súbito aumento da capacidade de transporte naval necessária para uma força de invasão – e aí as fotos seriam cruciais.

Além do mais, a visita de Digby Hoare conferira a seu trabalho um caráter de urgência imediata. O sistema de detecção de aeronaves dos alemães podia ser a arma que ganharia a guerra. Quanto mais pensava nisso, mais acreditava que a chave do problema pudesse estar na Dinamarca. A costa ocidental do país parecia ser a localização ideal para uma estação de alerta aéreo destinada a detectar os bombardeiros britânicos que se aproximavam da Alemanha.

E não havia uma só pessoa no MI6 com a experiência pessoal que Hermia tinha na Dinamarca. Conhecia pessoalmente Poul Kirke e ele confiava nela. Podia ser desastroso caso um estranho assumisse seu lugar. Precisava conservar a posição que ocupava no MI6. E isso significava ser mais esperta que seu chefe.

– Péssima notícia – disse Woodie pomposamente a Hermia, parada na frente da sua mesa.

A sala dele ficava em um quarto de dormir da velha casa de Bletchley Park. O papel de parede florido e as luminárias com quebra-luz de seda sugeriam que o aposento fora ocupado por uma mulher antes da guerra. Agora tinha arquivos para pastas em vez de guarda-roupas cheios de vestidos e uma mesa de aço onde antes deve ter existido uma penteadeira com espelho triplo e pernas finas. Para terminar, em vez de uma mulher glamourosa trajando um caríssimo roupão de seda, o quarto era ocupado por um homenzinho pretensioso de terno cinza e óculos.

Hermia fingiu estar calma.

– Sempre há perigo quando um agente operativo é interrogado, claro – disse. – No entanto – ela pensou nos dois homens corajosos sendo interrogados e torturados, e por um momento perdeu a fala. Mas logo se recuperou: – Neste caso, contudo, acho que o risco é insignificante.

– É possível que tenhamos de abrir um inquérito – resmungou Woodie, cético.

Ela sentiu um aperto no coração. Um inquérito significava um investigador de fora do departamento. Woodie teria de apresentar um bode expiatório e Hermia era a escolha óbvia. Ela começou a defesa que tinha preparado:

– Os dois presos não estão a par de segredos que possam revelar. Integravam a equipe de terra do aeroporto. Um dos Vigilantes Noturnos lhes entregava jornais para serem levados para fora do país e eles tinham que esconder o contrabando dentro de um bloco, desses que servem para frear as rodas do avião, só que de madeira oca.

Hermia sabia, contudo, que eles podiam revelar detalhes aparentemente inocentes sobre como tinham sido recrutados e como trabalhavam, detalhes que um caçador de espiões inteligente poderia usar para rastrear outros agentes.

– Quem lhes passava os jornais?

– Matthies Hertz, um tenente do Exército. Ele está escondido. E os mecânicos não conhecem ninguém mais na rede.

– Quer dizer então que nossa segurança rígida limitou o dano causado à organização.

Hermia adivinhou que Woodie estava ensaiando o que ia dizer para seus superiores e obrigou-se a lisonjeá-lo:

– Exatamente, senhor, é uma boa maneira de avaliar o acontecido.

– Mas como foi que a polícia dinamarquesa chegou aos seus dois homens?

Hermia antecipara essa pergunta e tinha preparado cuidadosamente uma resposta:

– Acho que o problema está na ponta sueca.

– Ah! – Woodie alegrou-se. A Suécia, sendo um país neutro, não se encontrava sob seu controle. Era ótimo poder pôr a culpa em outro departamento. – Sente-se, Srta. Mount.

– Muito obrigada. – Hermia sentiu-se encorajada. Woodie estava reagindo como previra. Cruzou as pernas e continuou: – Acho que o mensageiro sueco tem passado exemplares do jornal clandestino para a agência Reuters de Estocolmo, e isso pode ter alertado os alemães. O senhor sempre fez questão de fazer cumprir rigidamente a regra de que nossos agentes devem se limitar à coleta de informações.

Essa afirmação era outra lisonja: ela jamais ouvira Woodie dizer aquilo, embora fosse uma regra geral da espionagem.

No entanto, ele concordou, circunspecto:

– Sem dúvida.

– Lembrei aos suecos essa sua regra assim que soube o que acontecera, mas receio que o dano já tivesse sido causado.

Woodie pareceu pensativo. Ele ficaria feliz se pudesse alegar que o seu conselho fora ignorado. Na verdade, ele não gostava que fizessem o que sugeria, porque, quando tudo saía bem, eram os outros que recebiam os créditos. Preferia que o ignorassem e que tudo desse errado para poder dizer o indefectível "Eu avisei".

– Devo enviar-lhe um memorando mencionando sua regra e reproduzindo o meu comunicado à legação sueca? – sugeriu Hermia.

– Boa ideia. – Woodie gostou ainda mais dessa solução. Ele não estaria apontando culpados, limitando-se a citar uma subordinada que, incidentalmente, estaria lhe dando o crédito por ter soado o alarme.

– Então teremos que arranjar um novo modo de tirar a informação do solo dinamarquês. Não podemos usar o rádio para esse tipo de material, porque a transmissão tomaria muito tempo – comentou Hermia.

Woodie não tinha a menor ideia de como organizar uma rota alternativa.

– Ah, sim, trata-se de um grande problema – disse Woodie, com uma ponta de pânico.

– Por sorte, temos uma alternativa pronta, utilizando o trem que vai por balsa de Helsingor, na Dinamarca, a Helsingborg, na Suécia.

Woodie ficou aliviado.

– Esplêndido.

– Talvez eu deva mencionar no memorando que o senhor me autorizou a tomar providências nesse sentido.

– Ótimo.

Ela hesitou.

– E... o inquérito?

– Sabe de uma coisa? Não sei se será necessário. O seu memorando deverá servir para responder a qualquer eventual pergunta.

Com esforço, ela conseguiu esconder seu alívio. Não ia ser despedida, afinal.

Sabia que devia sair dali rapidamente, enquanto estava em vantagem. Mas havia outro problema que estava louca para tratar com Woodie. E aquela parecia ser a oportunidade ideal.

– Há uma coisa que podemos fazer e que poderia melhorar enormemente nossa segurança, senhor.

– É mesmo?

A expressão de Woodie dizia que, se existisse tal coisa, ela já teria ocorrido a ele.

– Poderíamos usar códigos mais sofisticados.

– O que há de errado com nossos códigos de poemas e livros? Os agentes do MI6 os usam há anos.

– Receio que os alemães tenham descoberto como decifrá-los.

Woodie reagiu com um sorriso de superioridade.

– Não acredito, minha cara.

Hermia decidiu arriscar-se a contradizê-lo.

– Posso lhe mostrar o que quero dizer?

Sem esperar a resposta dele, ela prosseguiu:

– Dê uma olhada nesta mensagem codificada.

Ela rabiscou rapidamente em um pedaço de papel:

gsff cffs jo uif dbouffo

– A letra mais comum é o *f* – disse ela.

– Obviamente.

– No idioma inglês, a letra mais usada é o *e*, de modo que a primeira coisa que o decifrador desta mensagem fará é substituir o *f* por *e*. Ficaria assim:

gsEE cEEs jo uiE dbouEEo

– O que ainda não esclarece nada – disse Woodie.

– Não é bem assim. Quantas palavras de quatro letras existem que terminam com um duplo *e*?

– Não tenho a menor ideia.

– Só umas poucas, que são bastante comuns: *flee*, *free*, *glee*, *thee* e *tree*. Agora veja o segundo grupo.

– Srta. Mount, eu realmente não tenho tempo...

– Só mais uns segundos, senhor. Há muitas palavras de quatro letras com um duplo *e* no meio. Qual poderia ser a letra inicial? Nunca um *a*, certamente, mas poderia ser um *b*. Assim, pense em palavras começando em *b* que poderiam logicamente vir em seguida. *Flee been* não faz sentido, *free bees* é esquisito, mas *tree bees* poderia estar certo...

Woodie a interrompeu.

– *Free beer* [Cerveja grátis]! – disse ele, triunfante.

– Vamos deixar assim. O grupo seguinte tem duas letras, e não há muitas palavras com duas letras. *An*, *at*, *in*, *if*, *it*, *on*, *of*, *or* e *up* são as mais comuns. O terceiro tem três letras e termina com *e*. Palavras assim são muito comuns, e a mais comum delas é o artigo *the*.

Woodie começava a se interessar, ainda que com relutância.

– *Free beer at the* [Cerveja grátis no/na...] alguma coisa – disse ele.

– Ou *in* [em] alguma coisa. E essa coisa é uma palavra de sete letras com um duplo *e*, portanto termina em *eed*, *eef*, *eek*, *eem*, *een*, *eep*.

– *Free beer in the canteen* [Cerveja grátis na cantina]! – exclamou Woodie, mais entusiasmado ainda. – Isso! Cerveja grátis na cantina!

– Sim – aprovou Hermia. Ela permaneceu sentada, em silêncio, encarando Woodie, esperando que ele assimilasse as implicações do que acabara de acontecer.

– É com essa facilidade – disse ela –, com apenas alguns instantes de dedicação, que os nossos códigos são decifrados, senhor. – Hermia consultou o relógio. – A tarefa nos tomou apenas três minutos.

– Um bom truque para se fazer em festas, mas a velha guarda do MI6 sabe mais a respeito dessas coisas do que a senhorita, pode acreditar em mim.

Não adiantava, pensou ela, desesperada. Tinha que tentar outro dia. Obrigou-se a desistir.

– Muito bem, senhor.

– Concentre-se nas suas responsabilidades. O que o resto do seu grupo de Vigilantes Noturnos está fazendo?

– Vou pedir que mantenham os olhos abertos para qualquer indício de que os alemães dispõem de um aparelho para detecção de aeronaves a longa distância.

– Meu Deus, não faça isso!

– Por quê?

– Se o inimigo souber que estamos fazendo esse tipo de pergunta, vai adivinhar que já temos esse aparelho!

– Mas e se o inimigo tiver?

– Não tem. Pode ficar tranquila.

– O cavalheiro de Downing Street que veio aqui na semana passada parecia pensar de outra forma.

– Isso é absolutamente confidencial, Srta. Mount. Um comitê do MI6 examinou recentemente toda a questão referente ao radar e concluiu que seriam necessários mais dezoito meses para o inimigo desenvolver um sistema semelhante.

Quer dizer então que se chama radar, Hermia pensou e sorriu.

– Isso me deixa muito tranquila – mentiu Hermia. – Com certeza o senhor fez parte desse comitê, não fez?

Woodie assentiu.

– Na verdade, eu o presidi.

– Muito obrigada por ter me tirado essa preocupação. Vou trabalhar naquele memorando.

– Excelente.

Hermia saiu. Sentia o rosto doído de tanto sorrir e estava exausta pelo esforço de se submeter constantemente a Woodie. Mas salvara seu emprego e permitiu-se um momento de satisfação no caminho de volta para a sua sala. Tinha no entanto fracassado na questão dos códigos. Descobrira o nome do sistema de detecção de aeronaves a longa distância – radar –, mas ficara claro que Woodie não a deixaria investigar se os alemães tinham um sistema semelhante na Dinamarca.

Ansiava por fazer algo de valor imediato para o esforço de guerra. Todo aquele seu trabalho de rotina a deixava impaciente e frustrada. Seria maravilhoso ver alguns resultados concretos. Assim, ela poderia inclusive justificar o que acontecera aos dois pobres mecânicos no aeroporto de Kastrup.

Podia investigar o radar do inimigo sem a permissão de Woodie, claro. Ele talvez descobrisse, mas ela estava disposta a correr o risco. Não sabia, contudo, o que deveria dizer aos seus Vigilantes Noturnos. O que deveriam procurar, e onde? Precisava de mais informações para poder instruir Poul Kirke. E Woodie não ia lhe passar essas informações.

Mas ele não era a sua única esperança.

Hermia sentou-se à sua escrivaninha, pegou o telefone e disse:

– Por favor, ligue-me com o número 10 da Downing Street.

~

Ela se encontrou com Digby Hoare na Trafalgar Square. Em pé junto à base da Coluna de Nelson, observou-o atravessar a rua, vindo de Whitehall. Sorriu diante da passada enérgica e assimétrica de Digby, que já virara uma marca registrada. Cumprimentaram-se e seguiram para o Soho.

Era uma noite quente de verão e o West End de Londres estava movimentado, com as calçadas lotadas de gente indo para teatros, cinemas, bares e restaurantes. A cena feliz só era manchada pelos danos causados pelos bombardeios aéreos, uma ruína enegrecida aqui e ali em uma fila de prédios, como um dente podre em um sorriso.

Pensou que estivessem a caminho de um pub para beber qualquer coisa, mas Digby levou-a para um pequeno restaurante francês. As duas mesas ao lado da deles estavam vazias, o que lhes permitia conversar sem serem ouvidos.

Digby trajava o mesmo terno cinza-escuro, mas nessa noite estava com uma camisa azul-clara que realçava o azul de seus olhos. Hermia ficou feliz por ter decidido usar sua joia favorita, um broche em forma de pantera com olhos de esmeralda.

Foi diretamente ao ponto, deixando claro o assunto que lhe interessava. Tinha se recusado a sair com Digby quando o conhecera e não queria que ele achasse que ela havia mudado de ideia. Assim que fizeram os pedidos, disse:

– Quero utilizar meus agentes na Dinamarca para descobrir se os alemães têm um radar.

Ele fitou-a com os olhos semicerrados.

– A questão é mais complicada que isso. Não há mais dúvidas de que eles, como nós, já têm o radar. Mas o deles é mais eficiente que o nosso. Muitíssimo mais.

– É mesmo? – Ela mostrou surpresa. – É que Woodie me disse... Deixe pra lá.

– Estamos desesperados para descobrir por que o sistema deles é tão superior ao nosso. Ou eles inventaram algo bem melhor que o que temos, ou imaginaram um meio de usar seu sistema mais efetivamente. Ou ambos.

– Está bem. – Ela reajustou rapidamente suas ideias à luz da nova informação. – Assim mesmo, parece provável que uma dessas máquinas esteja na Dinamarca.

– Seria um local lógico, e o codinome "Freya" remete mesmo à Escandinávia.

– O que então meu pessoal estaria procurando?

– Difícil dizer. Não sabemos como é a máquina, o que é um problema e tanto, não é mesmo?

– Presumo que emita ondas de rádio, certo?

– Sim, claro.

– E presumivelmente os sinais percorrem uma boa distância, de outra forma o aviso não seria dado com a antecedência necessária.

– Sim. Seria inútil se os sinais não tivessem um alcance mínimo de uns 80 quilômetros. Provavelmente mais.

– Eles podem ser ouvidos?

Digby Hoare levantou as sobrancelhas, surpreso.

– Sim, com um radiorreceptor. Uma ideia inteligente. Não sei como ninguém pensou nisso antes.

– Os sinais podem ser diferenciados dos emitidos por outras transmissões, como o rádio comum, comunicações militares, etc.?

Ele assentiu.

– Você iria ouvir uma série de pulsos, provavelmente muito rápidos, digamos, mil por segundo. Como uma nota musical contínua. Assim, seria fácil dizer que não se tratava da BBC nem dos pontos e traços das transmissões militares.

– Você é engenheiro. Conseguiria montar um aparelho de rádio capaz de captar esses sinais?

Ele ficou pensativo.

– Vai ter que ser portátil, sem dúvida.

– Tem que caber em uma mala.

– E funcionar com bateria, para poder ser usado em qualquer lugar.

– Exatamente.

– Pode ser que seja possível. Há uma equipe de gênios em Welwyn que faz coisas assim todos os dias.

Welwyn era uma cidadezinha entre Bletchley e Londres.

– Relógios de bolso que explodem, radiotransmissores escondidos em tijolos, esse tipo de coisa. Eles provavelmente seriam capazes de montar um negócio desses – acrescentou Digby.

A comida chegou. Hermia tinha pedido uma salada de tomates. Veio com uma cebola picada por cima e um raminho de hortelã, o que a fez perguntar-se por que os cozinheiros ingleses não seriam capazes de preparar pratos que fossem ao mesmo tempo simples e deliciosos, como aquele, em vez de sardinhas em lata e repolho cozido.

– O que a levou a criar os Vigilantes Noturnos? – perguntou Digby.

Ela não sabia exatamente o que ele queria com aquela pergunta.

– Pareceu-me uma boa ideia.

– Ainda assim, não é uma ideia que ocorreria a uma jovem igual às outras, se me permite.

Ela se voltou para o passado, relembrando a luta que tivera com outro chefe burocrático, e perguntou-se por que persistira.

– Eu queria atingir os nazistas de alguma maneira. Há qualquer coisa absolutamente abominável neles.

– O fascismo põe a culpa dos problemas em uma causa falsa: pessoas de outras raças.

– Eu sei, mas não é só isso. É também o uniforme, o modo como marcham e sua atitude, além do modo como berram aqueles discursos odiosos. Tenho ânsias de vômito.

– Que experiência você teve com eles? Não há muitos nazistas na Dinamarca.

– Passei um ano em Berlim na década de 1930. Vi aqueles palhaços marchando, levantando o braço, insultando as pessoas e quebrando as vitrines das lojas de judeus. Lembro-me de pensar que eles deviam ser detidos antes que fizessem aquilo com o mundo todo. Ainda penso assim. E essa é uma das minhas maiores convicções.

Ele sorriu.

– Eu também estou certo disso.

Hermia comeu um fricassê de frutos do mar e mais uma vez ficou impressionada com o que um cozinheiro francês era capaz de fazer com ingredientes comuns, apesar do racionamento. Seu prato continha enguias fatiadas, alguns dos caramujos marinhos tão amados pelos londrinos e bacalhau, que ela comeu com gosto. Tudo era de boa qualidade e muito bem temperado.

De vez em quando flagrava o olhar de Digby – sempre com a mesma expressão, um misto de adoração e desejo. A situação a deixava alarmada. Só problemas e sofrimentos poderiam vir de uma eventual paixão dele por ela. No entanto, era agradável, tanto quanto embaraçoso, que um homem a desejasse de maneira tão evidente. Em dado momento sentiu que corava e levou a mão ao pescoço para disfarçar.

Desviou deliberadamente o rumo de seus pensamentos para Arne. Na primeira vez que falou com ele, no bar da estação de esqui em que estava hospedada na Noruega, soube que encontrara o que faltava na sua vida. "Entendo agora por que nunca tive uma relação satisfatória com um homem", escrevera para a mãe. "Era porque eu ainda não conhecia Arne." Quando ele a pediu em casamento, ela respondera: "Se eu soubesse que havia homens como você, teria me casado com um deles anos atrás."

Hermia dizia sim a tudo que ele sugeria. Normalmente era tão ciosa de fazer tudo à sua maneira que nunca conseguira sequer compartilhar um apartamento com uma amiga. Mas com Arne ela se derretia. Sempre que ele a convidava para sair, ela aceitava; quando a beijava, retribuía o beijo; quando lhe acariciava os seios por baixo da roupa de esqui, limitava-se a suspirar de prazer. E quando ele batia na porta do seu quarto, no hotel, dizia: "Estou feliz por você estar aqui."

Pensar em Arne ajudou-a a esfriar a cabeça em relação a Digby e, quando terminaram de comer, ela conduziu a conversa de volta para a guerra. Um exército aliado, com forças britânicas, da Comunidade Britânica e da França Livre, invadira a Síria. A campanha, na verdade, não passava de um conflito periférico e ambos acharam difícil ver alguma importância em seu resultado. O conflito na Europa era tudo o que importava, e ali era uma guerra aérea.

Quando saíram do restaurante estava escuro, mas era uma noite de lua cheia. Seguiram para o sul, dirigindo-se para a casa da mãe dela em Pimlico, onde Hermia passaria a noite. Quando cruzavam o parque de St. James, a lua se escondeu atrás de uma nuvem e ele a beijou.

Não pôde deixar de admirar a segurança e a rapidez dos movimentos de Digby. Os lábios dele estavam sobre os dela antes que pudesse se desviar. Num gesto vigoroso, puxou o corpo de Hermia, comprimindo-lhe os seios junto ao seu peito. Ela sabia que devia ficar indignada, mas, para sua aflição, percebeu que estava gostando. Lembrou-se de como era sentir o corpo rijo e a pele quente de um homem e, cedendo a um ímpeto de desejo, correspondeu o beijo.

Beijaram-se avidamente por um minuto e depois a mão dele procurou seus seios, e aí o encanto foi quebrado. Era uma mulher respeitável e não tinha mais idade para ser apalpada em um parque. Afastou-se dele.

A ideia de levá-lo para casa cruzou sua mente. Imaginou a sofrida desaprovação de Mags e Bets, e finalmente riu da situação.

– O que houve? – perguntou ele.

Parecia magoado. Provavelmente imaginava que sua risada tinha algo a ver com seu problema físico. Ela pensou que precisava se lembrar sempre de como ele era vulnerável a gozações e se apressou a explicar:

– Minha mãe é uma viúva que vive com uma solteirona de meia-idade. Imaginei como as duas reagiriam se eu lhes dissesse que queria levar um homem para casa para passar a noite comigo.

A expressão magoada desapareceu.

– Gostei disso – aprovou ele, e tentou beijá-la mais uma vez.

Hermia sentiu-se tentada, mas lembrou-se de Arne e resistiu, com a mão no peito de Digby.

– Chega – disse, com firmeza. – Leve-me para casa.

Saíram do parque. A euforia passou e ela começou a se sentir preocupada. Como podia gostar de beijar Digby se amava Arne? Quando passavam pelo Big Ben e pela abadia de Westminster, um alerta de ataque aéreo expulsou todos os pensamentos da sua mente.

– Quer procurar um abrigo? – perguntou Digby.

Muitos habitantes de Londres não se abrigavam mais durante os ataques aéreos. Cansados de tantas noites sem dormir, tinham decidido que valia a pena arriscar. Outros tornaram-se fatalistas, dizendo que, se a bomba estivesse destinada a atingir uma determinada pessoa, não havia nada que pudesse ser feito para evitar o pior. Hermia não era blasé, mas também não queria passar a noite em um abrigo antiaéreo ao lado de um Digby tão amoroso. Girou nervosamente a aliança de noivado na mão esquerda.

– Estamos a apenas alguns minutos da casa da minha mãe – respondeu. – Você se importa se continuarmos andando até lá?

– Posso acabar me vendo obrigado a passar a noite na casa da sua mãe.

– Pelo menos eu teria alguém tomando conta de mim.

Correndo, eles atravessaram Westminster e entraram em Pimlico. Holofotes vasculhavam as nuvens esparsas e depois ouviu-se o ronco sinistro das aeronaves pesadas, como um animal enorme grunhindo, faminto. A artilharia antiaérea abriu fogo de algum lugar e seus projéteis surgiram no céu, como fogos de artifício, Hermia temeu que sua mãe estivesse na rua, dirigindo a ambulância.

Para seu horror, as bombas começaram a cair perto dali, o que era incomum, já que normalmente os alemães costumavam se concentrar na zona industrial do East End. Ouviu uma explosão ensurdecedora que pareceu vir de uma rua bem próxima. No minuto seguinte um caminhão dos bombeiros passou disparado por eles. Hermia caminhou o mais depressa que pôde.

– Você está tão calma – comentou Digby. – Não sente medo?

– Claro que estou com medo – respondeu ela, impaciente. – Só não quero entrar em pânico.

Ao dobrarem uma esquina viram um edifício em chamas. O carro dos bombeiros estava em frente a ele e os homens desenrolavam as mangueiras.

– Quanto falta? – perguntou Digby.

– É na próxima rua – respondeu Hermia, ofegante.

Quando contornaram a esquina seguinte, viram um segundo caminhão de bombeiros na outra ponta da rua, perto da casa de Mags.

– Oh, meu Deus! – exclamou Hermia, o coração batendo forte de medo enquanto saía correndo em disparada. Viu uma ambulância e notou também que pelo menos uma casa no trecho onde morava sua mãe fora atingida. – Não, por favor, não!

Aproximando-se mais, ficou perplexa por não conseguir identificar a casa da mãe, embora visse claramente que a casa ao lado estava em chamas.

Parou e fixou a vista, tentando compreender o que tinha diante dos olhos. Finalmente, viu que a casa de sua mãe desaparecera. Nada restara, exceto um buraco no terreno e uma pilha de escombros. Gritou, desesperada.

– É a sua casa? – perguntou Digby.

Hermia assentiu, incapaz de falar.

Digby chamou um bombeiro em tom autoritário:

– Você aí! Algum sinal dos ocupantes daquela casa?

– Sim, senhor – respondeu o bombeiro. – Uma pessoa foi atingida em cheio pela explosão da bomba.

Ele apontou para o jardinzinho da casa vizinha que ficara intacta. Havia um corpo estendido em uma maca, no chão. O rosto estava coberto.

Hermia sentiu Digby pegar seu braço. Juntos, eles entraram no jardim.

Hermia ajoelhou-se e Digby descobriu o rosto.

– É Bets – disse ela com uma sensação de alívio que a deixou muito culpada.

Digby olhou em volta.

– Quem está ali no muro?

Hermia levantou a cabeça e seu coração falhou quando reconheceu o vulto de sua mãe, com o uniforme de motorista de ambulância e o capacete de metal, arriada em cima da mureta, como se toda a vida tivesse desaparecido do seu corpo.

– Mãe?

Sua mãe levantou o rosto e Hermia viu que estava molhado de lágrimas.

Hermia correu até ela e a envolveu em seus braços.

– Bets está morta – disse-lhe a mãe.

– Lamento muito, mãe.

– Ela me amava muito – disse Mags, soluçando.

– Eu sei.

– Você sabe? Você sabe? Ela esperou a vida toda por mim. Você sabia disso? A vida toda.

Hermia abraçou a mãe com força.

– Lamento muito, mamãe, lamento muito.

~

No dia 9 de abril de 1940, quando Hitler invadiu a Dinamarca, havia cerca de duzentos navios dinamarqueses no mar. Durante todo esse dia, as emissões em dinamarquês da BBC rogavam aos marinheiros que se dirigissem para portos aliados em vez de voltarem para casa, onde encontrariam um país conquistado. Ao todo, cerca de 5 mil homens aceitaram a oferta de asilo. A maioria procurou algum porto na costa leste da Inglaterra, hasteou a Union Jack e continuou a navegar durante o resto da guerra sob bandeira britânica. Consequentemente, lá pela metade do ano seguinte pequenas comunidades de dinamarqueses tinham se estabelecido em vários portos ingleses.

Hermia decidiu ir à cidadezinha pesqueira de Stokeby. Já a havia visitado duas vezes para falar com os dinamarqueses. Nessa ocasião, disse a seu chefe, Herbert Woodie, que sua missão era checar as plantas que tinha dos principais portos dinamarqueses. Pretendia atualizá-las, eliminando assim informações incorretas.

Woodie acreditou nela.

Hermia tinha uma história diferente para Digby Hoare.

Dois dias depois de uma bomba destruir a casa da mãe de Hermia, Digby foi a Bletchley Park munido de um radiorreceptor e um goniômetro que ele carregava em uma mala de couro castanho de aspecto surrado. O goniômetro determina a direção de onde procedem os sinais recebidos. Enquanto ele demonstrava como o equipamento funcionava, ela lembrou-se, com sentimento de culpa, do beijo no parque e do quanto gostara dele. Nervosa, teve dúvidas se seria capaz de encarar Arne de novo.

Seu plano original tinha sido o de fazer o radiogoniômetro chegar às mãos dos Vigilantes Noturnos, mas depois imaginara algo mais simples. Os sinais do radar provavelmente poderiam ser captados tão bem no mar quanto em terra. Disse então a Digby que ia entregar a mala ao comandante de um pesqueiro e ensinar-lhe a usar o aparelho. Digby aprovou a ideia.

Era bem possível que esse plano funcionasse, mas na verdade Hermia não queria delegar tarefa tão importante a outra pessoa. Por isso decidiu ir ela própria.

No mar do Norte, entre a Inglaterra e a Dinamarca, havia um grande banco de areia, conhecido como Dogger Bank. Em certos pontos dele o mar tinha a profundidade de apenas 15 metros e a pesca era excelente. Tanto barcos britânicos quanto dinamarqueses operavam ali. Na verdade, os barcos de bandeira dinamarquesa eram proibidos de se aventurar a uma distância tão grande da sua costa, mas como a Alemanha precisava de arenques, a proibição era constantemente desafiada. Por algum tempo, Hermia guardara num cantinho do cérebro a ideia de que mensagens – e até mesmo pessoas – podiam viajar entre os dois países em barcos de pesca, transferindo-se da Dinamarca para o Reino Unido (ou vice-versa). Agora, no entanto, tivera uma ideia melhor. Uma das pontas do tal banco de areia ficava apenas a 160 quilômetros da costa dinamarquesa. Se suas deduções estivessem corretas, os sinais da máquina chamada Freya deveriam ser detectados naquela área de pesca.

Pegou um trem na tarde de sexta-feira. Estava vestida para fazer-se ao mar, de calças compridas, botas e um suéter largo, com o cabelo preso debaixo de um boné xadrez masculino. Enquanto o trem avançava pelo terreno plano e pantanoso do leste da Inglaterra, ela analisava a possibilidade de sucesso do seu plano. Encontraria um barco disposto a levá-la? Captaria os sinais que esperava captar? Ou tudo aquilo não passaria de um desperdício de tempo?

Após algum tempo, seus pensamentos se voltaram para a mãe. Mags parecera controlada no dia anterior, durante o funeral de Bets. Dera a impressão de estar mais calmamente pesarosa do que ferida pela dor. Hoje fora para a Cornualha visitar a irmã, a tia Bella, mas na noite do bombardeio sua alma fora desnudada.

As duas mulheres tinham sido claramente muito mais que amigas dedicadas. Hermia, na verdade, não queria saber o que havia além disso, mas não podia deixar de ficar intrigada. Pondo de lado o pensamento constrangedor da relação física que poderia haver entre Mags e Bets, chocava-a saber que a mãe nutrira durante toda a vida um relacionamento apaixonado que permanecera cuidadosamente oculto, por todos aqueles anos, não só de Hermia, mas também, presumivelmente, de seu marido, o pai de Hermia.

Ela chegou a Stokeby às oito horas de uma agradável noite de verão e foi diretamente da estação da estrada de ferro para o pub Shipwright's Arms, no cais. Em questão de minutos, fazendo perguntas a um e outro, descobriu que Sten Munch, um comandante dinamarquês que conhecera na sua última visita à região, deveria zarpar pela manhã na traineira *Morganmand*, palavra que significava "Madrugadora". Encontrou Sten em casa, na encosta de uma colina, cortando a grama do jardim, como um inglês nato. Ele a convidou para entrar.

Sten era viúvo e vivia com Lars, seu filho, que estava a bordo com ele no dia 9 de abril de 1940. Lars se casara com uma garota do lugar chamada Carol. Quando Hermia entrou, encontrou Carol amamentando um bebê que não teria mais que uns poucos dias de vida. Lars fez chá. Todos falaram inglês, por deferência a Carol.

Hermia explicou que precisava chegar o mais perto possível da costa dinamarquesa para escutar uma transmissão alemã. Não explicou que tipo de transmissão. Sten não questionou sua história.

– Claro! – exclamou ele, expansivo. – Qualquer coisa para ajudar a derrotar os nazistas! Mas meu barco não é muito adequado.

– Por quê?

– É muito pequeno, só tem 10 metros, e ficaremos no mar por três dias.

Hermia havia esperado aquilo. Dissera a Woodie que precisava ajudar a mãe a se acomodar na casa da tia Bella e que voltaria na semana seguinte, não sendo possível ainda informar com precisão o dia de seu retorno.

– Tudo bem – disse ela para Sten. – Eu tenho tempo.

– Meu barco só tem três beliches. Nós dormimos por turnos. Não foi projetado para senhoras. Você deveria ir em uma embarcação maior.

– Algum barco sai pela manhã?

Sten olhou para Lars, que respondeu:

– Não. Saíram três ontem, e não voltam antes da semana que vem. Peter Gorning deve voltar amanhã e sai de novo lá pela quarta-feira.

Ela balançou a cabeça.

– Tarde demais.

Carol levantou os olhos, do bebê para o grupo.

– Eles dormem vestidos, sabe? É por isso que fedem quando chegam em casa. É pior que cheiro de peixe.

Hermia imediatamente gostou dela e de sua franqueza realista.

– Eu ficarei bem – disse. – Posso dormir vestida em uma cama ainda quente do ocupante anterior. Não vou morrer por causa disso.

– Você sabe que quero ajudar – retrucou Sten. – Mas o mar não é para as mulheres. Vocês foram feitas para as coisas graciosas da vida.

– Como dar à luz uma criança? – replicou Carol ironicamente.

Hermia sorriu, grata por ter Carol como aliada.

– Exatamente. Nós, mulheres, somos capazes de suportar algum desconforto.

Carol assentiu vigorosamente.

– Pense só no que Charlie está passando lá no deserto.

Ela explicou a Hermia:

– Meu irmão Charlie está servindo o Exército, em algum ponto do Norte da Africa.

Sten pareceu encurralado. Não queria levar Hermia, mas relutava em dizer não, pois desejava parecer patriota e corajoso.

– Sairemos às três da manhã.

– Estarei lá.

– É melhor você ficar aqui conosco agora – disse Carol. – Temos um quarto de sobra.

Ela olhou para o sogro.

– Se você concordar...

Sten já não dispunha mais de desculpas.

– Claro! – exclamou.

– Muito obrigada – agradeceu Hermia. – Vocês são muito gentis.

Todos se recolheram cedo. Hermia não tirou a roupa, permanecendo sentada na cama, com a luz acesa. Tinha medo de que, se dormisse demais, Sten saísse sem ela. A família Munch não era dada a grandes leituras e o único livro que pôde encontrar foi uma Bíblia em dinamarquês, mas isso serviu para mantê-la acordada. Às duas horas foi ao banheiro e se lavou rapidamente. Depois desceu na ponta dos pés e pôs uma chaleira de água no fogo. Sten apareceu às duas e meia. Quando viu Hermia na cozinha, pareceu surpreso e desapontado. Ela serviu chá em uma caneca grande e ele tomou, agradecido.

Hermia, Sten e Lars foram para o cais quando faltavam alguns minutos para as três horas. Dois outros dinamarqueses esperavam por eles. O *Morganmand* era mesmo muito pequeno, mais ou menos do tamanho de um ônibus londrino. Era de madeira, com um mastro e um motor a diesel. No convés, o piloto e o leme ficavam protegidos por uma pequena cabine. Havia também uma série de escotilhas para o porão. Da cabine, uma escada de tombadilho descia para os alojamentos da tripulação. No lado da popa ficavam os sólidos suportes do mastro e o mecanismo para arriar e içar as redes.

O dia raiava quando a pequena embarcação abriu caminho através do campo de minas que defendia a entrada do porto. O tempo estava bom, mas encontraram ondas de quase 2 metros quando saíram em mar aberto. Por sorte Hermia jamais enjoava.

Durante o dia tentou ser útil. Como não sabia nada de navegação, manteve a copa limpa. Os homens estavam acostumados a preparar a própria comida, mas ela lavou os pratos e a frigideira em que cozinhavam quase tudo o que comiam. Fez questão de conversar com os dois tripulantes falando dinamarquês, procurando estabelecer uma amizade respeitosa. Quando não teve mais nada para fazer, sentou-se no convés e aproveitou o sol.

Lá pelo meio-dia alcançaram uma depressão no canto sudeste do Dogger Bank e começaram a pescar. O barco reduziu a velocidade e tomou o rumo nordeste. A princípio não encontraram peixe e as redes voltaram quase vazias. Depois, lá para o fim da tarde, a sorte virou e os peixes apareceram.

Ao cair da noite, Hermia desceu e se deitou num beliche. Pensou que não ia dormir, mas estava acordada havia 36 horas e o cansaço venceu a tensão. Caiu no sono em questão de minutos.

Durante a noite acordou, por um breve período de tempo, com o ronco grave como um terremoto de uma esquadrilha de bombardeiros no céu. Perguntou-se vagamente se seria a RAF indo para a Alemanha ou a Luftwaffe seguindo na direção contrária, mas caiu no sono de novo.

Quando se deu conta, Lars a estava sacudindo.

– Estamos chegando ao ponto mais próximo da Dinamarca – disse ele. – A cerca de 200 quilômetros de Morlunde.

Hermia levou a mala com o rádio para o convés. Já era dia claro. Os homens estavam içando uma rede cheia de peixes que não paravam de se agitar, principalmente arenques e cavalas, e soltando-a no porão. Achou aquela visão repulsiva e desviou os olhos.

Conectou a bateria ao rádio e sentiu-se aliviada ao ver os mostradores se acenderem. Fixou a antena no mastro com um arame providencialmente colocado na mala por Digby. Deixou o aparelho esquentar e colocou os fones de ouvido.

Enquanto o barco seguia para nordeste, Hermia percorreu para cima e para baixo as frequências do rádio. Além das transmissões da BBC em inglês, pegou programas de rádio em francês, alemão e dinamarquês, e mais um monte de transmissões em código Morse que presumiu serem sinais militares oriundos de ambos os lados. Na primeira passagem, nada ouviu que pudesse vir do radar.

Repetiu o exercício mais vagarosamente, certificando-se de que não deixava passar nenhuma frequência. Tinha tempo de sobra. Ainda assim não ouviu o que estava procurando.

Continuou tentando.

Depois de duas horas, notou que os homens tinham parado de pescar e a observavam. Voltou-se para Lars e ele perguntou:

– Teve sorte?

Ela retirou os fones de ouvido.

– Não estou captando o sinal que esperava – respondeu, em dinamarquês.

Sten respondeu no mesmo idioma:

– Entrou peixe a noite toda. Nós nos saímos bem. Enchemos o porão. Estamos prontos para voltar para casa.

– Será que você não poderia seguir para o norte por algum tempo? Preciso tentar captar esse sinal... é realmente importante.

Sten pareceu ficar em dúvida, mas foi seu filho quem respondeu:

– Dá para ir, sim. Tivemos uma noite excelente.

Sten mostrou-se relutante:

– E se um avião de reconhecimento alemão passar por cima de nós?

– Você pode lançar as redes e fingir que está pescando.

– Não há zonas de pesca por onde você quer circular.

– Os pilotos alemães não sabem disso.

Um dos tripulantes interveio:

– É para ajudar a libertar a Dinamarca...

O outro concordou, assentindo vigorosamente.

Mais uma vez Hermia foi salva pelo orgulho de Sten, que relutava em parecer covarde diante dos outros.

– Está bem – disse ele. – Vamos seguir rumo ao norte.

– Mantenha-se a 160 quilômetros da costa – disse Hermia, ao mesmo tempo que punha de novo os fones.

Ela continuou a explorar as frequências. À medida que o tempo passava, ia se tornando menos esperançosa. O local mais provável para uma estação de radar era a extremidade sul da costa da Dinamarca, perto da fronteira com a Alemanha. Ela pensara que ia pegar a transmissão mais facilmente. Mas as esperanças foram morrendo à medida que o barco ia prosseguindo na direção norte.

Não queria se afastar do aparelho por mais de um minuto ou dois, então os pescadores lhe trouxeram chá de tempos em tempos e uma tigela de sopa em lata na hora da ceia. Enquanto procurava ouvir as transmissões do radar, mantinha os olhos fixos na direção leste. Não podia ver a Dinamarca, mas sabia que Arne estava lá, em algum lugar, e ficava feliz por se sentir mais perto dele.

Quando a noite foi caindo, Sten se ajoelhou ao lado dela para conversar e Hermia tirou os fones.

– Ultrapassamos o ponto extremo da península da Jylland – disse ele. – Temos que voltar.

– Poderíamos chegar mais perto? – perguntou ela, desesperada. – Pode ser que 160 quilômetros da costa seja uma distância grande demais para captar o sinal.

– Precisamos voltar para casa.

– Poderíamos seguir a costa na direção sul, refazendo o nosso curso, mas 80 quilômetros mais perto da terra?

– Perigoso demais.

– Está quase escuro. Não há aviões de reconhecimento à noite.

– Não gosto disso.

– Por favor, é muito importante.

Ela lançou um olhar de súplica para Lars, que estava perto, ouvindo. Lars era mais ousado que o pai, talvez porque visse seu futuro ali mesmo na Grã-Bretanha, ao lado da mulher inglesa.

Como Hermia previra, Lars entrou na conversa:

– Que tal 120 quilômetros ao largo da costa?

– Seria ótimo.

Lars olhou para o pai.

– Temos que voltar para o sul, de qualquer jeito. Não vai acrescentar senão umas poucas horas à nossa viagem.

– Estaremos pondo a nossa tripulação em perigo! – exclamou Sten, com raiva.

A resposta de Lars foi dada com serenidade:

– Pense no irmão da Carol na África. No risco que ele decidiu correr. Esta é a nossa chance de ajudar.

– Está certo, você pega o leme – concordou Sten, aborrecido. – Vou dormir.

Ele entrou na casa do leme e arriou o corpo escada abaixo.

Hermia sorriu para Lars.

– Obrigada.

– Nós é que deveríamos agradecer a você.

Lars manobrou para tomar a direção sul e Hermia continuou a vasculhar as emissões de rádio. A noite caiu. Eles viajavam sem luzes, mas o céu estava claro e havia uma lua quase cheia no céu, o que fez Hermia temer que estivessem sendo pouco discretos. No entanto, não avistaram aviões ou outras embarcações. Periodicamente Lars verificava a localização do barco com um sextante.

Os pensamentos de Hermia se voltaram para o ataque aéreo que a surpreendera na rua quando caminhava com Digby, alguns dias antes. Tinha sido a primeira vez que isso lhe acontecera fora de casa. Conseguira permanecer calma, mas – meu Deus! – que cena horrível: o ronco dos motores dos aviões, os holofotes e o fogo da artilharia antiaérea, a explosão das bombas que caíam e o clarão medonho das casas atingidas. E, no entanto, ela vinha se esforçando ao máximo para ajudar a RAF a infligir o mesmo horror às famílias alemãs. Parecia loucura, mas esse combate era a única alternativa que restava para impedir que os nazistas dominassem o mundo.

Era uma noite curta do alto verão e o dia raiou cedo. O mar estava insolitamente calmo. A névoa matinal levantava-se de sua superfície, reduzindo a visibilidade e fazendo com que Hermia se sentisse mais segura. Mas, à medida que o barco avançava para o sul, ela ficava mais e mais ansiosa. Tinha que captar o sinal logo – a menos que ela e Digby estivessem errados e Woodie, certo.

Sten apareceu no convés com uma caneca de chá em uma das mãos e um sanduíche de bacon na outra.

– Bem... – disse ele. – Conseguiu o que queria?

– É mais provável que venha de um ponto no sul da Dinamarca.

– Ou de nenhum ponto.

Ela balançou a cabeça, desesperançada.

– Estou começando a achar que você está certo.

Mas justo nessa hora ouviu alguma coisa.

– Espere aí!

Hermia, que vinha varrendo as frequências das mais baixas para as mais altas, teve a impressão de ouvir uma nota musical. Reverteu o botão e desceu, procurando a sintonia. Ouviu primeiro um bocado de estática e depois a nota novamente – um tom puro, evidentemente produzido por uma máquina, correspondendo a uma oitava acima do dó central.

– Acho que pode ser isto! – exclamou ela, alegre.

O comprimento de onda era de 2,4 metros. Hermia anotou no caderninho que Digby enfiara na mala.

Agora precisava determinar a direção. Incorporado ao receptor, havia um mostrador graduado de 1 a 360 em que uma agulha apontava para a fonte do sinal. Digby enfatizara que o 360 do mostrador tinha de estar alinhado precisamente com a linha central da traineira. Desse modo, a direção da origem do sinal podia ser calculada a partir do rumo do barco e da agulha do mostrador.

– Lars? Qual é o nosso rumo?

– Leste-sudeste – respondeu ele.

– Não, exatamente!

– Bem... – Embora o tempo estivesse bom e o mar, calmo, o barco se deslocava o tempo todo e a bússola nunca parava quieta.

– O melhor que você puder – disse ela.

– Cento e vinte graus.

A agulha do mostrador apontava para 340. Cruzando com os 120 informados por Lars, a direção ficava determinada em torno de 100. Hermia fez uma anotação.

– E qual é a nossa posição?

– Espere um minuto. Quando calculei pelo sextante, estávamos cruzando o paralelo 55.

Ele deu uma olhada no livro de bordo, consultou o relógio e informou a latitude e a longitude. Hermia anotou, sabendo que era apenas uma estimativa.

– Está satisfeita agora? Podemos voltar para casa? – perguntou Sten.

– Preciso de outra leitura para poder triangular e definir a localização da fonte da emissão.

Ele resmungou, irritado, e se afastou.

Lars piscou para ela.

Hermia manteve o receptor sintonizado na mesma nota enquanto prosseguiam para o sul. A agulha do radiogoniômetro moveu-se imperceptivelmente. Depois de meia hora ela perguntou novamente a Lars o rumo do barco.

– Ainda cento e vinte.

A agulha do mostrador agora apontava para 335. Por consequência, a direção do sinal era 095. Pediu que ele estimasse sua posição de novo e anotou os números.

– Para casa?

– Sim. E muito obrigada.

Ele girou o leme.

Hermia sentia-se triunfante; mal podia esperar para descobrir de onde estava vindo o sinal do radar alemão. Entrou na casa do leme e descobriu um mapa em grande escala. Com a ajuda de Lars, marcou as duas posições que anotara e traçou as retas na direção do sinal em cada uma delas, fazendo a correção pelo norte verdadeiro. As linhas se cruzavam longe da costa, perto da ilha de Sande.

– Meu Deus! Meu noivo é de lá!

– Sande? Conheço. Fui lá para assistir aos treinos de uma corrida de automóveis, há alguns anos.

Hermia estava radiante. Seu palpite estava certo e seu método funcionara. O sinal vinha do lugar mais lógico.

Agora precisava mandar Poul Kirke ou qualquer um dos membros do seu grupo a Sande para dar uma olhada. Assim que retornasse a Bletchley enviaria uma mensagem cifrada.

Poucos minutos depois anotou outro rumo. O sinal já enfraquecera, mas a terceira linha traçada no mapa fez um triângulo com as outras duas e a ilha de Sande permaneceu dentro do triângulo. Todos os cálculos eram aproximados, mas as conclusões pareciam claras. O sinal de rádio vinha da ilha. Mal podia esperar para contar a Digby.

CAPÍTULO SETE

HARALD ACHOU O Tiger Moth a máquina mais linda que já vira. Lembrava uma borboleta prestes a levantar voo, com as asas superiores e inferiores abertas, as rodas de brinquedo apoiadas levemente na grama, a cauda comprida afunilando-se atrás. O tempo estava bom, com uma brisa suave que fazia a pequena aeronave tremer, ansiosa por decolar. Um único motor, localizado no nariz, girava a grande hélice pintada de creme. Atrás do motor ficavam duas carlingas abertas, uma atrás da outra.

O Tiger Moth era primo do dilapidado Hornet Moth que Harald vira nas ruínas do mosteiro de Kirstenslot. As duas aeronaves eram mecanicamente similares, exceto pela cabine com dois assentos lado a lado que havia no Hornet Moth. Mas a aeronave que vira ao visitar o amigo dava pena; ligeiramente tombada de lado por causa do trem de pouso quebrado, com o tecido da fuselagem manchado de óleo e rasgado, o estofamento arrebentado. Em contraste, o Tiger Moth tinha um ar alegre, com pintura nova e o sol refletido no para-brisa. A cauda estava apoiada no chão e o nariz apontava para cima, como se quisesse cheirar o ar.

– Vocês notarão que as asas são chatas embaixo e curvas na parte de cima – disse o irmão de Harald, Arne Olufsen. – Quando o aparelho está voando, o ar que passa pela parte de cima da asa é forçado a ganhar uma velocidade maior que o ar que passa por baixo dela.

Ele abriu um daqueles sorrisos cativantes que faziam com que todo mundo o desculpasse por qualquer coisa que fizesse.

– Por motivos que nunca entendi direito, isso levanta o aparelho do chão.

– Cria uma diferença de pressão – adiantou Harald.

– Não diga – replicou Arne, seco.

A classe do último ano da Jansborg Skole fora passar o dia na Escola de Aviação do Exército em Vodal. Os monitores da turma eram Arne e seu amigo Poul Kirke. Tratava-se de um exercício de recrutamento para o Exército, que passava por dificuldades para persuadir jovens brilhantes a ingressarem em uma corporação que não tinha o que fazer. Heis, com seu passado militar, fazia questão que sua escola enviasse um ou dois alunos para as Forças Armadas a cada ano. Para os rapazes, a visita era uma pausa bem-vinda nas aulas de revisão para os exames de fim de ano letivo.

– As superfícies articuladas das asas inferiores são chamadas elerões – disse Arne. – São ligadas por cabos à alavanca de comando, também chamada de manche, por razões que você ainda é jovem demais para entender.

Ele sorriu de novo.

– Quando o manche é movido para a esquerda, o elerão da esquerda levanta e o da direita abaixa. Com isso a aeronave se inclina e vira para a esquerda. Nós chamamos essa manobra de inclinação lateral.

Harald ficou fascinado, mas o que queria mesmo era embarcar e voar.

– Vocês vão observar ainda que a metade traseira dos estabilizadores horizontais também é articulada – disse Arne. – São chamados de profundores e dirigem a aeronave para cima ou para baixo. Puxando o manche, o profundor levanta, a cauda desce e a aeronave sobe.

Harald notou que a parte vertical da cauda também tinha uma seção articulada.

– Para que serve aquilo? – perguntou, apontando.

– É o leme de direção, ou apenas leme. É controlado por um par de pedais no piso da cabine. Funciona do mesmo modo que o leme de um barco.

Mads interveio:

– Para que leme? Você já usa os elerões para mudar de direção!

– Bem lembrado! – exclamou Arne. – Isso prova que você está prestando atenção. Mas será que não consegue imaginar o motivo? Por que precisamos de um leme e de elerões para pilotar a aeronave?

Harald adivinhou.

– Não se pode usar os elerões na pista de decolagem.

– Por quê...?

– Porque as asas tocariam no chão.

– Correto. Usamos o leme porque se inclinássemos as asas elas tocariam o chão. Também usamos o leme no ar para controlar movimentos laterais indesejados, as chamadas guinadas.

Os quinze rapazes percorreram a base aérea, sentaram-se para ouvir uma palestra – sobre oportunidades, pagamento e treinamento no Exército – e almoçaram com um grupo de jovens pilotos que estudavam ali. Estavam agora ansiosos pelas aulas individuais de pilotagem prometidas como o ponto alto do dia. Cinco Tiger Moth estavam alinhados sobre a grama. As aeronaves militares dinamarquesas tinham sido oficialmente proibidas de levantar voo desde o início da ocupação, mas havia exceções. A escola de pilotos fora autorizada a funcionar utilizando planadores, e naquele dia recebera permissão especial para o exercício com os Tiger Moth. Se alguém tivesse a ideia de levar um daqueles aviões para a Suécia, havia dois caças Messerschmitt Me-109 na pista de decolagem, prontos para perseguir e abater quem tentasse escapar.

Poul Kirke substituiu Arne e passou a conduzir a visita.

– Quero que dêem uma olhada na cabine, um de cada vez – disse. – Subam na borda existente na asa de baixo. É pintada de preto. Não pisem em qualquer outro lugar porque senão o pé vai atravessar o tecido e será impossível voar.

Tik Duchwitz foi o primeiro. Poul disse:

– Do lado esquerdo você vê um controle prateado que regula a potência do motor, vale dizer, a velocidade da aeronave. É o acelerador ou manete. Um pouco mais abaixo, pintada de verde, está a alavanca que regula a tensão de uma mola que atua sobre o controle dos profundores. Se os profundores estiverem corretamente compensados, então a aeronave deve se manter nivelada em voo de cruzeiro quando você largar o manche.

Harald foi o último. Estava interessado e animado, apesar do ressentimento que cultivava por Poul, em função do episódio envolvendo Karen Duchwitz.

Quando desceu, Poul perguntou:

– E então, o que acha, Harald?

Harald deu de ombros.

– Parece simples.

– Então você vai ser o primeiro – disse Poul com um soriso. – Vamos nos arrumar.

Eles retornaram ao hangar e vestiram macacões de voo – do tipo em que era preciso enfiar primeiro as pernas para depois abotoar na frente. Foram distribuídos óculos e capacetes. Para irritação de Harald, Poul fez questão de ajudá-lo.

– A última vez em que nos encontramos foi em Kirstenslot – disse Poul enquanto ajustava os óculos de Harald.

Harald assentiu bruscamente, não desejando relembrar o acontecido. Ainda assim, não pôde deixar de imaginar qual seria exatamente o relacionamento de Poul com Karen. Estariam só namorando ou haveria algo mais? Será que Karen o beijava apaixonadamente e deixava que ele tocasse no seu corpo? Conversariam sobre casamento? Tinham relações sexuais? Não queria ficar pensando nessas coisas, mas era mais forte que ele.

Quando ficaram prontos, os primeiros cinco estudantes voltaram para o campo de pouso e decolagem, cada um com um piloto. Harald preferia a companhia do seu irmão, só que, uma vez mais, Poul o escolheu. Era como se quisesse conhecê-lo mais a fundo.

Um mecânico vestindo um macacão manchado de óleo reabastecia a aeronave, com um pé no estribo da fuselagem. O tanque ficava no centro da asa superior e passava sobre o banco da frente – uma posição preocupante, na opinião de Harald. Será que conseguiria esquecer a existência de litros e mais litros de líquido inflamável em cima da sua cabeça?

– Primeiro, a inspeção que precede o voo – disse Poul.

Ele se abaixou para examinar a cabine.

– Verificamos se as chaves dos magnetos estão desligadas e o manete recuado.

Depois examinou as rodas.

– Calços no lugar.

Em seguida chutou os pneus e verificou os elerões.

– Você disse que trabalhou na nova base alemã em Sande – disse, em tom descuidado.

– Trabalhei.

– Que tipo de trabalho?

– Servente de obra... o sujeito que é pago para cavar buracos, misturar concreto, carregar tijolos, esse tipo de coisa.

Poul se deslocou para a parte de trás do avião e checou o movimento dos profundores.

– Descobriu o que ia funcionar lá?

– Não naquele tempo. Assim que a obra civil ficou pronta, os trabalhadores dinamarqueses foram dispensados e os alemães assumiram. Mas estou bastante seguro de que o que foi instalado lá é uma estação de rádio, não sei de que tipo.

– Acho que você mencionou isso. Como sabe?

– Vi o equipamento.

Pelo olhar penetrante de Poul, Harald percebeu que aquele não era um interrogatório informal.

– É visível do lado de fora?

– Não. O lugar é cercado e guardado por sentinelas. O equipamento fica oculto pelas árvores, exceto o lado voltado para o mar... e aquela parte da praia é interditada.

– Então como foi que você viu?

– Eu estava com pressa de voltar para casa e por isso cortei caminho por dentro da base.

Poul se agachou atrás do leme e examinou a sapata da cauda.

– O que chegou a ver?

– Uma antena enorme, a maior que já vi, com mais de 1 metro quadrado, montada em uma base giratória.

O mecânico que abasteceu a aeronave interrompeu a conversa:

– Abastecido, senhor.

Poul virou-se para Harald.

– Pronto para voar?

– Atrás ou na frente?

– O principiante sempre vai atrás.

Harald subiu e teve de ficar em pé em cima do banco. Depois, apoiando-se nos dois braços, arriou o corpo. A cabine era estreita, e ele já estava se perguntando como os pilotos gordos caberiam ali quando se deu conta de que não havia pilotos gordos.

Dado o ângulo formado pela fuselagem com o solo, a partir da cauda, não dava para ver nada à frente além do céu azul. Tinha de se inclinar para o lado se quisesse ver o solo.

Pôs os pés nos pedais que comandavam o leme e a mão direita no manche. Moveu, experimentalmente, o manche de um lado para outro e viu os elerões se levantarem e abaixarem. Com a mão esquerda, tocou no manete e no estabilizador.

Na fuselagem, bem perto da sua cabine, ficavam dois botões, que ele presumiu fossem as chaves dos dois magnetos.

Poul ajustou o cinto de segurança de Harald.

– Estes aviões são projetados para treinamento, por isso têm controles duplos – disse. – Enquanto eu estiver pilotando, deixe mãos e pés repousarem levemente sobre os controles e sinta como os aciono. Eu digo quando você for assumir.

– Como vamos conversar?

Poul apontou para um tubo de borracha que se dividia, como um estetoscópio, em forma de Y.

– Isso funciona como o tubo de comunicação de um navio.

Ele mostrou a Harald como fixar as pontas soltas do tubo de borracha nos orifícios dos tampões protetores dos ouvidos embutidos no capacete. A base do Y era plugada em um cano de alumínio ligado à cabine da frente. Outro tubo equipado de bocal era usado para falar.

Poul acomodou-se no banco da frente. Um momento depois Harald ouviu a voz dele pelo sistema de comunicação.

– Está me ouvindo?

– Alto e claro.

O mecânico se aproximou do avião pelo lado esquerdo e seguiu-se um diálogo aos gritos, em que ele perguntava e Poul respondia.

– Pronto para a partida, senhor?

– Pronto para a partida.

– Combustível ligado, chaves desligadas, manete fechado?

– Combustível aberto, chaves desligadas, manete fechado.

Harald achou que o mecânico fosse girar a hélice nesse momento, mas, em vez disso, ele passou para o lado direito do avião, abriu um painel no capô e mexeu em qualquer coisa no motor – Harald presumiu que estivesse injetando gasolina no carburador. Depois fechou o painel e retornou para o nariz da aeronave.

– Aspirando, senhor – disse ele, adiantando-se e puxando a hélice para baixo. Repetiu a operação três vezes, e Harald supôs que aquele procedimento aspirasse o combustível para dentro dos cilindros.

O mecânico inclinou-se por cima da asa de baixo e acionou os dois pequenos interruptores bem próximos da cabine de Harald.

– Manete ajustado?

Harald sentiu o manete adiantar-se mais ou menos um centímetro sob a sua mão e ouviu a resposta de Poul:

– Manete ajustado.

– Contato.

Poul acionou os interruptores na frente da sua cabine.

Mais uma vez o mecânico acionou a hélice, dessa vez recuando agilmente logo depois do movimento. O motor pegou, começou a funcionar e a hélice girou. Ouviu-se um ronco e a pequena aeronave estremeceu. Harald teve a sensação súbita e intensa de como o aparelho era leve e frágil, e se lembrou, chocado, de que não era feito de metal, mas de madeira e tecido. A vibração não era como a de um carro ou mesmo a de uma motocicleta, que, por comparação, estariam sólida e firmemente presos ao chão. Aquilo era mais como subir numa árvore frágil e sentir o vento sacudir seus galhos esguios.

Harald ouviu a voz de Poul pelo equipamento de comunicação:

– Temos que deixar o motor esquentar. Vão ser necessários alguns minutos.

Harald pensou nas perguntas que Poul fizera sobre a base em Sande. Não se tratara de curiosidade pura e simples, com certeza. Poul tinha algum objetivo. Queria saber a importância estratégica da base. Por quê? Ele faria parte de algum movimento secreto da Resistência? O que mais poderia ser?

O ronco do motor ficou mais intenso. Poul estendeu o braço e comandou os interruptores dos magnetos duas vezes, desligando e ligando, o que deveria ser outra medida de segurança, presumiu Harald. O motor estabilizou-se em marcha lenta e por fim Poul sinalizou para que o mecânico removesse os calços das rodas. Harald sentiu um balanço e a aeronave começou a se deslocar para a frente.

Pela primeira vez, ocorreu-lhe que o que estava prestes a fazer era perigoso. Seu irmão voava há anos sem acidentes, mas outros pilotos tinham se acidentado e alguns morrido. Disse a si próprio que as pessoas morriam em carros, motos e barcos, mas de alguma forma agora era diferente. Obrigou-se a parar de pensar em perigos. Não queria entrar em pânico e fazer papel ridículo diante dos colegas.

De repente, o manete sob sua mão deslizou suavemente para a frente, o motor roncou mais alto e o Tiger Moth se moveu, impaciente, ao longo da pista. Após alguns segundos o manche se afastou dos joelhos de Harald, que sentiu o corpo inclinar-se ligeiramente para a frente quando a cauda levantou. O avião foi ganhando velocidade, balançando e sacudindo na grama. O sangue de Harald começou a circular mais depressa, tamanha era a excitação que sentia. Então o manche voltou a se aninhar sob sua mão, o aparelho pareceu dar um pulo e eles começaram a voar.

Era muito emocionante. O avião foi ganhando altura aos poucos. De um lado, Harald podia ver uma aldeia. Na Dinamarca não havia muitos lugares onde não se visse uma aldeia. Poul fez uma curva à direita. Sentindo-se desequilibrado, Harald teve de lutar contra o medo de cair da cabine.

Para se acalmar, examinou os instrumentos. O tacômetro mostrava 2 mil RPM. A velocidade era de 95 quilômetros por hora. Voavam à altitude de 1.000 pés, cerca de 300 metros. O ponteiro do inclinômetro (um instrumento giroscópico destinado a indicar ao piloto se a curva está sendo feita com a inclinação correta e se o avião está glissando) mantinha-se na vertical, apontando para cima. Tudo certo.

Poul nivelou as asas e o nariz da aeronave. O manete foi retardado, o ruído do motor baixou e as RPM caíram para 1.900.

– Você está segurando o manche? – perguntou Poul.

– Estou.

– Cheque a linha do horizonte. Provavelmente ela passa pela minha cabeça.

– Entra por uma orelha e sai pela outra.

– Quando eu soltar os controles, quero que você mantenha as asas niveladas e o horizonte na mesma posição relativa às minhas orelhas.

– Ok – disse Harald, nervoso.

– O controle agora é seu.

Harald sentiu a aeronave ganhar vida nas suas mãos: cada movimento que fazia, por menor que fosse, afetava o voo. A linha do horizonte caiu para os ombros de Poul, indicando que o nariz do avião fora levantado, e Harald concluiu que o medo quase inconsciente de mergulhar para o solo o estava fazendo puxar o manche para trás. Empurrou-o bem de leve para a frente e teve a satisfação de ver a linha do horizonte subir lentamente até as orelhas de Poul.

De repente o avião sacudiu de lado e inclinou-se. Harald achou que tinha perdido o controle e que estavam prestes a cair.

– O que foi isso? – gritou.

– Só uma lufada de vento. Corrija, mas não exagere.

Lutando para não entrar em pânico, Harald levou o manche para o lado oposto ao qual o avião se inclinara. O aparelho deu uma guinada na direção contrária, mas pelo menos ele sentiu que estava no comando e o equilibrou de novo, dessa vez com um pequeno movimento. Logo notou que ganhava altura de novo e baixou o nariz. Viu então que precisava se concentrar totalmente em reagir ao menor movimento da aeronave se quisesse manter o rumo. E que qualquer erro poderia fazer com que se espatifassem no solo.

Quando Poul falou, Harald ficou ressentido com a interrupção.

– Excelente – disse ele. – Você está pegando o jeito da coisa.

Harald, contudo, achava que só precisava praticar mais uma vez ou duas.

– Agora comprima os pedais do leme devagarzinho com ambos os pés.

Harald passara algum tempo sem pensar nos pedais.

– Está bem – disse bruscamente.

– Observe o inclinômetro.

Harald teve vontade de dizer: “Pelo amor de Deus, como é que posso fazer tanta coisa e, ao mesmo tempo, pilotar o avião?” Obrigou-se a tirar os olhos do horizonte por um segundo e examinar o painel de instrumentos. O ponteiro do inclinômetro continuava centrado, na posição de meio-dia.

Ao voltar a olhar para o horizonte, viu que tinha levantado o nariz de novo. Corrigiu.

– Quando eu tirar os pés do comando do leme, você verá que o nariz vai guinar para a esquerda e para a direita com a turbulência. Nesse caso, você checa o inclinômetro. Quando o aparelho dá uma guinada para a esquerda, a agulha do inclinômetro se desvia para a direita, dizendo que você tem que pressionar o pé direito para corrigir.

– Está bem.

Harald não sentiu movimento lateral, mas, poucos momentos depois, quando conseguiu dar uma espiada no mostrador, viu que guinava para a esquerda. Pressionou o pedal direito do leme com o pé direito. O ponteiro não se mexeu. Pisou com mais força. Lentamente, a agulha voltou para a posição central. Levantou a cabeça e viu que tinha mergulhado um pouco. Puxou o manche. Verificou o inclinômetro de novo. O ponteiro continuava firme.

Tudo muito fácil e muito simples, se não estivessem a 500 metros de altura.

– Vamos tentar uma curva agora – disse Poul.

– Droga! – exclamou Harald.

– Primeiro, olhe para a esquerda para ver se a área está livre.

Harald olhou para a esquerda. Viu, meio distante, outro Tiger Moth, presumivelmente com um de seus colegas de turma a bordo, fazendo a mesma coisa. O que era tranquilizador.

– Nada por perto – disse.

– Leve o manche para a esquerda.

Harald fez o que foi ordenado. Mais uma vez teve a sensação de que ia cair do avião. Mas o aparelho começou a fazer uma curva para a esquerda e Harald ficou entusiasmado ao perceber que estava realmente comandando o Tiger Moth.

– Nas curvas, o nariz tende a afundar.

Harald viu que o avião realmente perdera altura e puxou o manche.

– Olhe o inclinômetro – disse Poul. – Você está fazendo o equivalente a uma derrapagem.

Harald checou o indicador e viu que o ponteiro tinha se deslocado para o lado direito. Apertou o pedal direito. Mais uma vez, a reação foi lenta.

O avião completou uma curva de 90 graus e Harald sentiu-se ansioso por nivelar o rumo e recobrar a segurança anterior. Poul, no entanto, pareceu ler seus pensamentos – ou talvez todos os alunos sentissem a mesma coisa àquela altura – e disse:

– Continue virando, você está indo muito bem.

O ângulo da inclinação das asas pareceu perigosamente acentuado a Harald, mas ele prosseguiu, segurando o nariz levantado, verificando o inclinômetro a cada instante. Pelo canto do olho, viu um ônibus avançando por uma estrada, como se nada de dramático estivesse acontecendo no céu e não houvesse o risco de um aluno da Jansborg cair das nuvens em direção à morte certa no teto da viatura.

Já tinha percorrido três quartos de uma circunferência quando Poul disse que bastava.

Aliviado, Harald acertou o manche e a aeronave voltou a se deslocar em linha reta.

– Cuidado com o inclinômetro.

O ponteiro tinha se deslocado para a esquerda. Harald pressionou o pedal do leme com o pé esquerdo.

– Consegue ver a pista de pouso?

A princípio Harald não conseguiu. A região rural que via lá embaixo exibia um desenho, sem sentido, de campos pontilhados de edificações. Não tinha ideia de qual seria a aparência da base aérea lá de cima.

Poul o ajudou:

– Uma fileira de prédios compridos e brancos ao lado de um campo verde-claro. Olhe para a esquerda da hélice.

– Já vi.

– Siga nessa direção, conservando a pista de pouso à esquerda do nariz do avião.

Até aquela hora, Harald não pensara no curso que estavam seguindo. Tudo o que pudera fazer fora manter o aparelho estável. Agora tinha de fazer todas as coisas aprendidas antes e, ao mesmo tempo, voltar para a base. Sempre havia uma nova tarefa sob sua responsabilidade.

– Você está subindo – disse Poul. – Empurre o manete cerca de 2 centímetros e leve-nos para 1.000 pés quando nos aproximarmos dos prédios.

Harald consultou o altímetro e viu que o aparelho estava voando a 2.000 pés. Na última vez que olhara, o aparelho indicava 1.500. Reduziu a aceleração e empurrou o manche.

– Excelente – aprovou Poul.

Harald nivelou o aparelho e checou o inclinômetro.

Quando atingiu o fim do lago, comandou o manche para a esquerda. Dessa vez a sensação de que iam cair não foi tão intensa.

– Cuidado com o inclinômetro.

Ele tinha se esquecido dos pedais e, prontamente, corrigiu com os pés a posição da aeronave.

– Reduza um pouco o manete.

Harald trouxe o manete um pouco para trás e o barulho do motor diminuiu sensivelmente.

– Foi demais.

Harald levou o manete um pouco para a frente.

– Abaixe o nariz.

Harald moveu o manche.

– É isso aí. Mas tente conservar-se no rumo da pista.

Harald viu que se desviara do eixo de aproximação e que avançava para os hangares. Corrigiu o desvio com o leme, fazendo uma curva sem inclinar as asas, e alinhou novamente a aeronave com a pista de pouso. Mas podia ver agora que estava alto demais.

– Eu assumo agora – disse Poul.

Harald achou que Poul talvez pudesse continuar dando instruções para que ele realizasse a aterrissagem, mas era evidente que ainda não adquirira domínio suficiente do aparelho para isso. Ficou frustrado.

Poul fechou o manete. O ronco do motor caiu abruptamente, dando a Harald a preocupante sensação de que não havia nada para impedir a aeronave de despencar, mas na verdade ela foi deslizando gradualmente para a pista. Poucos segundos antes do contato com o solo, Poul puxou o manche e o aparelho deu a impressão de flutuar alguns centímetros acima do solo. Harald sentiu os pedais se mexendo constantemente e viu que Poul usava o leme para direcionar o avião agora que estavam demasiadamente próximos do chão e não podiam baixar uma asa. Por fim, houve um solavanco quando as rodas e a sapata da cauda tocaram no chão.

Poul saiu da pista e taxiou na direção do estacionamento. Harald estava entusiasmado. Tinha sido muito mais emocionante do que imaginara. Sentia-se também exausto, por ter se concentrado tanto. Ainda bem que fora por pouco tempo, pensou, mas ao consultar o relógio viu, para seu assombro, que passara 45 minutos voando. Parecia que não tinham sido mais que cinco.

Poul desligou o motor e saltou. Harald puxou os óculos para a testa, tirou o capacete, livrou-se do equipamento de segurança e se levantou com alguma dificuldade. Pisou na parte reforçada da asa e pulou para o chão.

– Você se saiu muito bem – disse Poul. – Mostrou grande talento para pilotar, exatamente como seu irmão.

– Foi uma pena eu não ter conseguido trazer o aparelho para a pista.

– Duvido que qualquer um dos outros garotos tivesse sido autorizado a tentar, como você foi. Vamos trocar de roupa.

Depois que Harald tirou o macacão de voo, Poul disse:

– Venha até o meu escritório por um instante.

Harald foi com ele até uma porta em que se lia "Instrutor-chefe de voo" e entrou em uma salinha com um arquivo de aço, uma mesa e algumas cadeiras.

– Você se incomodaria de fazer um desenho do equipamento de rádio que descreveu para mim?

O tom de voz de Poul pretendia ser despreocupado, mas seu corpo estava tenso.

Harald, que queria saber se aquele assunto surgiria de novo, teve sua curiosidade satisfeita.

– Claro.

– É muito importante. Não posso entrar em detalhes.

– Tudo bem.

– Sente-se aqui. Vai encontrar uma caixa de lápis e papel na gaveta. Leve o tempo que precisar. Só dê por terminado quando estiver satisfeito.

– Ok.

– Quanto tempo acha que vai precisar?

– Talvez um quarto de hora. Estava escuro, de modo que não vou poder desenhar detalhes. Mas tenho uma clara ideia do que vi, em linhas gerais.

– Vou deixá-lo sozinho para que não se sinta pressionado. Volto em quinze minutos.

Poul saiu e Harald começou a desenhar. Procurou visualizar o que vira naquela noite de sábado, debaixo de chuva. Havia um muro circular de concreto, ele se lembrava bem, com cerca de 1,80 metro de altura. A antena era feita de uma tela de arame e, de certo modo, lembrava molas de cama. A base giratória ficava no interior do muro circular e os cabos saíam da parte de trás da antena e entravam em um duto.

Desenhou primeiro o muro com a antena acima dele. Recordava-se vagamente de que havia uma ou duas estruturas semelhantes por perto, por isso representou-as com um esboço. Em seguida desenhou a máquina como se não houvesse muro, mostrando sua base e os cabos. Não era nenhum artista, mas sabia desenhar máquinas com bastante precisão, provavelmente porque se tratava de algo de que gostava.

Quando terminou, virou a folha de papel ao contrário e fez um esboço de mapa da ilha de Sande mostrando a posição da base e a área restrita da praia.

Poul voltou depois de quinze minutos. Estudou os desenhos atentamente e disse:

– Excelente trabalho. Muito obrigado.

– De nada.

Ele apontou as estruturas secundárias que Harald esboçara.

– O que é isso?

– Na verdade eu não sei. Não olhei de perto. Mas achei que devia incluir no desenho.

– Ótimo. Mais uma pergunta. Essa tela de arame, que, presumidamente, é uma antena, é plana ou côncava?

Harald esforçou-se, mas não conseguiu lembrar.

– Não tenho certeza – disse. – Desculpe.

– Tudo bem.

Poul abriu o arquivo. Todas as pastas eram etiquetadas com nomes, supostamente de alunos antigos e atuais da escola de pilotagem. Selecionou uma marcada com o nome "Andersen, H.C.". Não era um nome raro, mas Hans Christian Andersen era o escritor mais famoso da Dinamarca e Harald supôs que aquela pasta fosse um esconderijo. Como imaginara, Poul colocou o desenho dentro dela e guardou-a de volta no arquivo.

– Vamos voltar para junto dos outros – disse ele, dirigindo-se para a porta, e parou com a mão na maçaneta.

– Olhe, Harald, desenhar instalações militares alemãs é, tecnicamente, um crime. É melhor que você não comente isso com ninguém... nem mesmo com Arne.

Harald sentiu uma pontada de desalento. Seu irmão não estava envolvido. Será que nem mesmo o melhor amigo de Arne achava que ele tinha coragem para participar daquilo?

Harald assentiu.

– Concordo, com uma condição.

Poul se espantou.

– Condição? Qual?

– Que você me diga uma coisa com franqueza.

Poul deu de ombros.
– Está bem, vou tentar.
– Existe um movimento de resistência, não existe?
– Existe – respondeu Poul, muito sério.
Após uma pequena pausa, acrescentou:
– E agora você está nele.

CAPÍTULO OITO

TILDE JESPERSEN USAVA um perfume leve e floral que foi levado pelo vento por cima da mesa na calçada e provocava as narinas de Peter Flemming. Não era forte o suficiente para que ele o identificasse, era mais como uma vaga lembrança. Ele imaginou como aquela fragrância se desprenderia da sua pele quente quando lhe tirasse a blusa, a saia e a lingerie.

– Está pensando em quê? – perguntou Tilde.

Ele se sentiu tentado a lhe dizer. Ela fingiria estar chocada, mas secretamente ficaria satisfeita. Ele sempre podia identificar quando uma mulher estava pronta para esse tipo de conversa e sabia como fazê-lo bem: levemente, com um sorriso autodepreciativo, mas com um tom de sinceridade implícito.

Mas então pensou na esposa e se conteve. Peter levava os votos matrimoniais a sério. Outras pessoas podiam achar que possuía uma boa desculpa para quebrá-los, mas ele tinha se imposto padrões mais altos de respeito ao compromisso que assumira.

Por isso, respondeu:

– Eu estava pensando em você derrubando o mecânico fugitivo no aeroporto. Demonstrou enorme presença de espírito.

– Nem pensei no que fazia, simplesmente estiquei o pé.

– Você tem bons reflexos. Nunca fui favorável a mulheres na polícia e, para dizer a verdade, ainda tenho as minhas dúvidas... mas ninguém pode negar que você é uma policial de primeira linha.

Ela deu de ombros.

– Eu própria tenho minhas dúvidas. Talvez as mulheres devessem ficar em casa tomando conta dos filhos. Mas depois que Oskar morreu...

Oskar fora seu marido, detetive de Copenhague e amigo de Peter.

– Eu tive que trabalhar, e a manutenção da ordem pública era a única coisa que eu conhecia. Meu pai trabalhou como guarda aduaneiro, meu irmão mais velho é da Polícia do Exército e o mais moço é policial uniformizado em Aarhus.

– Vou dizer qual é a sua grande qualidade, Tilde. Você nunca tenta fazer com que os homens realizem o seu trabalho bancando a indefesa.

Queria que sua observação soasse como um elogio, mas, pelo jeito dela, não funcionou como esperava.

– Nunca peço ajuda – disse Tilde bruscamente.

– O que talvez seja uma boa política.

Ela lhe dirigiu um olhar que Peter não conseguiu decifrar. Intrigado com o súbito esfriamento da conversa, pensou se Tilde não pedia ajuda para não ser imediatamente classificada como mulher indefesa. Nesse caso, era fácil ver como devia ficar ressentida com isso. Afinal, os homens pediam ajuda uns aos outros o tempo todo.

– Mas por que você é policial? – perguntou ela. – Seu pai tem um negócio bem-sucedido. Você não quer seguir os passos dele um dia?

Ele balançou a cabeça melancolicamente.

– Eu trabalhava no hotel do meu pai nas férias escolares. Detestava os hóspedes, com suas exigências e queixas: "Este bife está passado demais", "Meu colchão é cheio de calombos", "Estou esperando há 20 minutos por uma xícara de café". Não dava para aguentar.

O garçom chegou para atendê-los. Peter resistiu à tentação de pedir arenques com cebolas no seu sanduíche aberto – *smørrebrød* –, pensando que talvez chegasse perto de Tilde o bastante para ela sentir seu hálito, de modo que pediu queijo suave e pepino. Os dois entregaram os cartões de racionamento ao garçom.

– Algum progresso no caso de espionagem? – perguntou Tilde.

– Na verdade, não. Os dois homens que prendemos no aeroporto nada disseram. Foram mandados para Hamburgo, para serem submetidos ao que a Gestapo chama de "interrogatório em profundidade", e entregaram o nome do seu contato – Matthies Hertz, um oficial do Exército. Mas esse tal de Matthies Hertz desapareceu.

– Um beco sem saída, então.

– Exatamente.

A expressão que ela usou o fez pensar no outro beco sem saída em que se metera.

– Você conhece algum judeu, Tilde?

Ela pareceu surpresa.

– Um ou dois. Nenhum na força policial. Por quê?

– Estou fazendo uma lista.

– Uma lista de judeus?

– Isso.

– Onde? Em Copenhague?

– Na Dinamarca.

– Por quê?

– A razão de sempre. Faz parte do meu trabalho ficar de olho nos encrenqueiros.

– E os judeus são encrenqueiros?

– Os alemães acham que sim.

– Dá para ver que eles podem ter problemas com judeus... mas nós temos?

Ele ficou desconcertado. Tinha esperado que ela visse a questão sob o mesmo ponto de vista.

– É melhor estar preparado. Temos listas de organizadores de sindicatos, comunistas, estrangeiros e membros do Partido Nazista Dinamarquês.

– E você acha que os judeus são a mesma coisa?

– Tudo é informação. Agora é fácil identificar judeus que tenham imigrado recentemente, que chegaram nos últimos cinquenta anos. Eles se vestem de modo engraçado, falam com um sotaque peculiar e a maior parte mora nas mesmas ruas de Copenhague. Mas há também judeus cujas famílias são dinamarquesas há séculos. Eles se *parecem* conosco, falam como todo mundo. A maior parte come carne de porco e trabalha nas manhãs de sábado. Se algum dia precisarmos encontrá-los, podemos ter dificuldade. Por isso estou fazendo uma lista.

– Como? Você não pode simplesmente sair por aí perguntando às pessoas se elas conhecem algum judeu.

– Esse é o problema. Tenho dois detetives menos graduados estudando a lista telefônica e outras listas, anotando os nomes que pareçam ser de judeus.

– Não é confiável. Há muitos sujeitos por aí chamados Isaksen que não são judeus.

– Da mesma forma que há muitos judeus com o nome de Jan Christiansen. O que eu realmente gostaria de fazer era uma incursão na sinagoga. Provavelmente eles têm uma lista de membros.

Para sua surpresa, Tilde pareceu desaprovar sua ideia. Mesmo assim ela perguntou:

– E por que não faz isso?

– Juel não permitiria.

– Pois eu acho que ele está certo.

– É mesmo? Por quê?

– Peter, será que você não enxerga? Para que serviria a sua lista no futuro?

– Não é óbvio? – retrucou Peter, irritado. – Se grupos judeus começarem a organizar resistência aos alemães, saberemos onde procurar os suspeitos.

– E se os nazistas resolverem prender todos os judeus e mandá-los para aqueles campos de concentração que eles têm lá na Alemanha? Vão usar a sua lista!

– Mas por que mandariam os judeus para os campos?

– Porque nazistas odeiam judeus. Mas nós não somos nazistas, somos policiais. Prendemos pessoas porque cometeram crimes, não porque as odiamos.

– Eu sei – disse Peter, furioso. Estava atônito por ser atacado por aquele ângulo. Tilde devia saber que a motivação dele era fazer cumprir a lei, não subvertê-la. – Sempre há o risco de que uma informação seja mal usada.

– Pois então não seria melhor não fazer essa maldita lista?

Como Tilde podia ser tão burra? Enfurecia-o encontrar oposição por parte de uma pessoa que ele considerava sua parceira na guerra contra os violadores da lei.

– Não! – gritou Peter. Ele baixou a voz com esforço para completar seu argumento: – Se pensássemos assim, nem deveríamos ter um Departamento de Segurança!

Tilde balançou a cabeça.

– Olhe, Peter, os nazistas fizeram uma porção de coisas boas, nós dois sabemos disso. Em geral, eles estão do lado da polícia. Praticamente acabaram com a subversão, mantêm a lei e a ordem, reduziram o desemprego, e assim por diante. Mas, no que diz respeito a judeus, eles são malucos.

– Talvez, mas são eles que dão as cartas agora.

– Veja só os judeus dinamarqueses, Peter. São obedientes à lei, trabalhadores, mandam os filhos para a escola... É ridículo fazer uma lista de seus nomes e endereços como se fizessem parte de uma conspiração comunista.

Ele se recostou na cadeira.

– Quer dizer então que você se recusa a trabalhar nisso comigo? – disse, em tom acusador.

Dessa vez foi ela quem se ofendeu.

– Como tem coragem de me dizer uma coisa dessas? Sou uma profissional, e você é meu chefe. Farei o que você mandar. Devia saber disso.

– Fala sério?

– Olhe aqui, se você quisesse fazer uma lista completa das bruxas residentes na Dinamarca, eu lhe diria que não acho que bruxas sejam criminosas ou subversivas, mas o ajudaria a fazer a lista.

A comida chegou. Houve um silêncio desconfortável quando começaram a comer. Após alguns instantes, foi Tilde quem retomou a conversa:

– Como vão as coisas em casa?

Peter teve um súbito vislumbre de si próprio e Inge, poucos dias antes do acidente, indo para a igreja numa manhã de domingo, dois jovens saudáveis e felizes em suas melhores roupas. Com tantos vagabundos e tanta gentalha no mundo, por que logo a sua mulher tinha que ter o cérebro destruído por um garotão bêbado em seu carro esporte?

– Inge está na mesma – disse ele.

– Nenhuma melhora?

– Quando o cérebro sofre uma lesão tão séria, não tem conserto. Jamais haverá qualquer melhora.

– Deve ser difícil para você.

– Tenho a sorte de ter um pai generoso. Eu não poderia pagar uma enfermeira com meu salário de policial. Inge teria que ir para uma casa de saúde.

Mais uma vez Peter não entendeu o olhar que Tilde lhe dirigiu. Era quase como se achasse que uma casa de saúde não seria má solução.

– E o motorista do carro esporte?

– Finn Jonk. O julgamento dele começou ontem. Deve terminar em mais um ou dois dias.

– Finalmente! O que acha que vai acontecer?

– Ele está se declarando culpado. Presumo que ficará preso por cinco ou dez anos.

– Não parece suficiente.

– Por ter destruído o cérebro de uma pessoa? O que seria suficiente?

Depois do almoço, quando caminhavam de volta para o Politigaarden, Tilde passou o braço pelo de Peter. Foi um gesto afetuoso e Peter sentiu que ela estava querendo lhe dizer que gostava dele apesar de discordarem. Ao se aproximarem do prédio ultramoderno que sediava o quartel-general da polícia, ele disse:

– É uma pena que você desaprove a minha lista de judeus.

Tilde parou e o encarou.

– Você não é um homem mau, Peter.

Para surpresa dele, Tilde estava com os olhos cheios de lágrimas.

– Seu senso de dever é sua grande força. Mas o cumprimento do dever não é a única lei.

– Realmente não entendo o que você quer dizer.

– Eu sei.

Ela se virou e entrou no edifício sozinha.

Enquanto seguia até o seu escritório, ele tentou ver a questão sob a perspectiva dela. Se os nazistas prendessem judeus cumpridores da lei, estariam cometendo um crime e então a sua lista estaria ajudando os criminosos. Mas seria possível dizer o mesmo a respeito de uma arma ou até mesmo de um carro? O fato de uma coisa poder ser usada por criminosos não significava que tal coisa não devesse existir.

Ao atravessar o pátio central aberto, foi saudado pelo seu chefe, Frederik Juel.

– Venha comigo – disse Juel bruscamente. – Fomos convocados pelo general Braun.

Juel seguiu na frente, seu porte militar transmitindo uma impressão de determinação e eficiência que Peter sabia ser totalmente falsa.

Era uma pequena distância do Politigaarden até a praça onde os alemães tinham tomado um prédio chamado Dagmarhus. O edifício fora cercado por arame farpado e tinha metralhadoras antiaéreas e canhões instalados no terraço plano. Os dois foram levados ao escritório de Walter Braun, em uma sala confortavelmente mobiliada com uma mesa antiga e um sofá de couro. As janelas do cômodo davam uma visão total da praça. Havia um retrato do Führer um tanto pequeno na parede e um porta-retratos em cima da mesa com a foto de dois meninos em uniforme escolar. Braun portava sua pistola até mesmo ali dentro, notou Peter, como se quisesse dizer que, embora tivesse um escritório acolhedor, não estava ali a passeio.

Braun parecia satisfeito consigo mesmo.

– Nosso pessoal decodificou a mensagem que você encontrou no calço oco do aeroplano – disse ele, em seu habitual tom de sussurro.

Peter ficou entusiasmado.

– Impressionante – disse Juel.

– Parece que não foi difícil – prosseguiu Braun. – Os britânicos usam códigos simples, quase sempre baseados em um poema ou alguma passagem em prosa famosa. Depois que nossos criptoanalistas descobrem umas poucas palavras, um professor de inglês geralmente é capaz de preencher o que falta. É a primeira vez que vejo o estudo da literatura inglesa servir para um propósito útil.

Ele riu da própria sagacidade.

– O que havia na mensagem? – perguntou Peter, impaciente.

Braun abriu uma pasta que estava em cima da mesa.

– Vem de um grupo que se intitula Vigilantes Noturnos. – Embora eles estivessem falando alemão, ele usou a palavra dinamarquesa "Natvaegterne". – Significa alguma coisa para você?

Peter foi apanhado de surpresa.

– Vou verificar os arquivos, lógico, mas estou bastante seguro de que ainda não nos deparamos com esse nome.

Ele franziu a testa, pensando.

– Os Vigilantes Noturnos da vida real são policiais ou soldados, não é isso?

Juel se empertigou.

– Eu dificilmente pensaria que policiais dinamarqueses...

– Não falei que eram dinamarqueses – interrompeu Peter. – Podem ser traidores alemães. – Deu de ombros. – Ou podem ser simplesmente pessoas que aspiram o status de militares.

Peter olhou para Braun.

– Qual o conteúdo da mensagem, general?

– Detalhes do nosso dispositivo militar na Dinamarca. Dê uma olhada.

Ele empurrou um maço de papéis por cima da mesa.

Localização de baterias antiaéreas dentro e em torno de Copenhague. Navios de guerra alemães no porto durante o último mês. Regimentos estacionados em Aarhus, Odense e Morlunde.

– A informação é precisa?

Braun hesitou.

– Não muito. Perto da verdade, mas sem exatidão.

Peter balançou a cabeça.

– Então os espiões provavelmente não são alemães com informações privilegiadas, pois nesse caso seriam capazes de conseguir detalhes corretos nos arquivos. É mais provável que sejam estimativas feitas por meticulosos observadores dinamarqueses.

Braun concordou.

– Uma dedução arguta. Mas você é capaz de descobrir essa gente?

– Espero que sim.

O foco da atenção de Braun estava inteiramente voltado para Peter, como se Juel não estivesse presente ou fosse apenas um subalterno em vez do chefe de um serviço.

– Você acha que as pessoas que coletam essas informações são as mesmas que estão contrabandeando o jornal clandestino para fora do país?

Peter ficou satisfeito por Braun ter reconhecido sua competência, mas frustrado por Juel ser, ainda assim, o chefe. Esperou que o general percebesse a ironia e balançou a cabeça.

– Não, nós conhecemos os editores clandestinos e os observamos. Se eles estivessem fazendo observações meticulosas assim do dispositivo militar alemão, teríamos notado. Não. Acredito que seja uma nova organização com que ainda não tínhamos nos defrontado.

– Então como você irá pegá-los?

– Há um grupo de subversivos em potencial que nunca investigamos adequadamente: os judeus.

Peter ouviu Juel puxar o ar para os pulmões ruidosamente.

– É melhor dar uma olhada neles – disse Braun.

– Não costuma ser fácil saber quem é judeu neste país.

– Então vá à sinagoga!

– Boa ideia – disse Peter. – Pode ser que tenham uma lista de membros. Já seria um começo.

Juel lançou a Peter um olhar ameaçador, mas nada disse.

– Meus superiores em Berlim ficaram impressionados com a lealdade e a eficiência da polícia dinamarquesa na interceptação desta mensagem destinada à inteligência britânica – disse Braun. – Mesmo assim, estavam ansiosos por mandar para cá uma equipe de investigadores da Gestapo. Dissuadi-os, prometendo que vocês vão investigar com empenho o círculo de espiões e levar os traidores à justiça.

Foi um longo discurso para um homem com um pulmão só, e Braun perdeu o fôlego. Fez uma pausa, olhando de Peter para Juel e de Juel para Peter. Quando se recuperou, concluiu:

– Para o seu próprio bem, e para o bem de todos na Dinamarca, espero que tenham êxito.

Juel e Peter se levantaram e o primeiro retrucou, muito tenso:

– Faremos tudo o que for possível.

Os dois foram embora. Assim que pisaram fora do edifício, Juel se adiantou e parou na frente de Peter com um olhar de fúria.

– Você sabe perfeitamente que isso não tem nada a ver com a sinagoga, seu canalha!

– Não sei de nada disso.

– Você está é puxando o saco dos nazistas, seu nojento!

– Por que não deveríamos ajudá-los? Eles agora representam a lei.

– Você acha que eles vão ajudar na sua carreira, não é?

– E por que não? – retrucou Peter, decidido a retaliar. – A elite de Copenhague é preconceituosa contra quem é da província; os alemães são mais esclarecidos.

– É *nisso* que você acredita? – perguntou Juel, incrédulo.

– Pelo menos não são cegos para a capacidade de quem não frequentou a Jansborg Skole.

– Quer dizer então que você achou que foi passado para trás por causa do seu histórico? Idiota, você não conseguiu o cargo porque é muito extremado! Não tem senso de proporção. Seria capaz de querer terminar com o crime prendendo todo mundo que lhe parecesse suspeito!

Ele fez um ruído que indicava quanto estava enojado.

– Se eu pudesse interferir, você jamais conseguiria outra promoção. Agora, saia da minha frente.

Juel se afastou, deixando Peter a arder de rancor. Quem Juel pensava que era? O fato de ter um ancestral famoso não o tornava melhor que ninguém. Ele era um policial, exatamente como Peter, e não tinha direito de falar como se fosse um ente superior.

Mas Peter conseguira o que queria. Derrotara Juel. Obtivera permissão para investigar a sinagoga.

Juel o odiaria para sempre por isso. Mas aquilo tinha importância? O poder agora era Braun, não Juel. Melhor ser favorito de Braun e inimigo de Juel do que o contrário.

De volta ao QG, Peter reuniu rapidamente sua equipe, escolhendo os mesmos detetives que usara no aeroporto de Kastrup: Conrad, Dresler e Ellegard. Disse para Tilde Jespersen:

– Eu gostaria de levá-la, se você não se opuser.

– Por que eu iria objetar? – retrucou ela, irritada.

– Depois da nossa conversa na hora do almoço...

– Por favor! Eu sou uma profissional. Já falei isso.

– Ótimo.

Pegaram o carro e seguiram para uma rua chamada Krystalgade. A sinagoga, um prédio revestido de tijolos amarelos, ficava de lado para a rua, como a se defender com um ombro do mundo hostil. Peter deixou Ellegard no portão para se assegurar de que ninguém fugiria.

Um homem idoso com um solidéu na cabeça apareceu na casa destinada aos velhos judeus que ficava do lado da sinagoga.

– Posso ajudá-lo? – perguntou polidamente.

– Somos policiais – respondeu Peter. – Quem é o senhor?

O rosto do homem assumiu uma expressão de pavor tão abjeto que Peter quase teve pena dele.

– Sou Gorm Rasmussen, o gerente aqui da casa durante o dia – disse ele, com voz trêmula.

– Você tem as chaves da sinagoga?

– Tenho.

– Abra para nós entrarmos.

O homem pegou um molho de chaves no bolso e abriu uma porta.

A maior parte do prédio era composta pelo salão principal, ricamente decorado com colunas egípcias cobertas de ouro sustentando as galerias que ficavam sobre os corredores laterais.

– Esses judeus têm muito dinheiro – murmurou Conrad.

– Mostre-me sua lista de membros – disse Peter para Rasmussen.

– Lista de membros? Do que o senhor está falando?

– O senhor deve ter os nomes e endereços da sua congregação.

– Não... Todos os judeus são bem-vindos.

O instinto de Peter lhe disse que o homem falava a verdade, mas ele revistaria a sinagoga assim mesmo.

– Há escritórios aqui?

– Não. Só cubículos com os paramentos do rabino e de seus auxiliares, além de um vestiário para a congregação pendurar os casacos.

Peter dirigiu um olhar para Dresler e Conrad.

– Revistem tudo.

Ele atravessou o centro do salão e se dirigiu ao púlpito. Subiu um lance curto de degraus até um estrado. Atrás da cortina encontrou um nicho escondido.

– O que temos aqui?

– Os rolos da Torá – respondeu Rasmussen.

Eram seis rolos grandes e pesados envoltos cuidadosamente em veludo, proporcionando esconderijos perfeitos para documentos secretos.

– Desembrulhe – ordenou Peter. – E depois espalhe no chão para que eu veja se não tem nada escondido dentro deles.

– Num instante.

Enquanto Rasmussen fazia o que lhe fora ordenado, Peter afastou-se um pouco com Tilde, sempre observando atentamente o idoso.

– Você está bem? – perguntou ele.

– Já lhe falei.

– Se encontrarmos alguma coisa, admitirá que estou certo?

Ela sorriu.

– E, se não encontrarmos, você admitirá que estava errado?

Peter aquiesceu, satisfeito por ver que Tilde não estava zangada com ele.

Rasmussen abriu os rolos, cobertos de escrita hebraica. Peter nada viu de suspeito. Era possível que eles não possuíssem mesmo qualquer registro dos membros. O mais provável é que antes existisse um registro e que o tivessem destruído como medida de segurança no dia em que os alemães invadiram o país. Ficou frustrado. Aquela incursão na sinagoga, além de lhe dar muito trabalho, o deixara ainda mais impopular com seu chefe. Seria uma desgraça se não desse em nada.

Dresler e Conrad voltaram de lados opostos do prédio. Dresler tinha as mãos vazias, mas Conrad carregava um exemplar do jornal *Realidade*.

Peter pegou o jornal e mostrou a Rasmussen.

– Isto é ilegal.

– Sinto muito – disse o velho, dando a impressão de que ia cair no choro. – Eles empurram por debaixo da porta.

As pessoas que publicavam o jornal não estavam sendo procuradas pela polícia, portanto aqueles que meramente o liam não se encontravam em perigo. Mas Rasmussen não sabia e Peter aproveitou-se disso.

– Você deve escrever para o seu pessoal uma vez ou outra – disse.

– Bem, claro, aos líderes da comunidade judaica. Mas não temos uma lista. Sabemos quem são. – Ele arriscou um sorrisinho. – Acho que o senhor também sabe, imagino.

Era verdade. Peter sabia o nome de uns dez ou mais judeus proeminentes: uns dois banqueiros, um juiz, diversos professores da universidade, alguns políticos, um pintor. Não era atrás deles que ele estava; eram por demais conhecidos para serem espiões. Não poderiam ficar em pé no cais do porto contando navios sem chamar atenção.

– Vocês não mandam cartas para eles com pedidos de doações para obras de caridade, avisos sobre os próximos eventos que estão organizando, celebrações, piqueniques, concertos?

– Não – respondeu o homem. – Nós só colocamos um aviso no centro comunitário.

– Ah! – exclamou Peter, com um sorriso de satisfação. – O centro comunitário! E onde é que fica esse centro?

– Perto de Christiansborg, em Ny Kongensgade.

Era a menos de 2 quilômetros de distância.

– Dresler – disse Peter –, fique com esse sujeito aqui por quinze minutos e não deixe que ele alerte ninguém.

Peter, Conrad, Ellegard e Tilde pegaram o carro e foram para a rua Ny Kongensgade. O centro comunitário judaico era um enorme prédio do século XVIII com pátio interno e uma elegante escadaria; precisava ser redecorado. A cafeteria estava fechada e não havia ninguém jogando pingue-pongue no porão. O encarregado do escritório era um rapaz bem-vestido, com ar blasé. Disse que não tinha lista de nomes e endereços, mas os detetives revistaram tudo mesmo assim.

O rapaz se chamava Ingemar Gammel e havia algo nele que deixou Peter pensativo. O que seria? Ao contrário de Rasmussen, Gammel não se assustou. No entanto, Peter tivera a impressão de que Rasmussen, mesmo com medo, era inocente; já Gammel lhe deu justamente a impressão oposta.

O encarregado permaneceu sentado atrás da sua mesa, de colete, com uma corrente de relógio pendente, observando friamente o escritório ser revistado. Suas roupas pareciam caras. Por que um rapaz rico ia trabalhar ali como secretário? Aquele tipo de trabalho normalmente era realizado por garotas mal pagas ou donas de casa de meia-idade já sem filhos pequenos para cuidar.

– Acho que é isto que estamos procurando, chefe – disse Conrad, passando às mãos de Peter um caderno preto de folhas avulsas.

– Uma lista das tocas dos ratos.

Peter deu uma olhada. Ali havia centenas de páginas de nomes e endereços.

– Na mosca – disse. – Muito bem.

Mas seu instinto lhe dizia que havia algo mais a descobrir ali.

– Continuem revistando, vocês todos, para o caso de haver mais alguma coisa.

Peter folheou as páginas do arquivo, procurando algo de estranho, ou familiar, ou... qualquer coisa. Estava descontente, sem saber exatamente por quê. Nada chamou sua atenção.

O paletó de Gammel estava pendurado em um gancho atrás da porta. Peter leu a etiqueta do alfaiate. O terno fora confeccionado por Anderson & Sheppard, da rua Savile Row, em Londres, em 1938. Ficou com inveja. Comprava suas roupas nas melhores lojas de Copenhague, mas nunca pudera se dar ao luxo de comprar um terno inglês. Havia um lenço de seda no bolso superior do paletó. Encontrou um clipe prendendo uma gorda quantia em cédulas no bolso lateral esquerdo. No da direita havia um bilhete de volta de Aarhus, cuidadosamente picotado pelo inspetor do trem.

– Por que você foi a Aarhus?

– Visitar amigos.

Na mensagem decodificada havia o nome do regimento alemão sediado em Aarhus, relembrou Peter. No entanto, Aarhus era a maior cidade da Dinamarca depois de Copenhague e centenas de pessoas viajavam entre as duas localidades diariamente.

No bolso de dentro do paletó havia uma agenda fininha. Peter abriu-a.

– Você gosta do seu trabalho? – perguntou Gammel, com desprezo.

Peter olhou para ele com um sorriso. Gostava de irritar homens ricos e pomposos que se imaginavam superiores ao resto da humanidade. Mas o que respondeu foi:

– Assim como um encanador que desentope privadas, encontro uma porção de merda.

E voltou a se concentrar detidamente na agenda.

A caligrafia de Gammel era elegante como seu terno, com maiúsculas grandes e traços bem desenhados. As anotações pareciam normais, todas elas: almoços, peças, aniversário da mãe, telefonar a Jorgen sobre Wilder.

– Quem é Jorgen? – perguntou Peter.

– Meu primo, Jorgen Lumpe. Nós trocamos livros.

– E Wilder?

– Thornton Wilder.

– E ele é...

– O escritor americano. *The Bridge of San Luis Rey*. Você deve ter lido.

Havia uma zombaria oculta na resposta, uma indireta, sugerindo que policiais não eram suficientemente cultos, que não liam romances estrangeiros, mas Peter ignorou-a e passou para a parte de trás da agenda. Como esperava, encontrou uma lista de nomes e endereços. Ergueu os olhos para Gammel e viu um leve rubor no seu rosto cuidadosamente barbeado. Aquilo era promissor. Examinou a lista de endereços com atenção.

Escolheu um nome ao acaso.

– Hilde Bjergager... quem é?

– Uma amiga – respondeu Gammel friamente.

Peter tentou outro:

– Bertil Bruun?

Gammel permaneceu indiferente.

– Parceiro de tênis.

– Fred Eskildsen?

– Gerente do meu banco.

Os outros detetives tinham interrompido a revista e estavam em silêncio, sentindo a tensão que se instalara.

– Poul Kirke?

– Um velho amigo.

– Preben Klausen.

– Negociante de quadros.

Pela primeira vez Gammel demonstrou alguma alteração, mas foi de alívio, não de culpa. Por quê? Teria conseguido escapar de algum problema? Seria algo relativo ao negociante de pinturas, Klausen? Ou o nome importante seria o anterior? Será que Gammel demonstrara alívio porque Peter *passara para* o nome de Klausen?

– Poul Kirke é um velho amigo?

– Frequentamos a universidade juntos – a voz de Gammel manteve-se controlada, mas havia um leve indício de medo nos seus olhos.

Peter olhou para Tilde e ela balançou a cabeça quase imperceptivelmente. Também percebera algo na reação de Gammel.

Peter voltou para a agenda. Não havia endereço correspondente a Poul Kirke, mas ao lado do número telefônico havia um N maiúsculo. Contrariando a escrita característica de Gammel, era uma letra pequena.

– Que significa isto, esta letra N?

– Naestved. É o número dele em Naestved.

– E qual é o outro número?

– Ele não tem outro número.

– Então para que você precisa desta anotação?

– Para dizer a verdade, não me lembro – respondeu Gammel, demonstrando irritação.

Podia ser verdade. Por outro lado, N podia significar "Natvaegterne" – Vigilantes Noturnos.

– Ele trabalha em quê?

– É piloto.

– Onde?

– No Exército.

– Ah... – Peter tinha especulado que os Vigilantes Noturnos pudessem ser integrantes do Exército, por causa do nome e também porque eram observadores precisos de detalhes militares.

– Em que base?

– Vodal.

– Pensei que você tivesse dito Naestved.

– É perto.

– Mais de 30 quilômetros de distância.

– Bem, é como me lembro.

Peter, pensativo, balançou a cabeça e se virou para Conrad.

– Prenda este canalha mentiroso.

~

A revista do apartamento de Ingemar Gammel foi frustrante. Peter nada encontrou de interessante: livro de códigos, literatura subversiva, armas, nada. Concluiu que Gammel devia ser uma figura menor na rede de espionagem. Seu papel devia limitar-se a fazer observações e transmiti-las a um contato central. Esse homem-chave compilaria as mensagens e as remeteria à Inglaterra. Mas quem seria essa figura central? Peter tinha esperanças de que pudesse ser Poul Kirke.

Antes de percorrer os 80 quilômetros que o separavam da escola de pilotagem em Vodal, onde Poul servia, Peter passou uma hora em casa com Inge, sua mulher. Enquanto a alimentava com quadradinhos de maçã com mel, devaneou sobre como seria a vida com Tilde Jespersen. Imaginou-se vendo Tilde preparando-se para sair à noite – lavando os cabelos e enxugando-os vigorosamente com uma toalha; sentada à penteadeira só de roupa de baixo; pintando as unhas; olhando-se no espelho; ajeitando uma echarpe vermelha de seda no pescoço. Logo se deu conta de que ansiava pela companhia de uma mulher que fosse capaz de fazer tudo por conta própria.

Tinha que parar de pensar daquele modo. Era um homem casado. O fato de sua esposa ser inválida não configurava uma desculpa para cometer adultério. Tilde era uma colega e amiga e nunca deveria ser mais que isso.

Sentindo-se irrequieto e descontente, ligou o rádio e ouviu o noticiário enquanto esperava que a enfermeira chegasse. Os ingleses tinham desferido uma nova ofensiva no Norte da África, cruzando a fronteira do Egito e lançando-se sobre a Líbia com uma divisão blindada, numa tentativa de libertar a cidade de Tobruk, que estava sitiada. Devia ser uma operação de grande porte, embora a estação de rádio dinamarquesa – censurada, naturalmente – afirmasse de antemão que os canhões antitanques alemães dizimariam as forças britânicas.

O telefone tocou e Peter atravessou a sala para atendê-lo.

– Allan Forslund falando, Divisão de Trânsito. – Forslund era o policial responsável por Finn Jonk, o motorista bêbado que batera no carro de Peter. – O julgamento terminou há pouco.

– O que aconteceu?

– Jonk pegou seis meses.

– Seis meses?

– Sinto muito...

A visão de Peter ficou embaçada. Achou que fosse cair e se amparou na parede.

– Por destruir o cérebro da minha mulher e arruinar a minha vida? Seis meses?

– O juiz disse que ele já tinha sofrido muito e que ia ter que viver com essa culpa pelo resto da vida.

– Conversa-fiada!

– Eu sei.

– Achei que a acusação ia pedir uma sentença severa.

– Nós pedimos. Mas o advogado de Jonk foi muito persuasivo. Disse que o garoto tinha parado de beber, que passou a andar por aí de bicicleta, que está estudando para ser arquiteto.

– Qualquer um pode dizer essas coisas.

– Eu sei.

– Eu não aceito! Recuso-me a aceitar!

– Não há nada que possamos fazer...

– Uma ova que não há!

– Peter, por favor, não vá se precipitar!

Peter tentou se acalmar.

– Claro que não vou.

– Você está sozinho?

– Vou voltar para o trabalho em poucos minutos.

– Espero que você tenha alguém com quem conversar.

– Sim, sim. Obrigado por ligar, Allan.

– Lamento muito não termos nos saído melhor.

– A culpa não é sua. Um advogado espertalhão e um juiz burro. Já vimos isso antes.

Peter desligou. Tinha se obrigado a parecer calmo, mas na verdade estava fervendo de raiva. Se Jonk estivesse solto, poderia procurá-lo e matá-lo, mas o garoto estava a salvo na cadeia, nem que fosse por alguns meses. Pensou em encontrar o advogado, prendê-lo sob um pretexto qualquer e dar-lhe uma surra, mas sabia que não ia fazer uma coisa dessas. O canalha não violara nenhuma lei.

Olhou para Inge. Estava sentada onde a deixara, olhando para ele, o rosto inexpressivo, esperando que continuasse a lhe dar sua comida. Notou que um pouco da maçã que ela mastigara tinha sujado a parte de cima do vestido. Normalmente ela não era desleixada na hora de comer, apesar do seu estado. Antes do acidente, Inge era extraordinariamente meticulosa em tudo relacionado à sua aparência. Ao vê-la com comida no queixo e manchas na roupa, ele, de repente, teve vontade de chorar.

Foi salvo pelo toque da campainha da porta. Controlou-se rapidamente e foi até lá. A enfermeira chegou ao mesmo tempo que Bent Conrad, que fora pegá-lo para a viagem a Vodal. Peter pendurou o paletó nos ombros e deixou a limpeza de Inge por conta da enfermeira.

Foram em dois carros, os Buick pretos padronizados da polícia. Peter achou que o Exército talvez pusesse obstáculos à sua empreitada e por isso pediu ao general Braun que escalasse um oficial alemão para impor autoridade, se necessário. Assim, o major Schwarz, um dos assistentes de Braun, viajava no carro da frente.

A viagem levou uma hora e meia. Schwarz fumou um charuto enorme, enchendo o carro de fumaça. Peter tentou não pensar na sentença ridiculamente leve imposta a Finn Jonk. Podia precisar de sua sagacidade quando chegasse à base aérea e não queria ter o raciocínio obscurecido pela raiva. Tentou sufocar a ira que sentia, mas ela continuou a queimar lentamente, disfarçada sob uma falsa tranquilidade, o que, junto com a fumaça do charuto de Schwarz, fazia arder seus olhos.

Vodal era um aeródromo com uma pista de grama e algumas construções baixas em um dos lados. A segurança era mínima – tratava-se apenas de uma escola de treinamento onde nada remotamente secreto acontecia – e o único guarda no portão acenou para eles despreocupadamente, sem perguntar o que desejavam. Seis Tiger Moth estavam estacionados em linha, como pássaros numa cerca. Havia também planadores e dois Messerschmitt Me-109.

Quando Peter saltou do carro, viu Arne Olufsen, seu rival dos tempos de infância em Sande, atravessando o estacionamento de automóveis, com o elegante uniforme marrom do Exército. O gosto amargo do ressentimento encheu-lhe a boca.

Peter e Arne tinham sido amigos durante toda a infância, até a briga entre as duas famílias, havia doze anos. Tudo começou quando Axel Flemming, o pai de Peter, foi acusado de sonegação de impostos. Axel achara ridícula a acusação, já que ele só fizera o que todo mundo fazia: inflacionar as despesas para reduzir o lucro declarado. Acabou condenado e teve que pagar uma multa pesada além de todos os impostos devidos.

Ele tinha convencido todos os amigos e vizinhos a encarar o ocorrido como uma questão técnica de contabilidade, não como uma acusação de desonestidade. Então o pastor Olufsen interviera.

Havia uma regra na igreja de que qualquer membro que cometesse um crime devia ser expulso da congregação. O transgressor podia retornar no domingo seguinte, se desejasse, mas por uma semana seria um intruso. Essa prática não era empregada para crimes triviais, como ultrapassar a velocidade máxima permitida, e Axel se defendera dizendo que sua transgressão se enquadrava nessa categoria de faltas leves. O pastor Olufsen pensava de outro modo.

A humilhação foi muito pior para Axel que a multa aplicada pela corte. Seu nome foi lido em voz alta para toda a congregação, foi obrigado a deixar seu lugar e ir para o fundo da igreja durante o resto do culto e, para completar sua mortificação, o pastor fez um sermão sobre o tema "A César o que é de César".

Peter estremecia cada vez que se lembrava da cena. Axel tinha orgulho de sua posição como homem de negócios bem-sucedido e líder comunitário; não poderia haver punição maior para ele do que perder o respeito da comunidade. Tinha sido uma tortura para Peter ver o pai publicamente repreendido por um sujeito arrogante, pretensioso e hipócrita como Olufsen. Peter acreditava que o pai merecera a multa, mas não a humilhação na igreja. E jurou que, se algum dia qualquer membro da família Olufsen transgredisse a lei, não haveria misericórdia.

Seria portanto uma doce vingança, quase um sonho, descobrir algum envolvimento de Arne com o círculo de espionagem.

Arne teve seu olhar atraído para ele.
– Peter! – Ele pareceu surpreso, mas não receoso.
– É aqui que você trabalha? – perguntou Peter.
– Quando há trabalho para fazer. – Arne mostrou-se afável e tranquilo como sempre. Se tinha alguma culpa, escondia-a muito bem.
– Naturalmente, você é piloto.
– Aqui funciona uma escola de treinamento, porém não temos muitos alunos. Mas, indo direto ao ponto, o que está fazendo aqui?
Arne deu uma olhada no oficial alemão ao lado de Peter.
– Houve algum surto perigoso de lançamento de lixo na calçada? Ou alguém saiu por aí andando de bicicleta sem lanterna?
Peter não achou o sarcasmo de Arne engraçado.
– Investigação de rotina – disse, lacônico. – Onde encontro seu comandante?
Arne apontou para um dos prédios.
– Quartel-general da base. Você deve procurar o comandante Renthe.
Peter afastou-se de Arne e entrou no prédio. Renthe era um homem magro com um bigode eriçado e expressão azeda. Peter se apresentou e disse:
– Estou aqui para interrogar um de seus homens, o tenente-aviador Poul Kirke.
O comandante Renthe lançou um olhar certeiro sobre o oficial alemão e perguntou:
– Qual é o problema?
A resposta "Não é da sua conta" quase saltou da boca de Peter, mas ele estava decidido a se manter calmo e preferiu contar uma mentira menos ofensiva:
– Ele anda negociando propriedade roubada.
– Quando um militar é *suspeito* de ter cometido um crime, preferimos investigar o assunto internamente.
– É claro que vocês preferem...
Ele indicou Schwarz com o dedo.
– Os nossos amigos alemães querem que a polícia cuide do caso, portanto as suas *preferências* são irrelevantes. Kirke está na base neste momento?
– Acontece que ele está voando.
Peter ergueu as sobrancelhas.
– Pensei que seus aviões estivessem proibidos de voar.
– Como regra geral, sim, mas há exceções. Estamos aguardando uma visita de um grupo da Luftwaffe amanhã. Eles querem assumir nossas aeronaves de

treinamento, portanto temos permissão para realizar voos de teste hoje e verificar se estão em boas condições. Kirke deverá aterrissar em poucos minutos.

– Revistarei o alojamento dele enquanto isso. Onde é?

Renthe hesitou antes de responder com relutância:

– Dormitório A, no fim da pista.

– Ele tem um escritório, um armário ou outro lugar onde possa guardar coisas?

– Ele tem uma salinha na terceira porta deste corredor.

– Começarei por lá. Tilde, venha comigo. Conrad, vá para a pista de pouso para se encontrar com Kirke quando ele aterrissar... Não quero que ele escape. Dresler e Ellegard, revistem o Dormitório A. Comandante, muito obrigado pela sua ajuda...

Peter viu os olhos de Renthe se desviarem para o telefone em cima da mesa e acrescentou:

– Nada de telefonemas nos próximos minutos. Se avisar a alguém que estamos a caminho, essa iniciativa será considerada um ato de obstrução da justiça. Terei que metê-lo na cadeia e isso não pegaria nada bem para o Exército, não é mesmo?

Renthe ficou calado.

Peter, Tilde e Schwarz seguiram pelo corredor até a porta marcada com os dizeres "Instrutor-chefe de voo". Uma escrivaninha e um arquivo se espremiam dentro de um aposento mínimo e sem janelas. Peter e Tilde começaram a revista e Schwarz acendeu outro charuto. O arquivo continha registros dos alunos. Peter e Tilde examinaram pacientemente cada folha de papel. A saleta era abafada e o perfume indefinido de Tilde perdeu-se na fumaça do charuto de Schwarz.

Depois de quinze minutos Tilde deixou escapar uma exclamação de espanto e disse:

– Isto é estranho!

Peter levantou os olhos do resultado do exame de um estudante chamado Keld Hansen, reprovado em um teste de navegação.

Tilde passou-lhe uma folha de papel. Peter estudou-a, franzindo a testa. Continha um esboço meticuloso de um aparelho que ele não reconheceu: uma grande antena quadrada montada sobre uma base e cercada por um muro. Um segundo desenho do mesmo aparelho, sem o muro, mostrava mais detalhes da base, que dava a impressão de poder girar.

Tilde olhou por cima do ombro dele.

– O que acha que pode ser?

Peter sentiu intensamente a proximidade do corpo de Tilde.

– Nunca vi nada assim, mas aposto quanto você quiser que se trata de algo secreto. Alguma coisa mais no arquivo?

– Não. – Ela mostrou uma pasta marcada "Andersen, H. C.".

– Hans Christian Andersen – resmungou Peter. – Isto por si só já é muito suspeito.

Ele virou a folha ao contrário. No verso havia o esboço de um mapa de uma ilha cujo formato fino e comprido era tão familiar aos olhos de Peter quanto o próprio mapa da Dinamarca.

– É a ilha de Sande, onde meu pai mora! – disse.

Examinando mais detidamente, ele viu que o mapa mostrava a nova base alemã e a área da praia cujo acesso era restrito.

– Na mosca! – exclamou baixinho.

Os olhos azuis de Tilde brilhavam de entusiasmo.

– Pegamos um espião, não pegamos?

– Ainda não – respondeu Peter. – Mas estamos quase lá.

Eles saíram, seguidos pelo silencioso Schwarz. O sol tinha se posto, mas a visibilidade era perfeita no crepúsculo suave da longa noite do verão escandinavo.

Caminharam até a pista e ficaram parados ao lado de Conrad, perto do local onde os aviões estavam estacionados. Os aparelhos estavam sendo guardados para a noite. Um deles ia sendo levado para dentro do hangar; dois mecânicos o empurravam pelas asas e um terceiro mantinha a cauda erguida.

Conrad apontou para um avião que vinha se aproximando da pista de pouso e disse:

– Acho que deve ser o nosso homem.

Era outro Tiger Moth. Enquanto ele descia em uma trajetória perfeita e se posicionava contra o vento para aterrissar, Peter pensava que não havia dúvidas de que Poul Kirke era um espião. A evidência encontrada no arquivo seria suficiente para enforcá-lo. Mas, antes, Peter tinha um monte de perguntas a lhe fazer. Seria ele simplesmente um informante, como Ingemar Gammel? Teria viajado a Sande para examinar pessoalmente a base aérea e desenhar o aparelho misterioso? Ou desempenharia o papel mais importante de coordenador, reunindo informações e transmitindo-as para a Inglaterra em mensagens cifradas? Se Kirke fosse o contato central, quem tinha ido a Sande para fazer o desenho? Poderia ter sido Arne Olufsen? Era possível, mas Arne não demonstrara qualquer sinal de culpa uma hora atrás, quando Peter chegara inesperadamente à base. Ainda assim, talvez valesse a pena colocá-lo sob vigilância.

Quando o avião tocou o solo e prosseguiu aos solavancos pela pista de grama, um dos Buick da polícia surgiu em alta velocidade e parou, derrapando, perto de onde eles se encontravam. Dresler saltou, tendo nas mãos algo amarelo brilhante.

Peter dirigiu-lhe um olhar nervoso. Um tumulto ali só serviria para alertar Poul Kirke. Olhando em torno, deu-se conta de que havia baixado a guarda por um momento e não reparara que o grupo ao lado da pista parecia pouco harmônico: ele de terno escuro; Schwarz de uniforme alemão, fumando um charuto; uma mulher; e agora um homem que saltava apressado de um carro. Parecia um comitê de recepção, o que, evidentemente, podia fazer soar um alarme na cabeça de Kirke.

Dresler se aproximou nervoso, brandindo o objeto amarelo, que era um livro com uma sobrecapa brilhantemente colorida.

– Aqui está o livro dos códigos! – disse.

Isso confirmava que Kirke era o homem-chave. Peter olhou para a pequena aeronave, que tinha se afastado da pista antes de emparelhar com o grupo e agora passava por eles taxiando na direção da área de estacionamento.

– Esconda o livro debaixo do paletó, seu idiota! – ordenou a Dresler. – Se ele vir você sacudindo isso, saberá que viemos pegá-lo!

Virou-se de novo para o Tiger Moth. Podia ver Kirke na cabine aberta, mas não era capaz de ler a expressão dele por trás dos óculos, do xale e do capacete.

Não havia, contudo, como interpretar erroneamente o que aconteceu a seguir.

O motor de repente roncou muito mais alto quando o manete foi acionado. O avião fez a volta e ficou de frente para o vento, indo diretamente ao encontro do grupinho que cercava Peter.

– Droga, ele vai fugir! – bradou Peter.

A aeronave ganhou velocidade e foi na direção deles.

Peter sacou a pistola.

Queria pegar Kirke vivo e interrogá-lo, mas preferia matá-lo a deixar que escapasse. Empunhando a arma com ambas as mãos, apontou para o avião que se aproximava. Era praticamente impossível derrubá-lo com uma pistola, mas talvez ele pudesse atingir o piloto com um tiro de sorte.

A cauda do Tiger Moth se levantou do solo, nivelando a fuselagem e expondo a cabeça e os ombros de Kirke. Peter apontou cuidadosamente para o capacete do piloto e puxou o gatilho. A aeronave distanciou-se do solo e Peter levantou a mira, esvaziando o pente de sete tiros da Walther PPK. Amargamente frustrado, viu que tinha atirado muito alto, pois uma série de pequenos orifícios apareceu, como manchas de tinta, no tanque de combustível que ficava acima da cabeça do piloto. O líquido começou a jorrar dentro da cabine em pequenos jatos. A aeronave não alterou em nada seu curso.

Todos os outros se jogaram no chão.

Peter teve um ataque suicida de raiva quando a hélice em movimento se aproximou dele, a 90 e poucos quilômetros por hora. No comando da aeronave, junto com Poul Kirke, estavam todos os criminosos que tinham escapado da justiça, inclusive Finn Jonk, o bêbado que arruinara a vida de Inge. Peter ia impedir Kirke de fugir nem que isso lhe custasse a vida.

Com o canto do olho, ele viu o charuto do major Schwarz fumegando na grama e teve uma inspiração.

Quando o biplano estava prestes a atingi-lo, abaixou-se, pegou o charuto e atirou-o em cima do piloto.

Só então protegeu a própria vida, atirando-se para o lado.

Sentiu o deslocamento do ar quando a asa inferior passou a centímetros da sua cabeça.

Ele bateu no chão, rolou sobre o próprio corpo e olhou para cima.

O Tiger Moth ganhava altura. As balas e o charuto aceso não tinham causado efeito. Peter fracassara.

Kirke conseguiria fugir? A Luftwaffe mandaria os dois Messerschmitt para caçá-lo, mas isso tomaria alguns minutos, ao cabo dos quais o Tiger Moth estaria fora de vista. O tanque de combustível de Kirke fora danificado, mas os buracos de bala poderiam não ter perfurado sua parte mais baixa, e, nesse caso, poderia dispor de gasolina suficiente para chegar à Suécia, a pouco mais de 30 quilômetros de distância. E a escuridão da noite finalmente estava caindo.

Kirke tinha uma chance, concluiu Peter, amargurado.

Nesse momento ouviu-se o som abafado de uma súbita explosão e uma enorme labareda subiu na cabine do avião.

O fogo se espalhou com espantosa velocidade por toda a cabeça e pelos ombros do piloto, cuja roupa devia estar embebida de gasolina. Logo a chama lambeu a fuselagem e consumiu rapidamente o tecido do revestimento.

Por alguns segundos a aeronave continuou a subir, embora a cabeça do piloto tivesse sido carbonizada. Foi então que o corpo de Kirke tombou, aparentemente empurrando o manche para a frente, e o Tiger Moth apontou o nariz num mergulho que percorreu a curta distância que o separava do solo, onde se enterrou como uma flecha. A fuselagem ficou amarrotada como uma sanfona.

Seguiu-se um silêncio horrorizado. O fogo continuou a consumir as asas e a cauda, fazendo desaparecer o tecido e as longarinas de madeira, revelando por fim os tubos de aço da fuselagem, como o esqueleto de um mártir imolado na fogueira da intolerância.

– Meu Deus! – exclamou Tilde. – Que horror! Pobre homem!

Ela tremia e Peter passou o braço pelos seus ombros.

– E o pior é que agora ele não pode responder minhas perguntas – disse ele.

PARTE DOIS

CAPÍTULO NOVE

A PLACA DO LADO de fora do prédio dizia "Instituto Dinamarquês de Canções e Danças Folclóricas", mas a identificação estava ali apenas para enganar as autoridades. Quem descesse a escada cruzava a cortina dupla que impedia que a luz passasse e chegava ao porão sem janelas onde funcionava um clube de jazz.

A sala era pequena e escura, com o piso de concreto juncado de pontas de cigarro e pegajoso de cerveja derramada. Havia umas poucas mesas e cadeiras meio desconjuntadas, mas a maior parte do público estava em pé. Eram marinheiros e estivadores, lado a lado com jovens bem-vestidos e alguns soldados alemães.

No palco minúsculo, uma jovem sentada ao piano cantava baladas. Aquilo até podia ser jazz, mas não era a música pela qual Harald era apaixonado. Ele estava esperando Memphis Johnny Madison, que era um homem negro, muito embora tivesse vivido a maior parte da vida em Copenhague e provavelmente nem conhecesse Memphis.

Eram duas da manhã. Algumas horas antes, quando as luzes da escola foram apagadas, os três patetas - Harald, Mads e Tik - se vestiram, esgueiraram-se para fora do prédio do dormitório e pegaram o último trem para a cidade. Era arriscado – eles estariam metidos em encrenca grossa se fossem descobertos –, mas valeria a pena ver Memphis Johnny.

A aquavita que Harald bebia, intercalada com copos de chope, o estava deixando ainda mais eufórico.

A lembrança emocionante da conversa que tivera com Poul Kirke e a assustadora revelação de que passara a integrar a Resistência eram temas que não saíam da sua mente. No entanto, mal se atrevia a refletir muito a esse respeito, pois tratava-se de algo que não poderia compartilhar nem mesmo com Mads e Tik. Tinha passado informações militares secretas a um espião.

Depois de Poul admitir a existência de uma organização secreta, Harald dissera que faria tudo o que pudesse para ajudar. Poul prometera usá-lo como um de seus observadores. Sua tarefa seria coletar informações sobre as forças de ocupação e repassá-las a Poul, que as transmitiria para a Inglaterra. Sentia orgulho de si próprio e ansiava pela primeira missão.

Também tinha medo, mas procurava não pensar no que podia acontecer se fosse apanhado.

Ele ainda odiava Poul por namorar Karen Duchwitz. O gosto amargo do ciúme lhe surgia na boca do estômago sempre que pensava nisso, mas reprimia os sentimentos em benefício da Resistência.

Queria que Karen estivesse ali com ele. Ela gostaria da música.

Justo quando estava pensando na falta de companhia feminina, notou uma recém-chegada: uma mulher de cabelo escuro encaracolado e vestido vermelho que se sentou num banco do bar. Não podia vê-la claramente – o ar estava enfumaçado ou talvez houvesse algo de errado com a sua visão –, mas ela parecia estar sozinha.

– Ei, pessoal, olhem – disse Harald para os outros.

– Legal, se você gostar de mulheres mais velhas – disse Mads.

Harald examinou-a de novo, tentando ver com mais nitidez.

– Ora, quantos anos ela pode ter?

– No mínimo 30 – disse Mads. Harald deu de ombros.

– Isso não chega a ser realmente *muita* idade. Será que ela não quer conversar?

– Claro que ela vai falar com você – disse Tik, que bebera menos que os outros dois.

Harald não sabia ao certo por que Tik ria como um bobo. Ignorando-o, levantou-se e foi para o bar. Quando chegou mais perto, viu que a mulher era gorducha e que sua cara redonda estava pesadamente maquiada.

– Olá, colegial – disse ela com um sorriso amistoso.

– Notei que você estava sozinha.

– Por enquanto.

– Pensei que você pudesse querer alguém para conversar.

– Na verdade não é bem para isso que estou aqui.

– Ah... você prefere ouvir a música! Eu adoro jazz. Você gostou da cantora? Ela não é norte-americana, claro, mas...

– Odeio música.

Harald ficou confuso.

– Então por que...

– Sou uma profissional.

Ela parecia pensar que isso explicava tudo, mas ele ficou ainda mais espantado. Ela continuou a sorrir calorosamente, mas Harald teve a sensação de que falavam de coisas diferentes.

– Uma profissional – repetiu ele. – Para mim você parece uma princesa.

Ela riu.

– Qual é o seu nome? – perguntou Harald.

– Betsy.

Era um nome improvável para uma dinamarquesa da classe trabalhadora; Harald concluiu que devia ser fictício.

Um homem aproximou-se de Harald, que ficou espantado com a sua aparência: barba por fazer, dentes podres e um olho meio fechado por uma grande cicatriz. Mesmo baixo e magro, sua presença era intimidadora.

– Vamos, meu filho, decida-se.

Betsy se virou para Harald.

– Este é o Luther. Deixe o menino em paz, Lu, ele não está fazendo nada errado.

– Está afastando outros clientes.

Harald percebeu que não tinha ideia do que estava acontecendo e concluiu que devia estar mais bêbado do que havia imaginado.

– Bem – disse Luther –, você quer transar com ela ou não?

– Eu nem mesmo a conheço! – exclamou Harald, atônito.

Betsy caiu na gargalhada.

– São 10 coroas, pode pagar a mim – disse Luther.

Finalmente a ficha caiu. Harald virou-se para Betsy.

– Você é uma prostituta? – perguntou.

– Sou, mas não precisa gritar – retrucou ela, aborrecida.

Luther agarrou Harald pela frente da camisa e o puxou. A pegada dele era forte e o rapaz se assustou.

– Conheço vocês, estudantes riquinhos – explodiu Luther. – Pensam que isso é engraçado.

Harald sentiu o mau hálito de Luther.

– Não precisa se irritar – disse. – Eu só queria conversar com ela.

O barman, com um pano passado na cabeça, debruçou-se sobre o balcão e disse:

– Nada de encrenca, por favor, Lu. O rapaz não fez por mal.

– Não mesmo? Pois acho que ele está debochando de mim.

Harald estava começando a temer que Luther tivesse uma faca. Nesse exato momento, o gerente do clube pegou um microfone e anunciou Memphis Johnny Madison. O aviso foi saudado por uma salva de palmas.

Luther empurrou Harald.

– Saia da minha frente antes que eu corte seu pescoço, idiota – disse.

Harald voltou para junto dos outros. Sabia que tinha sido humilhado, mas tinha bebido demais para se importar.

– Cometi uma gafe – disse.

Memphis Johnny subiu ao palco e Harald instantaneamente se esqueceu de Luther.

Johnny se sentou ao piano e se debruçou sobre o microfone. Falando um dinamarquês perfeito, sem o menor resquício de sotaque, disse:

– Muito obrigado. Eu gostaria de começar com uma composição do maior de todos os pianistas de boogie-woogie, Clarence Pine Top Smith.

Mais aplausos. Harald gritou em inglês:

– Vamos lá, Johnny!

Houve um tumulto qualquer perto da porta, mas Harald nem reparou. Johnny tocou quatro acordes da introdução, interrompeu-se bruscamente e disse ao microfone:

– Heil Hitler, baby.

Um oficial alemão subiu no palco.

Harald olhou em volta, aturdido. Um grupo de policiais militares tinha entrado no clube. Estavam prendendo os soldados alemães, mas não os civis dinamarqueses.

O oficial arrancou o microfone de Johnny.

– Artistas de raça inferior não são permitidos – disse em dinamarquês. – O clube está fechado.

– Não! – gritou Harald, horrorizado. – Você não pode fazer isso, seu nazista ignorante!

Por sorte, a voz de Harald desapareceu no meio da algazarra generalizada de protesto.

– Vamos sair daqui antes que você cometa outra gafe – disse Tik, segurando o braço de Harald.

Harald resistiu.

– Ah! Qual é? – gritou. – Deixe o Johnny tocar!

O oficial algemou Johnny e o levou para fora do clube.

Harald estava inconsolável. Aquela fora sua primeira chance de ouvir um pianista de boogie-woogie de verdade e os nazistas tinham reduzido o show a apenas alguns acordes.

– Eles não têm o direito! – gritou.

– É, não têm mesmo – concordou Tik, procurando contemporizar, ao mesmo tempo que o conduzia para a porta.

Os três rapazes subiram os degraus que davam na rua. Era pleno verão e a breve noite da Escandinávia terminara. O dia já raiara. O clube ficava na região do cais do porto e o largo canal cintilava à meia-luz. Navios adormecidos flutuavam imóveis, presos aos seus ancoradouros. Uma brisa fria e salgada soprava do mar. Harald respirou fundo e se sentiu momentaneamente tonto.

– A gente podia ir para a estação e esperar pelo primeiro trem para casa – sugeriu Tik. O plano deles era estar na cama, fingindo dormir, antes que qualquer pessoa na escola acordasse.

Dirigiram-se para o centro da cidade. Os alemães tinham construído, nos principais cruzamentos, postos de guarda de concreto, cercado por muretas octogonais com cerca de 1,20 metro acima do nível do solo. Dentro deles havia espaço suficiente para um soldado ficar em pé, visível do peito para cima. Esses postos não eram guarnecidos à noite. Harald ainda estava furioso com o fechamento do clube e, ao passar por um daqueles feios símbolos da dominação nazista, foi tomado pela revolta e o chutou.

– Dizem que as sentinelas desses postos usam aquelas calças curtas de tirolês – comentou Mads – porque ninguém pode ver suas pernas.

Harald e Tik riram.

Logo em seguida, passaram por uma pilha de restos de construção do lado de fora de uma loja recentemente reformada. No topo do entulho, Harald avistou algumas latas de tinta e teve uma ideia. Adiantou-se um pouco e pegou uma lata.

– Que diabo você está fazendo? – perguntou Tik.

A lata tinha um resto de tinta preta no fundo, ainda líquida. Entre um monte de pedaços de madeira, Harald selecionou um com 2 centímetros de largura para servir de pincel.

Ignorando as perguntas de Tik e Mads, que não entendiam nada, Harald voltou ao posto de guarda e se ajoelhou com o material de pintura que improvisara. Ele ouviu Tik dizer qualquer coisa em tom de advertência, mas não deu atenção. Com muito cuidado, escreveu na parede de concreto, em grandes letras pretas:

ESTE NAZISTA
ESTÁ SEM CALÇAS

Harald recuou um pouco para admirar seu trabalho. As letras eram grandes e as palavras podiam ser lidas a distância. Dentro de algumas horas, milhares de habitantes da cidade passariam por ali no seu caminho para o trabalho e sorririam.

– Que tal? – perguntou ele. Olhou em torno. Tik e Mads não podiam ser vistos em parte alguma, mas dois policiais dinamarqueses uniformizados estavam bem atrás dele.

– Muito engraçado – disse um deles –, mas você está preso.

~

Ele passou o resto da noite no Politigaarden, numa área destinada aos bêbados. Ficou ao lado de um velho que tinha urinado nas calças e de um rapaz da sua idade que vomitara no chão. Estava furioso demais com eles e consigo próprio para dormir. Com o passar do tempo, a sede e a dor de cabeça só foram aumentando.

Mas a ressaca e a sujeira não eram suas maiores preocupações. Ele estava mais apreensivo com a possibilidade de ser interrogado a respeito da Resistência. E se fosse entregue à Gestapo e torturado? Não sabia quanta dor era capaz de aguentar. Podia acabar traindo Poul Kirke. E tudo por causa de uma brincadeira idiota! Não podia acreditar em como pudera se comportar de modo tão infantil. Sentia-se amargurado e muito envergonhado.

Às oito horas da manhã um policial uniformizado trouxe uma bandeja com três canecas de algo que parecia chá e um prato com pão preto e uma levíssima camada de um substituto de manteiga. Harald ignorou o pão – não podia comer em um lugar que parecia um banheiro –, mas bebeu avidamente o chá.

Pouco tempo depois foi levado para uma sala de interrogatório. Esperou alguns minutos até que apareceu um sargento carregando uma pasta e uma folha de papel datilografada.

– Levante-se! – berrou o sargento, e Harald pôs-se em pé num pulo.

O sargento sentou-se à cabeceira da mesa e leu o relatório.

– Aluno da Jansborg, hem?

– Sim, senhor.

– Devia saber se comportar, rapaz.

– Sim, senhor.

– Onde foi que bebeu?

– Num clube de jazz.

O sargento levantou os olhos da folha de papel datilografada.

– O Instituto Dinamarquês?

– Sim.

– Você devia estar lá quando os boches fecharam a casa.

– Estava, sim.

Harald ficou confuso com o uso pelo sargento daquela gíria levemente depreciativa de "boche" para referir-se aos alemães. Não combinava com seu jeito formal.

– Você costuma se embriagar?

– Não, senhor. Primeira vez.

– Aí, então, você passou pelo posto de guarda, esbarrou por acaso numa lata de tinta...

– Sinto muito.

O policial subitamente sorriu.

– Não precisa se desculpar. Eu mesmo achei muito engraçado. Sem calças! – Ele deu uma risada.

Harald não sabia direito o que pensar. O homem parecera hostil, mas agora estava rindo da brincadeira. Resolveu perguntar:

– O que é que vai me acontecer?

– Nada. Nós somos a polícia, não a patrulha de piadas. – O sargento rasgou o relatório e jogou-o na cesta de lixo.

Harald mal podia acreditar na sua sorte. Será que ele ia ser realmente liberado?

– O que devo fazer?

– Voltar para a Jansborg.

– Muito obrigado!

Harald começou a pensar como, àquela hora, conseguiria retornar à escola sem ser notado. No trem teria tempo para inventar alguma história. Talvez fosse mesmo melhor que ninguém soubesse daquele episódio.

O sargento se levantou.

– Mas aceite o meu conselho – disse. – Mantenha-se longe da bebida.

– Pode deixar – disse Harald prontamente. Se conseguisse escapar daquela enrascada, jamais voltaria a tomar outra gota de álcool na sua vida.

O sargento abriu a porta e Harald entrou em choque.

Deu de cara com Peter Flemming.

Harald e Peter se encararam por um longo momento.

– Posso ajudá-lo, inspetor? – perguntou o sargento.

Peter ignorou-o e se dirigiu a Harald.

– Ora, ora – disse ele, no tom de voz satisfeito de um homem que finalmente provava estar com a razão. – Fiquei pensando quando vi o nome na lista dos presos durante a noite: será que Harald Olufsen, grafiteiro e bêbado, é o mesmo Harald Olufsen filho do pastor de Sande? Pasmem, os dois são uma única e mesma pessoa!

Harald ficou apavorado. Justamente quando começava a ter esperanças de que aquele horrível incidente pudesse ficar em segredo, a verdade fora descoberta por alguém que tinha um profundo ressentimento contra a sua família.

Peter se virou para o sargento.

– Tudo bem, pode deixar por minha conta.

O sargento pareceu incomodado.

– Não há acusações contra o rapaz, senhor, o superintendente já tomou sua decisão.

– Isso nós vamos ver.

Harald teve vontade de chorar. Quase conseguira sair daquela encrenca sem maiores estragos. Era injusto.

O sargento hesitou, parecendo disposto a discutir, e Peter disse com firmeza:

– Isso é tudo.

– Muito bem, senhor.

O sargento foi embora e Peter ficou encarando Harald, sem dizer nada, até que Harald perguntou:

– O que é que você vai fazer?

Peter sorriu.

– Acho que vou levar você de volta para a escola.

~

Entraram no terreno da Jansborg Skole em um Buick da polícia. Peter estava sentado na frente, um policial fardado dirigia e Harald vinha no banco de trás, como um prisioneiro.

O sol brilhava nos velhos prédios de tijolos vermelhos e nos gramados, e Harald sentiu uma pontada de remorso por causa da vida simples e segura que tinha vivido ali nos últimos sete anos. Qualquer que fosse o desfecho daquele dia, aquele lugar acolhedor e seguro não seria mais o mesmo para ele por muito mais tempo.

A mesma visão despertou sentimentos diferentes em Peter Flemming, que resmungou amargamente para o motorista:

– Aqui são educados nossos futuros governantes.

– Sim, senhor – respondeu o motorista em tom neutro.

Era hora do lanche do meio da manhã e os alunos estavam comendo do lado de fora, de modo que praticamente toda a escola viu quando Harald saltou do carro que parou diante do escritório principal.

Peter mostrou seu crachá de policial ao secretário da escola e ele e Harald foram imediatamente levados à sala de Heis.

Harald não sabia o que pensar. Achava que Peter não ia entregá-lo à Gestapo, seu pior temor. Não queria alimentar falsas esperanças, mas tudo indicava que Peter o estava considerando um estudante desordeiro, não um membro da Resistência dinamarquesa. Pela primeira vez na vida sentia-se grato por ser tratado como um menino, não como um homem.

Mas, sendo assim, *o que* Peter pretendia com aquela cena toda?

Quando entraram, Heis desencostou o corpo magro da mesa e olhou para os dois, demonstrando uma leve preocupação através dos óculos empoleirados no nariz adunco. Sua voz era bondosa, mas um tremor denunciava seu nervosismo:

– Olufsen? O que é isso?

Peter não deu chance para que Harald respondesse. Apontou um polegar para ele e se dirigiu a Heis com voz áspera:

– Este é um dos seus?

Heis, um homem delicado, encolheu-se como se tivesse sido agredido.

– Olufsen é nosso aluno, sim.

– Foi preso ontem à noite por desfigurar uma instalação militar alemã.

Harald percebeu que Peter estava se deleitando com a humilhação evidente de Heis e queria aproveitar ao máximo aquele momento.

Heis pareceu mortificado.

– Sinto muito por saber disso.

– Ele também estava bêbado.

– Meu Deus!

– A polícia tem que decidir o que fazer a respeito.

– Não sei se eu...

– Para ser franco, preferiríamos não processar um estudante por uma travessura infantil.

– Bem, fico satisfeito em ouvir isso...

– Por outro lado, ele não pode deixar de ser punido.

– Com certeza.

– Nossos amigos alemães vão querer saber principalmente que o transgressor foi tratado com firmeza.

– Claro, claro.

Harald sentiu pena de Heis, mas ao mesmo tempo gostaria que ele não fosse tão fraco. Até agora não fizera outra coisa senão concordar com as provocações de Peter.

Ele continuou:

– Assim, o resultado final está nas suas mãos.

– Ah, é? E de que modo?

– Se nós o liberarmos, ele será expulso da escola?

Harald logo entendeu a real intenção de Peter. Ele só queria ter certeza de que a transgressão de Harald seria de conhecimento público. Só estava interessado na vergonha da família Olufsen.

A prisão de um aluno da Jansborg teria destaque nos jornais. A vergonha de Heis só seria menor que a dos pais de Harald. Seu pai explodiria como um vulcão e sua mãe pensaria em suicídio.

Mas, pensou Harald, a inimizade de Peter pela família Olufsen tinha embotado seu instinto policial. Peter ficara tão feliz por ter surpreendido Harald bêbado que deixou passar um crime maior. Não tinha sequer se dado ao trabalho de pensar se a aversão que Harald sentia pelos nazistas iria além de grafitar slogans e chegaria ao nível da espionagem. A maldade de Peter salvara a pele de Harald.

Heis mostrou o primeiro sinal de oposição:

– Expulsão parece um pouco dura...

– Não tão dura quanto um processo e uma possível sentença de prisão.

– Não, na verdade, não.

Harald não entrou na discussão porque não podia ver um jeito de sair daquilo que o permitisse manter o incidente em segredo. Consolou-se com a ideia de que escapara da Gestapo. Qualquer outra punição seria pequena.

– Já está quase no fim do ano letivo – disse Heis. – Ele não iria perder muitas aulas se fosse expulso agora.

– Quer dizer então que isso não lhe pouparia muito trabalho?

– Seria mais uma formalidade, considerando-se que só faltam duas semanas de aulas.

– Mas satisfaria os alemães.

– É mesmo? E isso é importante, claro.

– Se puder me assegurar que ele vai ser expulso, posso liberá-lo. De outro modo, terei que levá-lo de volta para o Politigaarden.

Heis lançou um olhar de culpa para Harald.

– Parece que a escola não tem alternativa, não é?

– Sim, senhor. Não tem.

Heis olhou para Peter.

– Muito bem, então eu vou expulsá-lo.

Peter deu um sorriso de satisfação.

– Fico satisfeito por ver que resolvemos tudo com tamanha sensatez.

Ele se levantou.

– Tente manter-se fora de encrencas no futuro, meu jovem Harald – disse pomposamente.

Harald desviou o olhar.

Peter apertou a mão de Heis.

– Bem, muito obrigado, inspetor – disse Heis.

– Foi um prazer ajudar – respondeu Peter e foi embora.

Harald sentiu todos os músculos relaxarem. Conseguira se safar. Sofreria o diabo em casa, mas o importante era que a sua brincadeira tola não comprometera Poul Kirke nem a Resistência.

– Aconteceu uma coisa horrível, Olufsen – disse Heis.

– Sei que cometi um erro...

– Não, não é isso. Acho que você conhece o primo de Mads, o Kirke.

– Poul? Sim, conheço. – Harald ficou tenso de novo. E agora? Heis teria descoberto seu envolvimento com a Resistência? – O que houve com Poul?

– Sofreu um acidente aéreo.

– Meu Deus! Voei com ele poucos dias atrás!

– Aconteceu ontem à noite, na escola de pilotagem.

Heis hesitou.

– O que...?

– Lamento muito ter que lhe dizer que Poul Kirke está morto.

CAPÍTULO DEZ

– MORTO?! – EXCLAMOU Herbert Woodie com voz esganiçada. – Como ele pode estar morto?

– Dizem que caiu com seu Tiger Moth – respondeu Hermia. Ela estava furiosa e um tanto histérica.

– Que idiota! – exclamou Woodie, insensível. – Isso pode arruinar tudo.

Hermia olhou para ele enojada. Adoraria esbofetear aquela cara de imbecil.

Estavam na sala de Woodie em Bletchley Park, com Digby Hoare. Hermia mandara uma mensagem para Poul Kirke com instruções para conseguir uma descrição, feita por alguém que a tivesse visto *in loco*, da instalação de radar na ilha de Sande.

– A resposta veio de Jens Toksvig, um dos auxiliares de Poul – disse ela, esforçando-se para parecer calma e objetiva. – Foi enviada pela legação britânica em Estocolmo, mas não estava sequer cifrada... Jens obviamente não conhece o código. Ele disse que estão querendo fazer com que o ocorrido passe como um acidente, mas que na verdade Poul estava tentando fugir da polícia, que atirou no avião.

– Pobre coitado – disse Digby.

– A mensagem chegou hoje de manhã – acrescentou Hermia. – Eu já vinha lhe contar, Sr. Woodie, quando mandou me chamar.

Ela de fato havia caído no choro. Isso não acontecia com frequência, mas a morte de Poul, tão jovem, bonito e cheio de energia, tocara seu coração. Sabia também que fora a responsável pelo ocorrido. Fora ela quem lhe pedira para espionar pela Inglaterra, e sua coragem o levara diretamente para a morte. Pensou nos pais de Poul, no seu primo Mads, e chorou por eles também. Mas acima de tudo ansiava por terminar o trabalho que Poul começara, para que seus assassinos não saíssem vitoriosos.

– Sinto muito – disse Digby, passando o braço pelos ombros de Hermia, num gesto de compreensão. – Muitos homens estão morrendo, mas realmente dói mais quando se trata de alguém que conhecemos.

Hermia assentiu com a cabeça concordando. As palavras de Digby tinham sido simples e óbvias, mas sentia-se grata pela consideração. Que homem bom ele era. Sentiu uma onda de afeição por Digby, mas lembrou-se do noivo e foi novamente tomada pela culpa. Ela queria voltar a estar com Arne, falar com ele, tocá-lo, para reforçar seu amor e sentir-se imune à atração por Digby.

– Mas onde isso nos deixa? – indagou Woodie.

Hermia se concentrou de novo.

– De acordo com Jens, os Vigilantes Noturnos decidiram sair de cena, pelo menos por algum tempo, para ver até que ponto a polícia estende a investigação. Assim, para responder à sua pergunta, isso nos deixa sem fontes de informação na Dinamarca.

– Isso faz com que pareçamos uns incompetentes – disse Woodie.

– Esqueça isso – disse Digby rispidamente. – Os nazistas têm uma arma capaz de ganhar a guerra. Nós pensávamos estar anos à frente deles, com o radar, e agora descobrimos que eles também têm um, e melhor que o nosso! Estou pouco me lixando para a sua imagem. A única pergunta é como obter mais informações sobre o radar deles.

Woodie fez cara de quem estava se sentindo ultrajado, mas nada disse.

Foi Hermia quem falou:

– Que tal outras fontes de inteligência?

– Estamos tentando tudo, claro. E conseguimos mais uma pista: a palavra "Himmelbett" apareceu em comunicações da Luftwaffe decifradas por nós – comentou Digby.

– "Himmelbett"? – repetiu Woodie. – "Cama do céu?"

– É a palavra deles para cama com dossel – explicou Hermia.

– Não faz sentido – resmungou Woodie, como se a culpa fosse dele.

– Algum contexto? – perguntou ela a Digby.

– Na verdade, não. Parece que o radar deles opera em uma "Himmelbett". Não conseguimos imaginar o que seja.

Hermia chegou a uma conclusão.

– Vou ter que ir à Dinamarca.

– Não seja ridícula! – exclamou Woodie.

– Não temos agentes no país, portanto alguém tem que ser infiltrado – disse ela. – Conheço o terreno lá melhor do que qualquer pessoa no MI6... é por isso mesmo que sou chefe da seção da Dinamarca. E falo a língua como se tivesse nascido lá. Tenho que ir.

– Não enviamos mulheres em missões desse tipo – retrucou Woodie, com um tom firme de quem queria encerrar o assunto.

– Enviamos, sim – contestou Digby, virando-se para Hermia. – Você parte para Estocolmo hoje à noite. E eu também.

~

– Por que disse aquilo? – perguntou Hermia no dia seguinte, quando eles atravessavam o imponente saguão do Stadhuset, a famosa sede da prefeitura de Estocolmo.

Digby deu uma parada para estudar um mosaico.

– Sei que o primeiro-ministro ia querer que eu acompanhasse o mais perto possível uma missão importante como esta.

– Entendi.

– E eu queria a oportunidade de ter você só para mim. Melhor que isso só um lento cruzeiro para a China.

– Mas você sabe que eu tenho que entrar em contato com o meu noivo, não é? Ele é a única pessoa em quem posso confiar.

– Certo.

– E, em consequência, eu o verei assim que possível.

– Para mim está ótimo. Não posso competir com um homem encurralado em um país a centenas de quilômetros de distância, heroicamente silencioso, preso no seu afeto pelas cordas invisíveis da lealdade e da culpa. Prefiro ter um rival de carne e osso, com defeitos humanos, um sujeito que fica mal-humorado com você, que tem caspa na lapela do paletó e coça a bunda.

– Isso não é uma competição! – retrucou ela, exasperada. – Eu amo Arne. Vou me casar com ele.

– Mas ainda não se casou.

Hermia balançou a cabeça, querendo se desligar daquela conversa irrelevante. Antes, mesmo culpada, gostava do interesse romântico que Digby demonstrava por ela, mas agora aquilo começava a irritá-la. Estavam ali para um encontro. Ela e Digby só estavam fingindo ser turistas com tempo de sobra.

Deixaram o saguão, desceram uma larga escadaria de mármore e chegaram ao pátio pavimentado com pedras. Atravessaram uma arcada com pilares de granito preto e depararam com um jardim que dava para as águas cinzentas do lago Malaren. Quando se virou para contemplar a torre que se erguia a cerca de 100 metros sobre o prédio de tijolos vermelhos, Hermia verificou que o sujeito que os seguia continuava atrás deles.

Com ar entediado, terno cinza e sapatos muito gastos, ele pouco se esforçava para ocultar sua presença. Desde o instante em que Digby e Hermia tinham se afastado da legação britânica em uma limusine Volvo movida a gás de carvão e dirigida por um motorista, eles eram perseguidos por dois homens num Mercedes preto 230. Quando pararam e entraram no Stadhuset, o homem de cinza os seguira no interior do prédio.

De acordo com o adido de aeronáutica britânico, um grupo de agentes alemães mantinha sob constante vigilância todos os cidadãos britânicos em trânsito pela Suécia. Eles podiam ser afastados, mas não era prudente. Evadir-se da vigilância seria encarado como prova de culpa. Quem escapasse podia ser preso e acusado de espionagem. E depois as autoridades suecas seriam pressionadas para expulsá-los do país.

Assim sendo, Hermia tinha que escapar sem que o homem que a seguia percebesse. Seguindo o plano combinado anteriormente, Hermia e Digby vagaram pelo jardim e viraram na lateral do prédio para ver o monumento ao fundador da cidade, Birger Jarl. O sarcófago dourado jazia em uma tumba protegida por um dossel com um pilar de pedra em cada um dos seus quatro cantos.

– Como uma "Himmelbett" – disse Hermia. – Uma cama com dossel.

Do lado oposto a eles, escondida pelo próprio monumento, estava uma sueca da mesma altura e com o mesmo tipo de corpo que Hermia. O cabelo escuro também era parecido.

Hermia lançou um olhar indagador para a mulher e ela assentiu.

Hermia ficou com medo por alguns segundos. Até ali não tinha feito nada ilegal. Sua visita à Suécia vinha sendo tão inocente quanto parecia. Daquele momento em diante estaria do lado errado da lei pela primeira vez na vida.

– Depressa – disse a mulher em inglês.

Hermia tirou a capa de chuva leve e a boina vermelha e passou os acessórios para a outra mulher. Depois tirou um xale do bolso e passou pela cabeça, escondendo os cabelos escuros e parte do rosto.

A sueca segurou o braço de Digby e os dois se afastaram do monumento, retornando ao jardim, inteiramente visíveis.

Hermia esperou um pouco, fingindo examinar a elaborada grade de ferro que cercava o monumento, com medo de que o homem que a seguia desconfiasse e viesse conferir. Mas nada aconteceu.

Ela se afastou como se esperasse vê-lo, mas não havia ninguém por perto. Puxando um pouco mais o xale sobre o rosto, contornou a lateral do prédio e entrou no jardim.

Viu Digby e sua dublê se dirigindo para o portão do outro lado. O homem de cinza foi atrás deles. O plano estava dando certo.

Hermia foi andando na mesma direção, seguindo o homem que a seguia. Como tinham combinado, Digby e a mulher foram diretamente para o carro, que esperava na praça. Hermia viu quando entraram no Volvo e partiram. O homem de cinza partiu no Mercedes. Eles o conduziriam por todo o caminho de volta até a legação britânica. Depois ele faria um relato a seus superiores dizendo que os dois visitantes da Inglaterra tinham passado a tarde como inocentes turistas.

E Hermia estava livre.

Ela cruzou a ponte Stadhusbron e prosseguiu para a praça Gustav Adolf, no centro da cidade, andando depressa, ansiosa por cumprir sua tarefa.

Tudo tinha acontecido muito depressa nas últimas 24 horas. Tivera apenas alguns minutos para jogar umas roupas dentro da mala e logo ela e Digby foram levados num carro veloz até Dundee, na Escócia, onde se hospedaram em um hotel poucos minutos após a meia-noite. Pela manhã foram levados ao aeroporto de Leuchars, na região de Fife, na costa leste. De lá, uma equipe da RAF usando uniformes civis da British Overseas Airways Corporation os levara até Estocolmo em uma viagem de três horas. Almoçaram na legação britânica e depois puseram em prática o plano que bolaram no carro durante o percurso de Bletchley a Dundee.

Como a Suécia era um país neutro, de lá era possível telefonar ou escrever para a Dinamarca. Hermia ia tentar telefonar para seu noivo, Arne. Na ponta dinamarquesa, as ligações eram monitoradas e as cartas abertas por censores, portanto teria que ser extraordinariamente cuidadosa com o que ia dizer. Tinha que imaginar uma jogada que o censor considerasse inocente e ainda assim levasse Arne a entrar para a Resistência.

Em 1939, quando criara os Vigilantes Noturnos, deixara Arne deliberadamente de fora. Não por causa de suas convicções – ele era tão antinazista quanto ela, embora menos inflamado. Arne achava que os nazistas eram palhaços idiotas metidos em uniformes bobos que só queriam impedir que as pessoas se divertissem. O problema era o seu temperamento imprudente, a sua natureza despreocupada. Era sincero e amigável demais para o trabalho clandestino. Podia ser que, na verdade, não estivesse querendo que ele corresse riscos, embora Poul tivesse concordado com ela acerca da inadequação de Arne. Agora, contudo, estava desesperada. Arne continuava despreocupado como sempre, mas Hermia não tinha escolha.

Além disso, a sensação de todos em relação ao perigo era agora bem diferente do que se sentia no começo da guerra. Milhares e milhares de jovens excelentes já tinham dado suas vidas. Arne era um oficial das Forças Armadas da Dinamarca – esperava-se que arriscasse a vida pela pátria.

Ainda assim, sentia um frio no coração só de pensar no que ia lhe pedir para fazer.

Entrou na Vasagatan, uma rua movimentada em que havia diversos hotéis, a estação ferroviária central e a principal agência dos correios. Ali na Suécia os telefones sempre tinham sido separados dos correios e havia postos especiais de telefonia pública. Hermia dirigiu-se para o que ficava na estação de trens.

Podia ter telefonado da legação britânica, mas quase certamente teria levantado suspeitas. No posto da companhia telefônica, não haveria nada de insólito em uma mulher falando um sueco hesitante, com sotaque dinamarquês, querendo telefonar para sua terra.

Ela e Digby tinham considerado a hipótese de o telefonema ser ouvido pelas autoridades. Em cada central telefônica na Dinamarca havia pelo menos uma jovem alemã uniformizada. Mas não seria possível ouvir todas as ligações, claro. Ainda assim, era provável que dessem mais atenção aos telefonemas internacionais e às ligações para bases militares, de modo que havia uma grande probabilidade de a conversa ser monitorada. Teria que se comunicar com ele por meio de indiretas e palavras de duplo sentido. Ela e Arne tinham sido amantes, o que levava a crer que ela seria capaz de fazê-lo entender sua mensagem sem ter que ser explícita.

A estação era construída como um castelo francês. Do teto abobadado do grande saguão da entrada pendiam candelabros. Ela encontrou o posto telefônico e entrou na fila.

Quando chegou ao balcão, disse que queria fazer uma ligação para Arne Olufsen e deu o número da escola de aviação. Esperou impacientemente e muito apreensiva enquanto a telefonista tentava fazer com que Arne atendesse. Hermia nem sequer sabia se o encontraria em Vodal. Ele podia estar voando, passando a tarde fora da base ou de licença. Podia ter sido transferido para outra base ou mesmo ter se desligado do Exército.

Mas tentaria encontrá-lo, onde quer que estivesse. Podia falar com seu comandante e perguntar para onde fora; podia telefonar para seus pais em Sande; e tinha também os números de alguns dos amigos dele em Copenhague. Tinha a tarde inteira à sua disposição e bastante dinheiro para os telefonemas.

Seria estranho falar com ele depois de mais de um ano. Estava emocionada, mas ansiosa. O que realmente importava era a missão, mas não podia deixar de se preocupar com o que Arne sentia por ela depois do longo afastamento. Talvez não a amasse mais. E se ele se mostrasse frio, indiferente? Isso partiria seu coração. Mas na verdade ele podia ter encontrado outra mulher. Afinal, ela mesma não gostara de flertar com Digby? Não seria muito mais fácil para um homem perder o controle de seu coração?

Relembrou uma ocasião em que esquiara com ele descendo uma encosta ensolarada, os dois inclinando o corpo de um lado para outro num ritmo perfeito, transpirando no ar gelado, rindo de pura alegria por estarem vivos. Será que aqueles dias voltariam?

Hermia foi chamada para uma cabine.

Ela pegou o telefone e disse:

– Alô?

– Quem fala? – perguntou Arne.

Hermia tinha esquecido a voz dele. Era grave, calorosa e dava a impressão de que a qualquer momento ele ia cair na risada. Ele falava um dinamarquês culto, com a dicção precisa que aprendera na vida militar e um resquício de sotaque da Jylland dos tempos de escola.

Ela havia ensaiado a primeira frase. Sua intenção era usar os nomes carinhosos que usavam, na esperança de que a iniciativa servisse de alerta para Arne falar discretamente.

Mas por um momento não conseguiu dizer nada.

– Alô? Quem está falando?

Ela engoliu em seco e achou a voz:

– Oi, Escova de Dentes, aqui é a sua Gata Preta.

Hermia o chamava de "Escova de Dentes" por causa da sensação causada pelo seu bigode quando a beijava. E o apelido dela vinha da cor do seu cabelo.

Foi a vez de Arne ficar chocado.

– Como vai? – perguntou Hermia, quebrando o silêncio.

– Estou bem – disse ele por fim. – Meu Deus, é mesmo você?

– Sim, sou.

– Você está bem?

De repente ela não pôde continuar sustentando aquela conversa vazia e perguntou abruptamente:

– Você ainda me ama?

Arne não respondeu imediatamente, o que fez com que Hermia pensasse que os sentimentos dele tivessem mudado. Ele não diria isso diretamente, pensou ela, ia tergiversar e depois dizer que precisavam dar um tempo para reavaliar a relação após um ano afastados, mas ela saberia...

– Eu te amo – disse ele.

– Mesmo?

– Mais que nunca. Senti terrivelmente a sua falta.

Hermia fechou os olhos. Sentiu-se um pouco tonta e teve que se apoiar na parede.

– Estou tão feliz por você ainda estar viva – disse ele. – Tão feliz por estar falando com você.

– Eu também amo você – disse ela.

– O que está acontecendo? Como você está? De onde está telefonando?

Hermia se controlou.

– Não estou longe.

Ele reparou seu jeito reservado e respondeu em tom similar:

– Ok, eu entendo.

Ela havia preparado a parte seguinte da conversa.

– Você se lembra do castelo?

Havia muitos castelos na Dinamarca, mas um era muito especial para eles.

– Você está falando das ruínas? Como eu poderia esquecer?

– Você pode me encontrar lá?

– Como você vai conseguir chegar lá? Quer dizer, isso não importa. Você está falando sério?

– Estou.

– É longe.

– Mas é importante, Arne.

– Para ver você eu iria muito mais longe. Só estou imaginando como fazer. Vou pedir uma licença, mas, se houver problema, eu simplesmente me ausento, mesmo sem permissão.

– Não faça isso. – Ela não queria que a Polícia do Exército fosse procurá-lo. – Quando é sua próxima folga?

– Sábado.

A voz da telefonista fez-se ouvir, avisando que eles só tinham dez segundos.

Hermia apressou-se:

– Estarei lá no sábado... espero. Se você não conseguir viajar, voltarei ao castelo todos os dias, quantas vezes eu conseguir.

– Farei o mesmo.

– Tenha cuidado, Arne. Eu amo você.

– Eu também amo você...

A ligação foi interrompida.

Hermia manteve o receptor comprimido contra a orelha, como se quisesse sentir Arne um pouco mais perto. Só quando a telefonista perguntou se ia querer fazer outra ligação ela agradeceu e desligou.

Pagou no balcão e saiu, atordoada de tanta felicidade. Parou no meio do saguão, sob o alto teto abobadado, com gente apressada passando em todas as direções. Ele ainda a amava! Dentro de dois dias o veria. Quando alguém esbarrou nela, afastou-se da multidão e foi se refugiar em um café, onde desabou sobre uma cadeira. Dois dias!

O castelo em ruínas a que os dois tinham se referido enigmaticamente era o de Hammershus, uma atração turística na ilha de Bornholm, uma ilha dinamarquesa no mar Báltico que vivia do turismo. Os dois tinham passado uma semana ali em 1939, passando-se por marido e mulher, e tinham feito amor entre as ruínas em uma noite quente de verão. Arne iria até lá pegando uma barca que saía de Copenhague, uma viagem de sete ou oito horas, ou tomaria um avião em Kastrup, fazendo assim o percurso em apenas duas horas. A ilha ficava a 160 quilômetros do território continental da Dinamarca, mas a apenas 32 quilômetros da costa sul da Suécia. Hermia teria que achar um barco de pesca que a levasse ilegalmente por aquela curta extensão de água.

Mas foi no perigo que aquilo representava para Arne, e não para si própria, que Hermia ficou pensando. Arne ia se encontrar em segredo com uma agente do Serviço Secreto britânico. E ela ia lhe pedir para se tornar um espião.

Se ele fosse apanhado, sua punição seria a morte.

CAPÍTULO ONZE

NO SEGUNDO DIA após sua prisão, Harald voltou para casa.

Heis permitira que ele permanecesse na escola por mais dois dias para fazer os últimos exames. Teria permissão para se graduar, embora não pudesse comparecer à cerimônia de formatura, que seria uma semana mais tarde. O mais importante era que sua vaga na universidade estava garantida. Ia estudar física com Niels Bohr – se vivesse até lá.

Durante aqueles dois dias ele soubera, por intermédio de Mads Kirke, que a morte de Poul não se devera a um desastre comum. O Exército se recusava a revelar detalhes, dizendo que o acidente ainda estava sendo investigado, mas outros pilotos contaram à família que a polícia estivera na base na hora e que houvera disparos. Harald tinha certeza, embora não pudesse dizer para Mads, que a morte de Poul tinha sido por causa do seu trabalho na Resistência.

Mesmo assim, enquanto seguia para casa, estava com mais medo do pai que da polícia. Era uma viagem tediosamente familiar cortando a Dinamarca em toda a largura, de Jansborg, no leste, a Sande, uma ilha diante da costa oeste. Ele conhecia muito bem cada trecho do percurso. A viagem levou o dia inteiro por causa dos múltiplos atrasos do trem, mas ele gostaria que demorasse ainda mais. Passou o tempo antecipando a ira do pai. Ensaiou discursos indignados de justificativas, que até mesmo ele achou pouco convincentes. Testou uma variedade de pedidos de desculpas mais ou menos humildes, incapaz de encontrar uma fórmula que fosse sincera, mas não abjeta. Pensou em dizer a seus pais para se sentirem gratos por ele continuar vivo, já que podia ter tido o mesmo fim de Poul Kirke, mas achou que seria fazer uso barato de uma morte heroica.

Ao chegar a Sande, seguiu para casa a pé pela praia, adiando ainda mais o reencontro com a família. A maré estava baixa e mal se podia ver o mar, a quase 2 quilômetros de distância. Via-se apenas uma faixa estreita azul-escura tocada pelas manchas brancas inconstantes da arrebentação, espremida entre o céu azul e a areia amarela. Era noite e o sol já estava baixo. Alguns turistas caminhavam por entre as dunas e um grupo de meninos de 12 ou 13 anos jogava futebol. Seria uma cena feliz não fossem as novas casamatas de concreto cinzento a intervalos de 1.600 metros ao longo da marca da maré alta, armadas com canhões e guarnecidas por soldados de capacete de aço.

Ele chegou até a nova base militar e deixou a praia para seguir o longo desvio que a contornava, satisfeito com mais aquele atraso. Gostaria de saber se Poul tinha conseguido enviar seu desenho do equipamento de rádio para os britânicos. Em caso negativo, a polícia o teria encontrado. Será que iam querer levantar a identidade do desenhista? Por sorte não havia nada que o ligasse àquilo. Mesmo assim, só cogitar essa hipótese já o assustava. A polícia podia não saber que ele era um criminoso, mas tinha conhecimento do seu crime.

Finalmente ele avistou sua casa. Como a igreja, a casa destinada ao pastor era construída em estilo local, com tijolos pintados de vermelho e um telhado que descia bem baixo sobre as janelas, como um chapéu puxado sobre os olhos para protegê-los em dia de chuva. A viga que fazia o acabamento da porta da frente era pintada com listras diagonais em preto, verde e branco, uma tradição local.

Harald foi até os fundos e deu uma espiada pelo painel de vidro em forma de losango da porta da cozinha. Sua mãe estava sozinha. Ficou ali a observá-la, imaginando como teria sido quando tinha a sua idade. Desde quando era capaz de se lembrar, ela parecia cansada. Mas um dia deveria ter sido bonita.

Contava a lenda familiar que todo mundo já via Bruno, o pai de Harald, como um solteirão com 37 anos, totalmente dedicado ao trabalho em prol de sua pequena seita. Num belo dia, conheceu Lisbeth, dez anos mais moça, e perdeu a cabeça. Ficou tão loucamente apaixonado que chegou a usar uma gravata colorida na igreja numa tentativa de parecer romântico, levando os diáconos a repreendê-lo pelo traje inadequado.

Olhando a mãe, debruçada sobre a pia, esfregando uma panela, Harald tentou imaginar como aquele cabelo grisalho havia sido um dia negro como o azeviche e cheio de brilho; os olhos cor de avelã deviam brilhar, felizes. O rosto sem rugas, o corpo frágil ainda cheio de energia. Devia ter sido irresistivelmente sexy, supôs Harald, para ter desviado os pensamentos santos de seu pai para os prazeres da carne. Difícil de imaginar.

Harald entrou, largou a mala e beijou a mãe.

– Seu pai saiu – disse ela.

– Aonde ele foi?

– Ove Borking está doente.

Ove era um pescador já idoso, membro fiel da congregação.

Harald sentiu-se aliviado. Qualquer adiamento do confronto era melhor que nada.

Sua mãe tinha um ar solene e choroso. Ele ficou comovido.

– Sinto muito ter lhe causado tanto sofrimento, mãe.

– Seu pai está mortificado – disse ela. – Axel Flemming convocou uma reunião de emergência da junta de diáconos para discutir o caso.

Harald balançou a cabeça. Havia antecipado que os Flemmings tirariam o maior proveito possível do incidente.

– Mas por que você fez isso? – perguntou ela, lamuriosa.

Ele não tinha uma resposta.

A mãe de Harald preparou-lhe um sanduíche de presunto para a ceia.

– Alguma notícia de tio Joachim? – perguntou Harald.

– Nada. Não recebemos respostas às nossas cartas.

Os problemas de Harald pareciam mínimos quando ele pensava em sua prima Monika, sem um centavo no bolso e perseguida, sem sequer saber se o pai estava vivo ou morto. Quando Harald era menor, a visita anual dos primos Goldstein era o ponto alto do ano. Durante quatro semanas a atmosfera monástica da casa era transformada e o lugar ficava cheio de gente e de barulho. O pastor tinha pela irmã e pela família dela uma afeição indulgente que não demonstrava por mais ninguém – muito menos pelos próprios filhos. Sorria, benevolente, quando os sobrinhos cometiam transgressões, como comprar sorvete em um domingo, algo que teria sido motivo de punição para Harald e Arne. Para Harald, o som do idioma alemão remetia a risadas, brincadeiras e divertimento. Agora não sabia dizer se os Goldsteins iriam rir de novo algum dia.

Ligou o rádio para ouvir as notícias da guerra. Péssimas. O avanço inglês no Norte da África fora abandonado, um fracasso catastrófico. Metade dos carros de combate foi perdida. Alguns veículos foram abandonados no deserto por conta de defeitos mecânicos, outros foram destruídos pelas experientes guarnições alemãs de canhões anticarro. A posição privilegiada do Eixo no Norte da África permaneceu inalterada. A rádio dinamarquesa e a BBC contavam essencialmente a mesma história.

À meia-noite, uma esquadrilha de bombardeiros sobrevoou a ilha. Harald foi dar uma olhada e viu que se dirigiam para leste, o que significava que eram ingleses. Os bombardeiros eram tudo o que a Grã-Bretanha tinha atualmente.

– Seu pai pode ficar a noite toda fora de casa – disse a mãe quando o filho entrou de volta.

Harald ficou acordado por muitas horas. Perguntava-se por que estava com medo. Era grande demais para levar uma surra. A ira do pai era implacável, mas que mal suas palavras duras poderiam lhe fazer? Harald não era facilmente intimidado. Pelo contrário: tendia a revoltar-se contra a autoridade e a desafiá-la por pura rebeldia.

Logo terminou a curta noite e um retângulo da luz cinzenta da madrugada apareceu em torno da cortina da janela, como a moldura de um quadro. Ele foi adormecendo aos poucos. Antes de se entregar ao sono concluiu que o que temia não era o dano que pudesse sofrer, e sim o sofrimento que causara ao pai.

Acordou bruscamente uma hora depois.

A porta fora escancarada, as luzes, acesas, e lá estava o pastor ao lado da cama, totalmente vestido, mãos na cintura, queixo projetado para a frente.

– Como você foi capaz de uma coisa dessas? – gritou.

Harald sentou-se na cama, pestanejou e encarou o pai, alto, calvo, todo de preto, a fulminá-lo com o mesmo olhar feroz que apavorava a congregação.

– Em que você estava pensando? – esbravejou ele. – O que foi que deu em você?

Harald não queria se encolher na cama, como uma criança. Livrou-se das cobertas e ficou em pé. Fazia calor e ele dormira de cuecas.

– Cubra-se, menino! – ordenou o pai. – Você está praticamente nu.

A irracionalidade da crítica estimulou Harald a replicar:

– Se uma cueca o ofende, então não entre em quartos de dormir sem bater.

– Sem bater? Não me diga para bater nas portas da minha própria casa!

Mais uma vez Harald teve a impressão desagradável de que seu pai tinha resposta para tudo.

– Está bem – disse, contrariado.

– Que demônio se apossou de você? Como pôde lançar uma desgraça dessas sobre si próprio, sua família, sua escola e sua igreja?

Harald enfiou as calças e se virou para encarar o pai.

– Como é? – vociferou o pai. – Vai responder ou não?

– Desculpe, pensei que fossem perguntas retóricas. – Harald se espantou com a frieza do seu sarcasmo.

Aquele comportamento irritou seu pai ainda mais.

– Não tente usar sua instrução para escapar de uma resposta direta. Também estudei em Jansborg.

– Não estou fugindo de uma resposta. Só quero saber se há alguma chance de o senhor escutar qualquer coisa que eu diga.

O pastor levantou a mão como se fosse bater no filho. Teria sido um alívio, pensou Harald enquanto o pai hesitava. Não sabia se iria aceitar o golpe passivamente ou se iria replicar, mas pelo menos a agressão física definiria um rumo para a discussão.

Porém o pai não ia deixar tão barato assim. Baixou a mão e disse:

– Pois bem, estou escutando. O que tem a dizer?

Harald se concentrou. No trem, havia ensaiado muitas versões da sua fala, algumas bastante eloquentes, mas resolveu esquecer os floreios de oratória.

– Sinto muito ter pintado o posto de guarda, porque foi um gesto vazio, um ato infantil de rebeldia.

– No mínimo!

Por um momento Harald ponderou se contaria ou não ao pai da sua ligação com a Resistência, mas logo decidiu não correr o risco de ser ridicularizado. Além disso, agora que Poul estava morto, talvez a Resistência não existisse mais.

Concentrou-se, ao contrário, no campo pessoal:

– Sinto muito ter causado problemas à escola; Heis é um homem bondoso. Arrependo-me de ter bebido, porque me senti péssimo na manhã seguinte. Acima de tudo, lamento ter feito minha mãe sofrer.

– E o seu pai?

Harald balançou a cabeça.

– O senhor está zangado porque Axel Flemming tomou conhecimento de tudo isso e vai esfregar essa sujeira na sua cara. Seu orgulho foi ferido. Não sei ao certo se o senhor sequer chegou a se preocupar comigo.

– Orgulho? – urrou o pai. – O que o orgulho tem a ver com o que aconteceu? Tentei criar meus filhos para serem homens decentes, sóbrios e tementes a Deus... e você me desapontou.

Harald se irritou.

– Olhe, também não foi uma desgraça tão grande assim. A maioria dos homens toma seus porres...

– Não os meus filhos!

– ... pelo menos uma vez na vida.

– Mas você foi preso.

– Isso foi má sorte.

– Foi mau comportamento...

– E eu não fui acusado de nada... Na verdade, o sargento da polícia achou engraçado o que eu fiz. "Não estamos aqui para patrulhar piadas", foi o que ele disse. Eu nem sequer teria sido expulso da escola se Peter Flemming não tivesse ameaçado Heis.

– Não se atreva a querer minimizar o que aconteceu. Nenhum membro desta família foi preso por qualquer razão que seja. Você nos arrastou na sarjeta.

A expressão da fisionomia do pastor mudou de repente. Pela primeira vez sinais de tristeza tomaram o lugar antes ocupado totalmente pela raiva.

– E isso teria sido chocante e trágico mesmo que ninguém no mundo, além de mim, tivesse sabido.

Harald viu que o pai estava sendo sincero e essa constatação o desequilibrou. Era verdade que o orgulho do velho tinha sido ferido, mas não fora só isso. Ele temia genuinamente pelo bem-estar espiritual do filho. Harald se arrependeu de ter sido sarcástico.

Mas o pai não lhe deu oportunidade para ser conciliatório:

– Persiste a questão do que deve ser feito com você.

Harald não percebeu direito o que ele queria dizer com aquilo.

– Só perdi alguns dias de aula – disse. – Posso fazer as leituras preliminares para o meu curso universitário aqui mesmo em casa.

– Não – retrucou o pai. – Você não vai escapar tão facilmente.

Harald teve um pressentimento angustiante.

– Como assim? O que o senhor está planejando?

– Você não vai para a universidade.

– Do que é que o senhor está falando? Claro que vou. – De repente Harald sentiu muito medo.

– Não vou mandar você para Copenhague para poluir sua alma com álcool e jazz. Você provou que não tem maturidade suficiente para a cidade.

– Mas o senhor não pode telefonar para a universidade e dizer: "Não ensinem a esse menino." Eles me deram a vaga.

– Mas não lhe deram dinheiro.

Harald ficou chocado.

– Meu avô deixou dinheiro para os meus estudos.

– Mas deixou por minha conta dar esse dinheiro. E eu não vou dar nada para você gastar em cabarés.

– O dinheiro não é seu... o senhor não tem o direito!

– Claro que tenho. Sou seu pai.

Harald ficou atônito. Nem em seu pior pesadelo imaginara aquela atitude do pai. Era a única punição que podia realmente feri-lo. Desnorteado, ainda tentou argumentar:

– Mas você sempre disse que a educação era muito importante.

– Educação não é a mesma coisa que devoção.

– Mesmo assim...

O pai viu que ele estava genuinamente chocado e abrandou um pouco:

– Uma hora atrás Ove Borking morreu. Praticamente não tinha estudo algum, mal conseguia assinar o nome. Passou a vida trabalhando nos barcos dos outros e não conseguiu ganhar dinheiro suficiente para comprar um tapete para sua mulher colocar na sala de visitas. Mas criou três filhos tementes a Deus e toda semana dava um décimo do pouco dinheiro que ganhava à igreja. É isso que Deus considera uma boa vida.

Harald conhecera Ove e gostava dele. Ficou triste ao saber da sua morte.

– Ele era um homem simples.

– Não há nada errado com a simplicidade.

– E, no entanto, se todos os homens fossem iguais ao Ove, ainda estaríamos pescando com canoas escavadas em troncos de árvores.

– Talvez. Mas você vai aprender a ser como ele antes de fazer qualquer outra coisa.

– E o que isso quer dizer?

– Vista-se. Ponha suas roupas da escola e uma camisa limpa. Você vai trabalhar.

O pastor saiu e Harald ficou olhando para a porta fechada. "E agora?", ele se perguntou.

Tomou um banho e fez a barba ainda meio tonto. Mal podia acreditar no que estava acontecendo.

Podia ir para a universidade sem a ajuda do pai, claro. Teria que conseguir um emprego para se sustentar e não conseguiria pagar as aulas particulares que quase todo mundo achava essenciais para complementar as aulas gratuitas. Será que atingiria seus objetivos em tais circunstâncias? Não queria meramente passar nos exames. Queria ser um grande físico, o sucessor de Niels Bohr. Como isso seria possível se não tivesse dinheiro para comprar livros?

Precisava de tempo para pensar. E enquanto isso iria fazendo a vontade do pai.

Desceu e tomou o mingau que a mãe fizera sem nem sentir o gosto.

Seu pai tinha selado o Major, um cavalo castrado irlandês largo e forte o bastante para carregar os dois. O pastor montou e Harald subiu na garupa.

Levaram uma hora, montados, para percorrer toda a extensão da ilha. Quando chegaram às docas, deram de beber ao cavalo no cocho ao lado do embarcadouro e esperaram a balsa. O pastor ainda não dissera a Harald aonde estavam indo.

Quando a balsa atracou, o piloto cumprimentou o pastor levando a mão ao boné e o pastor disse:

– Ove Borking foi chamado de volta para casa hoje de manhã.

– Era o que eu esperava.

– Ele era um bom homem.

– Que sua alma descanse em paz.

– Amém.

Fizeram a travessia para o continente, montaram de novo no Major e subiram a colina até a pracinha. As lojas ainda não estavam abertas, mas o pastor bateu na porta de um armarinho. Otto Sejr, proprietário e um dos diáconos da igreja de Sande, abriu. Parecia estar esperando por eles.

Pai e filho entraram e Harald deu uma boa olhada em volta. Vitrines de vidro exibiam novelos de lã colorida. As prateleiras tinham pilhas de tecidos, lã e algodão estampado e pouca seda. Atrás das prateleiras ficavam as gavetas, todas caprichosamente marcadas: "Fita branca", "Fita-fantasia", "Elásticos", "Botões de camisa", "Botões-chifre", "Alfinetes", "Agulhas de tricô".

O cheiro era de naftalina misturada com lavanda, como o do armário de uma velha, e trouxe a Harald uma lembrança vívida do seu tempo de criança – ele parado ali, esperando a mãe comprar cetim preto para as camisas clericais do pai.

A loja tinha um aspecto decadente, provavelmente por causa da austeridade do tempo de guerra. As prateleiras mais altas estavam vazias e ele teve a impressão de que não havia mais a assombrosa variedade de cores de lã para tricotar de que se lembrava do tempo de menino.

Mas o que estava fazendo ali hoje?

Seu pai logo respondeu a pergunta:

– O irmão Sejr concordou, gentilmente, em lhe dar um emprego – disse. – Você vai ajudar na loja, atendendo os fregueses e fazendo qualquer coisa que lhe permita sentir-se útil.

Harald encarou o pai, sem fala.

– A Sra. Sejr não está bem de saúde e por isso não pode mais trabalhar. A filha se casou há pouco tempo e foi morar em Odense, de modo que ele precisa de um assistente – prosseguiu o pastor, como se fosse necessário explicar alguma coisa.

Sejr era baixo, careca e usava um bigodinho. Harald o conhecia desde sempre. Era um sujeito pomposo, mau e sonso. Ele fez que não com o dedo gordo.

– Trabalhe duro, preste atenção e seja obediente. Assim poderá aprender um ofício de valor, jovem Harald – disse.

Harald estava estupefato. Passara dois dias pensando qual seria a reação do pai ao crime que cometera, mas nada que antecipara chegava perto daquilo. Era uma sentença perpétua.

Seu pai apertou a mão de Sejr, agradeceu e disse a Harald, ao partir:

– Almoce com a família e vá direto para casa quando terminar o trabalho. Vejo você à noite.

Ele esperou um momento, como se aguardasse uma resposta, mas, como Harald permaneceu calado, foi embora.

– Muito bem – disse Sejr. – Está justamente na hora de varrer o chão antes de abrirmos a loja. A vassoura está no armário. Comece nos fundos, varra para a frente e jogue o lixo por baixo da porta.

Harald começou. Vendo-o varrer apenas com uma das mãos, Sejr interveio bruscamente:

– Ponha as duas mãos na vassoura, rapaz!

Harald obedeceu.

Às nove horas, Sejr colocou o aviso de "Aberto" na porta.

– Quando eu quiser que você atenda alguém – disse ele – falo "Adiante" e você se adianta. Aí diz "Bom dia, o que deseja?", mas é melhor primeiro me observar atendendo uma ou duas freguesas.

Harald observou Sejr vender seis agulhas em uma cartela para uma velha que contou suas moedas cuidadosamente, como se fossem peças de ouro. Em seguida entrou uma mulher elegantemente vestida, de uns 40 anos, que comprou 2 metros de cadarço preto. A Harald coube atender a terceira freguesa, uma mulher de lábios finos que lhe pareceu familiar. Ela pediu um carretel de linha de algodão branca.

– À esquerda, gaveta de cima! – informou Sejr asperamente.

Harald encontrou o carretel. O preço estava marcado a lápis na madeira do carretel. Pegou o dinheiro e fez o troco.

Foi então que a mulher falou:

– Então, Harald Olufsen, você marcou presença nos inferninhos de Babilônia, segundo ouvi dizer.

Harald ficou ruborizado. Não estava preparado para aquilo. Será que toda a cidade sabia do que ocorrera? Não ia se defender de mexeriqueiras. Ficou em silêncio.

Quem falou foi Sejr:

– O jovem Harald ficará aqui sob uma influência mais firme, Sra. Jensen.

– Tenho certeza de que só lhe fará bem.

Harald percebeu que os dois estavam se deliciando com a sua humilhação.

– Vai querer mais alguma coisa? – perguntou.

– Oh, não – respondeu ela, mas não se moveu em direção à saída. – Quer dizer então que você não vai para a universidade?

Harald se virou de costas para ela e perguntou:

– Onde é o toalete, Sr. Sejr?

– Nos fundos, em cima.

Quando saiu, Harald ouviu Sejr dizer, em tom de desculpas:

– Ele está envergonhado, é claro.

– Não é de admirar – replicou a mulher.

Harald subiu a escada para o apartamento que ficava em cima da loja. A Sra. Sejr estava na cozinha, lavando as xícaras do café da manhã.

– Só tenho alguns arenques para o almoço – disse ela. – Espero que você não coma muito.

Ele se demorou no banheiro e quando voltou para a loja sentiu-se aliviado ao ver que a Sra. Jensen tinha finalmente ido embora.

– É normal que as pessoas sejam curiosas – disse o Sr. Sejr. – Você deve ser polido, não importa o que falem.

– Minha vida não é da conta da Sra. Jensen – replicou Harald, furioso.

– Mas ela é freguesa, e a freguesia tem sempre razão.

A manhã se arrastou com dolorosa lentidão. Sejr verificou o estoque, preencheu pedidos, atualizou a contabilidade e atendeu o telefone, mas Harald teve de ficar em pé, esperando, pronto para atender quem chegasse. A situação lhe permitiu refletir bastante. Ia realmente passar o resto da vida vendendo carretéis de linha para donas de casa? Nem pensar.

No meio da manhã, quando a Sra. Sejr trouxe para ele e o marido uma xícara de chá, Harald já tinha decidido que não ia passar o resto do verão trabalhando ali.

E na hora do almoço sabia que não ia ficar até o fim daquele dia.

Quando Sejr virou a placa da porta para "Fechado", Harald disse que ia dar uma volta.

– Mas a Sra. Sejr preparou o almoço – disse Sejr, espantado.

– Ela me disse que não tinha comida suficiente. – Harald abriu a porta.

– Você só tem uma hora! – gritou Sejr. – Não se atrase!

Harald desceu a ladeira e pegou a balsa.

Atravessou o braço de mar para a ilha de Sande e foi caminhando para casa pela praia. Experimentou uma sensação estranha no peito, um aperto no coração, quando contemplou as dunas, a extensão de quilômetros e quilômetros de areia molhada e o mar sem fim. A paisagem era tão familiar quanto seu próprio rosto no espelho e, no entanto, agora lhe dava uma dolorida sensação de perda. Estava prestes a chorar e, após algum tempo, descobriu por quê.

Ia abandonar tudo aquilo dali a algumas horas.

A explicação veio depois que concluiu que não tinha que continuar no trabalho selecionado para ele, mas não poderia continuar em casa depois de desafiar o pai. Tinha que partir.

A ideia de confrontar o pai já não era mais assustadora, percebeu, à medida que ia avançando pela areia. O drama desaparecera. E quando isso acontecera? Quando o pastor disse que reteria o dinheiro deixado pelo avô, concluiu Harald. Após uma traição tão grave, o relacionamento deles não podia permanecer intacto. Naquele instante Harald compreendeu que não podia mais confiar no pai. Agora tinha que cuidar de si mesmo.

A conclusão era estranhamente decepcionante. É claro que ele tinha de ser responsável pela própria vida. Era como descobrir que a Bíblia não é infalível: parecia-lhe difícil entender como podia ter sido tão crédulo.

Quando chegou, o cavalo não estava no cercado. Harald deduziu que o pai voltara à casa dos Borking para as providências do funeral de Ove. Entrou pela porta da cozinha. A mãe estava sentada à mesa, descascando batatas. Pareceu assustada ao vê-lo. Ele a beijou, sem dar explicações.

Harald foi para o quarto e fez as malas, como se fosse para a escola. A mãe o seguiu e ficou observando da porta, enxugando as mãos em uma toalha. Ele viu seu rosto enrugado e triste e desviou os olhos rapidamente. Ela quebrou o silêncio depois de alguns instantes.

– Aonde é que você vai? – perguntou.

– Não sei.

Ele pensou no irmão. Entrou no escritório do pai, pegou o telefone e ligou para a escola de aviação. Após alguns minutos ouviu a voz de Arne do outro lado. Harald contou-lhe o que tinha acontecido.

– O velho exagerou – comentou Arne. – Se ele pusesse você num serviço duro, como limpar peixe na indústria de enlatados, você teria que ficar nem que fosse para provar que é macho.

– Suponho que sim.

– Mas você nunca iria ficar por muito tempo num maldito armarinho. Nosso pai age como um tolo, às vezes. Para onde vai agora?

Harald ainda não tinha decidido, mas teve um rasgo de inspiração.

– Kirstenslot – respondeu. – A casa de Tik Duchwitz. Mas não diga ao pai. Não quero que ele vá atrás de mim.

– O velho Duchwitz pode contar a ele.

Arne tinha razão, reconheceu Harald. Parecia-lhe lógico que o respeitável pai de Tik tivesse pouca simpatia por quem tocava boogie-woogie, pintava slogans em postos de guarda e ainda por cima fugia de casa. Mas o mosteiro em ruínas era usado como dormitório para os trabalhadores sazonais da fazenda.

– Eu durmo no velho mosteiro – disse Harald. – O pai de Tik nem saberá que estou lá.

– Como vai comer?

– Pode ser que eu consiga um emprego na fazenda. Eles empregam estudantes no verão.

– Tik ainda vai estar na escola, acho.

– Mas a irmã dele pode me ajudar.

– Eu a conheço, ela saiu com Poul umas duas vezes. Seu nome é Karen.

– Só duas vezes?

– Sim. Por quê? Você está interessado nela?

– Ela não é pro meu bico.

– Suponho que não.

– O que aconteceu com Poul... exatamente?

– Foi Peter Flemming.

– Peter!

Mads Kirke não tinha sabido desse detalhe.

– Ele chegou com um carro cheio de policiais à procura de Poul. Poul tentou escapar no seu Tiger Moth e Peter atirou nele. O aparelho bateu e se incendiou.

– Meu Deus! E você viu tudo isso?

– Não, mas um dos meus mecânicos estava lá.

– Mads me contou mais ou menos o que houve, não sabia de tudo. Então Peter Flemming matou Poul... Que coisa mais terrível!

– Não fale muito sobre isso, pode se meter em encrenca. Eles estão tentando fazer com que passe por acidente.

– Está bem.

Harald notou que Arne não disse a *razão* pela qual a polícia fora atrás de Poul. E, por sua vez, o irmão devia ter notado que Harald não pediu que ele a revelasse.

– Veja se me avisa quando chegar em Kirstenslot. Telefone se precisar de alguma coisa.

– Obrigado.

– Boa sorte, garoto.

Assim que Harald desligou o telefone, seu pai entrou.

– E o que é que você pensa que está fazendo?

Harald se levantou.

– Se quer dinheiro para pagar o telefonema, peça a Sejr o meu pagamento pela manhã trabalhada.

– Não quero dinheiro. Quero saber por que você não está na loja.

– Meu destino não é trabalhar num armarinho.

– Você não sabe qual é o seu destino.

– Talvez não.

Harald deixou o escritório do pai.

Foi para a oficina e acendeu a caldeira da moto. Enquanto esperava que esquentasse, acumulou turfa no *sidecar*. Não sabia de quanto combustível ia precisar para chegar a Kirstenslot, então, por via das dúvidas, levou tudo. Depois voltou para dentro de casa e pegou a mala.

Seu pai o abordou na cozinha.

– Aonde pensa que está indo?

– Prefiro não dizer.

– Proíbo você de ir.

– Na verdade o senhor não pode me proibir de mais nada, pai – retrucou Harald serenamente. – O senhor não está mais disposto a me sustentar. Está fazendo tudo o que pode para sabotar meus estudos. Lamento, mas perdeu o direito de me dizer o que fazer.

O pastor ficou atônito.

– Você tem que me dizer para onde está indo.

– Não.
– Por que não?
– Se o senhor não souber onde estou, não poderá interferir nos meus planos.
O pastor pareceu mortalmente ferido. Harald lastimou a situação, sentia-se também ferido. Não tinha vontade de se vingar e ver o pai triste não lhe dera a menor satisfação. No entanto, teve medo de perder a determinação, se intimidar e acabar permanecendo em casa se desse atenção àqueles sentimentos. Por isso virou o rosto e saiu.
Amarrou a mala na traseira da moto e a empurrou para fora da oficina.
Sua mãe atravessou o quintal correndo e lhe entregou um embrulho.
– Comida – disse ela. Estava chorando.
Ele colocou o embrulho no *sidecar* junto com a turfa.
A mãe o abraçou quando ele montou na moto.
– Seu pai o ama, Harald. Você compreende isso?
– Sim, mãe, acho que sim.
Ela o beijou.
– Avise se tudo estiver bem. Telefone... ou mande um cartão-postal.
– Ok.
– Prometa.
– Prometo.
Ela o soltou e ele acelerou, afastando-se.

CAPÍTULO DOZE

PETER FLEMMING DESPIU a esposa.

Ela permaneceu passivamente parada em frente ao espelho, a estátua viva de uma mulher muito pálida, mas linda. Peter tirou seu relógio de pulso e o colar, depois abriu com cuidado e calma os colchetes do vestido – tinha dedos grossos e hábeis após tanta prática. Havia uma mancha na lateral da roupa, ele observou com um olhar de reprovação. Parecia que ela pegara algo pegajoso e em seguida limpara a mão no tecido na altura da cintura. Normalmente Inge não era suja. Ele tirou-lhe o vestido pela cabeça, cuidando para não despenteá-la.

Inge permanecia tão adorável quanto no primeiro dia em que a vira apenas de lingerie. Só que naquela ocasião ela estava sorrindo, falando palavras de carinho e sua expressão demonstrava ansiedade e um traço de apreensão. Hoje seu rosto era totalmente inexpressivo.

Peter pendurou o vestido no guarda-roupa e depois lhe tirou o sutiã. Os seios de Inge eram cheios e redondos, com os bicos tão claros que pareciam quase invisíveis. Ele engoliu em seco e tentou não olhá-los. Sentou-a no banco da penteadeira, depois removeu os sapatos, soltou as meias e enrolou-as para baixo. Em seguida tirou as ligas. Fez com que ficasse novamente em pé e puxou a calcinha. Seu desejo cresceu quando viu os pelos louros entre as pernas dela. Sentiu nojo de si próprio.

Sabia que podia ter relações sexuais com ela se quisesse. Inge permaneceria deitada, quieta, e aceitaria tudo com absoluta impassibilidade – afinal era assim com tudo o que lhe acontecia. Mas não podia se forçar a fazer uma coisa dessas. Tinha tentado uma vez, não muito tempo depois que Inge voltara do hospital, achando que assim talvez reacendesse nela uma centelha de consciência, mas logo ficara revoltado com a própria atitude e se forçou a parar. Agora teve que lutar contra o desejo que voltava, muito embora soubesse que ceder não lhe traria alívio algum.

Jogou a roupa de baixo dela no cesto de roupa suja com um gesto irritado. Inge não se moveu quando ele abriu uma gaveta e pegou uma camisola branca de algodão bordada com florezinhas, um presente dado pela mãe dela. Inge era inocente em sua nudez, e desejá-la parecia tão errado quanto desejar uma criança. Pela cabeça, vestiu nela a camisola, enfiou os braços, um de cada vez, e depois alisou a parte de trás. Por cima do ombro dela, admirou a imagem no espelho. O padrão floral combinava com Inge, que estava linda. Pensou ter visto um leve sorriso entreabrir seus lábios, mas provavelmente fora sua imaginação.

Levou-a ao banheiro e depois deitou-a na cama para dormir. Então ele próprio foi se preparar. Enquanto se despia, examinou o corpo no espelho. Lá estava, cortando a barriga, uma cicatriz comprida, lembrança de uma briga de rua que ele apartara em uma noite de sábado, quando ainda era um jovem policial. Não tinha mais o físico atlético daqueles tempos, mas ainda estava em forma. Gostaria de saber quanto tempo mais decorreria até que uma mulher tocasse a sua pele com desejo.

Vestiu o pijama, mas não estava com sono, por isso decidiu voltar para a sala e fumar outro cigarro. Deu uma olhada em Inge. Ela jazia imóvel, com os olhos abertos. Ele ouviria caso se mexesse. Geralmente sabia quando a esposa precisava de alguma coisa. Ela simplesmente se sentava na cama e esperava, como se não fosse capaz de saber o que fazer a seguir, e ele tinha que adivinhar o que seria: um copo d'água, o toalete, um xale para mantê-la aquecida ou algo mais complicado. Às vezes ela se deslocava pelo apartamento, aparentemente sem destino certo, mas parava logo, ora diante de uma janela, ora olhando fixamente para uma porta fechada, ou então apenas vagava pelo quarto.

Peter percorreu o pequeno corredor que dava na sala, deixando ambas as portas abertas. Achou seus cigarros e depois, por impulso, pegou no armário uma garrafa de aquavita pela metade e se serviu.

Tomando seu drinque e fumando, pensou nos acontecimentos daquela semana.

Tinha começado bem e terminado mal. Começara com a descoberta de dois espiões, Ingemar Gammel e Poul Kirke. Melhor ainda, não eram como seus alvos habituais, sindicalistas que intimidavam fura-greves ou comunistas que enviavam cartas em código para Moscou dizendo que a Jylland estava madura para a revolução. Não, Gammel e Kirke eram espiões de verdade e os esboços que Tilde Jespersen encontrara na sala de Poul eram informações importantes de inteligência militar.

A estrela de Peter parecia estar em ascensão. Alguns de seus colegas passaram a tratá-lo com frieza, por desaprovarem sua ampla cooperação com os alemães, mas isso pouco importava. O general Braun telefonara para lhe dizer que achava que ele devia ser o chefe do Departamento de Segurança.

Não falou o que aconteceria a Frederik Juel. Mas deixara claro que Peter assumiria o cargo se ele conseguisse resolver aquele caso.

Era uma pena que Poul Kirke tivesse morrido. Vivo, podia ter revelado quem eram seus colaboradores, de quem recebia suas ordens e como enviava informações para os britânicos. Gammel ainda estava vivo, fora entregue à Gestapo para ser interrogado "em profundidade", mas não revelara mais nada, provavelmente por não ter mesmo mais informações.

Peter se incumbira da investigação com a energia e a determinação de sempre. Interrogara o comandante de Poul, o arrogante Renthe. Interrogara também os pais de Poul, seus amigos e até mesmo Mads, primo dele, e não conseguira nada. Mandara que alguns detetives seguissem Karen Duchwitz, namorada dele, mas parecia que ela não era nada além de uma estudante aplicada da escola de balé. Peter também mandara vigiar o melhor amigo de Poul, Arne Olufsen. Arne era sua melhor aposta, porque podia facilmente ter desenhado os esboços da base militar de Sande. No entanto, ao longo de toda a semana, o "suspeito" dedicara-se, inocentemente, a cumprir seus deveres. Naquela noite, sexta-feira, tomara um trem para Copenhague, mas não havia nada de incomum nisso.

Após um começo brilhante, o caso parecia ter dado num beco sem saída.

O triunfo secundário da semana tinha sido a humilhação do irmão de Arne, Harald. Mesmo assim, Peter estava certo de que Harald não estava envolvido em atividades de espionagem. Um homem que arriscava a vida como espião não ia se atrever a pintar slogans idiotas pelas ruas.

Peter já estava se perguntando como seguir adiante com a investigação quando ouviu uma batida na porta.

Deu uma olhada no relógio que ficava em cima da lareira. Eram dez e meia – não exageradamente tarde, mas ainda assim uma hora incomum para uma visita surpresa. Fosse quem fosse, certamente não se surpreenderia ao encontrá-lo de pijama. Foi até o hall e abriu a porta. Era Tilde Jespersen, com uma boina azul-clara sobre o cabelo louro encaracolado.

– Houve novos acontecimentos – explicou ela. – Achei que devíamos conversar a respeito.

– Claro. Entre. Sinto muito pelos meus trajes.

Ela deu uma olhada no estampado do pijama com um sorriso.

– Elefantes... – disse. – Eu nunca suspeitaria.

Ele se sentiu envergonhado e se arrependeu de não ter vestido um robe, apesar do calor que fazia aquela noite.

Tilde sentou-se.

– Onde está Inge?

– Na cama. Quer um pouco de aquavita?

– Aceito, sim, obrigada.

Ele pegou um copo limpo e serviu a bebida para ambos.

Ela cruzou as pernas. Seus joelhos eram redondos e as panturrilhas, gorduchas, bem diferentes das pernas esbeltas de Inge.

– Arne Olufsen comprou um bilhete para a barca de amanhã para Bornholm – disse ela.

Peter deteve o copo a meio caminho da boca.

– Bornholm – disse baixinho. A ilha, destino turístico da Dinamarca, era tentadoramente próxima da costa da Suécia. Poderia ser essa a chance pela qual estava esperando?

Ela pegou um cigarro e ele o acendeu. Soltando a fumaça, ela disse:

– Claro que ele pode simplesmente ter resolvido aproveitar alguns dias de folga do trabalho...

– É verdade. Por outro lado, pode estar planejando fugir para a Suécia.

– Foi o que pensei.

Peter, com ar de satisfação, deu um gole na sua bebida.

– Quem está com ele agora?

– Dresler. Ele me substituiu há 15 minutos. Vim direto para cá.

Peter se obrigou a ser cético. Era muito comum, em uma investigação, deixar-se influenciar e confundir pela nossa imaginação.

– Por que Olufsen iria querer fugir do país?

– Pode ter ficado com medo, por causa do que aconteceu com Poul Kirke.

– Ele não tem agido como se estivesse com medo. Trabalhou aparentemente satisfeito até hoje.

– Talvez tenha descoberto que estava sendo vigiado.

– Todos descobrem, mais cedo ou mais tarde.

– Outra hipótese é a de que ele tenha decidido ir a Bornholm para espionar. Os ingleses podem tê-lo mandado para lá.

Peter fez uma cara intrigada.

– E o que é que há em Bornholm?

Tilde deu de ombros.

– Talvez seja essa a pergunta cuja resposta eles querem... O que é que há em Bornholm? Podem também ter escolhido a ilha como um ponto de encontro. Lembre-se, se ele pode ir de Bornholm para a Suécia, a viagem no sentido inverso provavelmente é tão fácil quanto.

– Bem pensado.

Tilde era muito lúcida, ponderou. Mantinha-se atenta a todas as possibilidades. Examinou seu rosto inteligente e seus olhos azuis. Deteve-se na boca enquanto ela falava. Tilde parecia não notar que era observada.

– A morte de Kirke provavelmente interrompeu a linha normal de comunicação que eles usavam. Pode ser que isso seja uma emergência, um plano B.

– Não estou convencido... mas há uma maneira de descobrir.

– Continuarmos seguindo Olufsen?

– Exatamente. Diga a Dresler para tomar a barca com ele.

– Olufsen está levando uma bicicleta. Digo a Dresler para arranjar uma?

– Sim. E depois reserve uma passagem para você e para mim no voo de amanhã para Bornholm. Chegaremos lá antes de Olufsen.

Tilde esmagou a ponta do cigarro no cinzeiro e se levantou.

– Certo.

Peter não queria que ela fosse embora. A aquavita o estava esquentando por dentro, ele se sentia relaxado e estava gostando de ter uma mulher atraente com quem conversar. Não conseguiu, porém, imaginar uma desculpa para retê-la.

Ele a acompanhou pelo corredor.

– Vejo você no aeroporto – disse ela.

– Certo. – Ele pôs a mão na maçaneta, mas não abriu a porta.

– Tilde...

Ela o encarou com uma expressão neutra na fisionomia.

– Sim?

– Obrigado. Bom trabalho.

Ela levou a mão ao rosto dele.

– Durma bem – disse, mas não se afastou.

Peter fitou-a. Um sorriso tímido se formava nos cantos da sua boca, mas ele não sabia se era um sorriso de convite ou de zombaria. Baixou um pouco a cabeça e, de repente, a estava beijando.

Ela correspondeu ao beijo arrebatadamente, o que surpreendeu Peter. Tilde puxou a cabeça de Peter e enfiou a língua na sua boca. Após um momento de choque, ele reagiu. Pegou seu seio macio e o apertou com força. Ela emitiu um ruído gutural e projetou os quadris de encontro ao seu corpo.

Foi nesse instante que ele percebeu um movimento com o canto do olho. Interrompeu o beijo e virou a cabeça.

Inge estava na porta do quarto, pálida como um fantasma em sua camisola clara. O rosto mantinha a eterna inexpressividade, mas ela estava olhando diretamente para eles. Peter deixou escapar um soluço.

Tilde se livrou do abraço e Peter se virou para dizer algo, mas não conseguiu pronunciar nenhuma palavra. Ela abriu a porta do apartamento e saiu. Em questão de segundos tinha desaparecido.

A porta bateu ruidosamente.

~

O voo diário de Copenhague para Bornholm era operado pela companhia aérea dinamarquesa, a DDL. Partia às nove da manhã e durava uma hora. O avião aterrissava em um campo de pouso a cerca de 2 quilômetros da principal cidade de Bornholm, Ronne. Peter e Tilde foram recebidos pelo chefe de polícia local, que emprestou a eles um carro como se estivesse lhes entregando as joias da coroa.

Em pouco tempo chegaram à pacata cidade, onde havia mais cavalos que carros. As casas com estrutura de madeira aparente eram pintadas em cores surpreendentes e carregadas: mostarda-escuro, rosa-terracota, verde-floresta e vermelho-ferrugem. Havia dois soldados alemães na praça central, fumando e tagarelando com os transeuntes. Saindo da praça, uma rua de paralelepípedos ia direto para o porto. Havia uma lancha torpedeira da Kriegsmarine no cais, sendo admirada por um grupo de meninos. Peter identificou a estação das barcas: ficava do outro lado do prédio de tijolos que abrigava a alfândega, o maior da cidade.

Peter e Tilde deram umas voltas para se familiarizarem com as ruas e voltaram à tarde, para esperar a chegada da barca. Nenhum dos dois mencionou o beijo da noite anterior, mas a presença física dela mexia muito com ele: aquele perfume floral indefinido, os olhos azuis muito vivos, a boca que o beijara com tanta paixão. Ao mesmo tempo, também não lhe saía da cabeça a imagem de Inge em pé na porta do quarto, o semblante pálido e inexpressivo traduzindo uma reprovação mais angustiante do que propriamente uma acusação.

Quando a barca chegou, Tilde rompeu o silêncio:

– Espero que estejamos certos, que Arne seja mesmo um espião.

– Você não tinha perdido o entusiasmo pelo trabalho?

A resposta dela foi incisiva:

– O que o faz pensar isso?

– Nossa discussão a respeito de judeus.

– Ah, aquilo. – Ela deu de ombros. – Você tinha razão, não tinha? Ficou provado. Fomos investigar a sinagoga e lá obtivemos a pista que nos levou a Gammel.

– Então, pensei se a morte de Kirke podia ter chocado você tanto...

– Meu marido morreu – interrompeu ela firmemente. – Não me importo de ver criminosos morrerem.

Tilde era ainda mais durona do que ele pensara. Peter conteve um sorriso de satisfação.

– Quer dizer então que você vai permanecer na polícia.

– Não vejo outro futuro. Além do mais, pode ser que eu seja a primeira mulher a conseguir uma promoção a sargento.

Peter duvidava que isso viesse a acontecer. Parecia-lhe impensável que homens pudessem receber ordens de uma mulher. Mas não comentou nada.

– Braun praticamente me prometeu uma promoção se eu conseguir pegar esse grupo de espiões.

– Promoção a quê?

– Chefe do departamento. O lugar de Juel.

Um homem que era chefe do Departamento de Segurança aos 30 anos, pensou ele, bem podia terminar como chefe de toda a polícia de Copenhague. Seu coração bateu mais depressa quando visualizou as ações punitivas e disciplinares que imporia com o apoio dos nazistas.

Tilde sorriu calorosamente. Pondo a mão sobre o braço dele, comentou:

– Então é melhor nos assegurarmos de que vamos pegar todos os espiões.

A barca atracou e os passageiros começaram a desembarcar. Enquanto observavam, Tilde perguntou:

– Você, que conhece Arne desde os tempos de garoto... Ele é do tipo capaz de atuar como espião?

– Eu diria que não – disse Peter, pensativo. – É despreocupado demais.

– Ah, é? – reagiu Tilde, desapontada.

– Na verdade, eu não o consideraria suspeito se não fosse pela noiva inglesa.

Ela se animou de novo.

– Isso o coloca bem no alvo.

– Não sei se eles ainda são noivos. Ela voltou para a Inglaterra o mais depressa que pôde quando os alemães chegaram. Mas é bem possível que ainda estejam juntos.

Mais ou menos cem passageiros desembarcaram, alguns a pé, outros de carro, muitos com bicicleta. A ilha tinha apenas 30 quilômetros de uma ponta a outra e a bicicleta era o meio mais fácil de passear.

– Ali – disse Tilde apontando.

Peter viu Arne Olufsen desembarcando, com o uniforme do Exército, empurrando a bicicleta.

– Mas onde está Dresler?

– Quatro pessoas atrás.

– Estou vendo.

Peter pôs os óculos escuros, enterrou o chapéu na cabeça e deu a partida no motor do carro. Arne saiu de bicicleta pela rua calçada de paralelepípedos em direção ao centro da cidadezinha; Dresler fez a mesma coisa. Peter e Tilde seguiram lentamente de carro.

Arne saiu da cidade na direção norte. Peter começou a sentir que estava muito visível. Havia muito poucos carros pelas ruas e ele tinha que dirigir devagar para não ultrapassar as bicicletas. Teve que ficar bem para trás para não ser notado. Em seguida acelerou até ver Dresler e reduziu a marcha de novo. Dois soldados alemães em uma moto com *sidecar* passaram por eles e Peter se arrependeu de ter arranjado um carro – teria sido melhor uma moto.

Poucos quilômetros fora da cidade, eles eram as únicas pessoas na estrada.

– Isto está ficando difícil! – exclamou Tilde em tom agudo, ansiosa. – Ele vai perceber a nossa presença.

Peter concordou em silêncio. Ela estava com a razão, mas uma nova ideia lhe ocorreu.

– E, quando ele perceber, sua reação será altamente reveladora.

Tilde dirigiu-lhe um olhar questionador, mas ele não explicou.

Peter acelerou mais. Passando uma curva, viu Dresler agachado num bosque e, 100 metros adiante, Arne sentado em cima de uma mureta, fumando um cigarro. A única opção era acelerar mais e ultrapassá-los. Continuou por mais uns 2 quilômetros e fez o retorno em uma estrada vicinal.

– Ele estaria nos testando ou apenas descansando? – perguntou Tilde.

Peter não soube responder.

Logo depois Arne passou, seguido por Dresler. Peter voltou para a estrada.

Já estava escurecendo. Uns 5 quilômetros adiante eles deram numa encruzilhada. Dresler tinha parado lá e parecia perplexo.

Não havia sinal de Arne.

Dresler se aproximou da janela do carro, visivelmente perturbado.

– Sinto muito, chefe. Ele disparou e o perdi de vista. Não sei que caminho tomou na encruzilhada.

– Droga! É claro que ele planejou isso – disse Tilde. – E é evidente que ele conhece o caminho.

– Sinto muito – repetiu Dresler.

– Lá se vai sua promoção – disse Tilde –, e a minha também.

– Não fique tão deprimida – retrucou Peter. – Isso foi ótimo.

– Como assim? – perguntou Tilde, confusa.

– Se um homem inocente está sendo seguido, o que é que ele faz? Para, vira e diz: "Quem vocês pensam que são para me seguir por aí?" Só um homem culpado se livra deliberadamente de quem o está seguindo. Não estão vendo? Isso prova que estávamos certos: Arne Olufsen é um espião.

– Mas nós o perdemos.

– Ah, não se preocupe. Nós o acharemos de novo.

~

Passaram a noite em um hotel à beira-mar com um banheiro no fim de cada corredor. À meia-noite, Peter vestiu um robe por cima do pijama e bateu na porta do quarto de Tilde.

– Entre – respondeu ela.

Ele entrou. Tilde estava sentada na cama de solteiro, usando uma camisola de seda azul-clara, lendo um romance americano chamado *E o vento levou*.

– Você não perguntou quem estava batendo – disse ele.

– Eu sabia.

Sua mente de detetive reparou que ela estava de batom, tinha o cabelo cuidadosamente penteado e usava um perfume floral, como se tivesse se vestido para um encontro romântico. Beijou-lhe os lábios e acariciou sua cabeça. Após um momento, olhou para trás, para se assegurar de que tinha fechado a porta.

– Ela não está aí – disse Tilde.

– Ela quem?

– Inge.

Ele a beijou de novo, mas pouco depois notou que não estava se excitando. Interrompeu o beijo e se sentou na beira da cama.

– É a mesma coisa comigo – disse ela.

– O quê?

– Fico pensando no Oskar.

– Ele está morto.

– É como se Inge também estivesse.

Ele estremeceu.

– Sinto muito, mas é verdade. Fico pensando no meu marido, e você na sua mulher, e nenhum dos dois se importa com o que estamos fazendo.

– Não foi assim ontem à noite, no meu apartamento.

– É que não tivemos tempo para pensar a respeito.

Aquilo era ridículo, pensou ele. Na juventude, ele fora um sedutor confiante, capaz de persuadir muitas mulheres a irem para a cama com ele, e as deixava, na maioria das vezes, bem satisfeitas. Estaria sem prática?

Peter se livrou do robe e deitou ao lado dela. Seu corpo macio sob a camisola era bom de acariciar. Tilde apagou a luz. Ele a beijou, mas não conseguiu reacender a chama da noite anterior.

Ficaram deitados, lado a lado, no escuro.

– Não faz mal – disse ela. – É preciso deixar o passado para trás. É difícil para você.

Ele a beijou de novo, brevemente, levantou-se e voltou para o seu quarto.

CAPÍTULO TREZE

A VIDA DE HARALD estava em ruínas. Todos os planos que fizera tinham ido por água abaixo e ele não tinha futuro certo. No entanto, em vez de sofrer com seu destino, ansiava por se aproximar de Karen Duchwitz. Recordou-se de sua pele branca e do cabelo vermelho vivo, do modo como andava pela sala, como se estivesse dançando, e concluiu que não podia haver nada tão importante quanto revê-la.

A Dinamarca era um país pequeno e bonito, mas a 30 e tantos quilômetros por hora mais parecia um deserto interminável. A motocicleta de Harald, usando como combustível o gás resultante da combustão da turfa, levou um dia e meio para ir da sua casa, em Sande, atravessando o país em toda a sua largura, a Kirstenslot.

A viagem de moto pela monótona paisagem ondulada foi mais retardada ainda por problemas mecânicos. Harald teve um pneu furado quando estava a menos de 50 quilômetros de casa. Depois, na comprida ponte que ligava a península da Jylland à ilha central de Fyn, a corrente quebrou. A Nimbus originalmente era dotada de um sistema de transmissão pelo eixo, sem corrente, mas não fora possível ligar esse sistema ao motor adaptado e Harald tivera que aproveitar uma corrente e as rodas dentadas de um velho cortador de grama. O fato foi que, na ponte, teve que empurrar a moto por quilômetros até achar uma oficina e trocar a corrente. Com isso, após cruzar Fyn, perdeu a última barca para a ilha principal de Sjaelland. Estacionou, comeu a comida que a mãe lhe dera – três grossas fatias de presunto e um pedaço de bolo – e passou uma noite gelada no cais, esperando. Quando foi acender a caldeira na manhã seguinte, viu que a válvula de segurança tinha um vazamento, que conseguiu tapar com chiclete e esparadrapo.

Chegou a Kirstenslot quase no fim da tarde de sábado. Embora estivesse impaciente para ver Karen, não foi imediatamente para o castelo. Passou pelo mosteiro em ruínas e pela entrada do castelo, atravessou a aldeia, reconhecendo no caminho a igreja, a taverna e a estação de trem, até que por fim encontrou a fazenda que visitara com Tik. Tinha confiança de que poderia conseguir um emprego ali. Era a época certa do ano e ele era jovem e forte.

A casa da fazenda era grande, no meio de um terreno muito limpo e bem cuidado. Quando parou a moto, foi observado por duas garotinhas – netas, ele imaginou, do fazendeiro Nielsen, o homem de cabelos brancos que ele vira sair da igreja.

Encontrou-o atrás da casa, vestido com uma calça lamacenta e uma camisa sem colarinho. Estava fumando um cachimbo.

– Bom dia, Sr. Nielsen – disse Harald.

– Bom dia, meu jovem – respondeu Nielsen cautelosamente. – O que posso fazer por você?

– Meu nome é Harald Olufsen. Preciso de um emprego e Josef Duchwitz me disse que o senhor contrata trabalhadores no verão.

– Não este ano, filho.

Harald por pouco não caiu para trás. Não tinha sequer considerado a possibilidade de uma recusa.

– Eu trabalho duro...

– Não duvido, e você parece mesmo bastante forte, mas não estou contratando ninguém.

– Por que não?

Nielsen levantou uma das sobrancelhas.

– Eu podia dizer que não é da sua conta, meu rapaz, mas também já fui um jovem atrevido; portanto vou lhe dizer que os tempos são difíceis, os alemães compram quase tudo que produzo a um preço determinado por eles e não há disponibilidade para pagar nada a trabalhadores ocasionais.

– Trabalho por comida – sugeriu Harald, desesperado. Não podia voltar para Sande.

Nielsen lhe dirigiu um olhar penetrante.

– Você parece estar metido em alguma encrenca. Mas não posso contratá-lo nesses termos. Teria problemas com o sindicato.

Parecia não haver esperanças. Harald olhou em torno, à procura de uma alternativa. Poderia trabalhar em Copenhague, mas onde iria morar? Não podia nem recorrer ao irmão, que vivia em uma base militar onde não era permitido que hóspedes passassem a noite.

Nielsen percebeu seu desespero.

– Sinto muito, filho. – Bateu o cachimbo na trave superior da cerca. – Vou acompanhá-lo até a saída.

O fazendeiro provavelmente achou que ele estivesse desesperado a ponto de roubar, pensou Harald. Os dois contornaram a casa até o pátio da frente.

– Que diabo é isso aí? – perguntou Nielsen quando viu a moto com sua caldeira deixando escapar vapor em ritmo lento.

– É uma motocicleta comum que adaptei para funcionar com turfa.

– De onde você veio com ela?

– Morlunde.

– Meu Deus! Ela parece pronta para explodir a qualquer instante!

Harald ficou ofendido.

– Ela é perfeitamente segura – disse, indignado. – Conheço motores. Na verdade, fui eu que consertei um de seus tratores há algumas semanas.

Por um momento, Harald chegou a pensar na possibilidade de Nielsen contratá-lo em sinal de agradecimento, mas notou que aquela era uma esperança tola. Gratidão não paga salários.

– O trator tinha um vazamento na válvula de combustível.

– Como assim?

Harald jogou mais um pedaço de turfa na caldeira.

– Vim passar um fim de semana em Kirstenslot. Josef e eu passamos por um de seus homens, Frederik, tentando fazer pegar o motor de um trator.

– Eu me lembro. Quer dizer então que você é aquele rapaz?

– Eu mesmo.

Harald montou na moto.

– Espere um minuto. Talvez eu possa contratá-lo.

Harald encarou-o, sem se atrever a ter esperanças.

– Não posso pagar trabalhadores braçais para a fazenda, mas um mecânico é outra história. Você conhece todos os tipos de máquina?

Não era hora para bancar o modesto, decidiu Harald.

– Geralmente consigo consertar qualquer coisa que tenha motor.

– Tenho meia dúzia de máquinas paradas por falta de peças. Acha que consegue fazer com que funcionem?

– Acho.

Nielsen olhou para a motocicleta.

– Se você conseguiu fazer isso aí, talvez possa reparar minha semeadeira.

– Não vejo por que não.

– Está bem – disse o fazendeiro, em tom decidido. – Vou lhe dar uma chance.

– Muito obrigado, Sr. Nielsen!

– Como amanhã é domingo, volte aqui na segunda-feira, às seis horas. Nós, fazendeiros, começamos cedo.

– Estarei aqui.

– Não se atrase.

Harald abriu a válvula para deixar o vapor entrar no cilindro e saiu antes que Nielsen pudesse mudar de ideia.

Assim que se afastou o suficiente, soltou um grito de vitória. Tinha um emprego – muito mais interessante, por sinal, do que atender as freguesas de um armarinho – e o conseguira sozinho. Sentiu-se confiante. Estava sozinho, mas era jovem, forte e inteligente. Tudo ia dar certo.

O dia já ia escurecendo quando atravessou a aldeia. Por pouco não viu um policial uniformizado que foi para o meio da rua e acenou para que parasse. Freou com força no último instante, e a caldeira deixou escapar uma nuvem de fumaça pela válvula de segurança. Reconheceu o policial uniformizado: era Per Hansen, o nazista local.

– Que diabo é isso aí? – perguntou Hansen apontando para a moto.

– É uma motocicleta Nimbus convertida para vapor.

– Parece perigosa.

Harald tinha pouca paciência com gente intrometida, mas obrigou-se a responder polidamente:

– Eu lhe asseguro, senhor guarda, que é perfeitamente segura. O senhor está fazendo um interrogatório oficial ou é só curiosidade?

– Não tem importância, rapaz. Eu já o vi antes, não vi?

Harald disse a si próprio para não transgredir a lei. Já tinha passado uma noite na cadeia naquela semana.

– Meu nome é Harald Olufsen.

– Você é amigo dos judeus do castelo.

Harald perdeu a calma.

– Não é da sua conta quem são meus amigos.

– Ah! Não é não?

Hansen pareceu satisfeito, como se tivesse conseguido provocar a reação que queria.

– Já tenho uma boa ideia de quem você é, rapaz – disse ele maldosamente. – Ficarei de olho. Agora vá andando.

Harald se afastou, amaldiçoando seu gênio descontrolado. Tinha feito agora um inimigo na polícia local, só por causa de uma observação besta sobre judeus. Quando ia aprender a se manter longe de encrencas?

A uns 500 metros do portão de Kirstenslot, saiu da estrada e pegou a trilha de carroças que atravessava o bosque e ia dar na parte de trás do mosteiro. Não podia ser visto da casa e deduzira que ninguém estaria trabalhando no jardim numa tarde de sábado.

Parou a moto diante da fachada oeste da igreja abandonada, atravessou o claustro e entrou por uma porta lateral. A princípio viu apenas umas formas fantasmagóricas à luz fraca do fim de tarde que entrava pelas janelas altas. Quando seus olhos se adaptaram, identificou o Rolls-Royce debaixo do encerado, as caixas de brinquedos velhos e o biplano Hornet Moth com as asas dobradas. Teve a impressão de que ninguém entrara na igreja desde a última vez em que estivera ali.

Abriu a porta principal para guardar a moto e fechou-a novamente.

Permitiu-se um momento de satisfação ao desligar o motor. Tinha atravessado o país em sua motocicleta improvisada, conseguira um emprego e havia encontrado um lugar para ficar. Só uma falta de sorte permitiria que seu pai o encontrasse; e, por outro lado, se houvesse alguma notícia importante da família, seu irmão saberia como entrar em contato. O melhor de tudo é que havia uma boa chance de ele rever Karen Duchwitz. Lembrou-se de que ela gostava de fumar um cigarro no terraço depois do jantar. Decidiu sair e procurá-la. Era arriscado – podia ser visto pelo Sr. Duchwitz –, mas sentia-se com sorte naquele dia.

Num canto da igreja, perto da bancada e das ferramentas, havia um lavatório com uma torneira de água fria. Harald não tomava banho havia dois dias. Tirou a camisa e lavou-se o melhor que pôde sem sabão. Passou uma água na roupa usada, pendurou-a em um prego para secar e vestiu a sobressalente que trouxera na bolsa.

O portão era distante do castelo uns 800 metros em linha reta, mas, como aquele caminho era muito exposto, Harald preferiu se aproximar através do bosque. Passou pelos estábulos, cruzou a horta da cozinha e estudou os fundos da casa abrigado atrás de um cedro. Era capaz de identificar a sala de visitas por causa de suas janelas de batente, que abriam para o terraço. Lembrava-se de que ao lado dela ficava a sala de jantar. As cortinas de blecaute ainda não tinham sido baixadas porque a luz elétrica ainda não fora acesa, embora ele visse o tremeluzir de uma vela.

A família devia estar jantando. Tik estaria na escola – os alunos de Jansborg tinham permissão para ir em casa uma vez a cada quinze dias e aquele era um fim de semana da escola –, de modo que estariam jantando apenas Karen e seus pais, a menos que houvesse convidados. Decidiu arriscar uma olhada mais de perto.

Atravessou o gramado e se esgueirou até a casa. Ouviu a voz de um locutor da BBC dizendo que as forças francesas de Vichy tinham abandonado

Damasco ante a ofensiva de um exército inglês, da Comunidade Britânica e da França Livre. Era agradável saber de uma vitória britânica, mas era difícil imaginar como uma boa notícia originada na Síria iria ajudar sua prima Monika em Hamburgo. Dando uma olhada pela janela da sala, Harald viu que o jantar tinha terminado e que uma criada estava tirando a mesa.

Um momento depois, ouviu uma voz às suas costas:

– O que é que você pensa que está fazendo aqui?

Ele se virou, assustado.

Karen vinha andando pelo terraço na sua direção. Sua pele alva parecia luminosa à claridade da noite. Trajava um vestido de seda longo em suaves tons de azul e verde. Seu andar de bailarina fazia com que parecesse deslizar, lembrando um fantasma.

– Silêncio!

Karen não o reconheceu naquela obscuridade.

– Silêncio? – repetiu ela, indignada, e não havia nada de irreal no seu tom desafiador. – Encontro um intruso espionando a minha casa e ele quer que eu me cale!?

De dentro da casa veio um latido.

Harald não conseguiu saber se Karen se sentia genuinamente ultrajada ou se estava se divertindo.

– Não quero que seu pai saiba que estou aqui! – sussurrou ele, mas com firmeza.

– Você devia se preocupar com a polícia, não com meu pai.

O velho setter vermelho, Thor, apareceu aos saltos, pronto para estraçalhar um ladrão, mas reconheceu Harald e lambeu sua mão.

– Sou Harald Olufsen. Estive aqui duas semanas atrás.

– Ah, o garoto do boogie-woogie! O que é que está fazendo aqui rondando pelo terraço? Voltou para roubar a casa?

Para aflição de Harald, o Sr. Duchwitz apareceu na janela francesa e deu uma olhada para fora.

– Karen? – disse ele. – Tem alguém aí?

Harald prendeu o fôlego. Se Karen o denunciasse, poderia estragar tudo.

– Está tudo bem, papai – disse ela após um instante. – E só um amigo.

O Sr. Duchwitz deu uma olhada em Harald, no escuro, mas não pareceu reconhecê-lo. Em seguida resmungou qualquer coisa e entrou.

– Obrigado – murmurou Harald.

Karen sentou-se na mureta e acendeu um cigarro.

– Você é bem-vindo aqui em casa, mas vai ter que me contar o que é que está acontecendo.

O vestido dela combinava com os olhos verdes, que brilhavam em seu rosto como se tivessem luz própria.

Ele também se sentou na mureta, sem parar de olhar para ela.

– Briguei com meu pai e saí de casa.

– E por que veio para cá?

A própria Karen era metade da razão, mas ele decidiu não falar nada.

– Arranjei um emprego com o Sr. Nielsen, o fazendeiro, para consertar seus tratores e máquinas.

– Você sabe se virar. Onde está morando?

– Hum... No velho mosteiro.

– E é presunçoso também.

– Eu sei.

– Suponho que tenha trazido cobertas e o que mais for preciso.

– Na verdade, não.

– Pode fazer bastante frio durante a noite.

– Eu sobrevivo.

– Hum... – Ela fumou em silêncio por algum tempo, contemplando a escuridão cair como uma névoa sobre o jardim.

Harald estudou-a, hipnotizado pelo efeito do crepúsculo sobre os traços do seu rosto. Os lábios fartos, o nariz ligeiramente torto e o cabelo crespo volumoso formavam um conjunto adorável. Concentrou a atenção na sua boca enquanto ela tragava. Por fim Karen jogou o cigarro em um canteiro, levantou-se, desejou-lhe boa sorte, voltou para dentro de casa e fechou a porta.

Foi uma saída abrupta, pensou Harald. Sentiu-se desapontado. Permaneceu parado onde estava por um minuto. Ele adoraria passar a noite conversando, mas Karen ficara entediada com ele em cinco minutos. Lembrou-se do fim de semana que passara com os Duchwitz, em que ela fizera com que ele se sentisse tanto bem-vindo quanto rejeitado. Talvez fosse uma espécie de jogo. Ou talvez refletisse seus sentimentos vacilantes. Gostou de imaginar que ela pudesse ter sentimentos a seu respeito, mesmo que fossem instáveis.

Caminhou de volta para o mosteiro. A noite já começava a refrescar. Karen tinha razão: ia fazer frio e o chão da igreja era de cerâmica. Devia ter trazido um cobertor.

Procurou qualquer coisa que pudesse servir de cama. A luz das estrelas que entrava pelas janelas iluminava timidamente o interior da igreja. A parede leste, onde antes com certeza fora o altar, era côncava e tinha uma prateleira larga protegida por uma cobertura. Harald imaginou que ali devia ter ficado um objeto de veneração – uma relíquia, um cálice cravejado de pedras preciosas, um quadro da Virgem. Agora, contudo, era ali o que mais se assemelhava a uma cama. E foi lá que ele se deitou.

Por uma janela sem vidraça podia ver a parte superior das árvores e um punhado de estrelas espalhadas no céu azul-escuro. Pensou em Karen. Imaginou-a tocando no seu cabelo com um gesto afetuoso, roçando os lábios nos seus, envolvendo-o com os braços e abraçando-o. Essas imagens eram diferentes das cenas que imaginava com Birgit Claussen, a garota de Morlunde com quem havia namorado na Páscoa. Quando Birgit estrelava suas fantasias, estava sempre tirando o sutiã, rolando na cama ou rasgando sua camisa na pressa de satisfazer sua paixão. Karen desempenhava um papel mais sutil, mais amorosa que voluptuosa, embora sempre houvesse a promessa de sexo no fundo dos seus olhos.

Sentiu frio e se levantou. Talvez pudesse dormir dentro do avião. Movendo-se com dificuldade no escuro, conseguiu achar a maçaneta da porta. Mas quando a abriu ouviu barulhos e se lembrou de que havia um ninho de camundongos no estofamento da poltrona. Não tinha medo de camundongos, mas não dava para forçar a barra e dormir na mesma cama que eles.

Considerou entrar no Rolls-Royce. Podia se encolher no banco de trás. Devia ser mais espaçoso que o Hornet Moth. Levantar a lona que o cobria no escuro podia dar um certo trabalho, mas talvez valesse a pena. Restava saber se as portas estavam destrancadas.

Ainda estava às voltas com a capa do carro, vendo se descobria o fecho, quando ouviu um leve ruído de passos e se deteve, imóvel. Um momento depois, o facho de luz de uma lanterna elétrica passou pela janela. Será que os Duchwitzes tinham uma patrulha de segurança à noite?

Deu uma olhada pela porta que dava no claustro. A lanterna vinha se aproximando. Manteve-se de costas para a parede, tentando nem respirar.

Então ouviu uma voz:

– Harald?

Seu coração deu um pulo de alegria.

– Karen.

– Onde é que você está?

– Na igreja.

O facho de luz o encontrou e depois ela o virou para cima, a fim de conseguir uma iluminação abrangente. Harald viu que ela carregava uma trouxa.

– Trouxe umas cobertas.

Ele sorriu. Ficou agradecido pelo conforto que aquilo representava, mas ficou ainda mais feliz por ver que ela se preocupara com ele.

– Eu estava pensando em dormir no carro.

– Você é muito alto – contestou ela.

Quando abriu o pacote, ele encontrou alguma coisa.

– Achei que você devia estar faminto – explicou ela.

À luz da lanterna de Karen, Harald viu meia bisnaga de pão, uma cestinha de morangos e uma salsicha. Havia também uma garrafa. Ele desatarraxou a tampa e sentiu o cheiro de café fresco.

Só então percebeu como estava mesmo com fome. Atacou a comida, tentando não comer como um lobo faminto. Segundos depois ouviu um miado e um gato apareceu no círculo de luz. Era o mesmo gato preto e branco muito magro que vira na primeira vez que entrara na igreja. Deixou cair um pedaço de salsicha. O gato cheirou, virou-o com a patinha e pôs-se a comer com extrema delicadeza.

– Como é o nome dele? – perguntou a Karen.

– Acho que não tem nome. É vira-lata.

Na parte de trás da cabeça, o animal tinha um tufo de pelo em formato de pirâmide.

– Acho que vou chamá-lo de Pinetop – disse Harald. – Em homenagem ao meu pianista favorito.

– É um bom nome.

Harald comeu tudo.

– Puxa, que maravilha! Muito obrigado.

– Eu devia ter trazido mais. Quando foi a última vez que você comeu?

– Ontem.

– Como foi que chegou aqui?

– De motocicleta. – Ele apontou para o outro lado da igreja, onde estacionara a moto. – Mas é lenta, porque é a vapor e para andar tem que queimar turfa. Por isso levei dois dias para vir de Sande até aqui.

– Você é um tipo decidido, Harald Olufsen.

– Sou mesmo? – Ele não soube se podia tomar aquilo como um elogio.

– É verdade. Nunca conheci alguém como você.

Avaliando bem, concluiu que a observação o favorecia.

– Bem, para dizer a verdade, acho o mesmo de você.

– Ah, deixe disso. O mundo está cheio de garotas ricas e mimadas que querem ser bailarinas, mas quantas pessoas atravessaram a Dinamarca pilotando uma motocicleta a vapor?

Ele riu, deliciado. Os dois ficaram em silêncio por um minuto.

– Sinto muito pelo que houve com Poul – disse Harald por fim. Deve ter sido um choque terrível para você.

– Foi completamente devastador. Chorei o dia inteiro.

– Vocês eram muito íntimos?

– Tínhamos saído apenas três vezes e eu não estava apaixonada por ele, mas mesmo assim foi terrível. – Os olhos de Karen se encheram de lágrimas e ela teve que se esforçar para não chorar.

Harald, envergonhado, ficou satisfeito ao saber que ela não era apaixonada por Poul.

– Foi muito triste – disse, sentindo-se um hipócrita.

– Fiquei desolada quando minha avó morreu, mas, de alguma forma, isso foi pior. Vovó estava velha e doente. Poul era cheio de energia e divertido. Bonito, atlético...

– Sabe como foi que aconteceu? – perguntou Harald, jogando verde.

– Não... O Exército tem escondido ridiculamente as informações sobre esse caso – disse Karen, deixando transparecer na voz o quanto começava a se irritar. – Só disseram que o avião dele caiu e que os detalhes eram confidenciais.

– Talvez estejam querendo encobrir algo.

– Como o quê? – retrucou ela bruscamente.

Harald viu que não podia dizer o que pensava sem revelar sua conexão com a Resistência.

– A incompetência deles? – improvisou. – Talvez o avião não fosse submetido a uma manutenção adequada.

– Não poderiam usar a desculpa de sigilo militar para esconder algo assim.

– Claro que poderiam. Quem iria saber?

– Não creio que nossos oficiais sejam tão desonestos – disse ela, tensa.

Harald viu que a ofendera, como quando a conhecera e da mesma maneira, fazendo pouco de sua credulidade.

– Espero que você esteja certa – apressou-se em dizer. Mas não estava sendo sincero: tinha certeza de que ela estava enganada.

Karen se levantou.
– Tenho que voltar antes que tranquem a casa. – Sua voz estava fria.
– Obrigado pela comida e pelos cobertores. Você é um anjo.
– Não é o meu papel usual – retrucou ela, suavizando um pouco.
– Será que a vejo amanhã?
– Talvez. Boa noite.
Karen foi embora.

CAPÍTULO CATORZE

HERMIA DORMIU MAL. Sonhou que estava falando com um policial dinamarquês. A conversa era amistosa, embora ela estivesse ansiosa por não se denunciar; só que, depois de algum tempo, descobriu que estavam falando inglês. O homem continuou a falar como se nada tivesse acontecido, enquanto ela tremia e esperava que ele a prendesse.

Quando acordou, viu que estava deitada em uma cama estreita de uma pensão na ilha de Bornholm. Ficou aliviada ao descobrir que a conversa com o policial tinha sido um pesadelo – mas não havia nada de irreal no perigo que enfrentava agora que estava desperta. Estava em território ocupado, carregando documentos falsos, fingindo ser uma secretária de férias. Claro que, se fosse descoberta, seria enforcada como espiã.

Em Estocolmo, ela e Digby, depois de enganarem mais uma vez os alemães que os seguiam, tomaram um trem para a costa sul. Em Kalvsby, uma aldeia de pescadores, tinham achado um barqueiro disposto a cruzar os mais de 30 quilômetros de mar para levá-los a Bornholm. Ela se despedira de Digby – que não tinha como se passar por dinamarquês – e embarcara. Ele ia ficar um dia em Londres, apresentar-se a Churchill, pegar imediatamente um avião de volta e esperá-la no cais de Kalvsby quando Hermia voltasse – se é que ela conseguiria voltar.

O pescador a colocara em terra firme, com sua bicicleta, em uma praia solitária, na madrugada do dia anterior. Prometeu voltar àquele mesmo lugar quatro dias depois, à mesma hora. Para ter certeza de que ele não falharia, Hermia disse que pagaria o dobro pela viagem de volta.

Ela pedalara até Hammershus, o castelo em ruínas que era seu ponto de encontro com Arne, e o esperara o dia inteiro. Ele não apareceu.

Acalmou-se pensando que aquilo não era imprevisível. Arne tinha trabalhado no dia anterior e com certeza não conseguira sair a tempo de pegar a barca da noite. Provavelmente pegara a barca da manhã no sábado e chegara a Bornholm tarde demais para estar em Hammershus antes de escurecer. Sendo assim, devia ter achado um lugar qualquer para passar a noite e apareceria no ponto de encontro no primeiro horário da manhã.

Era nisso que Hermia acreditava em seus momentos de maior animação. Mas em alguns momentos temia que Arne tivesse sido preso. Era inútil ficar supondo um motivo pelo qual pudessem tê-lo prendido ou ficar repetindo mentalmente que ele ainda não cometera nenhum crime. Afinal, isso só a levava a imaginar cenários fantasiosos, nos quais ele confiava em um amigo traiçoeiro, escrevia tudo em um diário ou confessava o esquema a um sacerdote.

Algumas horas mais tarde, desistiu de esperar por Arne e foi de bicicleta até a aldeia mais próxima. No verão, muitos dos habitantes locais ofereciam pensão aos turistas, e não teve dificuldade para encontrar um lugar onde passar a noite. Caiu na cama ansiosa e faminta, e teve pesadelos.

Ao se vestir, recordou-se dos dias que passara com Arne naquela ilha, os dois registrando-se no hotel como Sr. e Sra. Olufsen. Foi nessa época que tiveram seus momentos mais íntimos. Arne adorava jogar e vivia fazendo apostas com ela em troca de favores sexuais. "Se o barco vermelho entrar no porto antes dos outros, você vai ter que andar sem calcinha o dia todo amanhã; já se for o azul a entrar na frente, você vai poder ficar por cima hoje à noite". Será tudo seu, meu amor, pensou ela, se você aparecer hoje.

Decidiu tomar o café da manhã antes de pedalar de volta a Hammershus. Talvez tivesse que esperar o dia inteiro de novo e não queria desmaiar de fome. Vestiu as roupas baratas que comprara em Estocolmo – roupas inglesas poderiam denunciá-la – e desceu.

Estava nervosa quando entrou na sala de jantar da família. Fazia mais de um ano que não falava dinamarquês diariamente e, desde que desembarcara, na véspera, não dissera mais que umas poucas palavras. Agora ia ter que sustentar uma conversa trivial.

Havia outro hóspede na sala, um homem de meia-idade com um sorriso amável, que disse:

– Bom dia. Meu nome é Sven Fromer.

Hermia se forçou a relaxar.

– Agnes Ricks – disse, usando o nome que constava dos documentos falsos. – Está fazendo um dia lindo – acrescentou. Não tinha nada a temer, pensou. Falava dinamarquês com o sotaque da burguesia de Copenhague e os próprios dinamarqueses só descobririam que era inglesa se contasse. Serviu-se de mingau, jogou leite gelado por cima e começou a comer. Devido à tensão, engolia com dificuldade.

Sven sorriu para ela.

– À moda inglesa – disse ele.

Hermia o encarou, apavorada. Como ele descobrira tão depressa?

– Como assim?

– Seu jeito de tomar mingau.

O leite de Sven Fromer estava em um copo e ele tomava um gole entre as colheradas do mingau. Era assim que os dinamarqueses tomavam mingau, e ela sabia perfeitamente disso. Irritou-se pelo descuido e tentou consertar.

– Prefiro assim – disse o mais naturalmente que foi capaz. – O leite esfria o mingau e a gente pode tomar mais depressa.

– Uma garota com pressa. De onde você é?

– Copenhague.

– Eu também.

Hermia não queria entabular uma conversa sobre o local exato de Copenhague onde ambos moravam, o que poderia levá-la facilmente a cometer mais erros. O mais seguro seria fazer as perguntas. Nunca conhecera um homem que não gostasse de falar sobre si mesmo.

– Está passeando?

– Lamentavelmente, não. Sou topógrafo e trabalho para o governo. Mas terminei o que estava fazendo e, como só tenho que voltar para casa amanhã, vou passar o dia de hoje rodando por aí para pegar a barca da noite.

– Você tem carro?

– Preciso, por causa do meu trabalho.

A proprietária trouxe bacon e pão preto. Depois que saiu, Sven retomou a conversa:

– Se você estiver sozinha, será um prazer levá-la para passear comigo.

– Sou noiva – retrucou Hermia com firmeza.

Ele sorriu melancolicamente.

– Seu noivo é um felizardo. Ainda assim, eu teria muito prazer com a sua companhia.

– Por favor, não se ofenda, mas prefiro ficar sozinha.

– Entendo perfeitamente. Espero que não se importe por tê-la convidado.

Ela lhe deu seu sorriso mais encantador.

– De modo algum. Estou lisonjeada.

Ele se serviu de mais café e pareceu disposto a continuar ali por mais tempo. Hermia começou a relaxar. Até o momento não despertara suspeitas.

Outro hóspede entrou, um homem mais ou menos da idade de Hermia, bem-vestido, de terno e gravata. Cumprimentou os demais inclinando rigidamente a cabeça e depois, falando dinamarquês com sotaque alemão, disse:

– Bom dia, eu me chamo Helmut Müller.

O coração de Hermia disparou.

– Bom dia – respondeu. – Agnes Ricks.

Müller se virou para Sven esperando que este também se apresentasse, mas Sven se levantou, ignorando deliberadamente o recém-chegado, e saiu.

Müller sentou-se, parecendo ofendido.

– Muito obrigado pela sua cortesia – disse para Hermia.

Hermia tentou se comportar normalmente e comprimiu as mãos para impedir que tremessem.

– De onde o senhor é, Herr Müller?

– Nasci em Lübeck.

Hermia se perguntou o que uma jovem dinamarquesa amável podia dizer a um alemão numa troca de amenidades.

– O senhor fala bem o nosso idioma.

– Quando era menino, a minha família costumava vir passar as férias em Bornholm.

Hermia pôde ver que ele não desconfiara de nada e se arriscou a fazer uma pergunta menos superficial:

– Diga-me uma coisa: muita gente aqui se recusa a falar com o senhor?

– Uma grosseria como a que esse outro hóspede acaba de exibir é rara. Nas atuais circunstâncias, alemães e dinamarqueses têm que conviver, e os dinamarqueses, na maioria, são educados.

Ele se interrompeu e dirigiu um olhar de curiosidade a Hermia.

– Mas você já deve ter observado isso... A menos que tenha chegado recentemente de outro país.

Hermia percebeu que tinha cometido outro erro.

– Não, não – apressou-se em dizer –, eu sou de Copenhague e lá, como o senhor diz, convivemos tão bem quanto podemos. Eu só imaginei que as coisas pudessem ser diferentes aqui em Bornholm.

– Não, é tudo exatamente igual.

Toda conversa era perigosa, concluiu Hermia. Ela se levantou.

– Bem, tenho que ir. Bom apetite.

– Muito obrigado.

– Tenha um dia agradável aqui no nosso país.

– Desejo-lhe o mesmo.

Ela saiu, achando que talvez tivesse sido amável demais. Excesso de amabilidade pode despertar tantas suspeitas quanto a hostilidade. Mas ele não demonstrara qualquer sinal de desconfiança.

Quando ia saindo de bicicleta, Hermia deu com Sven colocando a bagagem no carro. Era um Volvo PV444, um carro sueco muito popular na Dinamarca. Ela viu que o banco de trás tinha sido removido para abrir lugar para o seu equipamento – tripés, o teodolito e uma série de lentes e outros componentes, alguns em seus estojos de couro, outros protegidos por cobertores.

– Peço-lhe desculpas por criar uma cena lá dentro – disse ele. – Não tive intenção de ser rude com você.

– Tudo bem. – Ela podia ver que Sven ainda estava furioso. – É evidente que você tem uma opinião formada sobre a questão.

– Sou de uma família de militares. É difícil aceitar que tenhamos nos rendido tão depressa. Devíamos ter lutado. Devíamos estar lutando agora! – Ele fez um gesto de frustração, como se estivesse jogando alguma coisa fora. – Não devia estar falando desse jeito. Estou deixando você sem graça.

Ela tocou no seu braço.

– Você não tem por que se desculpar.

– Muito obrigado.

Hermia saiu pedalando.

~

Churchill andava de um lado para outro no gramado do campo de croqué em Chequers, a casa de campo oficial do primeiro-ministro britânico. Estava escrevendo mentalmente um discurso; Digby reconhecia seus sinais. Os hóspedes para o fim de semana eram John Winant, o embaixador americano, e o ministro do Exterior, Anthony Eden, com as respectivas esposas, mas nenhum deles estava por perto. Digby sentiu que devia estar havendo alguma crise, mas ninguém lhe disse o que era. O Sr. Colville, secretário particular de Churchill, fez um gesto na direção do pensativo premiê. Digby se aproximou atravessando o gramado.

O primeiro-ministro levantou a cabeça.

– Ah, é você, Hoare – disse. Parou de andar. – Hitler invadiu a União Soviética – anunciou.

– Meu Deus! – exclamou Digby Hoare. Teve vontade de se sentar, mas não havia cadeiras. – Meu Deus! – repetiu. Ainda ontem Hitler e Stalin eram aliados, sua amizade estava consolidada pelo pacto nazi-soviético de 1939. Hoje estavam em guerra. – Quando foi a invasão?

– Hoje de manhã – respondeu Churchill melancolicamente. – O general Dill esteve aqui ainda há pouco para me dar os detalhes.

Sir John Dill era o chefe do Estado-Maior Geral Imperial e, por conseguinte, o oficial de posição mais elevada no Exército britânico.

– As primeiras estimativas da nossa Inteligência avaliam o efetivo do Exército invasor em cerca de três milhões de homens.

– Três *milhões*?

– Eles atacaram numa frente de 3.300 quilômetros. Um grupo ao norte, avançando sobre Leningrado, outro ao centro, sobre Moscou, e um terceiro ao sul, atacando a Ucrânia.

Digby ficou assombrado.

– Oh, meu Deus, será que isso é o fim de tudo, senhor?

Churchill aspirou a fumaça do charuto.

– Pode ser. Muita gente acha que os russos não podem vencer. Que serão vagarosos na mobilização. Com forte apoio aéreo da Luftwaffe, os tanques de Hitler podem varrer o Exército Vermelho do mapa em poucas semanas.

Digby nunca vira chefe tão desanimado. Diante de más notícias, Churchill normalmente tornava-se ainda mais lutador, sempre querendo reagir a uma derrota com um ataque. Mas hoje não; hoje ele parecia muito abatido.

– Há alguma esperança? – perguntou Digby.

– Sim. Se os vermelhos puderem aguentar até o fim do verão, a história poderá ser diferente. O inverno russo derrotou Napoleão e poderá fazer o mesmo com Hitler. Estes três ou quatro meses serão decisivos.

– O que é que o senhor vai fazer?

– Vou falar na BBC hoje às nove da noite.

– Para dizer que...?

– Que devemos prestar toda ajuda que pudermos à Rússia e ao povo russo.

Digby levantou as sobrancelhas.

– Uma proposta difícil de ser feita por um anticomunista convicto.

– Meu caro Hoare, se Hitler invadisse o inferno, eu iria no mínimo fazer uma referência favorável ao demônio na Câmara dos Comuns.

Digby sorriu, perguntando-se se aquela tirada não estaria sendo ensaiada para integrar o depoimento que Churchill daria mais tarde à imprensa.

– Mas há alguma ajuda que nós *efetivamente* possamos dar?

– Stalin me pediu para intensificar o bombardeio da Alemanha. Ele espera que Hitler se veja forçado a deslocar seus aviões de volta para defender o território alemão. Isso enfraqueceria o exército invasor e talvez desse aos russos uma chance.

– E o senhor vai fazer isso?

– Não tenho escolha. Ordenei um bombardeio especial na próxima lua cheia. Será a maior operação aérea da guerra até aqui, o que é o mesmo que dizer que será a maior operação aérea da história da humanidade. Haverá mais de quinhentos bombardeiros, um pouco mais que a metade de toda a nossa frota.

Ocorreu a Digby que talvez seu irmão fosse integrar aquela incursão.

– Mas se eles sofrerem a mesma proporção de perdas que vêm sofrendo até agora...

– Estaremos inutilizados. Foi por isso que mandei chamar você. Tem alguma resposta para mim?

– Ontem infiltrei nossa agente na Dinamarca, com ordens para conseguir fotos da instalação de radar em Sande. Isso responderá a pergunta.

– Tomara. O bombardeio está marcado para daqui a dezesseis dias. Quando você espera ter as fotos?

– Dentro de uma semana.

– Ótimo – disse Churchill, com a entonação de quem estava dispensando a presença de Digby.

– Muito obrigado, primeiro-ministro. – Digby deu meia-volta.

– Não vá me desapontar.

~

Hammershus ficava na ponta norte de Bornholm. O castelo situava-se sobre uma colina de onde se podia ver a Suécia, do outro lado do braço de mar, para defender a ilha das invasões de seus vizinhos. Hermia, empurrando a bicicleta, subiu o caminho sinuoso que cortava as encostas rochosas sem saber se aquele dia seria tão infrutífero quanto a véspera. O sol brilhava e ela estava com calor por causa do esforço.

O castelo fora construído com uma mistura de tijolos e pedras. Paredes solitárias ainda resistiam, numa sugestão melancólica de vida em família: grandes lareiras enfarruscadas ao ar livre; frias adegas de pedra onde eram guardadas maçãs e cerveja; escadarias quebradas que não levavam a parte alguma; janelas estreitas através das quais crianças pensativas deviam, um dia, ter contemplado o mar.

Hermia chegou cedo e o lugar estava deserto. A julgar pela experiência da véspera, ficaria sozinha ali nas ruínas por mais uma ou duas horas. Gostaria de saber como seria se Arne aparecesse, ia pensando enquanto empurrava a bicicleta através de arcadas em escombros e atravessava pisos de pedra cobertos de mato.

Em Copenhague, antes da invasão, ela e Arne formavam um casal glamouroso, o centro de um grupo de jovens oficiais e garotas bonitas com ligações no governo. Viviam sempre num turbilhão de festas e piqueniques, dançando e praticando esportes, velejando, cavalgando e indo à praia. Agora que aquele tempo se fora, Arne a consideraria parte do seu passado? Pelo telefone dissera que ainda a amava – mas já fazia mais de um ano que Hermia não o via. Será que ia achar que estava como era ou que tinha mudado? Ainda gostaria do cheiro dos seus cabelos e do sabor da sua boca? Ela começou a ficar nervosa.

Hermia passara o dia anterior no castelo e as ruínas não tinham mais interesse para ela. Caminhou até o lado do mar, encostou a bicicleta numa mureta e contemplou a praia lá embaixo.

Até que ouviu uma voz familiar:

– Oi, Hermia.

Virou-se e viu Arne caminhando na sua direção, sorrindo, braços bem abertos. Ele a tinha esperado atrás de uma torre. O nervosismo desapareceu. Correu para os braços dele e o apertou com toda a força que tinha.

– O que é que há? – perguntou Arne. – Por que está chorando?

Ela percebeu, então, que caíra em prantos e que seu coração batia acelerado.

– É de felicidade!

Arne beijou-lhe as faces molhadas. Hermia segurou o rosto dele com ambas as mãos, sentindo os ossos com a ponta dos dedos para provar a si mesma que ele era de verdade, que aquela não era uma das cenas de reencontro imaginárias com que sonhara tantas vezes. Aninhou o nariz no seu pescoço, sentindo o cheiro dele, de sabonete do Exército, brilhantina e combustível de aviação. Sonhos não tinham cheiro.

Sentia-se esmagada por tanta emoção, mas aos poucos a alegria e a felicidade cederam lugar a outra coisa. Os beijos ternos passaram a ser ávidos e penetrantes, as carícias delicadas tornaram-se mais firmes. Quando seus joelhos fraquejaram, Hermia arriou na grama, puxando-o junto. Lambeu o pescoço dele, sugou-lhe os lábios. Mordeu o lóbulo de suas orelhas. A ereção de Arne comprimiu a coxa de Hermia, que lutou com os botões da calça do uniforme dele, abrindo a braguilha, para senti-lo direito. Quase ao mesmo tempo, Arne levantou sua saia e escorregou a mão sob sua calcinha. Hermia se surpreendeu por um instante ao perceber como estava molhada, mas isso foi logo esquecido em uma onda de prazer. Impaciente, afrouxou o abraço apenas pelo tempo necessário para tirar a calcinha e jogá-la de lado, e em seguida puxou-o para cima dela. Nesse instante ocorreu-lhe que estavam inteiramente à vista dos primeiros turistas que fossem visitar as ruínas, mas não se importou. Sabia que mais tarde, quando a loucura passasse, ia estremecer, horrorizada com o risco que correra, mas não dava para segurar. Quando Arne a penetrou, puxou-o com os braços e as pernas, como se quisesse colar a barriga dele na sua, o peito nos seus seios, o rosto no seu pescoço, insaciavelmente louca por aquele contato. Depois isso também passou, quando ela se concentrou em uma sensação de prazer intenso que começou pequena e quente, como uma estrela distante, e foi crescendo sem parar, apossando-se cada vez mais do seu corpo, até que explodiu.

Os dois permaneceram deitados e quietos por algum tempo. Hermia se deleitou ao sentir o corpo dele sobre o seu, com a ligeira dificuldade de respirar que aquele peso lhe provocava. Era bom sentir o corpo de Arne, satisfeito, passar da rigidez ao relaxamento. Subitamente uma sombra se fez sobre eles. Era apenas uma nuvem passando na frente do sol, mas serviu como lembrete a Hermia de que as ruínas eram abertas à visitação pública e que portanto alguém podia aparecer a qualquer momento.

– Ainda estamos sozinhos? – murmurou ela.

Arne levantou a cabeça e deu uma olhada em torno.

– Estamos – respondeu.

– É melhor levantar antes que os turistas cheguem.

– Tudo bem.

Hermia o agarrou quando ele começou a se afastar.

– Mais um beijo.

Ele beijou-a carinhosamente e se levantou.

Ela achou a calcinha, vestiu-a rapidamente, levantou-se e limpou a roupa. Agora que estava composta, a sensação de urgência abandonou-a e todos os músculos do seu corpo ficaram agradavelmente relaxados, como acontecia às vezes quando continuava na cama nas manhãs de domingo, cochilando e ouvindo os sinos da igreja.

Hermia se encostou na mureta, contemplando o mar, e Arne passou o braço pelos seus ombros. Foi difícil obrigar-se a pensar de novo em guerra, ardis e segredos.

– Estou trabalhando para a Inteligência britânica – disse ela abruptamente.

Ele balançou a cabeça.

– Eu tinha medo disso.

– Medo? Por quê?

– Porque assim você está correndo mais perigo do que se tivesse vindo só para me ver.

Hermia ficou feliz por saber que seu primeiro pensamento fora a sua segurança. Ele ainda a amava. Mas, na verdade, ela lhe trouxera problemas.

– E agora você corre perigo também, só por estar na minha companhia.

– É melhor explicar.

Hermia sentou-se e organizou seus pensamentos. Não pudera pensar numa versão censurada da história, uma que contivesse apenas o que ele tivesse absoluta necessidade de saber. Por melhor que fosse seu resumo, contar-lhe apenas parte dos fatos não faria sentido. Se pretendia pedir-lhe para arriscar a vida, ele tinha que saber o motivo.

Falou a respeito dos Vigilantes Noturnos, das prisões no aeroporto de Kastrup, do número devastador de bombardeiros perdidos em incursões, da instalação do radar na ilha de Sande, onde sua família morava, do indício levantado pela palavra "Himmelbett" e do envolvimento de Poul Kirke. À medida que Hermia falava, a expressão do rosto de Arne ia mudando. A alegria desapareceu de seus olhos e o sorriso perene foi substituído por uma expressão de ansiedade. Ela não estava certa de que ele aceitaria a missão.

Se Arne fosse um covarde, não teria optado por pilotar os frágeis aparelhos feitos de pano e madeira pertencentes à aviação do Exército, não é? Por outro lado, ser piloto fazia parte da sua imagem de homem ousado. E ele quase sempre colocava o prazer à frente do trabalho. Aliás, esse era um dos motivos pelos quais Hermia o amava: ela era séria demais e ele fazia com que se divertisse. Qual seria o verdadeiro Arne – o hedonista ou o piloto? Até aquele instante ele nunca fora testado.

– Vim lhe pedir para fazer o que Poul teria feito se estivesse vivo: ir a Sande, entrar na base e examinar a instalação do radar.

Arne fez que sim com a cabeça, com ar solene.

– Precisamos de fotografias também, e boas. – Ela pegou na bolsa da bicicleta uma pequena máquina de 35mm, uma Leica IIIa alemã. Hermia tinha chegado a pensar em uma miniatura Minox Riga, mais fácil de esconder, mas acabara se decidindo pela precisão das lentes Leica. – Esta provavelmente será a missão mais importante que lhe atribuirão. Quando compreendermos o sistema de radar deles, seremos capazes de imaginar um jeito de derrotá-los, e isso salvará a vida de milhares de homens.

– Entendo.

– Mas, se o apanharem, você será executado, fuzilado ou enforcado, por espionagem.

Hermia passou-lhe a câmera.

Quase desejava que Arne recusasse a missão, pois era quase insuportável pensar no perigo a que ele estaria exposto ao aceitá-la. No entanto, se ele recusasse, será que ela poderia respeitá-lo algum dia?

Arne não pegou a Leica.

– Então Poul era o chefe dos Vigilantes Noturnos... – disse.

Hermia assentiu.

– Suponho que a maioria dos amigos dele fizesse parte do grupo.

– Melhor que você não saiba.

– Todo mundo exceto eu.

Ela aquiesceu, nervosa. Sabia o que estava por vir.

– Você acha que sou um covarde.

– Não parecia se encaixar no seu perfil...

– Porque gosto de festas, gosto de anedotas, gosto de flertar com as garotas, vocês acharam que eu não tinha coragem para realizar um serviço secreto.

Ela nada disse, mas ele foi insistente:

– Responda!

Com o coração partido, ela aquiesceu mais uma vez.

– Neste caso, terei que provar que você estava errada. – Ele pegou a câmera.

Hermia não saberia dizer se estava triste ou satisfeita.

– Muito obrigada – disse, lutando contra as lágrimas. – Você vai ser cuidadoso, não vai?

– Vou. Mas há um problema. Fui seguido até Bornholm.

– Droga! – Aquilo era algo que ela não havia previsto. – Tem certeza?

– Tenho. Notei duas pessoas rondando a base, um homem e uma mulher. Ela estava no trem para Copenhague comigo, e ele, na barca. Quando cheguei aqui, ele me seguiu de bicicleta, e havia um carro mais atrás. Livrei-me deles a poucos quilômetros de Ronne.

– Deviam suspeitar que você trabalhasse com Poul.

– O que é uma ironia.

– Quem você acha que são?

– São provavelmente da polícia dinamarquesa, agindo sob ordens dos alemães.

– Agora que escapou deles, com toda a certeza vão achar que você é culpado. Ainda devem estar à sua procura.

– Não podem revistar todas as casas de Bornholm.

– Não, mas terão gente de olho no cais das barcas e no aeroporto.

– Eu não tinha pensado nisso. Como vou voltar para Copenhague então?

Hermia percebeu que Arne ainda não pensava como um espião.

– Teremos que dar um jeito de introduzi-lo às escondidas na barca.

– E, depois, para onde eu iria? Não posso voltar para a Escola de Aviação... vai ser o primeiro lugar em que vão me procurar.

– Você terá que ficar com Jens Toksvig.

Arne amarrou a cara.

– Quer dizer então que ele é um dos Vigilantes Noturnos.

– Sim. O endereço dele...

– Eu sei onde ele mora – interveio Arne bruscamente. – Jens era meu amigo antes de ser um dos Vigilantes Noturnos.

– Pode ser que ele esteja tenso, por causa do que aconteceu com Poul...

– Ele não me entregará.

Hermia fingiu não notar a raiva de Arne.

– Imaginemos que você tome a barca de hoje à noite. Quanto tempo levará para chegar a Sande?

– Primeiro vou falar com meu irmão, Harald. Ele trabalhou nas obras quando os alemães estavam construindo a base e terá, portanto, condições de me detalhar a planta do local. Depois é preciso mais um dia inteiro para ir à Jylland, porque os trens atrasam sempre. Posso chegar lá tarde da noite na terça-feira, entrar na base na quarta-feira e voltar para Copenhague na quinta. E depois como entro em contato com você?

– Volte aqui na sexta-feira que vem. Se a polícia ainda estiver vigiando as barcas, vai ter que dar um jeito de se disfarçar. Eu me encontro com você aqui mesmo. Vamos fazer a travessia para a Suécia com o pescador que me trouxe. Aí então eu lhe arranjo documentos falsos na legação britânica e o levo de avião para a Inglaterra.

Ele aquiesceu, ainda com raiva.

– Se der certo, poderemos estar juntos de novo, e livres, daqui a uma semana.

Dessa vez Arne sorriu.

– Parece-me imprudente nutrir muitas esperanças de que isso aconteça.

Ele a amava, concluiu Hermia, embora ainda estivesse magoado por ter sido deixado de fora dos Vigilantes Noturnos. Ainda assim, bem lá no fundo, ainda não estava convencida de que ele tinha a coragem necessária para fazer aquele trabalho. Mas agora, de um jeito ou de outro, acabaria descobrindo.

Enquanto conversavam, os primeiros turistas foram chegando e já havia um punhado de gente circulando em torno das ruínas, espiando o interior das adegas e tocando nas pedras antigas.

– Vamos dar o fora daqui – disse Hermia. – Você veio de bicicleta?

– Está atrás daquela torre.

Arne foi pegar a bicicleta e os dois deixaram o castelo, ele de óculos de sol e boné, para ficar mais difícil de ser reconhecido. O disfarce improvisado não passaria por uma verificação cuidadosa como as inspeções a passageiros que entram na barca, mas lhe dava alguma segurança caso eventualmente cruzasse com seus perseguidores na estrada.

Hermia pensou no problema da fuga quando desciam a colina sem pedalar. Seria capaz de imaginar um disfarce melhor para Arne? Não tinha perucas nem outros adereços, tampouco dispunha de maquiagem além do mínimo de batom e pó que usava. Ele tinha que parecer uma pessoa diferente e só conseguiriam isso com ajuda profissional – o que poderiam encontrar em Copenhague, mas nunca ali.

No sopé da colina, avistou Sven Fromer, seu colega de pensão, ainda no Volvo. Não queria que ele visse Arne; tentou passar sem que a notasse, mas não deu sorte. O olhar de Sven encontrou o seu, ele acenou e ficou aguardando por ela ao lado da trilha. Teria sido ostensivamente rude ignorá-lo, então Hermia sentiu-se obrigada a parar.

– Então nos encontramos de novo – disse ele. – Este deve ser o seu noivo.

Bobagem pensar que corria perigo com Sven. Não havia nada suspeito no que estava fazendo e, de qualquer modo, Sven era antigermânico.

– Este é Oluf Arnesen – disse ela, invertendo o nome de Arne. – Oluf, Sven Fromer. Ele ficou na mesma pensão que eu na noite passada.

Os dois homens apertaram-se as mãos.

– Está aqui há muito tempo? – perguntou Arne puxando conversa.

– Há uma semana. Vou embora hoje à noite.

De repente, Hermia teve uma ideia.

– Sven – disse ela –, esta manhã você me disse que devíamos combater os alemães.

– Eu falo demais. Devia ser mais cuidadoso.

– Se eu lhe desse uma chance de ajudar os ingleses, você se arriscaria?

Ele a encarou.

– Você? Mas como... Quer dizer que você é...

– Você se arriscaria? – pressionou ela.

– Isso não é nenhum truque, é?

– Você vai ter que confiar em mim. Sim ou não?

– Sim. O que você quer que eu faça?

– É possível esconder um homem na parte de trás do seu carro?

– Claro. Eu poderia escondê-lo debaixo do meu equipamento. Não seria confortável, mas há espaço.

– Topa levar alguém escondido na barca de hoje à noite?

Sven olhou primeiro para o seu carro e depois para Arne.

– É você?

Arne assentiu com a cabeça.

Sven sorriu.

– Puxa vida, claro que sim.

CAPÍTULO QUINZE

O PRIMEIRO DIA DE trabalho de Harald na fazenda do velho Nielsen foi muito mais bem-sucedido do que ele poderia esperar. O velho tinha uma pequena oficina com equipamento suficiente para Harald reparar praticamente qualquer coisa. Improvisou um remendo na bomba d'água de um arado a vapor, soldou a articulação da esteira de um trator e descobriu o curto-circuito que fazia com que as luzes da casa da fazenda apagassem todas as noites. O almoço foi um prato substancial de arenques com batatas, na companhia dos peões da fazenda.

À noite passou umas duas horas na taverna da aldeia com Karl, filho mais moço do fazendeiro – mas bebeu só dois copinhos de cerveja, lembrando-se do papel de idiota que fizera por causa de bebida uma semana antes. Só se falava sobre a invasão da União Soviética. As notícias não podiam ser piores. A Luftwaffe dizia ter destruído 1.800 aeronaves soviéticas no solo em incursões-relâmpago. Na taverna, prevalecia a opinião de que Moscou cairia antes do inverno – palpite que só não era compartilhado pelos comunistas locais, e até mesmo eles pareciam preocupados.

Harald saiu cedo porque Karen dissera que talvez o visse depois do jantar. Sentia-se fatigado, mas estava confiante e satisfeito ao caminhar de volta para o velho mosteiro. Quando entrou no prédio em ruínas, espantou-se ao ver seu irmão na igreja, examinando a aeronave abandonada.

– Um Hornet Moth – disse Arne. – O transporte aéreo dos cavalheiros.

– Está um caco – disse Harald.

– Na verdade, não. O trem de pouso está um pouco torcido.

– Como acha que isso aconteceu?

– Na hora de pousar. A cauda do Hornet tende a oscilar e esse movimento pendular dificulta o controle do avião, já que o trem de pouso é afixado muito à frente na fuselagem. Além disso, os suportes das rodas não foram projetados para aguentar esforços laterais; portanto, quando você muda de direção bruscamente, as rodas podem empenar.

A aparência de Arne não podia ser pior. Em vez do uniforme do Exército, usava o que parecia ser a roupa usada de alguém, um casaco velho de tweed e calças de veludo cotelê desbotadas. Tinha raspado o bigode e um boné meio seboso encobria seu cabelo ondulado. Tinha nas mãos uma câmera pequena de 35mm. Estava visivelmente tenso, sem o costumeiro sorriso despreocupado.

– O que aconteceu com você? – perguntou Harald, ansioso.

– Estou encrencado. Tem alguma coisa aí para comer?

– Nada, nada. Podemos ir à taverna...

– Não posso mostrar o rosto. Sou um homem procurado. – O sorriso com que Arne tentou amenizar a declaração não passou de uma careta. – Todos os policiais da Dinamarca têm a minha descrição e há cartazes espalhados em Copenhague estampando a minha cara por toda parte. Fui perseguido por um tira ao longo de toda Stroget.

– Você está na Resistência?

Arne hesitou, deu de ombros e finalmente respondeu:

– Estou.

Harald ficou entusiasmado. Sentou-se na prateleira que usava como cama e Arne sentou-se ao seu lado. Pinetop, o gato, apareceu e esfregou a cabeça na perna de Harald.

– Quer dizer então que você estava trabalhando com a Resistência quando lhe perguntei isso em casa três semanas atrás?

– Não, naquele tempo, não. A princípio fui deixado de fora. Parece que não me consideraram adequado para trabalhar em operações secretas. E, por Deus, eles tinham razão. Mas agora o desespero deles fez com que me convocassem. Preciso tirar retratos de uma máquina qualquer instalada na base militar de Sande.

Harald meneou a cabeça afirmativamente.

– Fiz um desenho dela para Poul.

– Até mesmo você esteve lá antes de mim – disse Arne, amargurado. – Ora, ora.

– Poul me disse para não contar a você.

– Pelo jeito todo mundo pensava que eu fosse um covarde.

– Posso fazer os desenhos de novo... embora os tenha feito de memória.

Arne balançou a cabeça.

– Eles precisam de fotos detalhadas, precisas. Vim perguntar a você se há um jeito de entrar na base sem ser visto.

Aquela conversa de espionagem entusiasmava Harald, mas estava incomodado por ver que o irmão não tinha um plano decente para a sua missão.

– Há um ponto onde a cerca fica escondida pelas árvores... mas como é que vai chegar a Sande se a polícia está atrás de você?

– Mudei minha aparência.

– Nem tanto. Quais são seus documentos?

– Os meus mesmos... como poderia arranjar outros?

– Quer dizer que, se você for detido pela polícia por algum motivo, eles não vão levar mais que dez segundos para ver que se trata do homem que estão procurando.

– É mais ou menos isso.

Harald balançou a cabeça.

– Isso é loucura.

– Loucura ou não, tem que ser feito. O tal equipamento permite aos alemães detectar os bombardeiros da RAF quando ainda estão a muitos quilômetros de distância, dando-lhes tempo para reunir seus caças.

– O aparelho deve usar ondas de rádio – comentou Harald animado.

– Os ingleses têm um sistema similar, mas os alemães parecem tê-lo refinado e estão abatendo a metade das aeronaves inimigas a cada ataque. A RAF está desesperada para descobrir como é que eles estão fazendo isso. Vale a pena arriscar minha vida.

– Sim, mas não desnecessariamente. Pense que, se você for apanhado, não conseguirá passar as informações para os ingleses.

– Tenho que tentar.

Harald respirou fundo.

– Por que não vou eu?

– Eu sabia que você ia dizer isso.

– Ninguém está me procurando. Conheço o local. Já passei uma vez pela cerca uma noite em que peguei um atalho para voltar para casa. E sei mais a respeito de rádio que você. Portanto, terei uma ideia melhor do que fotografar.

Harald achou que a lógica da sua argumentação fora irresistível.

– Se for pego, você será fuzilado como espião.

– O mesmo se aplica a você... só que é praticamente certo que você será apanhado; já eu tenho mais chances de me safar.

– A polícia pode ter encontrado seus desenhos quando foi procurar Poul. Nesse caso, os alemães devem estar sabendo que há alguém interessado na base de Sande e, provavelmente, terão reforçado a segurança. Passar pela cerca agora pode ser muito mais difícil.

– Ainda assim, tenho mais chances que você.

– Não posso mandá-lo para o perigo. Se for apanhado, o que direi à mamãe?

– Que morri lutando pela liberdade. Tenho tanto direito quanto você de me arriscar. Me dá a droga dessa máquina!

Antes que Arne pudesse responder, Karen entrou.

Ela chegou caminhando sem fazer ruído e sem avisar, e Arne não teve chance de se esconder, embora tenha feito, instintivamente, um movimento para se levantar.

– Quem é você? – perguntou ela com sua costumeira franqueza. – Ah! Oi, Arne. Você raspou o bigode... deve ser por causa dos pôsteres que vi hoje espalhados por toda Copenhague. Por que você está sendo procurado?

Ela se sentou no capô coberto do Rolls-Royce e cruzou as pernas longas numa pose de modelo.

Arne hesitou.

– Não posso lhe dizer.

A mente ágil de Karen disparou, sacando deduções com impressionante rapidez.

– Meu Deus, você está na Resistência! Poul estava também, não é? E foi por isso que ele morreu?

Arne fez que sim.

– Poul não bateu com o avião. Estava tentando fugir da polícia e atiraram nele.

– Pobre Poul. – Ela desviou o olhar por um momento. – Quer dizer então que você pegou a tarefa de onde ele largou. Mas agora a polícia está atrás de você também. Alguém deve estar lhe dando abrigo... provavelmente Jens Toksvig, o outro grande amigo de Poul.

Arne deu de ombros e aquiesceu.

– Mas você não pode andar por aí sem correr o risco de ser preso, de modo que... – Ela olhou para Harald e se calou por um instante. – Você está nisso também, Harald?

Para surpresa de Harald, Karen ficou apreensiva, como se receasse por ele. Ficou satisfeito ao ver que ela se preocupava com a sua segurança.

Ele olhou para o irmão.

– E então, Arne? Estou nisso?

Arne suspirou e lhe deu a Leica.

~

Harald chegou a Morlunde no final do dia seguinte. Deixou a moto a vapor em um estacionamento para automóveis perto das barcas, achando que chamaria muita atenção se fosse com ela para Sande. Não tinha nada com que cobri-la nem como trancá-la, mas concluiu que um ladrão oportunista não seria capaz de fazê-la funcionar.

Tinha tempo para pegar a última barca do dia. Enquanto esperava ao lado do cais, a noite caiu lentamente e as estrelas apareceram, como as luzes de navios distantes no mar escuro. Um morador da ilha apareceu no cais, cambaleando de bêbado, encarou Harald rudemente, resmungou "Ah, o jovem Olufsen" e sentou-se em um tambor a alguma distância, onde tentou acender o cachimbo.

A barca atracou e saltaram umas poucas pessoas. Para sua surpresa, Harald viu um policial dinamarquês e um soldado alemão na área de desembarque. Quando o bêbado embarcou, eles verificaram sua identidade. O coração de Harald bateu com mais força. Ele hesitou, assustado, sem saber se deveria embarcar ou não. Será que a segurança tinha sido simplesmente reforçada depois que encontraram os desenhos que fizera? Ou estariam procurando especificamente seu irmão? A polícia saberia que ele era irmão do homem a quem procurava? Olufsen era um sobrenome comum – mas a polícia podia ter sido informada a respeito da família. Estava com uma câmera fotográfica caríssima na mochila. Era uma marca alemã popular, mas ainda assim podia despertar suspeitas.

Tentou se acalmar e avaliou suas opções. Havia outras maneiras de ir para Sande. Não podia garantir que seria capaz de nadar mais de 3 mil metros em mar aberto, mas podia pegar emprestado ou surrupiar um barco. No entanto, se fosse visto desembarcando em Sande, certamente seria interrogado. Talvez fosse melhor bancar o inocente.

Harald resolveu embarcar.

O policial dinamarquês se dirigiu a ele:

– Qual é a razão para ir a Sande?

Harald conteve a indignação que seria sua reação natural a uma pergunta daquelas.

– Eu moro lá – respondeu. – Com meus pais.

O policial examinou seu rosto.

– Não me lembro de já ter visto você, e olha que estou trabalhando aqui há quatro dias.

– Eu estava na escola.

– Hoje é um dia esquisito para ir para casa.

– É o fim do período.

O policial resmungou qualquer coisa, aparentemente satisfeito. Examinou o endereço no cartão de identidade de Harald e mostrou-o ao soldado, que fez que sim com a cabeça e deixou Harald embarcar.

Foi para a proa e ficou olhando para o mar, esperando o coração voltar ao seu ritmo normal. Foi um alívio ter passado pelo policial, mas sentia-se furioso por ter sido obrigado a se justificar quando estava se deslocando dentro do próprio país. Parecia uma reação tola, de um ponto de vista lógico, mas não podia deixar de sentir-se ultrajado.

À meia-noite a barca desatracou e começou a travessia.

Não havia luar. À luz das estrelas, a silhueta plana da ilha de Sande era como uma nuvem no horizonte. Harald não esperara voltar tão cedo. Na verdade, quando saíra na sexta-feira, pensara que talvez nunca mais fosse ver sua casa. Agora voltava como espião, com uma máquina fotográfica na mochila e a missão de fotografar uma arma secreta dos nazistas. Recordava-se vagamente de pensar que devia ser emocionante integrar a Resistência, mas não tinha nada de divertido. Pelo contrário, estava morrendo de medo.

Sentiu-se pior ainda quando desembarcou no cais que lhe era tão familiar e viu, do outro lado da rua, o correio e a mercearia que tinham a mesma aparência desde a sua infância. Sua vida fora segura e estável nos primeiros dezoito anos. Agora jamais se sentiria seguro outra vez.

Dirigiu-se para a praia e começou a caminhar rumo ao sul. A areia molhada brilhava como prata à luz das estrelas. Ouviu a risada de uma garota vinda de um ponto qualquer das dunas e sentiu uma ponta de inveja. Será que teria oportunidade de fazer Karen rir daquele jeito?

Já era quase madrugada quando viu a base. Dava para distinguir os postes da cerca. As árvores e os arbustos no interior eram aos seus olhos apenas manchas escuras entre as dunas. Se ele podia ver a base, os guardas também poderiam vê-lo. Ajoelhou-se e começou a rastejar.

Um minuto mais tarde, ao avistar dois guardas patrulhando a cerca pelo lado de dentro com um cachorro, ficou feliz por ter sido cauteloso.

Aquilo era novidade. Eles não patrulhavam em duplas antes, e muito menos com cães.

Atirou-se deitado no chão. Os dois homens não pareciam especialmente atentos. Caminhavam normalmente, não marchavam. O que segurava o cão falava animadamente, enquanto o outro fumava. Quando se aproximaram, Harald pôde ouvir suas vozes acima do barulho das ondas quebrando na praia. Ele tinha aprendido alemão na escola, como todas as crianças dinamarquesas. O homem contava uma história cheia de fanfarronadas sobre uma mulher chamada Margareta.

Harald estava a menos de 50 metros da cerca. Quando os guardas chegaram realmente perto dele, o cão farejou o ar. Provavelmente podia sentir seu cheiro, mas não detectou sua posição exata. O animal latiu, incerto. O guarda que o conduzia não era tão treinado quanto o cachorro, por isso mandou que ele se calasse e continuou explicando como convencera Margareta a se encontrar com ele no bosque. Harald deixou-se ficar completamente imóvel. O cão latiu de novo e um dos guardas acendeu uma lanterna poderosa. O facho de luz da lanterna passeou pelas dunas, mas passou por cima dele sem se deter.

O guarda fanfarrão prosseguiu:

– Aí ela disse que sim, mas falou para que eu tirasse na hora H.

Os dois homens continuaram andando e o cão se aquietou.

Harald permaneceu imóvel até que eles desaparecessem. Só então se virou para o lado contrário ao mar e se aproximou do trecho em que a cerca ficava oculta pela vegetação. Temera que os soldados tivessem cortado as árvores, mas o bosque ainda estava lá. Rastejou por entre os arbustos, atingiu a cerca e se levantou.

Hesitou. Podia recuar daquele ponto e ainda não teria violado nenhuma lei. Podia voltar para Kirstenslot e se concentrar no seu novo emprego, passando as tardes na taverna e as noites sonhando com Karen. Podia adotar a postura de muitos dinamarqueses, que acreditavam que política e guerra não eram da sua conta. Mas, só de se imaginar fazendo uma coisa dessas, sentiu-se revoltado. Viu-se explicando sua decisão a Arne ou Karen, ou ao tio Joachim e à prima Monika, e sentiu vergonha.

A cerca ainda era a mesma, uma tela de 1,80 metro encimada por duas carreiras de arame farpado. Harald ajeitou a mochila nas costas, para que não o atrapalhasse, galgou a tela, pisou cautelosamente no arame farpado e pulou para o outro lado.

Com aquilo ele ficava definitivamente comprometido. Estava dentro de uma base militar com uma câmera fotográfica. Se o pegassem iriam matá-lo.

Caminhou em frente rapidamente, pisando leve, mantendo-se junto dos arbustos e árvores, olhando em volta a todo instante. Passou pela torre dos holofotes e pensou com terror como estaria totalmente exposto se alguém decidisse ligar suas potentes luzes. Concentrou-se para tentar ouvir passos de alguma patrulha, mas só escutou o silêncio que sempre se seguia ao barulho das ondas. Depois de alguns minutos, desceu uma suave inclinação e entrou num renque de coníferas que lhe proporcionava boa cobertura. Pensou por um instante na razão pela qual os soldados não haviam derrubado aquelas árvores. Mas, se por um lado cortá-las aumentaria a segurança, por outro eliminá-las deixaria tudo muito exposto a olhos curiosos.

Um momento mais tarde, chegou ao seu destino. Agora que sabia o que estava procurando, podia ver claramente o muro circular e a grande grade retangular se erguendo do núcleo oco, a antena girando lentamente, como um olho mecânico examinando o horizonte obscuro. Ouviu de novo o zumbido característico do motor elétrico. Era possível ver de cada lado da estrutura dois vultos menores que agora, à luz das estrelas, ele percebeu que eram versões em miniatura da antena rotativa grande.

"Quer dizer então que eram três máquinas!" Harald perguntou-se por quê. Será que, de alguma forma, aquilo explicava a superioridade do radar alemão? Examinando mais detidamente as antenas pequenas, viu que eram construídas de modo diferente. Seria preciso olhar de novo de dia, mas teve a impressão de que podiam ser tanto giradas como inclinadas. Por que seriam assim? Ele tinha que conseguir tirar boas fotos das três peças.

Na primeira vez em que estivera ali, Harald pulara o muro circular com medo, depois de ouvir um guarda tossir nas proximidades. Agora que tinha tempo para pensar, era capaz de apostar que havia um jeito mais fácil de passar para o lado de dentro. O muro era necessário para proteger o equipamento de danos acidentais, mas os engenheiros certamente tinham que entrar para fazer a manutenção do aparelho. Harald foi caminhando ao longo do perímetro do muro até dar com uma porta de madeira. Como não estava trancada, entrou e fechou-a com cuidado para não fazer barulho.

Sentiu-se um pouco mais seguro. Ninguém poderia vê-lo do lado de fora. Os engenheiros não iam fazer manutenção àquela hora da noite, a menos que fosse para atender a alguma emergência. E, se alguém entrasse, podia ter tempo de pular o muro antes de ser localizado.

Examinou a grande grade giratória. Devia captar os sinais de rádio refletidos nas aeronaves, pensou. A antena devia funcionar como uma lente, concentrando os sinais recebidos. O cabo que saía da base da instalação levava os dados para os novos prédios que Harald ajudara a construir. Lá, presumivelmente, os resultados eram exibidos em monitores e havia operadores sempre prontos para alertar a Luftwaffe.

Ali, à meia-luz, ouvindo o zumbido daquela aparelhagem enorme e sentindo o cheiro do ozônio gerado pela eletricidade, Harald percebeu que se encontrava no coração da máquina de guerra. A luta entre cientistas e engenheiros de ambos os lados poderia ser tão importante quanto o choque dos tanques e metralhadoras no campo de batalha. E ele se tornara parte dessa luta.

Ouviu o ronco de um avião. Como não havia luar, provavelmente não era um bombardeiro. Talvez fosse um caça alemão em um voo local, ou um transporte civil que se perdera. Harald gostaria de saber se a grande antena detectara sua aproximação uma hora antes. Gostaria também de saber se as antenas menores estariam apontadas para ele. Decidiu dar uma olhada mais de perto.

Uma das antenas menores estava voltada para o mar, para a direção de onde a aeronave se aproximava. A outra apontava para o interior. Ambas estavam inclinadas em ângulos diferentes dos que vira ao chegar. Quando o avião se aproximou mais, Harald notou que a primeira antena se inclinou mais, como se o seguisse. A outra continuou a mover-se, sem que ele conseguisse determinar a que estaria reagindo.

O avião cruzou a ilha de Sande, seguiu para o continente e o prato da antena continuou a segui-lo até que o ronco do motor não fosse mais ouvido. Harald retornou ao seu esconderijo do lado de dentro do muro circular, refletindo sobre o que acabara de ver.

O céu começava a clarear. Naquela época do ano, o dia raiava antes das três horas. Em mais uma hora o sol nasceria.

Ele pegou a câmera que estava na mochila. Arne tinha lhe mostrado como usá-la. Quando foi ficando mais claro, Harald passou de novo para o lado de dentro, procurando descobrir quais seriam os melhores ângulos para tirar fotos que revelassem cada detalhe das instalações.

Harald e Arne tinham combinado que as fotos seriam tiradas quando faltassem 15 minutos para as cinco horas. O sol já teria nascido, mas seus raios ainda não incidiriam sobre a área dentro do muro. A luz do sol não era necessária – o filme dentro da câmera era sensível o bastante para registrar os detalhes sem que fosse preciso muita luz.

Com o passar do tempo, os pensamentos de Harald foram se voltando ansiosamente para a questão da fuga. Chegara de noite e entrara na base protegido pela escuridão, mas não podia esperar até a noite para ir embora. Era quase certo que houvesse pelo menos uma inspeção de rotina por dia, mesmo que não tivesse nada de errado com o equipamento. Portanto, tinha que escapar assim que acabasse de tirar as fotografias – quando já seria pleno dia. A partida seria muito mais perigosa que a chegada.

Pensou no caminho que deveria tomar. Ao sul do ponto onde estava, na direção da casa de seus pais, a cerca ficava apenas a uns 200 metros de distância, mas teria que atravessar uma faixa de dunas sem qualquer vegetação. Seguindo pelo norte, refazendo o caminho por onde viera, a vegetação o esconderia ao longo da maior parte do caminho. O caminho era mais extenso, mas também mais seguro.

Harald se perguntou como enfrentaria um pelotão de fuzilamento. Se o faria calma e orgulhosamente, mantendo o pavor sob controle, ou imploraria por piedade, urinando nas calças?

Obrigou-se a conter a ansiedade e esperar. A claridade aumentava e o ponteiro dos minutos parecia se arrastar pelo mostrador do relógio. Não ouvia sons vindos de fora. O dia de um soldado começa cedo, mas Harald tinha esperança de que não houvesse muita atividade antes das seis horas, quando já teria ido embora.

Por fim chegou a momento de tirar as fotos. O céu não tinha nuvens e a manhã estava clara. Podia ver cada rebite e terminal do complexo equipamento que tinha diante de si. Focalizando com o maior cuidado, fotografou a base giratória, os cabos e a grade da antena. Abriu uma trena que pegara na caixa de ferramentas do mosteiro e colocou-a em algumas fotos a fim de dar uma ideia da escala – uma brilhante ideia que tivera.

Depois tinha que passar para o lado de fora. Hesitou. Ali dentro sentia-se seguro. Mas tinha que fotografar as duas antenas menores.

Empurrou um pouquinho a porta. Tudo calmo. Podia dizer, pelo barulho da arrebentação, que a maré estava subindo. A base estava banhada pela luz pálida de uma manhã à beira-mar. Não havia sinal de vida. Era a hora em que os homens dormem pesadamente e até os cachorros sonham.

Fotografou cuidadosamente as duas antenas, que eram protegidas apenas por muros baixos. Pensando na função que teriam, lembrou que uma delas estivera rastreando uma aeronave que estava dentro do seu alcance visual. Mas a finalidade essencial daquele conjunto de aparelhos era detectar os bombardeiros *antes* que pudessem ser vistos. Era provável, portanto, que a antena menor estivesse rastreando outra aeronave.

Enquanto tirava as fotos, ia estudando o quebra-cabeça. Como os três aparelhos se associariam para aumentar a eficiência dos caças da Luftwaffe? Talvez a antena grande fosse a primeira a avisar a aproximação de um bombardeiro, enquanto a outra o rastreava dentro do espaço aéreo da Alemanha. Mas, então, o que fazia a segunda das antenas pequenas?

Ocorreu-lhe que havia outro avião no céu – o caça que tinha sido convocado para atacar o bombardeiro. Será que a segunda antena era usada pela Luftwaffe para rastrear a própria aeronave? Parecia loucura, mas, quando recuou para fotografar as três antenas juntas, com o intuito de mostrar como eram dispostas em relação umas às outras, achou que fazia todo o sentido. Se o controlador da Luftwaffe conhecesse a posição do bombardeiro e do caça, poderia dirigir o caça pelo rádio até que fizesse contato com o bombardeiro.

Começou a entender como a Luftwaffe podia estar trabalhando. A antena grande dava o primeiro aviso da incursão inglesa para que os caças pudessem se reunir a tempo. Uma das antenas menores pegava um bombardeiro quando este se aproximava. A outra rastreava um caça, possibilitando ao controlador orientar o piloto alemão precisamente até a localização do bombardeiro. Depois disso era como atirar em peixes dentro de um barril.

A metáfora fez com que Harald pensasse em como estava exposto, em pé, em plena luz do dia, no meio de uma base militar e, ainda por cima, fotografando equipamento ultrassecreto. O pânico correu em suas veias como veneno. Tentou se acalmar e tirar as últimas fotos que planejara, mostrando as três antenas de ângulos diferentes, mas estava apavorado demais. Tinha feito pelo menos vinte fotos. Tinha de ser o suficiente, disse a si próprio.

Enfiou a câmera na mochila e começou a se afastar rapidamente. Esquecendo sua decisão de seguir pela rota norte, mais longa porém mais segura, dirigiu-se para o sul atravessando as dunas. Naquela direção a cerca era visível, um pouco além da casa de barcos em que tropeçara da última vez. Agora passava pelo lado do mar e a casa haveria de encobri-lo por alguns metros.

Ao se aproximar da casa, um cão latiu.

Harald virou-se bruscamente, mas não viu nem os soldados nem o cão. Só aí é que se deu conta de que o som viera da casa de barcos. Os soldados deviam estar usando a construção abandonada como canil. Um segundo cachorro aderiu aos latidos.

Saiu correndo em louca disparada.

Os cachorros excitaram-se uns aos outros e todos passaram a latir. Logo o barulho ficou histericamente alto. Harald alcançou a casa de barcos e se desviou na direção do mar, tentando ficar atrás dela, protegido dos prédios principais, até chegar à cerca. O medo deu-lhe velocidade. A cada segundo esperava ouvir um disparo.

Alcançou a cerca sem saber se fora visto ou não, escalou-a como um macaco e saltou por cima do arame farpado no topo. Caiu pesadamente na água rasa do outro lado, levantou-se de qualquer maneira e deu uma olhada para trás. Alguns metros além da casa de barcos, agora parcialmente oculta pelos arbustos e árvores, era possível distinguir os prédios principais, mas não havia soldados à vista. Harald se virou e saiu correndo de novo. Permaneceu na água rasa por uns 100 metros, para que os cachorros não pudessem segui-lo pelo faro, e depois virou para terra firme. Deixou pegadas leves na areia, mas sabia que a maré, que subia rapidamente, as cobriria em um ou dois minutos. Em instantes alcançou as dunas, onde não deixaria traços visíveis.

Em questão de minutos estava na estrada de terra. Olhou para trás e viu que ninguém o seguia. Ofegando, seguiu para casa, passou direto pela igreja e foi para a porta da cozinha.

Estava aberta. Seus pais acordavam cedo.

Entrou e encontrou a mãe diante do fogão, vestida com um roupão. Ao vê-lo, deu um grito de susto e deixou cair a chaleira de cerâmica, cujo bico se quebrou no piso ladrilhado.

Harald pegou as duas partes.

– Desculpe tê-la assustado.

– Harald!

Ele abraçou-a e lhe deu um beijo.

– Meu pai está em casa?

– Na igreja. Não houve tempo ontem à noite, por isso ele foi lá colocar as cadeiras nos lugares.

– O que aconteceu ontem?

A pergunta de Harald era justificável, já que não havia serviços religiosos nas tardes das segundas-feiras.

– A junta de diáconos se reuniu para discutir o seu caso. Vão expulsar você no domingo.

– A vingança dos Flemmings. – Harald achou estranho que um dia tivesse achado isso importante.

Àquela hora, os guardas já teriam ido investigar o que perturbara os cães. Se fossem meticulosos, talvez verificassem as casas próximas à base e procurassem um fugitivo escondido nos galpões e celeiros.

– Mãe, se os soldados aparecerem, você diz a eles que passei a noite inteira dormindo na minha cama.

– O que foi que aconteceu? – perguntou ela com medo.

– Explico depois.

Pareceria mais natural se ele ainda estivesse na cama, pensou Harald.

– Não, diga que ainda estou dormindo, está bem?

– Está bem.

Ele saiu e foi para o quarto, no andar de cima. Pendurou a mochila nas costas da cadeira, pegou a máquina fotográfica e guardou-a em uma gaveta. Chegou a pensar em escondê-la, mas não havia tempo e uma câmera escondida seria prova de culpa. Despiu-se rapidamente, vestiu o pijama e foi para a cama.

Logo escutou a voz do pai na cozinha. Saiu da cama e foi ouvir no patamar da escada.

– O que ele está fazendo aqui? – perguntou o pastor.

– Escondendo-se dos soldados – respondeu a mãe.

– Pelo amor de Deus, em que esse menino se meteu agora?

– Não sei, mas...

Ela foi interrompida por uma forte batida na porta. Uma voz de homem jovem falou em alemão:

– Bom dia. Estamos procurando uma pessoa. A senhora por acaso viu alguém estranho por aqui nas últimas horas?

– Não, não vi ninguém. – O nervosismo na voz da mãe era tão evidente que o soldado não podia deixar de notar, mas talvez estivesse acostumado a ver as pessoas com medo dele.

– E o senhor, viu?

A resposta do pai de Harald foi dada com firmeza:

– Não.

– Tem mais alguém na casa?

– Meu filho – respondeu a mãe de Harald. – Ele ainda está dormindo.

– Preciso revistar a casa. – A voz era polida, mas aquilo era um comunicado, não um pedido de licença.

– Eu o acompanho – disse o pastor.

Harald voltou para a cama, o coração batendo com força. Ouviu o barulho das botas do alemão nos pisos ladrilhados do primeiro andar e portas abrindo e fechando. Depois as botas subiram a escada de madeira. Seu pai e o alemão entraram no quarto do casal, depois no antigo quarto de Arne e finalmente se aproximaram do quarto de Harald. Ele ouviu a maçaneta girar.

Harald fechou os olhos, fingindo dormir, e tentou respirar com calma e de maneira uniforme.

A voz do alemão afirmou, quase murmurando:

– Seu filho.

– Sim.

Pausa.

– Ele passou a noite inteira aqui?

Harald prendeu a respiração. Sabia que o pai jamais contara uma mentira.

– Passou, sim. A noite inteira.

Harald ficou estupefato. Seu pai mentira por ele. O velho tirano de coração duro, empertigado e virtuoso quebrara as próprias regras. Afinal de contas, era humano. Harald sentiu as lágrimas por trás das pálpebras cerradas.

As botas retrocederam ao longo do corredor, desceram a escada e Harald ouviu o soldado se despedir. Só então saltou da cama e foi até o patamar da escada.

– Pode descer agora – disse o pai. – O soldado já foi embora.

Ele desceu. Seu pai estava com um ar solene.

– Muito obrigado, pai – agradeceu Harald.

– Cometi um pecado – disse-lhe o pai. Por um momento Harald pensou que ele fosse se zangar, mas o rosto envelhecido se abrandou. – Mas acredito em um Deus misericordioso.

Harald imaginou a agonia do conflito em que o pai se debatera nos últimos minutos, mas não soube como dizer-lhe que compreendia. Só foi capaz de pensar em um aperto de mãos. Estendeu a mão.

Seu pai olhou para ela e depois a apertou. Mas aí puxou Harald para junto de si e passou o braço esquerdo pelos ombros do filho. Tinha os olhos fechados, lutando para conter a profunda emoção. Quando falou, a voz estrondosa de pregador havia desaparecido e as palavras foram pronunciadas num murmúrio angustiado:

– Pensei que iam matar você... Pensei que iam matar você, filho querido.

CAPÍTULO DEZESSEIS

ARNE OLUFSEN ESCORREGARA por entre os dedos de Peter Flemming. Peter ficou pensando nisso enquanto cozinhava um ovo para o café da manhã de Inge. Depois que Arne se livrara da vigilância em Bornholm, Peter dissera, indiferente, que em breve o pegariam de novo. Sua confiança contudo, fora exagerada. Acreditara que Arne não seria esperto o bastante para sair da ilha sem ser visto – e se enganara. Peter não sabia ainda como, mas, sem dúvida alguma, ele voltara a Copenhague, pois um policial uniformizado o avistara no centro da cidade. O policial o perseguira, mas Arne se livrou dele – desaparecendo de novo.

Alguma atividade de espionagem estava evidentemente ocorrendo – como o chefe de Peter, Frederik Juel, comentara com gélida ironia:

– Tudo indica que Olufsen está realizando manobras evasivas.

O general Braun foi mais direto:

– A morte de Poul Kirke claramente impediu que fosse desmontada a quadrilha de espiões. Vou convocar a Gestapo.

Não houve mais conversas sobre a promoção a chefe do departamento, o que era uma injustiça, na avaliação de Peter. Ele descobrira os espiões, encontrara a mensagem secreta no calço do avião, prendera os mecânicos, fizera uma incursão na sinagoga, prendera Ingemar Gammel, fizera outra incursão, dessa vez na Escola de Aviação, matara Poul Kirke e expusera Arne Olufsen. Já pessoas como Juel – que, assim como tantos outros, nada fizera – dedicavam seu tempo a criticar as suas conquistas, afastando-o do merecido reconhecimento.

Mas Peter ainda não estava liquidado. "Posso encontrar Arne Olufsen!", dissera ao general Braun na noite anterior. Juel começara a objetar, mas Peter sobrepôs-se a ele: "Só preciso que o senhor me dê 24 horas. Se ele não estiver preso amanhã de noite, chame a Gestapo."

Braun concordara.

Arne não voltara para o quartel nem estava com os pais em Sande, de modo que só podia ter ido se esconder na casa de outro espião. Todos eles, no entanto, mantinham agora discrição total. Contudo, uma pessoa que provavelmente conhecia a maioria dos espiões era Karen Duchwitz, ex-namorada de Poul e irmã de um colega do primo de Poul. Karen não era espiã,

Peter tinha certeza, e, portanto, certamente não seria tão cuidadosa quanto os demais. Talvez ela fosse o caminho mais fácil até Arne.

Era um tiro no escuro, mas era só o ele que tinha.

Peter colocou sal e um pouquinho de manteiga no ovo quente e depois levou a bandeja para o quarto. Sentou Inge na cama e lhe deu uma colherada. Teve a impressão de que ela não gostou muito. Provou ele mesmo, achou bom e resolveu dar-lhe outra colherada. Depois de um momento ela cuspiu tudo, como um bebê. O ovo escorreu por seu queixo e caiu na camisola.

Peter ficou desesperado. Inge tinha feito aquela nojeira diversas vezes nas últimas semanas. Era uma novidade.

– Inge nunca teria feito isso – disse em voz alta.

Largou a bandeja, deixou-a sozinha e foi telefonar. Discou o número do hotel em Sande e pediu para falar com o pai, que sempre ia trabalhar cedo. Quando o pai atendeu, Peter disse:

– Você tinha razão. Está na hora de internar Inge.

~

Peter examinou o Teatro Real, uma construção em pedra amarela do século XIX caracterizada por sua cúpula imponente. Sua fachada era ornamentada com colunas, pilastras, capitéis, coroas de flores, grinaldas, escudos, liras, máscaras, querubins, sereias e anjos entalhados. No telhado havia urnas, tocheiros e criaturas de quatro patas com asas e seios humanos.

– É um pouco exagerado – comentou. – Mesmo para um teatro.

Tilde Jespersen deu uma risada.

Os dois estavam sentados na varanda do Hotel d'Angleterre. Dali tinham uma boa visão da Kongens Nytorv, a maior praça da cidade de Copenhague, onde ficava o Teatro Real. No interior da casa de espetáculos, estudantes da escola de balé assistiam a um ensaio de "Les Sylphides", a produção em cartaz. Peter e Tilde aguardavam a saída de Karen Duchwitz.

Tilde fingia ler o jornal do dia, cuja manchete da primeira página dizia "Leningrado em chamas". Até mesmo os nazistas estavam surpresos por ver a facilidade com que se desenrolava a campanha da Rússia, dizendo que o seu sucesso "ultrapassava em muito as previsões mais otimistas".

Peter conversava para reduzir a tensão. Até aquele instante seu plano era um completo fracasso. Karen fora vigiada o dia inteiro e nada fizera senão ir à escola. Mas deixar-se tomar pela ansiedade não ajudaria em nada e poderia levá-lo a cometer erros, por isso tentou relaxar.

– Você acha que os arquitetos projetam teatros e casas de ópera intimidadores para desencorajar as pessoas comuns de entrar?

– Você se considera uma pessoa comum?

– Claro. – A entrada era flanqueada pelas estátuas verdes de dois homens, maiores que o tamanho natural. – Quem são aqueles dois?

– Holberg e Oehlenschläger.

Ele reconheceu os nomes. Eram dois grandes autores teatrais dinamarqueses.

– Não gosto muito de drama, falatório demais. Prefiro ver um filme, algo que me faça rir, Buster Keaton ou *O Gordo e o Magro*. A propósito, você viu um filme em que eles estavam caiando um quarto e aparece um sujeito carregando uma tábua no ombro?

Ele deu uma risada ao se recordar da cena.

– Quase caí no chão de tanto rir.

Ela lhe dirigiu um de seus olhares enigmáticos.

– Agora você me surpreendeu. Nunca pensei que gostasse de pastelões.

– O que você imaginava ser minha preferência?

– Filmes de caubói, onde os tiros asseguram o triunfo da justiça.

– Você tem razão, gosto de filmes de caubói também. E você? Gosta de teatro? O pessoal de Copenhague teoricamente aprova a cultura, mas a maioria nunca entrou naquele prédio.

– Gosto de ópera. E você?

– Bem... as canções são legais, mas as histórias são bobas.

Ela sorriu.

– Nunca pensei nisso, mas sim, você está certo. E balé?

– Na verdade, não vejo graça em balé. As roupas são esquisitas. E, para falar a verdade, fico um pouco envergonhado com aquelas calças justas dos homens.

Ela riu de novo.

– Oh, Peter. Você é tão engraçado... mas gosto de você mesmo assim.

Ele não tencionara fazer graça, mas aceitou o cumprimento alegremente.

Deu uma olhada na fotografia que segurava e que apanhara no quarto de Poul Kirke. Nela, Poul aparecia montado numa bicicleta com Karen ao seu lado. Os dois estavam de short. Karen tinha pernas lindas e longas. Pareciam tão felizes, alegres e cheios de energia que por um momento Peter sentiu-se triste pela morte de Poul. Logo em seguida, forçou-se a lembrar que Poul escolhera ser espião e desrespeitar a lei.

A finalidade da foto era ajudá-lo a reconhecer Karen. Ela era atraente, tinha um grande sorriso e cabelos crespos muito volumosos. Era a antítese de Tilde, que tinha feições pequenas e harmoniosas num rosto redondo. Alguns homens diziam que Tilde era frígida, porque repelia suas investidas. Mas eu sei que não é nada disso, pensou Peter.

Não tinham conversado sobre o fiasco no hotel de Bornholm. Peter estava envergonhado demais para levantar o assunto. E tampouco se desculparia – isso só serviria para agravar sua humilhação. Ele estava formulando secretamente um plano, algo tão drástico que só pensava nele vagamente.

– Lá vem ela – disse Tilde.

Peter olhou para o outro lado da praça e viu um grupo saindo do teatro. Reconheceu Karen imediatamente. Estava com um chapéu de palha estranhamente inclinado na cabeça e usava um vestido de verão amarelo-mostarda, com uma saia rodada que dançava sedutoramente em torno de seus joelhos. O retrato em preto e branco não mostrara sua pele muito branca e o cabelo vermelho flamejante nem fizera justiça ao seu ar impetuoso, que Peter identificara mesmo a distância. Parecia mais que ela estava entrando em cena num espetáculo, não meramente descendo a escadaria externa do teatro.

Karen atravessou a praça e virou na rua principal da cidade, a Stroget.

Peter e Tilde se levantaram.

– Antes de irmos... – começou Peter.

– O quê?

– Você vai ao meu apartamento esta noite?

– Alguma razão especial?

– Sim, mas prefiro não explicar.

– Tudo bem.

– Obrigado. – Ele não disse mais nada e saiu atrás de Karen, andando depressa. Tilde seguiu-o a uma certa distância, conforme tinham combinado.

A Stroget era uma rua estreita, com calçadas repletas de gente e um trânsito complicado por causa dos ônibus e dos automóveis estacionados ilegalmente. Peter tinha certeza de que, se dobrassem o valor das multas e passassem a multar todos os carros, o problema terminaria. Fixou a vista no chapéu de Karen. E rezou para que ela não estivesse simplesmente indo para casa.

No fim da Stroget ficava a praça da prefeitura. Ali, o grupo das estudantes se dispersou. Karen continuou andando com apenas uma das garotas, conversando animadamente. Peter se aproximou mais. Elas passaram pelos Jardins do Tivoli e pararam, como se fossem se separar, mas continuaram a conversar. Duas garotas lindas e despreocupadas ao sol de uma tarde de verão. Peter se perguntou, impaciente, quantas coisas mais elas ainda teriam para dizer depois de terem passado o dia inteiro juntas.

Finalmente a amiga de Karen saiu andando na direção da estação central da estrada de ferro e Karen seguiu na direção contrária. As esperanças de Peter aumentaram. "Será que ela iria se encontrar com um dos espiões?" Seguiu-a, mas para sua frustração ela foi andando na direção da Vesterport, a estação das linhas de subúrbio, onde poderia pegar um trem para a cidadezinha de Kirstenslot, onde morava.

Isso era péssimo. Só lhe restavam umas poucas horas para descobrir o paradeiro de Arne Olufsen. Era evidente que Karen não ia levá-lo a qualquer um dos espiões do bando. Tinha de forçar uma situação.

Emparelhou com ela na entrada da estação.

– Com licença – disse. – Preciso falar com você.

Ela o encarou e continuou andando.

– O que é? – perguntou, com fria polidez.

– Poderíamos conversar por um minuto?

Ela entrou na estação e começou a descer a escada para a plataforma.

Peter fingiu estar nervoso.

– Estou me arriscando terrivelmente só de falar com você.

Ela mordeu a isca. Parou no meio da plataforma e olhou em torno, nervosa.

– De que se trata?

Karen tinha olhos lindos, observou Peter, de um verde surpreendente.

– É a respeito de Arne Olufsen.

Peter viu medo naqueles belos olhos e sentiu-se gratificado. Seu instinto acertara. Ela sabia de algo.

– O que é que tem ele? – Karen conseguiu manter a voz baixa e serena.

– Você não é amiga dele?

– Não. Eu só o conheci; era amiga de um amigo dele. Mas na verdade não o conheço. Por que está me perguntando isso?

– Sabe onde ele está?

– Não.

Ela falou com firmeza e ele pensou, desanimado, que parecia estar dizendo a verdade.

Mas ainda não estava pronto para desistir.

– Será que você conseguiria transmitir um recado a ele?

Ela hesitou, e o coração de Peter deu um pulo, com novas esperanças. Com certeza ela estava pensando se devia mentir ou não.

– É possível – disse após um momento. – Não posso garantir. Que tipo de recado?

– Eu sou da polícia.

Karen deu um passo para trás, assustada.

– Tudo bem, estou do seu lado. – Peter podia garantir que ela não acreditou. – Não tenho nada a ver com o Departamento de Segurança. Trabalho com acidentes de trânsito. Mas nosso escritório é do lado do deles e às vezes eu ouço o que está acontecendo.

– O que você ouviu?

– Arne está correndo grande perigo. O Departamento de Segurança sabe onde ele está se escondendo.

– Meu Deus!

Peter notou que ela não perguntou o que era o Departamento de Segurança ou de que crime Arne estava sendo acusado, da mesma forma que não demonstrou surpresa a respeito de ele estar escondido. Logo, ela devia saber o que Arne andava fazendo, concluiu ele com orgulho.

Era base suficiente para prendê-la e interrogá-la. Mas ele tinha um plano melhor. Imprimiu à sua voz uma dramática nota de urgência:

– Eles vão prendê-lo hoje à noite.

– Oh, não!

– Se você souber como entrar em contato com Arne, por favor, pelo amor de Deus, tente fazer com que seja avisado no máximo em uma hora.

– Não acho que...

– Não posso me arriscar a ser visto com você. Preciso ir. Sinto muito. Esforce-se ao máximo.

Peter se virou e foi embora andando depressa.

No alto das escadarias, ele passou por Tilde, que fingia estar lendo um quadro de horários. Ela não olhou para ele, mas Peter sabia que ela o vira e que a partir daquele instante passaria a seguir Karen.

Do outro lado da rua, um homem de avental de couro estava descarregando engradados de cerveja de uma carroça puxada por dois cavalos. Peter se escondeu atrás da carroça, tirou o chapéu, que enfiou por baixo do paletó, e substituiu-o por um boné. Sabia, por experiência própria, que uma alteração simples como aquela efetuava uma mudança notável na sua aparência. Não passaria por um exame cuidadoso, mas, a um olhar superficial, pareceria uma pessoa diferente.

Ainda parcialmente escondido pela carroça, ficou observando a entrada da estação. Passado um tempo, Karen saiu.

Tilde vinha poucos passos atrás dela.

Peter seguiu Tilde. Os três viraram na primeira esquina e percorreram a rua entre o Tivoli e a estação central. No quarteirão seguinte Karen entrou na sede dos Correios, um imponente edifício clássico de tijolinhos vermelhos e pedras cinzentas. Tilde entrou logo em seguida.

Karen ia dar um telefonema, pensou Peter, entusiasmado. Ele correu até a entrada de funcionários, mostrou a identidade de policial para a primeira pessoa que encontrou, uma mocinha, e disse:

– Traga o gerente de serviço, rápido.

Em instantes apareceu um homem de ombros recurvados que vestia um terno preto surrado.

– Em que posso ajudá-lo? – perguntou ele.

– Uma moça de vestido amarelo acaba de entrar no saguão principal – disse Peter. – Não quero que ela me veja, mas preciso saber o ela que vai fazer.

O gerente pareceu entusiasmado. Aquilo provavelmente era a coisa mais emocionante que já acontecera no prédio dos Correios, pensou Peter.

– Meu Deus – disse o homem. – É melhor o senhor vir comigo.

Ele saiu andando rapidamente por um corredor e abriu uma porta. Peter viu um balcão com uma fileira de bancos diante de guichês. O gerente passou pela porta.

– Acho que eu a vejo daqui – disse ele. – Cabelo vermelho encaracolado e chapéu de palha?

– Isso mesmo.

– Eu jamais diria que é uma criminosa.

– O que ela está fazendo?

– Consultando o catálogo telefônico. É assombroso que uma pessoa tão bonita...

– Se ela fizer uma ligação, vou ter que ouvir o que diz.

O gerente hesitou.

Peter não tinha direito de ouvir ligações particulares sem um mandado judicial – mas tinha esperança de que o funcionário dos Correios não soubesse disso.

– É muito importante – instou.

– Não sei se posso...

– Não se preocupe, eu assumo a responsabilidade.

– Ela está largando o catálogo.

Peter não ia deixar Karen ligar para Arne sem ouvir o que iam dizer. Estava decidido a sacar a arma e ameaçar aquele burocrata sonolento se fosse preciso.

– Sou obrigado a insistir.

– Nós temos regras aqui.

– Mesmo assim...

– Ah! Ela deixou o catálogo, mas não veio para o balcão. Está indo embora! – exclamou, aliviado.

Peter, frustrado, resmungou alguma coisa e correu para a saída.

Abriu uma fresta da porta e deu uma espiada. Viu Karen atravessando a rua. Esperou até Tilde aparecer, seguindo Karen. Foi então atrás das duas.

Estava desapontado, mas não derrotado. Karen sabia o nome de alguém que podia entrar em contato com Arne. E procurara o nome dessa pessoa no catálogo telefônico. Por que diabo não telefonara? Talvez tivesse medo – justificado, por sinal – de que a conversa pudesse ser ouvida pela polícia ou pela segurança alemã num monitoramento de rotina.

Ainda assim, se ela não buscava o número do telefone, devia estar procurando só o endereço. E agora, se Peter estivesse com sorte, seguiria para o tal endereço.

Perdeu Karen de vista, mas continuou seguindo Tilde. Andar atrás dela era sempre um prazer. Era bom ter uma desculpa para ficar apreciando suas curvas. Ela saberia que ele a estava observando fixamente? Estaria exagerando o ondular dos quadris deliberadamente? Ele não tinha ideia. Quem pode dizer o que se passa na cabeça de uma mulher?

Atravessaram a pequena ilha de Christiansborg e seguiram pela orla, com o porto à direita e os velhos prédios do governo à esquerda. O ar quente da cidade era resfriado ali pela brisa salgada do mar Báltico. O canal largo estava cheio de cargueiros, barcos de pesca, barcas e navios das armadas alemã e dinamarquesa. Dois jovens marinheiros saíram andando alegremente atrás de Tilde, provocando-a, mas ela falou grosso com eles, que deram o fora imediatamente.

Karen seguiu até o palácio de Amalienborg e depois virou na direção contrária ao mar. Sempre seguindo Tilde, Peter atravessou a ampla praça formada pelas quatro mansões em estilo rococó onde morava a família real.

Dali entraram em Nyboder, um bairro de casas pequenas construídas originalmente como residências baratas para marinheiros.

Dobraram em uma rua chamada Sankt Pauls Gade. Peter podia ver Karen a distância, olhando para uma fileira de casas amarelas com telhado vermelho, aparentemente procurando um número. Ele teve a forte sensação de que se encontrava perto de sua presa.

Karen parou e olhou para os dois lados da rua, como se verificasse se estava sendo seguida. Tarde demais para isso, claro, mas ela era amadora. Pareceu mesmo não reparar em Tilde, e Peter estava fora do seu campo de visão.

Ela bateu numa porta.

Quando Peter alcançou Tilde, a porta se abriu. Não foi possível ver quem estava lá dentro. Karen disse qualquer coisa e entrou. A porta se fechou. Era o número 53, observou Peter.

– Acha que Arne está aí? – perguntou Tilde.

– Ou ele, ou alguém que sabe onde ele está.

– O que você quer fazer?

– Esperar. – Ele olhou para um lado e para outro. Na outra calçada havia uma loja de esquina. – Ali.

Eles atravessaram e pararam diante da vitrine. Peter acendeu um cigarro.

– A loja provavelmente tem um telefone – disse Tilde. – Devemos telefonar para o quartel-general? Podíamos entrar à força. Não sabemos quantos espiões há lá dentro.

Peter avaliou a hipótese de pedir reforços.

– Ainda não – disse por fim. – Não temos certeza do que está acontecendo. Vamos ver como isso se desenrola.

Tilde aquiesceu. Ela havia tirado a boina azul-celeste e pusera um lenço na cabeça. Peter observou-a enfiando os cachos do cabelo louro por baixo do lenço. Teria uma aparência diferente quando Karen saísse e era menos provável que ela a reconhecesse.

Tilde tirou o cigarro dos dedos de Peter, levou-o à própria boca, tragou a fumaça e devolveu o cigarro. Foi um gesto íntimo, que ele sentiu praticamente como um beijo. Percebendo que ruborizava, desviou o olhar para a casa de número 53.

A porta se abriu e Karen saiu.

– Veja – disse ele, e Tilde seguiu seu olhar.

A porta se fechou atrás de Karen e ela se afastou sozinha.

– Droga!

– O que fazemos agora? – quis saber Tilde.

Peter pensou depressa. Se Arne estivesse dentro da casa amarela, Peter precisava pedir reforços, arrombar a casa e prendê-lo, assim como todos os que estivessem em sua companhia. Por outro lado, Arne podia estar em outro lugar e Karen a caminho de lá – caso em que Peter teria de segui-la.

Havia também a possibilidade de Karen ter desistido, por não ter conseguido o que queria, e estar voltando para casa.

Ele se decidiu.

– Vamos nos separar – disse a Tilde. – Você segue Karen. Eu telefono para o quartel-general e invado a casa.

– Está bem. – Tilde saiu apressada.

Peter entrou na loja. Era uma mercearia dessas que vendem tudo, de pão e verduras a sabão e fósforos. Havia latas de comida nas prateleiras e o chão estava obstruído por pilhas de lenha e sacos de batatas. O lugar parecia sujo, mas próspero. Peter mostrou o crachá para uma mulher de cabelos grisalhos e avental cheio de manchas.

– Tem um telefone?

– Vou ter que cobrar a ligação.

Ele revirou o bolso à procura de dinheiro.

– Onde fica? – perguntou Peter, impaciente.

Ela meneou a cabeça na direção de uma cortina nos fundos.

– Por ali.

Ele atirou algumas moedas em cima do balcão, passou pela cortina e viu-se numa saleta cheirando a gato. Pegou o telefone, ligou para o Politigaarden e chamou Conrad.

– Acho que descobri o esconderijo de Arne. Número 53 da Sankt Pauls Gade. Convoque Dresler e Ellegard. Quero que vocês venham para cá o mais depressa possível.

– Deixe comigo.

Peter desligou e saiu correndo. Tinha perdido menos de um minuto. Se alguém houvesse saído da casa, ainda estaria na mesma rua. Olhou para um lado e para outro. Viu um velho com uma camisa sem colarinho puxando um cachorro artrítico, os dois se deslocando com penosa lentidão. Um cavalo puxava uma carroça sem proteções laterais carregando um sofá com buracos no estofamento de couro. Um grupo de meninos jogava futebol na rua com uma bola de tênis careca de tão usada. Nem sinal de Arne. Peter atravessou a rua.

Por um momento permitiu-se antecipar a satisfação que sentiria em prender o filho mais velho da família Olufsen. Seria uma verdadeira vingança da humilhação sofrida por Axel Flemming tantos anos atrás. Depois da expulsão da escola do filho mais moço, desmascarar Arne como espião representaria certamente o fim da hegemonia do pastor Olufsen. Como poderia continuar se vangloriando e pregando na igreja depois do que seus filhos tinham feito? Teria de abrir mão do cargo.

O pai de Peter ficaria feliz.

A porta do número 53 se abriu. No momento em que Arne pôs o pé do lado de fora, Peter enfiou a mão por baixo do paletó e tocou no revólver que carregava no coldre de ombro.

Ficou entusiasmado. Arne tinha raspado o bigode e coberto o cabelo preto com um boné de trabalhador, mas Peter, que o conhecia desde menino, reconheceu-o imediatamente.

Após um momento, a euforia foi substituída pela cautela. Era comum haver problemas quando um agente tentava efetuar uma prisão sozinho. A possibilidade de fuga era tentadora para a pessoa que se via diante de um único policial. E quando esse policial era um detetive à paisana, sem a autoridade de um uniforme, a coisa ainda era pior. Se houvesse uma luta, os transeuntes não teriam como saber que um dos dois era um agente da lei e poderiam inclusive intervir em favor da pessoa errada.

Peter e Arne já tinham brigado uma vez, doze anos antes, na época da desavença entre as duas famílias. Peter era maior, mas Arne tinha mais preparo físico e era forte por causa de todos os esportes que praticava. Não houve um resultado bem definido. Os dois trocaram diversos golpes e logo foram apartados. Hoje havia uma diferença – Peter tinha uma arma. Mas nada garantia que Arne não tivesse uma também.

Arne bateu a porta da casa e atravessou a rua, caminhando na direção de Peter.

Enquanto se aproximava, evitou olhar diretamente para Peter e veio andando na parte interna da calçada, perto das paredes das casas, à maneira de um fugitivo. Peter ficou junto do meio-fio, observando furtivamente a fisionomia de Arne.

Quando estavam a 10 metros de distância, Arne dirigiu um olhar de soslaio ao rosto de Peter. Este o fitou diretamente, olho no olho, atento à sua expressão. Viu, sucessivamente, indicações de espanto, reconhecimento, choque, medo e pânico.

Arne parou e permaneceu imóvel.

– Você está preso – disse Peter.

Arne recuperou parcialmente a compostura e, por um momento, exibiu o costumeiro sorriso petulante.

– Pete Biscoitinho – disse, usando um apelido de infância.

Peter viu que Arne ia tentar fugir e sacou a arma.

– Deite no chão com o rosto para baixo e as mãos para trás.

Arne pareceu mais preocupado do que amedrontado. Em um momento de lucidez, Peter viu que não era da arma que Arne tinha medo, mas sim de outra coisa.

– Está pronto para atirar em mim? – indagou Arne em tom desafiador.

– Se necessário.

Peter empunhou a arma ameaçadoramente, mas na verdade estava desesperado para conseguir pegar Arne vivo. A morte de Poul Kirke transformara a investigação em um beco sem saída. Queria interrogar Arne, não matá-lo.

Arne sorriu enigmaticamente, virou-se e saiu correndo.

Peter apontou a arma e mirou nas pernas de Arne. Sabia que era impossível atirar com muita precisão usando uma pistola e também que podia atingir qualquer parte do corpo dele ou nenhuma. Mas Arne estava se afastando e as chances de detê-lo diminuíam a cada segundo.

Peter puxou o gatilho.

Arne continuou correndo.

Peter disparou repetidamente. Depois do quarto tiro Arne pareceu vacilar. Peter disparou de novo e ele caiu, desabou no chão com o baque de um peso morto e rolou de costas.

– Oh, meu Deus, de novo não! – exclamou Peter.

Ele se adiantou correndo, sempre apontando a pistola para Arne.

O corpo estendido no chão permanecia imóvel.

Peter se ajoelhou.

Arne abriu os olhos, o rosto lívido de dor.

– Seu porco estúpido, você devia ter me matado! – disse.

~

Tilde foi ao apartamento de Peter naquela noite. Usava uma blusa nova cor-de-rosa com flores bordadas nos punhos. "Rosa lhe cai bem", avaliou

Peter, "ressalta sua feminilidade." Fazia calor e ela parecia não usar nada por baixo da blusa.

Ele a conduziu para a sala. O sol brilhava de um modo estranho, como se dissolvesse o contorno da mobília e dos quadros nas paredes. Inge estava sentada numa cadeira ao lado da lareira, contemplando a sala com o olhar inexpressivo de sempre.

Peter puxou Tilde para seus braços e a beijou. Ela ficou imóvel, surpresa, e depois retribuiu o beijo. Ele acariciou seus braços e quadris.

Tilde recuou e encarou Peter. Ele podia ver o desejo expresso nos seus olhos, mas via também que estava perturbada. Ela olhou para Inge.

– Isto é certo? – perguntou.

Ele acariciou seu cabelo.

– Não diga nada.

Peter beijou-a de novo, avidamente. Os toques se tornaram mais apaixonados. Sem interromper o beijo, ele desabotoou a blusa de Tilde, expondo seus seios macios. Acariciou sua pele quente.

Tilde recuou de novo, ofegante. Os seios se moviam no ritmo da sua respiração.

– E ela? – perguntou. – E Inge?

Peter olhou para a mulher. Ela fitava os dois com seu olhar inexpressivo, sem demonstrar emoção alguma, como sempre.

– Não há ninguém ali – disse a Tilde. – Não há absolutamente ninguém. – Ela o encarou. No seu olhar, pena e compreensão misturavam-se com curiosidade e desejo.

– Tudo bem – disse por fim. – Tudo bem.

Ele baixou a cabeça e enfiou o rosto entre seus seios nus.

PARTE TRÊS

CAPÍTULO DEZESSETE

A TRANQUILA ALDEIA DE Jansborg era assustadora ao crepúsculo. Os habitantes dormiam cedo, as ruas ficavam desertas e as casas, escuras e silenciosas. A impressão de Harald foi a de que atravessava um lugar onde algo terrível havia acontecido e ele era a única pessoa que não sabia.

Harald deixou a motocicleta do lado de fora da estação de trem. Não chamava tanta atenção quanto temera. Ao lado dela estava um Opel Olympia cabriolé com uma estrutura de madeira sobre a parte de trás da capota instalada para acomodar o enorme equipamento do gasogênio.

Deixou a moto e foi caminhando até a escola. A escuridão tornava-se cada vez mais densa.

Depois de escapar do soldado em Sande, ele voltara para a cama e dormira pesadamente até o meio-dia. A mãe o despertou, alimentou-o com um vasto almoço de carne de porco fria com batatas, enfiou dinheiro no seu bolso e suplicou que dissesse onde estava morando. Fragilizado pela afeição dela e pelo inesperado abrandamento do pai, ele disse que era em Kirstenslot. Não mencionou, contudo, a igreja abandonada, com medo de que ela ficasse preocupada por ele estar dormindo sem conforto, e preferiu deixá-la com a impressão de que era hóspede na casa da família.

Em seguida saíra para mais uma vez atravessar a Dinamarca de leste a oeste. E agora, na noite do dia seguinte, aproximava-se de sua antiga escola.

Decidira revelar o filme antes de seguir para Copenhague, onde o entregaria a Arne, que estava escondido na casa de Jens Toksvig, no bairro de Nyboder. Precisava ter certeza de que as fotos tinham sido bem tiradas e de que as imagens eram nítidas e claras. Máquinas fotográficas podem falhar e fotógrafos podem cometer erros. Não queria que Arne arriscasse a vida indo à Inglaterra com um filme em branco. A escola tinha a própria sala escura e todos os agentes químicos necessários para revelação. Tik Duchwitz era secretário do clube de fotografia e tinha uma chave.

Harald evitou o portão principal e cortou caminho pela fazenda vizinha à escola para entrar pelos estábulos. Eram dez da noite. Os garotos menores já estavam na cama e os adolescentes se preparavam para dormir. Só os mais velhos ainda estariam acordados, a maioria nos quartos onde dormiam e estudavam. No dia seguinte seria a formatura e certamente estariam fazendo as malas para voltar para casa.

Deslocando-se com cautela entre aqueles prédios tão conhecidos, Harald teve de lutar contra a tentação de caminhar furtivamente colado nas paredes. Se andasse com naturalidade e confiança, ia parecer, para um observador casual, que se tratava de um garoto do último ano indo para o quarto. Ficou surpreso ao ver como era difícil fingir ser quem realmente era apenas dez dias antes.

Não viu ninguém no caminho para a Casa Vermelha, o prédio onde ficavam os quartos de Tik e Mads. Não havia como se esconder ao subir para o andar de cima; se encontrasse alguém, seria reconhecido na mesma hora. Mas teve sorte, o corredor estava deserto. Passou andando depressa pelos aposentos do encarregado da casa, o Sr. Moller, abriu silenciosamente a porta do quarto de Tik e entrou.

Tik estava sentado em cima da mala, tentando fechá-la.

– Você! – exclamou ao ver Harald. – Meu Deus!

Harald sentou-se ao seu lado e ajudou-o a fechar a mala.

– Ansioso para ir para casa?

– Não tenho tanta sorte – respondeu Tik. – Fui exilado em Aarhus. Vou passar o verão trabalhando numa agência do banco da família. É minha punição por ter ido àquele clube de jazz com você.

– Ah...

Harald queria muito a companhia de Tik em Kirstenslot, mas decidiu que não havia necessidade de mencionar que estava morando lá.

– O que está fazendo aqui na escola? – perguntou Tik depois que conseguiu passar a correia na mala.

– Preciso de sua ajuda.

Tik deu uma risada.

– O que é agora?

Harald pegou o rolo de filme de 35mm no bolso da calça.

– Quero revelar isto.

– Por que não pode levar numa loja?

– Porque eu seria preso.

O sorriso de Tik desapareceu e ele assumiu um ar solene.

– Você está envolvido em uma conspiração contra os nazistas?

– Algo assim.

– Você está correndo perigo.

– Estou.

Alguém bateu na porta.

Harald deitou no chão e se escondeu embaixo da cama.

– Pois não? – disse Tik.

Harald ouviu a porta se abrindo e a voz de Moller dizendo:

– Apague as luzes, por favor, Duchwitz.

– Sim, senhor.

– Boa noite.

– Boa noite, senhor.

A porta se fechou e Harald saiu do esconderijo.

Os dois ficaram ouvindo Moller avançar pelo corredor dizendo boa-noite para cada aluno. Depois o barulho de seus passos seguiu rumo às suas acomodações de encarregado, até por fim a porta ser fechada. Sabiam que ele só reapareceria de manhã, a menos que houvesse alguma emergência.

– Você ainda tem a chave da sala escura?

– Tenho, mas primeiro temos que entrar no laboratório.

O prédio de ciências ficava fechado à noite.

– Podemos quebrar uma vidraça nos fundos.

– Quando virem o vidro quebrado, saberão que alguém entrou lá.

– Qual é o problema? Você vai embora amanhã!

– Está certo.

Os dois tiraram os sapatos e saíram se esgueirando pelo corredor. Desceram a escada sem fazer barulho e calçaram os sapatos quando chegaram ao primeiro piso. Depois saíram da Casa Vermelha.

Já passava das onze da noite e estava bem escuro. Àquela hora ninguém estaria normalmente andando pelo terreno da escola; tiveram de cuidar apenas para não serem vistos de alguma janela. Por sorte, não havia lua. Afastaram-se correndo da Casa Vermelha, suas passadas abafadas pela grama. Quando chegaram à igreja, Harald olhou para trás e viu uma luz nos alojamentos do último ano. Um vulto passou pela janela e parou. Uma fração de segundo mais tarde, Harald e Tik viraram na igreja.

– Acho que talvez tenhamos sido vistos – murmurou Harald. – Há uma luz acesa na Casa Vermelha.

– Os quartos dos professores dão para os fundos – lembrou Tik. – Se alguém nos viu, deve ter sido um aluno. Não há com o que nos preocuparmos.

Harald torceu para que ele estivesse certo.

Contornaram a biblioteca e se aproximaram do prédio de ciências pelos fundos. Embora novo, fora projetado para se equiparar às estruturas mais antigas que o cercavam, por isso tinha paredes de tijolinhos vermelhos e janelas basculantes com seis vidros cada.

Harald tirou um sapato e bateu no vidro com o salto. O vidro pareceu-lhe bastante forte.

– Quando a gente está jogando futebol, o vidro é sempre tão frágil! – murmurou. Enfiou a mão dentro do sapato e golpeou o vidro com força. O barulho foi incrivelmente escandaloso. Os dois garotos ficaram imóveis, horrorizados, mas o silêncio voltou como se não tivesse acontecido nada. Não havia ninguém nas edificações mais próximas – igreja, biblioteca e ginásio – e, quando o coração de Harald serenou, ele se convenceu de que o barulho passara despercebido.

Usou o sapato para remover os pedaços de vidro pontudos que tinham ficado presos na moldura da janela. Eles caíram em cima de uma bancada do laboratório. Harald enfiou o braço e destrancou a janela. Ainda usando o sapato para proteger a mão e não se cortar, afastou os cacos para o lado e entrou.

Tik foi atrás e, juntos, os dois fecharam a janela novamente.

Aquele era o laboratório de química. O cheiro adstringente de ácidos e de amônia fez com que as narinas de Harald ardessem. Não dava para ver quase nada, mas ele conhecia muito bem o laboratório e conseguiu chegar à porta sem esbarrar em nada. Passou para o corredor e encontrou a porta da sala escura.

Assim que os dois entraram no quarto escuro, Tik trancou a porta e acendeu a luz. Harald percebeu que a vedação de entrada de luz no recinto também bloqueava a passagem de luz para o lado de fora.

Tik enrolou as mangas da camisa e começou a trabalhar. Encheu uma pia com água morna e mexeu nos produtos químicos armazenados em jarros. Depois mediu a temperatura da água e acrescentou água mais quente até ficar satisfeito. Harald compreendia o processo da revelação de fotografias, mas nunca fizera aquilo e tinha que confiar no amigo.

E se alguma coisa tivesse saído errado – se a objetiva não tivesse funcionado apropriadamente, se o filme tivesse velado ou se as imagens tivessem saído desfocadas? Todas as fotos seriam inúteis. Teria coragem de tentar de novo – voltar a Sande, galgar a cerca no escuro, esgueirar-se para dentro da instalação, esperar o sol nascer e depois tentar fugir à luz do dia? Não sabia se seria capaz de reunir a determinação necessária para repetir toda aquela arriscada missão.

Quando terminou a fase preparatória, Tik ajustou um marcador de tempo e apagou a luz. Harald ficou sentado pacientemente no escuro enquanto Tik desenrolava o filme e começava o processo de revelação das fotos – se houvesse alguma. Explicou que primeiro banhava o filme em pirogalol, que reagiria com os sais de prata para formar uma imagem visível. Sentados, os dois esperaram o alarme tocar e então Tik lavou o filme em ácido etanoico para interromper a reação. Finalmente banhou o filme em hipossulfito para fixar a imagem.

– Acho que está bom – disse ele por fim.

Harald conteve a respiração.

Tik acendeu a luz. Harald ficou ofuscado por um instante, sem conseguir enxergar. Quando sua visão clareou, fixou os olhos na tira de filme acinzentado que Tik segurava. Ele tinha arriscado a vida por aquilo. Tik segurou o filme contra a luz. A princípio Harald não viu nada e achou que teria de refazer tudo. Depois se lembrou que estava vendo um negativo, em que o preto era branco e vice-versa, e começou a distinguir as imagens. Viu uma imagem invertida da grande antena retangular que tanto o intrigara na primeira vez em que a vira, quatro semanas antes.

Ele tinha conseguido.

Deu uma espiada na sequência de imagens e reconheceu cada uma: a base rotativa, os cabos, a grade vista de diversos ângulos, as duas máquinas menores com suas antenas inclinadas e, finalmente, a última fotografia: uma vista geral das três estruturas, quando ele estava entrando em pânico.

– Elas saíram! – exclamou, triunfante. – Estão ótimas!

Tik ficou pálido.

– De que são essas fotos? – perguntou, amedrontado.

– Umas máquinas novas que os alemães inventaram para detectar aeronaves.

– Eu preferia não ter perguntado. Você sabe qual é a punição para isto que estamos fazendo?

– Fui eu que tirei as fotos.

– E fui eu que revelei o filme. Meu Deus do céu, podemos ser enforcados!

– Eu falei do que se tratava.

– Eu sei, mas na verdade não pensei que podia ser uma coisa dessas.

– Sinto muito.

Tik enrolou o filme e colocou-o no recipiente cilíndrico.

Justo nesse momento eles ouviram vozes.

Tik soltou um gemido.

Harald ficou imóvel, atento. A princípio não conseguiu distinguir as palavras, mas não teve dúvidas de que o som vinha de dentro do prédio, não de fora. Depois reconheceu a voz característica de Heis:

– Não parece haver ninguém aqui.

A outra voz era de um menino:

– Tenho certeza absoluta de que eles vieram para cá, senhor.

Harald, cara fechada, virou-se para Tik.

– Quem...?

– Está parecendo o Woldemar Borr – murmurou Tik.

– Claro! – resmungou Harald. Borr era o nazista da escola. Devia ter sido ele quem os vira da janela. Que falta de sorte. Qualquer outro garoto teria ficado de boca fechada.

Ouviu-se então uma terceira voz:

– Olhe, tem um vidro quebrado aqui nesta janela – era o Sr. Moller. – Quem quer que seja, deve ter entrado por aqui.

– Tenho certeza de que um deles era Harald Olufsen, senhor – disse Borr, orgulhoso.

– Vamos sair desta sala escura – disse Harald. – Talvez assim possamos impedir que descubram que estávamos revelando um filme.

Com essas palavras ele desligou a luz, enfiou a chave na fechadura e abriu a porta.

Do lado de fora todas as luzes estavam acesas e Heis estava diante da porta.

– Que droga! – disse Harald.

Heis vestia uma camisa sem colarinho; evidentemente o haviam chamado quando já ia se deitar.

Ele olhou para Harald por cima do nariz comprido.

– Então é você, Olufsen.

– Sim, senhor.

Borr e o Sr. Moller apareceram atrás de Heis.

– Você não é mais aluno desta escola e sabe muito bem disso – prosseguiu Heis. – O meu dever é chamar a polícia e mandar que o prendam por roubo.

Harald ficou em pânico por um momento. Se a polícia encontrasse o filme no seu bolso, estava liquidado.

– E Duchwitz está com você... Eu devia ter visto logo – acrescentou Heis ao ver Tik atrás de Harald. – Mas o que estão fazendo?

Harald tinha que persuadir Heis a não chamar a polícia – mas não podia falar na frente de Borr.

– Senhor, posso lhe falar em particular?

Heis hesitou.

Harald decidiu que, se Heis recusasse e resolvesse chamar a polícia, não ia se render assim sem mais nem menos. Ia tentar fugir. Mas até onde conseguiria ir?

– Por favor, senhor – insistiu. – Só peço uma chance para me explicar.

– Muito bem – concordou Heis relutante. – Borr, volte para a cama. E você também, Duchwitz. Sr. Moller, talvez seja melhor acompanhá-los até seus respectivos quartos.

Todos se retiraram.

Heis entrou no laboratório de química, sentou-se num banco e pegou o cachimbo.

– Está bem, Olufsen – disse. – O que é que foi desta vez?

Harald pensou no que dizer. Não conseguiu imaginar uma mentira plausível, mas teve medo de que a verdade parecesse mais inacreditável do que qualquer coisa que pudesse inventar. Terminou simplesmente pegando a latinha do filme e entregando-a a Heis.

Heis pegou o rolo de filme e levantou-o contra a luz.

– Está parecendo um tipo de rádio moderno – disse. – É militar?

– Sim, senhor.

– Sabe qual é a finalidade disso?

– Rastreia aeronaves usando ondas de rádio, acho.

– Então é assim que eles estão fazendo. A Luftwaffe se gaba de estar derrubando bombardeiros da RAF como moscas. A explicação está aqui.

– Acredito que eles rastreiam tanto o bombardeiro quanto o caça que foi mandado para interceptá-lo. Assim o controlador pode orientar o caça com precisão.

Heis olhou por cima dos óculos.

– Meu Deus, você percebe como isto é importante?

– Acho que percebo.

– Só há uma maneira de os ingleses ajudarem os russos, que será forçando Hitler a trazer os aviões que estão na frente russa para defender a Alemanha das incursões aéreas.

Heis tinha sido do Exército, portanto o pensamento militar lhe ocorria naturalmente. Harald ficou confuso.

– Não sei direito aonde o senhor está querendo chegar.

– Ora, essa estratégia não pode funcionar enquanto os alemães forem capazes de derrubar os bombardeiros da RAF com tanta facilidade. Mas, se os ingleses descobrirem como isso é feito, poderão criar contramedidas.

Heis olhou em torno.

– Deve haver algum almanaque por aqui.

Harald não sabia por que Heis podia precisar de um almanaque, mas sabia onde havia um.

– Na sala de física.

– Vá pegar. – Heis pôs o filme em cima da bancada e acendeu o cachimbo enquanto Harald foi à sala ao lado, pegou o almanaque e o trouxe. Heis descobriu o que queria saber depois de dar uma folheada.

– A próxima lua cheia é no dia 8 de julho. Aposto como haverá uma grande incursão aérea nessa noite. É daqui a doze dias. Você vai conseguir levar este filme à Inglaterra até lá?

– Essa tarefa será executada por outra pessoa.

– Boa sorte para ele. Olufsen, você sabe o tamanho do perigo que está correndo?

– Sei.

– A pena para espiões é a morte.

– Sei disso.

– Você sempre teve coragem, tenho que reconhecer. – Heis devolveu o filme. – Está precisando de alguma coisa? Comida, dinheiro, gasolina?

– Não, obrigado.

Heis se levantou.

– Vou acompanhá-lo até o portão.

Os dois saíram pela porta principal. O ar gelado da noite esfriou as gotículas de suor na testa de Harald. Caminharam lado a lado até o portão.

– Não sei o que vou dizer ao Moller – disse Heis.

– Posso dar uma sugestão?

– Sem dúvida.

– O senhor pode dizer que estávamos revelando fotos pornográficas.

– Boa ideia. Todo mundo vai acreditar nisso.

Quando chegaram ao portão, Heis apertou a mão de Harald.

– Pelo amor de Deus, tenha cuidado, meu filho – disse o diretor da escola.

– Vou ter.

– Boa sorte.

– Adeus.

Harald saiu andando na direção da aldeia.

Quando chegou na curva em que ia pegar a estrada, olhou para trás. Heis continuava no portão, observando-o. Ele acenou e Heis respondeu. Em seguida foi embora.

~

Enfiou-se sob um arbusto e dormiu até o sol nascer. Quando acordou subiu na moto e foi para Copenhague.

Sentia-se bem quando atravessou os subúrbios da cidade na manhã ensolarada. Tinha passado por alguns momentos difíceis, mas por fim fizera o que tinha prometido. Ia ficar feliz quando entregasse o filme. Arne ficaria impressionado. Aí então seu trabalho estaria terminado e caberia ao irmão dar um jeito para que as fotos fossem levadas até a Inglaterra.

Depois de falar com Arne ia voltar para Kirstenslot. Teria de implorar ao fazendeiro seu emprego de volta. Trabalhara apenas um dia antes de desaparecer pelo resto da semana. Nielsen devia estar furioso – mas podia precisar tanto dos serviços de Harald que talvez o recontratasse.

Estar em Kirstenslot significava ver Karen. E ele ansiava por vê-la novamente. Karen não estava interessada romanticamente em Harald e nunca estaria, mas parecia gostar dele. Da sua parte, ficava contente apenas de falar com ela. A ideia de beijá-la era tão remota que ele nem se atrevia a sonhar com uma coisa dessas.

Harald se dirigiu para Nyboder. Arne lhe dera o endereço de Jens Toksvig. A Sankt Pauls Gade era uma rua estreita de casinhas geminadas. Não havia jardins – todas as casas davam diretamente para a calçada. Harald estacionou a moto diante do 53 e bateu.

Quem atendeu foi um policial uniformizado.

Por um momento, Harald ficou paralisado, sem saber o que fazer. Onde estava Arne? Devia ter sido preso.

– O que é, rapaz? – disse o policial, impaciente. Era um homem de meia-idade, com um bigode grisalho e divisas de sargento na manga.

Harald teve uma inspiração. Exibindo um pânico que era bastante real, ele disse:

– Onde está o médico? Ele tem que vir logo, a criança está nascendo!

O policial sorriu. O rapaz assustado que vai ser pai é uma clássica figura cômica.

– Não tem nenhum doutor aqui, meu rapaz.

– Mas tem que haver!

– Calma, filho. Os bebês já nasciam antes de existirem médicos. Agora, que endereço você tem aí?

– Dr. Thorsen, 53 da Fischers Gade.

– Número certo, rua errada. Aqui é Sankt Pauls Gade. Fischers Gade é o próximo quarteirão.

– Oh, meu Deus, rua errada! – Harald virou-se e montou na moto. – Muito obrigado! – gritou. Abriu a válvula de regulagem do vapor e foi embora.

– Por nada, faz parte do meu trabalho ajudar – disse o policial.

Harald seguiu até o fim da rua e virou a esquina.

Muito esperto, pensou, mas que diabo eu faço agora?

CAPÍTULO DEZOITO

HERMIA PASSOU TODA a manhã de sexta-feira nas belas ruínas do castelo de Hammershus esperando que Arne chegasse com o filme.

O filme era ainda mais importante agora que cinco dias antes, quando Arne iniciara sua missão. Nesse meio-tempo, o mundo tinha mudado. Os nazistas estavam firmemente decididos a conquistar a União Soviética. Já tinham tomado a fortaleza de Brest. Sua total superioridade aérea estava devastando o Exército Vermelho.

Digby lhe contara, em poucas e melancólicas frases, a conversa que tivera com Churchill. O Comando de Bombardeiros convocaria todos os aviões em condições de levantar voo para a maior incursão aérea da guerra, numa tentativa desesperada de desviar a Luftwaffe da frente russa e dar uma chance de reação aos soldados soviéticos. Faltavam apenas 12 dias para esse confronto histórico.

Digby também lhe dissera que seu irmão, Bartlett, que tivera alta, voltara ao serviço ativo e certamente pilotaria um dos bombardeiros.

A incursão seria uma missão suicida e o Comando de Bombardeiros receberia um golpe fatal se não fosse possível desenvolver uma tática para os aviões britânicos desviarem do radar alemão nos próximos dias. E isso dependia de Arne.

Hermia persuadira o pescador sueco a atravessá-la de novo para a Dinamarca – embora ele tivesse avisado que seria a última vez, pois achava perigoso que aquilo se tornasse rotina. Ainda de madrugada ela caminhara pelas águas rasas logo abaixo de Hammershus carregando a bicicleta até a praia deserta. Em seguida, trilhara o caminho íngreme do castelo, onde ficou sentada num parapeito, como uma rainha medieval. E foi de lá que viu o sol nascer para iluminar um mundo cada vez mais dominado pelos nazistas, aqueles bestas, gritalhões propagadores de ódio que ela tanto abominava.

Durante o dia ela se deslocava, mais ou menos de meia em meia hora, de uma parte das ruínas para outra ou dava uma caminhada pelo bosque. Por vezes descia até a praia, para não ficar tão evidente para os turistas que ela estava esperando alguém. Durante todo esse tempo sentiu uma angustiante mistura de tensão e tédio.

Para mudar de foco e se acalmar, recordava-se do último encontro com

Arne. Era uma lembrança doce. Chocava-se sempre ao lembrar que tinham feito amor ali mesmo na grama, em plena luz do dia. Mas não se arrependia. Iria se lembrar daquilo pelo resto da vida.

Esperava que ele viesse na barca da noite. A distância do cais, em Ronne, até o castelo de Hammershus era de apenas 25 quilômetros. Arne podia percorrer essa distância em uma hora de bicicleta ou em três horas a pé. Mas ele não apareceu de manhã.

Ansiosa, tentou se convencer de que não havia com que se preocupar. Afinal, a mesma coisa acontecera da última vez; ele perdera a barca da noite e tivera que pegar a da manhã. Concluiu que Arne deveria chegar à noite.

Da outra vez ela ficara quieta, esperando, e ele só chegara na manhã seguinte. Agora estava impaciente demais para isso. Quando não teve mais dúvidas de que Arne não viria, decidiu ir de bicicleta até Ronne.

Hermia foi ficando cada vez mais nervosa à medida que passava das estradas vazias da zona rural para as ruas mais povoadas da cidadezinha. Disse a si própria que ali estaria mais segura – chamava mais atenção no campo que na cidade, onde podia desaparecer –, mas na verdade sentia exatamente o oposto. Via suspeita nos olhos de todo mundo, não só de policiais ou soldados, mas também dos comerciantes nas portas de suas lojas, dos carroceiros, dos velhos que fumavam sentados nos bancos e dos estivadores que tomavam chá no cais. Deu uma volta pela cidade, tentando não encarar ninguém, depois foi para um hotel no porto e comeu um sanduíche. Assim que a barca atracou, juntou-se a um grupinho e ficou esperando os passageiros. Quando eles desembarcaram, examinou meticulosamente cada rosto, na expectativa de que Arne estivesse usando um disfarce qualquer.

Em alguns minutos todos estavam em terra firme. Quando o fluxo foi interrompido e começou o embarque para a viagem de volta, Hermia se convenceu de que Arne não tinha vindo.

Aflita, começou a pensar no que fazer. Havia centenas de explicações possíveis para ele não ter aparecido, da mais trivial à mais trágica. Teria perdido a coragem e abandonado a missão? Hermia ficou envergonhada por considerar essa hipótese, mas sempre duvidara de que Arne fosse um herói de verdade. Também podia estar morto, claro. Mas o mais provável é que tivesse ficado detido por algo idiota, como um trem atrasado. Lamentavelmente, ele não tinha como entrar em contato com ela para esclarecer o que acontecera.

Mas, na verdade, ela talvez fosse capaz de contatá-lo.

Tinha lhe dito para se esconder na casa de Jens Toksvig, no bairro de Nyboder, em Copenhague. Jens tinha telefone e Hermia sabia o número.

Hesitou. Se a polícia, por alguma razão, estivesse na escuta do telefone de Jens, poderia rastrear o telefonema e saberia... o quê? Que alguma coisa estava acontecendo em Bornholm. O que seria ruim, mas não fatal. Sua única alternativa era encontrar acomodações para passar a noite e esperar para ver se Arne chegava na barca seguinte. Mas ela já não tinha mais paciência para isso.

Voltou para o hotel e deu o telefonema.

Quando a telefonista ia completar a ligação, Hermia lamentou não ter dedicado mais tempo a preparar o que dizer. Devia perguntar por Arne? Se por acaso houvesse alguém na escuta, a resposta denunciaria o paradeiro dele. Não, tinha que falar de modo não explícito e fingir que estava ligando de Estocolmo. O próprio Jens provavelmente atenderia e deveria reconhecer sua voz. Se não reconhecesse, ela diria: "É a sua amiga de Bredgrade, lembra?" Bredgrade era o nome da rua onde ficava a embaixada britânica no tempo em que trabalhara lá. Essa dica deveria ser suficiente – embora pudesse ser também o bastante para alertar um detetive.

Antes que tivesse tempo para se decidir, alguém atendeu.

– Alô? – disse uma voz de homem.

– Quem está falando?

A voz era de um homem mais velho. Jens tinha 29 anos.

– Preciso falar com Jens Toksvig, por favor.

– Quem está falando?

De quem seria aquela voz? Jens morava sozinho. Só se seu pai o estivesse visitando. Mas ela não ia dar seu nome verdadeiro.

– Aqui é Hilde.

– Hilde quem?

– Ele sabe.

– Posso saber seu sobrenome, por favor?

Aquilo era um péssimo sinal. Decidiu intimidá-lo:

– Olhe aqui, não sei quem diabo você é, mas não telefonei para ficar de brincadeira. Você vai ou não vai chamar o Jens?

Não funcionou.

– Preciso saber seu sobrenome.

Aquilo decididamente não era brincadeira, concluiu Hermia.

– Quem é você?

Houve uma longa pausa antes de ele responder:

– Sou o sargento Egill, da polícia de Copenhague.

– Jens está com algum problema?

– Qual é o seu nome completo, por favor?

Hermia desligou.

Estava chocada e amedrontada. A situação não podia ser pior. Arne refugiara-se na casa de Jens e agora a casa estava sob a guarda da polícia. Certamente tinham descoberto que Jens estava escondendo alguém. Deviam ter prendido Jens e, talvez, Arne também. Hermia lutou para conter as lágrimas. Será que voltaria a ver seu amado?

Saiu do hotel e, na calçada, olhou para Copenhague, a uns 150 quilômetros de distância na direção do sol poente. Arne provavelmente estava preso lá.

Não podia nem pensar em voltar para a Suécia de mãos abanando. Causaria uma tremenda decepção a Digby Hoare e Winston Churchill, assim como a milhares de aviadores britânicos.

A buzina da barca soou chamando todos a bordo com um toque que mais parecia um grito de dor de um gigante ferido. Hermia montou na bicicleta e pedalou furiosamente até o cais. Tinha documentos falsos, inclusive carteira de identidade, e podia, portanto, passar por qualquer posto de controle. Comprou uma passagem e embarcou depressa. Precisava ir para Copenhague. Tinha de descobrir o que acontecera com Arne. Tinha de pegar o filme, se é que ele conseguira tirar as fotos. Depois de resolver tudo é que ia se preocupar em fugir da Dinamarca e levar o filme para a Inglaterra.

Mais uma vez fez-se ouvir a buzina triste da barca, que se afastou lentamente do cais.

CAPÍTULO DEZENOVE

HARALD SEGUIU PELO cais de Copenhague na hora do crepúsculo. A água suja do porto era cinza, com manchas de óleo, durante o dia, mas àquela hora brilhava com o reflexo do pôr do sol, um céu vermelho e amarelo, fragmentado em pinceladas luminosas pelas pequenas ondas.

Depois de parar a moto perto de uma fila de caminhões Daimler-Benz parcialmente carregados com a madeira trazida por um cargueiro norueguês, ele viu dois soldados alemães tomando conta da carga. De repente teve a impressão de que o rolo de filme que trazia no bolso queimava sua perna, de tão quente. Enfiou a mão no bolso e disse a si próprio para não entrar em pânico. Ninguém suspeitava de que tivesse feito algo errado – e a moto ficaria segura perto dos soldados.

Na última vez que estivera ali estava bêbado, e agora teve de lutar para se lembrar onde ficava exatamente o clube de jazz. Foi caminhando ao longo da fileira de armazéns e tavernas. Os edifícios encardidos estavam transformados, como a água suja do porto, pela luz romântica do sol que se punha. Até que por fim ele deu com uma placa que dizia "Instituto Dinamarquês de Canções e Danças Folclóricas". Desceu a escada do porão e empurrou a porta. Estava aberta.

Eram dez da noite, cedo demais para casas noturnas, e o clube estava meio vazio. Ninguém tocava o piano manchado de cerveja no palco minúsculo. Harald atravessou o salão e se dirigiu ao bar examinando cada rosto. Para sua decepção, não reconheceu ninguém.

O homem do bar usava um pano preso na cabeça como um cigano. Cumprimentou cautelosamente Harald, que não se parecia com os frequentadores típicos da casa.

– Viu a Betsy hoje? – perguntou Harald.

O barman relaxou, aparentemente convencido de que Harald era somente um rapazinho procurando uma prostituta.

– Ela está por aí – respondeu.

Harald sentou-se num banco do bar.

– Eu espero – disse.

– A Trude está ali – sugeriu o barman, solícito.

Harald virou-se para a direção que ele apontara e viu uma loura bebendo cerveja num copo sujo de batom.

– Quero a Betsy – disse, balançando a cabeça.

– Essas coisas são muito pessoais – ponderou o homem do bar.

Harald conteve o riso diante de um comentário tão óbvio. O que poderia ser mais pessoal que relações carnais?

– É verdade – concordou, perguntando-se se todas as conversas de bar seriam sempre tão idiotas.

– Uma bebida enquanto espera?

– Cerveja, por favor.

– Uma branquinha para cortar?

– Não, obrigado. – Só de pensar em aquavita Harald ficou nauseado.

Pensativo, ele tomou um gole da cerveja. Passara o dia refletindo sobre seu problema. A presença da polícia no esconderijo de Arne quase certamente significava que seu irmão fora descoberto. Se por algum milagre tivesse conseguido fugir, o único lugar em que poderia estar escondido era o mosteiro em ruínas de Kirstenslot. Por isso Harald fora até lá para verificar. Estava vazio.

Ficara sentado no chão da igreja por bastante tempo, ora lamentando, preocupado, o destino do irmão, ora tentando imaginar o que faria em seguida.

Se fosse terminar o trabalho iniciado por Arne, precisava entregar o filme em Londres nos onze dias seguintes. Arne devia ter um plano para isso, mas Harald não sabia qual era nem como descobri-lo. Assim, tinha de formular o próprio plano.

Considerou a hipótese de simplesmente colocar os negativos em um envelope e pôr no correio, endereçado à legação britânica em Estocolmo. No entanto, tinha certeza de que toda a correspondência para aquele endereço devia ser aberta rotineiramente pelos censores.

Não tinha a sorte de conhecer alguém do pequeno grupo de pessoas que viajava legitimamente entre a Dinamarca e a Suécia. Mas podia simplesmente ir ao cais de Copenhague ou à estação da estrada de ferro em Elsinore e pedir a um passageiro para levar um envelope com o filme, só que isso parecia quase tão arriscado quanto mandar pelo correio.

Depois de um dia inteiro queimando os miolos, chegara à conclusão de que teria de ir pessoalmente.

Mas não podia viajar pelas vias normais. Não lhe dariam permissão agora que sabiam que seu irmão era um espião. Precisava descobrir uma rota clandestina. Navios dinamarqueses iam e vinham da Suécia todos os dias. Tinha de haver um jeito de embarcar num deles e desembarcar do outro lado sem ser visto. Seria impossível conseguir um trabalho a bordo – marinheiros tinham documentos de identidade especiais. Mas sempre havia atividades do submundo em um porto: contrabando, roubo, prostituição, drogas. Tudo o que precisava era fazer contato com os criminosos e descobrir um que estivesse disposto a contrabandeá-lo para a Suécia.

Quando a tarde começou a cair e o piso ladrilhado do mosteiro esfriou, Harald montou de novo na motocicleta e retornou ao clube de jazz, na esperança de rever o único criminoso que conhecera na vida.

Não esperou muito tempo por Betsy. Tinha bebido apenas metade da cerveja quando ela chegou. Desceu a escada dos fundos na companhia de um homem a quem – Harald presumiu – tinha acabado de prestar seus serviços especializados em um dos quartos do segundo andar. Seu cliente tinha a pele muito branca e nada saudável, um corte de cabelo brutalmente curto e uma cicatriz antiga na narina esquerda. Teria uns 17 anos e Harald achou que devia ser marinheiro. Atravessou depressa o salão e saiu, com ar furtivo.

Betsy foi até o bar, viu Harald e o reconheceu após uma fração de segundo.

– Oi, estudante – cumprimentou amavelmente.

– Olá, princesa.

Ela balançou a cabeça num gesto coquete, fazendo oscilarem os cachos castanhos.

– Mudou de ideia? Vai querer subir?

A ideia de fazer sexo com ela minutos depois do marinheiro era repulsiva, mas ele respondeu com um gracejo:

– Não antes de nos casarmos.

– E o que a sua mãe ia dizer? – perguntou ela, rindo.

Ele avaliou sua figura roliça.

– Que você precisava se alimentar melhor.

– Seu galanteador... – disse ela, sorrindo. – Você veio atrás de alguma coisa, não veio? E não foi por causa dessa cerveja aguada.

– Para falar a verdade, preciso dar uma palavrinha com o seu Luther.

– Lu? – ela pareceu desaprovar. – O que você quer com ele?

– Ele talvez possa me ajudar com um probleminha.

– O quê?

– Acho melhor não lhe dizer.

– Não seja burro. Você está metido em alguma encrenca?

– Não exatamente.

O olhar dela se voltou para a entrada.

– Que merda! – exclamou.

Seguindo seu olhar, Harald viu Luther entrar. Dessa vez ele estava usando um paletó esporte de seda, imundo, por cima de uma camiseta. Com ele vinha um homem de uns 30 anos, tão bêbado que mal conseguia ficar em pé. Segurando o braço dele, Luther virou-o na direção de Betsy. O homem ficou parado, olhando-a libidinosamente.

– Quanto você tirou dele? – perguntou Betsy a Luther.

– Dez.

– Seu mentiroso de merda!

Luther passou-lhe uma nota de 5 coroas.

– Aqui está sua metade.

Ela deu de ombros, embolsou o dinheiro e levou o homem para cima.

– Quer tomar um drinque, Lu? – ofereceu Harald.

– Aquavita. – Seus modos não tinham melhorado. – O que você quer, afinal?

– Você é um homem com muitos contatos no porto.

– Não se dê ao trabalho de querer me enrolar, garoto – interrompeu Luther. – O que é que você quer? Um garotinho com uma bunda bonita? Cigarros baratos? Droga?

O homem do bar encheu um copinho com aquavita. Luther esvaziou-o de uma golada. Harald pagou e esperou que ele se afastasse. E disse, baixando a voz:

– Quero ir para a Suécia.

Luther estreitou os olhos.

– Por quê?

– Tem importância?

– Talvez.

– Tenho uma namorada na Suécia. Queremos nos casar – Harald começou a improvisar. – Posso conseguir um emprego na fábrica do pai dela. Ele faz coisas de couro, carteiras, bolsas e...

– Então peça permissão às autoridades para viajar.

– Pedi. Não me deram.

– Por quê?

– Não quiseram dizer.

Luther ficou pensativo por um instante e por fim disse:

– Ok, me parece um bom motivo.

– Você consegue me colocar a bordo de um navio?

– Tudo é possível. Quanto você tem?

Harald se lembrou da desconfiança de Betsy um minuto antes.

– Nada – respondeu. – Mas posso arranjar algum. Será que você pode me conseguir um navio?

– Conheço um homem a quem posso perguntar.

– Ótimo! Hoje?

– Me dá 10 coroas.

– Para quê?

– Para ir falar com esse homem. Você acha que sou um serviço público gratuito, que nem uma biblioteca?

– Falei pra você que não tinha dinheiro.

Luther sorriu, mostrando os dentes podres.

– Você pagou a bebida com 20 e recebeu 10 de troco. Passe para cá.

Harald detestava ceder a um sujeito provocador, metido a valentão, mas não tinha saída. Entregou a nota de 10 coroas.

– Espere aqui – disse Luther e saiu.

Harald esperou, bebendo a cerveja bem devagar para fazê-la durar. Ficou imaginando onde Arne estaria naquela hora. Provavelmente em uma cela do Politigaarden, sendo interrogado. Talvez por Peter Flemming, já que espionagem era o setor dele. Será que ele falaria? No princípio não, Harald tinha certeza. Seu irmão não cederia de imediato. Mas teria forças para resistir? Harald sempre sentira que havia uma parte de Arne que ele não compreendia inteiramente. E se fosse torturado? Quanto tempo se passaria até que o traísse?

Nessa hora houve uma agitação nos fundos. O último cliente de Betsy, o bêbado, caiu da escada. Betsy, que vinha atrás, levantou-o e saiu com ele, subindo os degraus para a rua.

Ela retornou com outro cliente, um homem de meia-idade de aspecto respeitável, de terno – um terno cinza velho passado com todo o cuidado. Dava a impressão de ter trabalhado a vida toda num banco sem jamais ter sido promovido. Após cruzarem o salão, Betsy perguntou a Harald:

– Onde está Lu?

– Foi falar com um homem para mim.

Ela parou e se dirigiu ao bar, onde Harald estava, deixando o bancário meio sem graça no meio do salão.

– Não se envolva com Lu, ele é um canalha.

– Não tenho escolha.

– Então aceite um conselho. – Ela baixou a voz: – Não confie nele nem um pouco. – Betsy balançou o dedo indicador como uma professora. – Cuidado com golpes pelas costas, pelo amor de Deus!

Dito isso, ela subiu a escada dos fundos na companhia do homem de terno.

A princípio Harald ficou aborrecido com Betsy por ter tanta certeza de que ele não era capaz de se cuidar. Depois disse a si próprio para não ser burro. Betsy tinha razão – ele estava pisando em terreno desconhecido. Nunca tratara com gente como Luther e não tinha ideia de como se proteger.

"Não confie nele", tinha dito Betsy. Bem, ele dera apenas 10 coroas a Luther. Não via como ele poderia enganá-lo nessa fase, embora depois pudesse vir a pegar uma soma maior e não cumprir o prometido.

"Cuidado com golpes pelas costas." Esteja preparado para traições. Harald não conseguia imaginar como Luther o trairia, mas será que não havia precauções que pudesse tomar? Ocorreu-lhe então que estava encurralado dentro daquele bar, sem uma saída pelos fundos. Talvez devesse sair e observar a entrada de longe. Podia ter um pouco mais de segurança se adotasse um comportamento menos previsível.

Bebeu o resto da cerveja e saiu, despedindo-se do homem do bar com um aceno.

Harald caminhou pelo cais, na penumbra, até onde um navio graneleiro estava atracado com amarras da grossura do seu braço. Sentou-se no topo de um cabrestante de aço e se virou para ficar olhando o clube de frente. Podia ver bem a entrada e achava que provavelmente reconheceria Luther. Luther veria que ele estava ali? Provavelmente não, por conta da pouca luz. E isso era bom, punha Harald no controle da situação. Quando Luther voltasse, se tudo parecesse bem, retornaria ao bar. Se desconfiasse de uma traição, desapareceria. Preparou-se para esperar.

Dez minutos depois, apareceu um carro da polícia.

Avançou pelo cais muito depressa, mas sem sirene. Harald se levantou. Seu instinto lhe mandava correr, mas assim chamaria atenção. Obrigou-se a sentar de novo e ficar quieto.

O carro da polícia freou ruidosamente diante do clube de jazz.

Dois homens saltaram. Um deles, o motorista, usava o uniforme da polícia. O outro trajava um terno claro. Mesmo com a falta de iluminação, Harald conseguiu reconhecer seu rosto e levou um susto. Era Peter Flemming.

Os dois tiras entraram no clube.

Harald estava prestes a sair correndo quando outra figura apareceu, encurvada, ao longo do pavimento de paralelepípedos, com um modo de andar conhecido. Era Luther. Parou a poucos metros do carro da polícia e ficou encostado no muro, como um transeunte desocupado esperando para ver o que ia acontecer.

Presumivelmente ele informara a polícia da fuga que Harald planejara para a Suécia, sem dúvida na esperança de receber uma recompensa pela informação. Como Betsy tinha sido esperta – e fora prudente Harald agir de acordo com o seu conselho.

Os policiais saíram do clube após alguns minutos. Peter Flemming foi falar com Luther. Harald podia ouvir as vozes, porque os dois discutiam furiosamente, mas estava longe demais para distinguir as palavras. Sabia, contudo, que Peter estava repreendendo Luther, que a todo instante elevava as mãos aos céus, num gesto de frustração.

Após algum tempo os policiais partiram e Luther entrou na casa noturna.

Harald se afastou rapidamente, trêmulo por ter escapado por tão pouco. Pegou a moto e foi embora. Passaria a noite no mosteiro em ruínas de Kirstenslot.

E depois, o que faria?

~

Harald contou a Karen a história completa na noite seguinte.

Os dois estavam sentados no chão da igreja abandonada enquanto a noite caía lá fora; as formas cobertas pelas lonas e as caixas em torno deles iam se transformando em fantasmas, num jogo de sombras provocado pela pouca luz que entrava. Ela cruzou as pernas, como uma estudante, e levantou a barra do traje de noite, de seda, acima dos joelhos, para ficar mais confortável. Harald acendeu seus cigarros e sentiu que estavam se tornando íntimos.

Ele contou como entrara na base de Sande e depois fingira estar dormindo enquanto o soldado alemão revistava a casa de seus pais.

– Você tem sangue-frio! – exclamou ela.

Harald ficou satisfeito com a sua admiração e alegre porque ela não foi capaz de ver, no escuro, seus olhos úmidos ao contar que o pai dissera uma mentira para salvá-lo.

Explicou a dedução de Heis de que haveria uma incursão aérea importante na próxima lua cheia e suas razões para pensar que o filme tinha que ser entregue em Londres antes disso.

Quando contou que um sargento da polícia abrira a porta da casa de Jens Toksvig para ele, Karen o interrompeu:

– Eu fui avisada – disse ela.

– Como assim?

– Um estranho se aproximou de mim na estação da estrada de ferro e me disse que a polícia sabia onde Arne estava escondido. Ele próprio era policial também, mas da Divisão de Trânsito. Por acaso soube de tudo e queria nos contar porque estava do nosso lado.

– Você não avisou Arne?

– Avisei, sim! Como eu sabia que ele estava hospedado na casa do Jens, procurei o endereço no catálogo telefônico antes de voltar para casa. Estive com Arne e disse a ele o que acontecera.

Harald achou aquilo um pouco estranho.

– O que foi que Arne disse?

– Que eu saísse primeiro e ele iria imediatamente depois de mim... mas obviamente quando saiu já era tarde demais.

– Ou o seu aviso foi um estratagema – murmurou Harald, pensativo.

– Como assim? – contrapôs ela bruscamente.

– Talvez o seu policial estivesse mentindo. Suponha que ele fosse contra nós, e não a favor. Pode tê-la seguido até a casa onde Arne estava e o prendeu no instante em que você se afastou.

– Isso é ridículo! Policiais não fazem coisas assim!

Harald deu-se conta de que mais uma vez se chocara com a fé que Karen tinha na integridade e na boa vontade das pessoas. Ou ela era excessivamente crédula, ou desmedidamente cínica – ele ainda não sabia qual era a opção correta. Aquilo fez com que se lembrasse da crença que o pai dela tinha de que os nazistas não fariam mal aos judeus dinamarqueses. Gostaria de acreditar que tanto Karen quanto o pai estavam com a razão.

– Como era o tal homem?

– Alto, bonitão, corpulento, cabelo ruivo, bom terno.

– Um terno de tweed claro, cor de mingau de aveia?

– Exatamente.

Não havia mais dúvida.

– Era Peter Flemming. – Harald não ficou ressentido com Karen: ela pensara que estava salvando Arne. Fora vítima de um estratagema esperto.

– Peter é mais espião que policial. Conheço sua família, lá de Sande.

– Não acredito em você! – exclamou ela, acalorada. – Você tem imaginação demais, Harald Olufsen!

Harald não quis discutir. Doía-lhe o coração saber que seu irmão estava preso. Arne nunca deveria ter se metido naquilo. Não era suficientemente safo para uma missão como aquela. Agora Harald não sabia se voltaria a vê-lo.

Mas havia mais vidas em jogo.

– Arne não poderá levar esse filme para a Inglaterra.

– O que é que você vai fazer com ele?

– Ainda não sei. Gostaria de levá-lo pessoalmente, mas não consigo imaginar como.

Aproveitou para contar sua incursão no clube de jazz e detalhou a participação de Betsy e Luther.

– E talvez eu também não consiga ir sequer à Suécia – concluiu. – Provavelmente serei preso por não ter os documentos certos.

Fazia parte do tratado de neutralidade do governo sueco com a Alemanha de Hitler que os dinamarqueses que viajassem ilegalmente para a Suécia fossem presos.

– Não me incomodo de me arriscar, mas preciso de um plano com alguma chance de sucesso.

– Tem de haver um jeito. Como é que Arne ia levar?

– Não sei, ele não me contou.

– Isso não foi muito esperto...

– Vendo agora, em perspectiva, sim, foi tolice, mas ele provavelmente pensou que quanto menos gente soubesse, mais seguro estaria.

– Mas alguém deve saber.

– Bem, Poul devia ter um jeito de se comunicar com os britânicos, mas faz parte da natureza dessas coisas serem mantidas em sigilo.

Ficaram em silêncio por algum tempo. Harald estava deprimido. Teria arriscado a vida por nada?

– Quais são as últimas notícias? – perguntou. Sentia falta do seu rádio.

– A Finlândia declarou guerra à União Soviética. A Hungria também.

– Os abutres sentindo o cheiro da carniça – disse Harald.

– É de enlouquecer ficar aqui sentada sem poder fazer nada enquanto os nazistas nojentos conquistam o mundo. Eu só queria que houvesse alguma coisa que a gente pudesse fazer.

Harald tocou na latinha do filme que estava no bolso da calça.

– Isto faria muita diferença se eu pudesse entregar em Londres em menos de dez dias. Uma enorme diferença.

Karen deu uma olhada no Hornet Moth.

– É uma pena que ele não voe.

Harald avaliou o trem de pouso danificado e o tecido rasgado da fuselagem.

– Eu talvez conseguisse consertá-lo. Mas, como só tive uma aula, não sei pilotá-lo.

Karen ficou pensativa.

– Hum – murmurou por fim. – Mas eu sei.

CAPÍTULO VINTE

ARNE OLUFSEN MOSTROU-SE surpreendentemente resistente ao interrogatório.

Peter Flemming interrogou-o no dia da prisão e no seguinte, mas ele afirmou ser inocente e não revelou segredos. Peter ficou desapontado. Esperava que a resistência de Arne, um bon-vivant, fosse quebrada tão facilmente quanto uma taça de champanhe.

Não teve mais sorte com Jens Toksvig.

Chegou a pensar em prender Karen Duchwitz, mas tinha certeza de que ela era periférica naquele caso. Além do mais, seria mais útil se ela ficasse andando livremente: afinal, até então ela já o tinha levado a dois espiões.

Arne era o suspeito principal. Tinha todas as conexões: era amigo de Poul Kirke, conhecia a ilha de Sande, tinha uma noiva inglesa, fora a Bornholm, que ficava perto da Suécia, e se livrara do policial que o seguia.

A prisão de Arne e Jens recolocara Peter nas boas graças do general Braun. Só que agora ele queria saber mais: como o círculo de espiões operava, quem mais pertencia a ele, que meios usavam para se comunicar com a Inglaterra. Peter prendera um total de seis espiões, mas nenhum deles falara. O caso não terminaria enquanto um não cedesse e revelasse tudo. Peter precisava quebrar a resistência de Arne.

Ele planejou o terceiro interrogatório cuidadosamente.

Às quatro horas da madrugada de domingo irrompeu na cela de Arne acompanhado por dois policiais uniformizados. Acordaram o prisioneiro acendendo uma lanterna na sua cara e gritando, depois o arrancaram da cama e o levaram para a sala de interrogatório.

Peter sentou-se na única cadeira, atrás de uma mesa barata, e acendeu um cigarro. Arne, pálido e assustado, vestia o pijama da prisão. Da metade da coxa até a canela tinha a perna esquerda envolta em ataduras, mas podia ficar em pé – as duas balas disparadas por Peter haviam danificado os músculos sem causar fraturas.

– Seu amigo Poul Kirke era um espião – começou Peter.

– Eu não sabia disso – replicou Arne.

– Por que você foi a Bornholm?

– Para aproveitar uns dias de folga.

– Por que um homem inocente, aproveitando uns dias de folga, iria fugir da vigilância da polícia?

– Porque esse homem inocente talvez não goste de ser seguido por um monte de enxeridos.

Arne tinha mais fibra que Peter esperara, a despeito da hora e do rude despertar.

– Mas, na verdade, eu não notei que havia gente me seguindo – prosseguiu Arne. – Se, como você diz, eu me evadi da vigilância policial, foi sem querer. Talvez o seu pessoal seja incompetente.

– Mentira. Você se livrou deles deliberadamente. Eu sei, eu fazia parte da equipe.

Arne deu de ombros.

– Isso não me surpreende, Peter. Você nunca foi muito inteligente quando menino. Fomos juntos à escola, lembra? Na verdade, houve um tempo em que éramos muito amigos.

– Até que o mandaram para Jansborg, onde você aprendeu a desrespeitar a lei.

– Não. Nós fomos amigos até nossas famílias brigarem.

– Por causa da maldade do seu pai.

– Pensei que tivesse sido porque seu pai andou sonegando impostos.

Não fora assim que Peter planejara o interrogatório. Resolveu mudar a linha de abordagem:

– Com quem você se encontrou em Bornholm?

– Ninguém.

– Você andou por lá alguns dias e não falou com ninguém?

– Peguei uma garota.

Arne não falara nisso nos interrogatórios anteriores. Peter teve certeza de que era mentira. Talvez agora pudesse pegá-lo.

– Qual era o nome dela?

– Annika.

– Sobrenome?

– Não perguntei.

– Quando voltou para Copenhague, você foi se esconder.

– Esconder? Estava hospedado com um amigo.

– Jens Toksvig, outro espião.

– Ele não me disse nada disso – retrucou Arne. – Esses espiões têm mania de guardar segredo de tudo...

Peter ficou desanimado ao ver que Arne não cedera depois de tanto tempo preso. Insistia em sustentar sua história, que era improvável, mas não impossível. Começou a temer que ele nunca fosse falar e disse a si próprio que aquilo era apenas um embate preliminar. Continuou pressionando:

– Quer dizer então que você não tinha ideia de que a polícia estivesse à sua procura?

– Não.

– Nem mesmo quando um agente policial o perseguiu no Tivoli?

– Deve ter sido outra pessoa. Nunca fui perseguido por um policial.

Agora foi a vez de Peter ser sarcástico:

– Você por acaso não viu nenhum dos mil cartazes com o seu rosto que foram espalhados pela cidade?

– Acho que deixei passar.

– Então por que mudou sua aparência?

– Eu mudei minha aparência?

– Raspou o bigode.

– Disseram que eu estava parecido com Hitler.

– Quem disse?

– A garota que conheci em Bornholm, Anne.

– Você disse que o nome dela era Annika.

– Eu a chamava de Anne para encurtar.

Tilde Jespersen entrou com uma bandeja. O cheiro da torrada quente fez Peter salivar. Ele imaginou que estivesse produzindo o mesmo efeito em Arne. Tilde serviu o chá, sorriu para Arne e perguntou:

– Aceita um pouco?

Ele fez que sim com a cabeça.

– Não – cortou Peter.

Tilde deu de ombros.

A cena tinha sido uma farsa. Tilde fazia de conta que estava sendo delicada na esperança de que Arne se abrisse com ela.

Tilde trouxe outra cadeira e sentou-se para tomar seu chá. Peter comeu uma torrada com manteiga demoradamente. Arne teve de ficar em pé, assistindo.

Peter retomou o interrogatório quando acabou de comer:

– Encontrei na sala de Poul desenhos que representavam uma instalação militar localizada na ilha de Sande.

– Estou chocado – comentou Arne.

– Se ele não houvesse morrido, teria enviado aqueles desenhos para os ingleses.

– Ele podia ter uma explicação inocente para eles, se não tivesse sido baleado por um idiota sempre pronto a disparar.

– Foi você quem fez aqueles desenhos?

– Claro que não.

– Você é de Sande. Seu pai é pastor de uma igreja naquela ilha.

– Você também é de Sande. Seu pai tem um hotel lá, onde os nazistas, nas folgas, se embriagam com aquavita.

Peter ignorou a provocação.

– Quando eu o vi em Sankt Pauls Gade, você correu. Por quê?

– Porque você tinha uma arma. Não fosse por isso, eu teria dado um soco na sua cara feia, tal como fiz atrás da agência dos Correios há doze anos.

– Eu derrubei você atrás dos Correios.

– Mas eu me levantei de novo. – Arne virou-se para Tilde com um sorriso. – A família de Peter e a minha têm uma rixa há muitos anos. Esse é o verdadeiro motivo pelo qual ele me prendeu.

Peter ignorou mais esse comentário.

– Quatro noites atrás houve um alerta de segurança na base. Alguma coisa perturbou os cães de guarda. As sentinelas viram alguém correndo pelas dunas na direção da igreja do seu pai.

Enquanto falava, Peter observava o rosto de Arne. Até aquele ponto ele não demonstrara surpresa em nenhum momento.

– Era você?

– Não.

Arne estava dizendo a verdade, concluiu Peter, que continuou:

– A casa do seu pai foi revistada.

Peter viu um vago sinal de medo nos olhos de Arne. Ele não tinha tomado conhecimento daquilo.

– Os guardas procuraram um estranho. Encontraram um jovem deitado na cama, dormindo, mas o pastor disse que era o filho dele. Era você?

– Não, eu não vou em casa desde o domingo de Pentecostes.

Mais uma vez, Peter concluiu que ele estava falando a verdade.

– Duas noites atrás, seu irmão Harald voltou à Jansborg Skole.

– De onde foi expulso por maldade sua.

– Foi expulso porque desgraçou a escola!

– Por pintar uma gaiatice na parede? – Mais uma vez Arne se virou para

Tilde. – O superintendente da polícia decidiu libertar meu irmão sem acusações, mas Peter foi à escola e insistiu para que o expulsassem. Vê como ele odeia a minha família?

– Ele invadiu o laboratório de química e usou a câmara escura para revelar um filme.

Os olhos de Arne se arregalaram. Sem dúvida nenhuma aquilo era novidade para ele. No mínimo, estava desconcertado.

– Por sorte, foi descoberto por outro menino. Eu soube disso pelo pai do garoto, que por acaso é um cidadão leal que acredita na lei e na ordem.

– Um nazista?

– Era seu o filme, Arne?

– Não.

– O diretor diz que o filme consistia de retratos de mulheres nuas e afirma que o confiscou e queimou. Está mentindo, não está?

– Não faço ideia.

– Acredito que as fotografias fossem da instalação militar de Sande.

– É mesmo?

– As fotos eram suas, não eram?

– Não.

Peter sentiu que estava pelo menos começando a intimidar Arne e pressionou para aumentar a sua vantagem:

– Na manhã seguinte um rapaz apareceu na casa de Jens Toksvig. Um de nossos agentes atendeu, um sargento de meia-idade, não um dos gigantes intelectuais da força. O rapaz fingiu ter batido no endereço errado, à procura de um médico, e o nosso homem foi crédulo o bastante para acreditar nele. Mas era mentira. O rapaz era seu irmão, não era?

– Tenho certeza absoluta de que não era – respondeu Arne, mas com ar assustado.

– Harald estava trazendo o filme revelado para você.

– Não.

– Naquela noite uma mulher, que disse chamar-se Hilde, telefonou de Bornholm para a casa de Jens Toksvig. Você não disse que tinha apanhado uma garota chamada Hilde?

– Não, Anne.

– Quem é Hilde?

– Nunca ouvi falar.

– Talvez seja um nome falso. Poderia ter sido sua noiva, Hermia Mount?

– Ela está na Inglaterra.

– Quanto a isso você está enganado. Andei conversando com as autoridades de imigração suecas. – Fora difícil obter a cooperação dos suecos, mas no fim Peter conseguira a informação que queria. – Hermia Mount chegou a Estocolmo, de avião, dez dias atrás e ainda não foi embora.

Arne fingiu surpresa, mas não foi convincente.

– Não sei de nada disso – contestou, mas em tom demasiadamente suave. – Não tenho notícias dela há mais de um ano.

Se fosse verdade, ele teria ficado atônito e chocado ao saber que Hermia estava na Suécia e possivelmente também estivera, ou estava, na Dinamarca. Sem dúvida nenhuma, Arne estava mentindo. Peter continuou:

– Na mesma noite, ou seja, anteontem, um rapaz conhecido como "Estudante" foi a um clube de jazz situado na zona portuária, onde se encontrou com um criminoso de segunda linha chamado Luther Gregor e pediu ajuda para fugir para a Suécia.

Arne parecia horrorizado.

– Era Harald, não era? – insistiu Peter.

Arne nada disse.

Peter se recostou na cadeira. Arne estava seriamente abalado, mas a verdade é que conseguira apresentar uma defesa engenhosa. Tinha explicações para tudo que Peter dissera. Pior ainda, estava habilmente usando a hostilidade pessoal existente entre eles em seu benefício, ao afirmar ter havido intenção dolosa na sua prisão. Frederik Juel podia ser inocente o bastante para acreditar nisso. Peter ficou preocupado.

Tilde serviu chá em uma caneca e deu-a a Arne sem consultar Peter. Peter nada disse: tinham planejado tudo aquilo. Arne pegou a caneca com mão trêmula e bebeu sequiosamente.

Ela esperou um pouco antes de falar, em um tom de voz bondoso:

– Arne, você está metido nessa história até as orelhas. Mas não se trata mais só de você. Você envolveu seus pais, sua noiva e seu irmão mais moço. Harald está seriamente encrencado. Se isso não terminar logo, ele vai acabar enforcado como espião... e a culpa terá sido sua.

Arne segurou a caneca com ambas as mãos, sem dizer nada, parecendo confuso e amedrontado. Peter achou que ele podia estar fraquejando.

– Podemos entrar num acordo – prosseguiu Tilde. – Conte-nos tudo e tanto você quanto seu irmão Harald escaparão da pena de morte. Não precisa acreditar em mim, o general Braun estará aqui dentro de alguns minutos e ele próprio vai garantir que vocês permanecerão vivos. Mas primeiro tem que nos dizer onde está Harald. Caso contrário, você morrerá e seu irmão também.

Dúvida e medo surgiram no rosto de Arne. Houve um longo silêncio. Até que por fim ele pareceu chegar a uma decisão. Estendeu o braço e colocou a caneca na bandeja. Olhou para Tilde e depois encarou Peter.

– Vá para o inferno – murmurou.

Peter pôs-se em pé num pulo.

– É você quem vai para o inferno! – berrou, derrubando, com um chute, a cadeira em que estava sentado. – Será que não entende o que está lhe acontecendo?

Tilde se levantou e saiu sem fazer barulho.

– Se você não disser o que sabe para nós, será entregue à Gestapo – continuou Peter, furioso. – Os homens da Gestapo não vão oferecer chá nem fazer perguntas polidas. Vão arrancar suas unhas e acender palitos de fósforo na sola dos seus pés. Vão prender eletrodos nos seus lábios e jogar água fria em você para que os choques sejam mais dolorosos. Vão tirar sua roupa e bater em você com martelos. Vão esmagar os ossos dos seus tornozelos e joelhos para você nunca mais poder andar, e mesmo assim continuarão batendo, não deixando que desmaie, mantendo-o consciente e gritando de dor. Você vai implorar para que o deixem morrer, mas eles não deixarão... não enquanto você não falar. E você vai falar. Meta isso na sua cabeça. No fim, *todo mundo fala*.

– Eu sei – Arne limitou-se a dizer, lívido.

Peter ficou surpreso com a segurança e a resignação visíveis por trás do medo. O que significava aquilo?

A porta se abriu e o general Braun entrou. Eram seis horas e Peter o esperava: o aparecimento era parte da encenação. Braun era o perfeito retrato da eficiência fria em seu uniforme impecável com uma pistola no coldre. Como sempre, seus pulmões danificados transformaram sua voz num quase sussurro:

– Este é o homem a ser mandado para a Gestapo?

Arne moveu-se com rapidez, apesar do ferimento.

Peter estava olhando para o outro lado, na direção de Braun, e só viu um borrão quando Arne pegou a bandeja do chá. O pesado bule de cerâmica voou pelo ar e bateu na lateral da cabeça de Peter, derramando chá no seu rosto. Quando secou os olhos, ele viu Arne investir contra Braun. Arne movia-se desajeitadamente por causa do ferimento na perna, mas derrubou o general. Peter pôs-se em pé num pulo, mas também foi muito lento. No segundo em que o alemão ficou arquejando no chão, Arne abriu o coldre e sacou a pistola.

Ele apontou a arma para Peter, empunhando-a com ambas as mãos.

Peter ficou imóvel. A pistola era uma Luger 9mm. Tinha oito balas no carregador que ficava no punho – mas estaria municiada? Ou Braun a usava só como uma espécie de demonstração de força?

Arne permaneceu sentado, mas recuou até encostar na parede.

A porta ainda estava aberta. Tilde entrou perguntando:

– O que...?

– Quieta! – berrou Arne.

Peter, aflito, gostaria de saber até que ponto Arne estava familiarizado com armas. Ele era militar, mas na Força Aérea talvez não tivesse tido muita chance de praticar.

Como a responder à pergunta que não fora formulada, Arne puxou para trás a trava de segurança, do lado esquerdo da pistola, com um movimento que todos puderam ver.

Atrás de Tilde, Peter viu os dois policiais uniformizados que tinham escoltado Arne.

Nenhum dos quatro policiais estava armado. Era estritamente proibido andar armado na área das celas, exatamente para impossibilitar que algum prisioneiro fizesse o que Arne acabara de fazer. Braun, contudo, não se considerava sujeito aos regulamentos e ninguém tivera coragem de lhe pedir a pistola.

Agora Arne tinha todos à sua mercê.

– Você não pode escapar, e sabe disso – falou Peter. – Este é o maior quartel de polícia da Dinamarca. Você vai ter que nos derrubar, mas há dezenas de policiais armados aí fora. Não vai conseguir passar por todos.

– Eu sei.

Mais uma vez Peter percebeu um agourento tom de resignação na voz de Arne.

– E você pretende matar tantos policiais dinamarqueses inocentes? – perguntou Tilde.

– Não, não pretendo.

Tudo então começou a fazer sentido. Peter se lembrou das palavras de Arne quando o baleara: “Seu porco estúpido, você devia ter me matado!”

Isso combinava com a atitude fatalista que Arne exibira desde que fora preso. Tinha medo de trair os amigos – e mais ainda de trair o irmão.

De repente Peter soube o que ia acontecer a seguir. Arne vira que o único jeito de ficar completamente em segurança seria morrendo. Peter, contudo, queria que ele fosse torturado pela Gestapo e revelasse seus segredos. Não podia deixá-lo morrer.

A despeito da Luger apontada contra seu peito, Peter se lançou sobre Arne.

Arne não atirou nele. Ao contrário, virou a arma e comprimiu a boca do cano na pele macia do pescoço, sob o queixo.

Peter saltou sobre ele.

Houve um único disparo.

Peter arrancou a Luger da mão de Arne, mas era tarde demais. Um jato de sangue jorrou da tampa do crânio de Arne, imprimindo uma espécie de leque vermelho na parede às suas costas. Peter caiu em cima de Arne e parte daquela mistura manchou o seu rosto. Ele rolou para longe e, com alguma dificuldade, pôs-se em pé.

O rosto de Arne ficou estranhamente inalterado. O dano foi todo na parte de trás da cabeça e o rosto ainda exibia o mesmo sorriso irônico do instante em que ele levara a arma ao pescoço. Alguns instantes depois, ele caiu de lado, com a parte despedaçada do crânio deixando uma mancha escarlate na parede. Seu corpo caiu no chão com um baque. E ficou imóvel.

Peter limpou o rosto com a manga do casaco.

O general Braun se levantou, lutando para respirar.

Tilde se inclinou e pegou a pistola.

Todos olharam para o corpo de Arne.

– Sujeito corajoso – disse o general Braun.

CAPÍTULO VINTE E UM

QUANDO HARALD ACORDOU, sabia que alguma coisa maravilhosa tinha acontecido, mas por um momento não conseguiu se lembrar do que se tratava. Continuou deitado no nicho do altar onde dormia, enrolado no cobertor de Karen, com Pinetop, o gato, enrodilhado sobre o peito, e esperou que a memória voltasse a funcionar. A impressão que tinha era a de que a coisa maravilhosa estava misturada com algo preocupante, mas ele estava tão animado que não se importava com o perigo.

Tudo voltou de uma vez só à sua mente: Karen concordara em levá-lo para a Inglaterra pilotando o Hornet Moth.

Harald sentou-se de repente, desalojando Pinetop, que pulou para o chão com um miado indignado.

Por um lado, ele e Karen correriam grande perigo; se fossem apanhados, seriam presos e mortos. Por outro, a ideia de que passariam horas juntos, só os dois, o deixava muito feliz. Não que ele pensasse que aconteceria algo romântico. Sabia que ela estava fora do seu alcance, mas não podia fazer nada quanto ao que sentia a seu respeito. Mesmo que nunca fosse beijá-la, ficava entusiasmado só de pensar no longo tempo em que estariam juntos. Não só pela viagem, embora esse ponto fosse o clímax, mas também pelo período que antecederia o voo, já que teriam de passar alguns dias trabalhando na aeronave.

Só que o plano dependia inteiramente de ele ser ou não capaz de consertar o Hornet Moth. Na noite anterior, dispondo apenas da luz de uma lanterna, não conseguira fazer uma análise detalhada. Agora que o sol nascente brilhava através das janelas altas da igreja, poderia avaliar a magnitude da tarefa.

Lavou-se na torneira de água fria que ficava num canto, vestiu-se e começou a inspeção.

A primeira coisa que notou foi um pedaço comprido de uma corda forte amarrado no trem de pouso. Para que serviria? Depois de pensar um pouco, concluiu que só podia ser para rebocar a aeronave quando o motor estivesse desligado. Com as asas dobradas, era difícil encontrar um ponto a partir do qual fosse possível empurrar o aparelho, e a corda possibilitava que o puxassem como uma carroça.

Justo nesse instante Karen chegou.

Estava vestida de maneira esportiva, de short e sandálias, mostrando as pernas compridas e fortes. O cabelo cacheado acabara de ser lavado e parecia uma nuvem de cobre em torno da cabeça. Harald pensou que os anjos deviam ser assim. Que enorme tragédia seria se ela viesse a morrer na aventura que tinham pela frente.

Era cedo demais para pensar em morrer, disse para si próprio. Não tinha nem começado a reparar o avião. E a tarefa, à luz clara da manhã, parecia bastante desencorajadora.

Como Harald, Karen estava pessimista. Na véspera ficara entusiasmada com o desafio. Pela manhã, aquilo tudo lhe parecia mais sombrio.

– Estive pensando sobre remendar esse troço – disse ela. – Não sei se é possível, especialmente em dez dias... nove agora.

Harald foi invadido pela rebeldia que sempre se apossava dele quando lhe diziam que não era capaz de fazer alguma coisa.

– Veremos – disse.

– Você está com aquela cara – observou ela.

– Que cara?

– Que mostra que você não quer ouvir o que está sendo dito.

– Não tenho caras – disse ele, irritado.

Ela riu.

– Seus dentes estão trincados, os cantos da boca virados para baixo e a testa franzida.

Harald não conseguiu conter o sorriso e, na verdade, ficou feliz por ela ter notado sua expressão.

– Assim é melhor – disse ela.

Ele começou a examinar o Hornet Moth com olhos de engenheiro. Ao vê-lo pela primeira vez, achara que as asas estivessem quebradas. Arne explicara que elas se dobravam para que pudessem ser guardadas com mais facilidade. Harald examinou as juntas que as prendiam à fuselagem.

– Acho que posso reinstalar as asas.

– É fácil. Thomas, o nosso instrutor, fazia isso toda vez que tirava o avião. Só leva alguns minutos.

Ela tocou na asa mais próxima.

– Mas o tecido está em mau estado.

As asas e a fuselagem eram feitas de madeira coberta por um pano tratado com alguma tinta especial. Na superfície externa, Harald pôde ver os pontos com linha grossa nos locais em que o tecido ficava preso nas vigas da estrutura. A tinta estava rachada e era possível que o tecido tivesse alguns rasgos.

– São apenas danos superficiais – disse Harald. – Têm importância?

– Têm. Os furos no tecido podem interferir no fluxo do ar nas asas.

– Então precisamos remendar. Estou mais preocupado com o trem de pouso.

O aparelho provavelmente sofrera um acidente qualquer, uma aterrissagem desastrada como a que Arne descrevera. Harald se ajoelhou para examinar mais de perto. O eixo das rodas, de aço maciço, parecia ter dois pinos que se encaixavam em suportes com formato em V. O conjunto de peças que formavam os Vs era feito de tubos de aço ovalados, e os dois braços de um dos conjuntos tinham sofrido enrugamento e empenos nos seus pontos mais frágeis, próximos à junção com o eixo das rodas. Davam a impressão de que quebrariam facilmente. Um terceiro suporte, que para Harald parecia funcionar como um amortecedor, aparentava estar em perfeitas condições. Mas o trem de pouso estava fraco demais para aguentar uma aterrissagem.

– Fui eu – disse Karen.

– Você bateu?

– Aterrissei com vento cruzado e o avião guinou. A ponta da asa bateu no chão.

– Você teve medo?

– Não, só me senti uma idiota, mas Tom disse que isso não era raro com os Hornet Moth. Na verdade, confessou que ele mesmo passou por isso uma vez.

Harald fez que sim com a cabeça, concordando. Aquilo batia com o que Arne dissera. Mas havia algo no jeito como Karen se referiu ao instrutor que o fez ficar com ciúme.

– Por que nunca consertaram o avião?

– Não temos instalações aqui. – Ela indicou com um gesto a bancada e o quadro de ferramentas. – Tom fazia pequenos reparos e era bom com o motor, mas isto aqui não é uma oficina metalúrgica e não temos nem equipamento de solda. Depois papai teve um ataque do coração, nada muito grave. Ele está bem, mas jamais conseguirá uma licença para pilotar e perdeu o interesse pelas aulas. Por isso o serviço nunca foi feito.

Saber daquilo tudo era desencorajador para Harald. Como iria trabalhar com metal? Ele foi examinar a ponta da asa que batera no chão.

– Parece que não quebrou – disse. – Posso consertá-la com facilidade.

– Não se pode garantir – retrucou ela, pessimista. – Uma das longarinas de madeira pode ter sofrido uma sobrecarga interna. Não dá para dizer só olhando de fora. E, se houver um ponto fraco em uma asa, o avião vai cair.

Harald estudou o estabilizador horizontal da cauda. A metade de trás era articulada e se deslocava para baixo e para cima. Lembrava um profundor. O leme vertical se deslocava para a direita e para a esquerda. Examinando mais detidamente, viu que os movimentos de ambos eram controlados por cabos de aço que emergiam da fuselagem. Só que os cabos tinham sido cortados e removidos.

– O que aconteceu com o cabo?

– Pelo que me lembro, foi usado para consertar uma outra máquina.

– Isso vai ser um problema.

– Só estão faltando os últimos três metros de cada cabo, os pedaços que correm para a frente até o tensor na porta inferior da fuselagem, lá pela altura do painel externo de acesso. O resto era muito difícil de alcançar.

– Mesmo assim, são 12 metros, e não temos como comprar cabos, ninguém consegue peças sobressalentes para nada. Claro que esse foi o motivo pelo qual os cabos foram canibalizados.

Harald começava a ficar com medo, mas, deliberadamente, procurou se mostrar animado:

– Bem, vamos ver o que mais há de errado.

Ele se encaminhou para o nariz do avião. Encontrou duas linguetas do lado direito da fuselagem, girou-as e abriu o capô, que era feito de um metal que parecia lata, mas que provavelmente era alumínio. Estudou o motor.

– É um quatro cilindros em linha – disse Karen.

– Sim, mas parece estar de cabeça para baixo.

– Comparando com um motor de automóvel, sim. O eixo de manivelas fica em cima. Assim a hélice fica mais alta e é mais difícil bater no chão.

Harald ficou espantado com os conhecimentos técnicos de Karen. Ele jamais conhecera uma garota que soubesse o que era um eixo de manivelas.

– Como era esse Tom? – perguntou, esforçando-se ao máximo para não deixar transparecer, no tom de voz, o ciúme que sentia.

– Ele era um grande professor, paciente, mas encorajador.

– Você teve um caso com ele?

– Por favor! Eu tinha 14 anos!

– Aposto como você teve uma paixonite por ele.

Ela ficou ofendida.

– Suponho que você ache que essa seria a única razão pela qual uma garota iria se interessar por motores.

Harald realmente pensava assim, mas negou:

– Não, não. Só notei que você se referia a ele de um jeito afetuoso. Não é da minha conta. Estou vendo que o motor é resfriado a ar.

Não havia radiador, mas os cilindros tinham aletas de refrigeração.

– Acho que todos os motores de avião são refrigerados a ar, para reduzir o peso.

Harald passou para o outro lado e abriu o capô à direita. As mangueiras de gasolina e óleo pareciam firmemente presas, sem sinais exteriores de danos. Abriu a tampa do tanque de óleo e checou a vareta. Ainda havia um pouco de óleo no cárter.

– Parece em ordem. Vamos ver se o motor pega.

– É mais fácil com duas pessoas. Você senta aí dentro e eu giro a hélice.

– Será que a bateria não arriou depois de todos esses anos?

– Não há bateria. A eletricidade vem de dois magnetos, que são acionados pelo próprio motor. Vamos entrar na cabine e eu lhe mostrarei o que fazer.

Karen abriu a porta e na mesma hora deu um grito e caiu para trás – nos braços de Harald. Era a primeira vez que ele tocava seu corpo e sentiu uma espécie de choque elétrico. Karen não se deu conta de que estavam abraçados e Harald sentiu-se culpado por estar desfrutando um abraço absolutamente fortuito como aquele. Colocou-a em pé rapidamente e se afastou.

– Você está bem? O que aconteceu?

– Camundongos.

Ele abriu a porta de novo. Dois camundongos pularam lá de dentro e desceram pelas calças de Harald até o chão. Karen fez um ruído de nojo.

Havia buracos no estofamento de pano de um dos assentos e Harald concluiu que ali ficava o ninho dos intrusos.

– Este problema pode ser resolvido rapidamente – disse ele.

Produziu um som agudo com os lábios e Pinetop apareceu, na esperança de ganhar comida. Harald pegou o gato e colocou-o dentro da cabine.

De repente Pinetop ficou energizado. Disparou a correr de um lado para outro e Harald pensou ter visto o rabinho de um camundongo desaparecer dentro de um buraco sob o banco esquerdo por onde corria um tubo de cobre. Pinetop pulou em cima do banco e passou para a prateleira de bagagens na parte de trás, sem pegar um único camundongo. Depois investigou os buracos no estofamento e encontrou um filhote, que começou a comer com grande delicadeza.

Harald notou que na prateleira de bagagens havia dois livros pequenos. Esticou o braço no interior da cabine e pegou-os. Eram manuais, um do Hornet Moth e outro do motor que o impulsionava, um Gipsy Major. Eufórico, mostrou-os a Karen.

– Mas e os camundongos? – disse ela. – Odeio camundongos.

– Pinetop os expulsou. No futuro deixarei as portas da cabine abertas para que ele possa entrar e sair. Pinetop os manterá afastados.

Harald abriu o manual do Hornet Moth.

– O que ele está fazendo agora?

– Pinetop? Oh, está comendo os filhotes. Olhe só estes diagramas! Isto é formidável!

– Harald! – gritou Karen. – Que nojo! Vá lá e faça-o parar!

Ele ficou surpreso.

– O que é que há?

– É nojento!

– É natural.

– Não me interessa se é natural ou não.

– Qual é a alternativa? – contrapôs Harald, impaciente. – Temos que acabar com o ninho. Posso tirar os filhotes de lá com minhas mãos e jogá-los no mato, mas ainda assim Pinetop os comerá, a menos que as aves os peguem antes.

– É tão cruel.

– São *camundongos*, pelo amor de Deus!

– Será que você não consegue entender? Não vê que odeio isso?

– Entendo, sim. Só acho que é bobagem...

– Ah, você não passa de um engenheiro burro que só pensa em como as coisas funcionam e nunca no sentimento dos outros.

Com essas palavras, ele ficou injuriado.

– Não é verdade.

– É verdade, sim – exclamou ela e saiu pisando forte.

Harald ficou atônito.

– De que diabo você está falando? – exclamou em voz alta.

Ela realmente acreditava que ele era um engenheiro burro que nunca considerava os sentimentos dos outros. Muito injusto.

Subiu num caixote para espiar por uma das janelas. Viu Karen marchando decididamente pelo caminho que levava ao castelo. Em dado momento pareceu mudar de ideia e se meteu no bosque. Harald chegou a pensar em segui-la, mas desistiu.

No primeiro dia da grande colaboração os dois tinham brigado. Que chance eles teriam de chegar à Inglaterra?

Voltou para junto da aeronave. Podia tentar dar partida no motor para ver se conseguiam fazê-lo pegar. Se Karen desistisse, encontraria outro piloto.

As instruções estavam no manual.

"Calce as rodas e puxe o freio de mão."

Não encontrou os calços, mas achou duas caixas com sucata e empurrou-as com força de encontro às rodas. Localizou a alavanca do freio de mão na porta da esquerda e puxou-a até sentir que estava totalmente presa.

Pinetop, saciado, estava sentado no banco, lambendo as patas.

– A moça acha que você é nojento – disse Harald.

O gato fez uma cara de desdém e pulou da cabine.

"Acione a gasolina (controle na cabine)."

Harald abriu a porta e se encostou na cabine, que era tão pequena que lhe permitia alcançar os controles mesmo estando do lado de fora. O indicador de gasolina ficava parcialmente escondido entre o encosto dos dois assentos. A seu lado havia um seletor encaixado em uma ranhura. Harald moveu-o de "Off" para "On".

"Afogue o carburador comandando as alavancas que ficam em qualquer dos lados das bombas do motor. O fluxo de combustível se dará pelo acionamento da válvula do carburador."

O capô da esquerda ainda estava aberto e ele localizou imediatamente as duas bombas de gasolina, das quais se projetava uma pequena alavanca. A válvula do carburador foi mais difícil de identificar, mas ele acabou achando que devia ser um anel equipado com uma mola de reposicionamento. Puxou o anel e acionou uma das alavancas para cima e para baixo. Não tinha como dizer se o que estava fazendo produziria algum efeito. Pelo que sabia, o tanque podia estar seco.

Sentia-se desanimado desde o afastamento de Karen. Por que era tão desajeitado com ela? Ansiava desesperadamente ser amável e encantador e fazer o que fosse necessário para agradá-la, mas não conseguia descobrir o que ela desejava. Por que as garotas não podiam ser mais parecidas com motores?

"Coloque o acelerador na posição 'fechado', ou quase."

Ele detestava manuais incapazes de definir exatamente o que queriam que a pessoa fizesse. Afinal, era fechar tudo ou deixá-lo ligeiramente aberto?

Encontrou o acelerador, uma alavanca na cabine um pouco à frente da porta da esquerda. Pensando em seu voo num Tiger Moth duas semanas antes, lembrou-se de que Poul Kirke tinha colocado o acelerador a cerca de 1 centímetro da extremidade onde estava marcado "Off". O Hornet Moth devia ser similar. Tinha uma escala gravada que ia de 1 a 10, marcação que o Tiger Moth não tinha. Na base do palpite, Harald colocou o acelerador no número 1.

"Direcione as chaves para a posição 'On'."

Harald encontrou no painel duas chaves marcadas simplesmente "On" e "Off". Achou que deviam ligar os dois magnetos. Harald as colocou na posição "On".

"Gire a hélice."

Harald postou-se em pé na frente do avião e segurou uma das pás da hélice. Puxou-a para baixo com toda a sua força. Quando ela finalmente girou, emitiu um estalo forte e voltou a parar.

Tentou de novo. Dessa vez foi mais fácil. Outro estalido.

Na terceira vez ele deu um puxão vigoroso, na esperança de que o motor pegasse.

Nada aconteceu.

Tentou de novo. A hélice passou a girar mais facilmente e clicava a cada vez, mas o motor permaneceu silencioso e parado.

– Não quer pegar? – perguntou Karen.

Harald olhou para ela, espantado. Não esperava vê-la de novo naquele dia. Ficou exultante, mas respondeu com naturalidade:

– Muito cedo para dizer... estou começando agora.

Ela parecia arrependida.

– Desculpe por eu ter saído daquela maneira.

Aquele era um lado da Karen que Harald ainda desconhecia. Ele sempre pensara que ela fosse orgulhosa demais para pedir desculpas.

– Tudo bem – disse ele.

– Foi aquela história do gato comendo os filhotes de camundongo. Não pude aguentar. Mas sei que é bobagem pensar em camundongos enquanto homens como Poul estão perdendo a vida.

Era exatamente o que Harald pensava, mas ficou quieto.

– Em todo caso, Pinetop não está aí agora.

– Não me espanta o motor não pegar – disse ela, voltando para os problemas práticos, como Harald fazia quando se sentia envergonhado, pensou ele. – Ele não é posto para funcionar há pelo menos três anos.

– Pode ser um problema de combustível. Depois de dois invernos a água deve ter se condensado no tanque. Mas o combustível flutua e deve estar por cima. Pode ser que a gente consiga drenar a água – disse ele, consultando de novo o manual.

– É melhor desligarmos as chaves dos magnetos, por medida de segurança – disse Karen. – Deixe que eu desligo.

Harald viu no manual que havia um painel sob a fuselagem que dava acesso à torneira de drenagem do combustível. Ele pegou uma chave de parafusos no estojo de ferramentas, deitou-se no chão e se arrastou por baixo da aeronave para desaparafusar o painel. Karen se deitou ao seu lado e ele foi lhe passando os parafusos. Ela tinha um cheiro bom, uma mistura de pele morna e xampu.

Quando o painel saiu, Karen lhe entregou uma chave inglesa. A torneira do dreno era colocada num lugar estranho, ficando ligeiramente mais para um lado da janela de acesso. Harald só queria ter sido o responsável pela fabricação daquele aparelho. Certamente ele teria obrigado os engenheiros preguiçosos a executar um bom trabalho. A certa altura não pôde mais ver a torneira do dreno e teve que trabalhar às cegas.

Abriu a torneira bem devagar, mas, apesar do cuidado que teve, assustou-se com o súbito jorro de líquido gelado na mão. Retirou-a rapidamente, batendo com os dedos entorpecidos na beirada da janela de acesso. Para sua intensa irritação, com o susto, deixou cair o vedador do dreno.

Desanimado, ele ouviu o barulho do vedador rolando para o interior da fuselagem. O combustível jorrava pelo dreno. Harald e Karen nada puderam fazer senão esquivar-se do esguicho e depois esperar até que o sistema se esvaziasse e o cheiro de gasolina impregnasse a igreja.

Harald amaldiçoou o capitão de Havilland e os descuidados engenheiros ingleses que tinham projetado o avião.

– Agora estamos sem combustível – disse ele, amargurado.

– Podíamos tirar um pouco do Rolls-Royce – sugeriu Karen.

– Não é gasolina de aviação.

– O Hornet Moth funciona com gasolina de automóvel.

– É mesmo? Eu não sabia. – Harald animou-se de novo. – Muito bem, vamos ver se conseguimos recuperar aquele vedador.

O vedador devia ter rolado até esbarrar numa travessa. Harald enfiou o braço pela janela de inspeção, mas não conseguiu ir longe o suficiente. Karen pegou uma escova de aço na bancada e recuperou o vedador com ela. Harald recolocou o vedador no dreno.

Em seguida precisaram tirar o combustível do carro. Harald achou um funil e um balde limpo, enquanto Karen usou um alicate pesado para cortar um pedaço de uma mangueira de jardim. Eles levantaram o capô do Rolls-Royce. Karen desatarraxou a tampa do tanque de gasolina e enfiou a mangueira nele.

– Quer que eu faça? – perguntou Harald.

– Não. É minha vez.

Adivinhando que ela queria demonstrar ser capaz de fazer o trabalho sujo, especialmente depois do incidente dos camundongos, Harald ficou onde estava, só observando.

Karen levou a ponta da mangueira aos lábios e sugou. Quando a gasolina chegou à sua boca, ela desviou rapidamente a mangueira para o balde, ao mesmo tempo que fazia um monte de caretas e cuspia. Harald não conseguiu tirar os olhos do rosto dela. Milagrosamente, não ficava feia nem mesmo quando apertava os olhos e contraía a boca. Karen percebeu que ele a observava.

– O que é que está olhando? – perguntou.

– Você, é claro – respondeu ele. – Você é tão bonita quando está cuspindo!

Harald percebeu imediatamente que tinha revelado mais seus sentimentos do que tencionara e esperou uma resposta dura, mas ela se limitou a rir.

Ele só a tinha chamado de bonita, claro, o que não era nenhuma novidade para Karen. Mas falara afetuosamente, e as garotas sempre reparam no tom de voz que os rapazes usam, especialmente quando eles não querem que elas reparem. Se tivesse ficado aborrecida, teria demonstrado com um olhar de reprovação ou um gesto impaciente da cabeça. Mas, ao contrário, parecia ter ficado satisfeita – quase, pensou Harald, como se tivesse se alegrado ao saber que ele gostava dela.

Harald sentiu que tinha dado um primeiro grande passo.

O balde se encheu e a mangueira secou. Tinham esvaziado o tanque do carro. Só havia uns poucos litros de gasolina no balde, avaliou Harald, mas era o suficiente para testar o motor. Ele não tinha ideia de onde iam conseguir o combustível necessário para atravessar o mar do Norte.

Harald carregou o balde para perto do Hornet Moth. Levantou a tampa do bocal e desatarraxou a tampa do tanque, que tinha um gancho para pendurá-la no bocal. Karen segurou o funil enquanto Harald despejava o balde.

– Não sei onde vamos conseguir mais gasolina – disse Karen. – Certamente não podemos comprar.

– De quanto precisamos?

– A capacidade do tanque é de 130 litros. Mas há outro problema. O alcance do Hornet Moth é de 960 quilômetros... em condições ideais.

– E é mais ou menos essa a distância daqui até a Inglaterra.

– Dessa forma, se as condições não forem as ideais, por exemplo, se encontrarmos ventos de proa, o que não é improvável...

– Cairemos no mar.

– Exatamente.

– Um problema de cada vez – disse Harald. – Ainda não demos partida no motor.

Karen sabia o que fazer.

– Vou encher o carburador de gasolina – disse.

Harald acionou o botão que controlava a passagem de gasolina, levando-o da posição "Off" para "On".

Karen acionou o mecanismo de injeção de gasolina até que viu o combustível gotejar e exclamou:

– Ligar magnetos!

Harald acionou os interruptores dos magnetos e verificou se o afogador ainda estava na posição quase aberta.

Karen pegou a hélice e puxou-a para baixo. Mais uma vez ouviu-se um clique bem nítido, estridente mesmo.

– Ouviu isso? – perguntou ela.

– Ouvi.

– É o motor de arranque. É como se sabe que está funcionando, pelo clique.

Ela girou a hélice uma segunda vez e depois uma terceira. Finalmente deu um puxão poderoso e recuou agilmente.

O motor deu um estouro que ecoou na igreja e morreu.

Harald vibrou.

– Por que você está tão satisfeito? – quis saber Karen.

– Porque o motor funcionou! Não pode estar tão ruim quanto parece.

– Mas não pegou.

– Vai pegar, vai pegar. Tente de novo.

Ela girou a hélice mais uma vez, mas com o mesmo resultado. A única mudança foi que as bochechas de Karen tornaram-se atraentemente coradas com o esforço.

Após uma terceira tentativa, Harald desligou os interruptores.

– O combustível está fluindo livremente agora – disse. – Está me parecendo que o problema esteja na ignição. Precisamos de algumas ferramentas.

– Aqui tem um estojo de ferramentas.

Karen meteu a mão dentro da cabine e levantou uma almofada de forma a revelar a existência de um compartimento grande debaixo do banco. Do seu interior ela tirou uma bolsa de lona com tiras de couro.

Harald abriu a bolsa e pegou uma chave de cabeça cilíndrica montada sobre uma junta giratória, projetada para operar contornando cantos.

– Uma chave de velas universal – disse ele. – O capitão de Havilland fez uma coisa certa.

Havia quatro velas no lado direito do motor. Harald removeu uma e examinou-a. Havia óleo nos eletrodos. Karen pegou um lencinho rendado no bolso do short e limpou a vela. Depois achou um calibrador no estojo de ferramentas e mediu a folga. Por fim recolocou a vela no lugar. Repetiram a operação com as três velas restantes.

– Há outras quatro do outro lado – disse Karen.

Embora o motor só tivesse quatro cilindros, tinha dois magnetos, cada um operando no seu próprio conjunto de velas – uma medida de segurança, presumiu Harald. As do lado esquerdo foram mais difíceis de remover porque ficavam atrás de duas placas difusoras de arrefecimento que tiveram de ser retiradas antes.

Depois que todas as velas foram verificadas, Harald removeu as tampas de baquelite e examinou os pontos de contato. Finalmente removeu o distribuidor de cada magneto e limpou o lado de dentro com o lencinho de Karen, a essa altura transformado num trapo imundo.

– Bem – disse ele –, já fizemos todas as coisas óbvias. Se não pegar agora é porque o problema é sério.

Karen injetou gasolina no carburador de novo e depois girou a hélice vagarosamente por três vezes. Harald abriu a porta da cabine e acionou os interruptores dos magnetos. Ela acionou então a hélice uma última vez, com mais força, e recuou.

O motor virou, tossiu e hesitou. Harald, que estava em pé junto à porta, com a cabeça na cabine, empurrou o afogador. O motor, com um rugido, mostrou que ainda estava vivo.

Harald soltou um grito de triunfo quando a hélice girou, mas mal pôde ouvir a própria voz. O ronco do motor ecoava nas paredes da igreja e fazia um barulho ensurdecedor. Ele viu o rabo de Pinetop desaparecer por uma janela.

Karen se aproximou, o cabelo loucamente eriçado pelo vento gerado pela hélice. Em seu entusiasmo, Harald abraçou-a.

– Conseguimos! – gritou ele.

Ela retribuiu o abraço, para sua imensa alegria, e depois disse qualquer coisa. Harald balançou a cabeça para indicar que não a ouvira. Karen se aproximou deliciosamente e falou dentro da sua orelha. Ele sentiu os lábios dela roçarem o seu rosto e só conseguiu pensar em como seria fácil beijá-la naquele instante.

– Temos que desligar, antes que alguém escute! – gritou Karen.

Harald lembrou então que aquilo não era uma brincadeira e que o propósito de reparar a aeronave era uma perigosa missão secreta. Pôs a cabeça dentro da cabine, retornou o afogador para a posição fechada e desligou os magnetos. O motor parou.

Quando o barulho cessou, o interior da igreja devia ter ficado em silêncio, mas não ficou. Um som estranho vinha de fora. A princípio Harald pensou que seus ouvidos ainda estivessem registrando o ronco do motor, mas aos poucos percebeu que se tratava de outra coisa. De qualquer modo, não conseguiu acreditar nos seus ouvidos, porque parecia o barulho de pés em marcha.

Karen olhou para ele, seu rosto estampando confusão e medo.

Os dois se viraram ao mesmo tempo e correram para as janelas. Harald pulou em cima do caixote que usara antes como calço para espiar por cima dos altos peitoris. Deu a mão a Karen, que pulou para ficar ao seu lado. Juntos, os dois viram do que se tratava.

Era uma tropa de cerca de trinta soldados alemães subindo o caminho da entrada do castelo.

A princípio ele imaginou que estivessem à sua procura, mas rapidamente viu que não devia se tratar de uma caçada humana. A maioria dos soldados, inclusive, parecia estar desarmada. Junto com eles vinha uma carroça pesada puxada por quatro cavalos cansados que parecia carregada com material de acampamento. O pelotão passou direto pelo mosteiro e seguiu em frente.

– Que diabo será isso? – exclamou ele.

– Eles não podem entrar aqui!

Os dois olharam todo o interior da igreja. A entrada principal, do lado oeste, consistia de duas enormes portas de madeira. Era por ali que o Hornet devia ter entrado, com as asas dobradas. Por ali também Harald entrara com a moto. Tinha uma fechadura imensa do lado de dentro, com uma chave gigantesca, além de uma trave de madeira que descansava em dois apoios laterais.

Havia apenas uma outra entrada: a portinha lateral que conduzia ao claustro. Era a porta que Harald normalmente usava. Tinha uma fechadura, mas ele nunca vira uma chave que a trancasse.

– Podíamos fechar a portinha com tábuas – sugeriu Karen – e depois entrar e sair pelas janelas, como Pinetop.

– Temos martelo e pregos... Só precisamos de uma tábua.

Num lugar tão cheio de sucata devia ser fácil encontrar uma tábua forte, mas, para decepção de Harald, não havia nada que servisse. Por fim ele pegou uma das prateleiras presas na parede acima da bancada. Colocou-a na diagonal e pregou-a firmemente à moldura da porta.

– Dois homens serão capazes de arrombar esta porta sem muito esforço – disse ele. – Mas pelo menos ninguém vai entrar aqui por acaso e, sem querer, dar de cara com o nosso segredo.

– Mas podem olhar pela janela – lembrou Karen. – Basta encontrar algo em que possam subir.

– Vamos esconder a hélice. – Harald pegou a lona que haviam tirado do Rolls-Royce. Juntos a passaram por cima do nariz do Hornet Moth. Era tão grande que chegou a cobrir a cabine.

Recuaram um pouco.

– Continua a parecer que é um avião com o nariz coberto e as asas dobradas – disse Karen.

– Para você, sim. Mas você já sabe o que é. Uma pessoa que esteja só dando uma olhada pela janela vai ver um depósito de sucata.

– A menos que por acaso seja um homem da Força Aérea.

– Não era a Luftwaffe aí fora, era?

– Não sei, Harald. É melhor eu sair para ver se descubro.

CAPÍTULO VINTE E DOIS

Hermia tinha passado mais anos de sua vida na Dinamarca que na Inglaterra, mas de repente viu-se em um país estrangeiro. As ruas tão familiares de Copenhague tinham agora um ar hostil e ela sentia que perdera a ligação de antes. Andava depressa, como uma fugitiva, nas mesmas ruas em que caminhara com a despreocupação das crianças, inocente e descuidada, de mãos dadas com o pai. E não eram só os pontos de verificação de identidade, os uniformes alemães, os Mercedes cinza-esverdeados. Até mesmo a polícia dinamarquesa a deixava sobressaltada.

Tinha amigos na cidade, mas não fez contato com ninguém. Tinha medo de expor outras pessoas ao perigo. Poul morrera, Jens estava provavelmente preso e ela não sabia o que acontecera com Arne. Era como se estivesse amaldiçoada.

Sentia-se exausta e dolorida por causa da viagem de barca durante a noite e estava doente de preocupação. O angustiante passar das horas – que tornava a lua cheia cada vez mais próxima – fez com que ela elevasse ao máximo seu nível de cautela.

A casa de Jens Toksvig na Sankt Pauls Gade era de um só andar, rés de calçada, no meio de uma fileira de casas idênticas. A de número 53 parecia estar vazia. Ninguém se aproximou da sua porta, exceto o carteiro. Na véspera, quando Hermia telefonara de Bornholm, a casa estava ocupada no mínimo por um policial, mas já deviam tê-lo retirado de lá.

Hermia observou também os vizinhos. De um lado havia uma casa em péssimo estado, ocupada por um casal jovem com um filho – o tipo de gente que devia ser tão absorta na própria vida que não podia se interessar pela vizinhança. Mas, do outro lado, havia uma casa recentemente pintada e com cortinas onde estava uma senhora de idade que aparecia frequentemente na janela.

Depois de observar durante três horas, Hermia se aproximou da casa das cortinas e bateu.

Uma mulher gorda de uns 60 anos usando um avental atendeu. A primeira coisa que viu foi a maleta que Hermia carregava.

– Nunca compro nada na porta de casa – foi logo dizendo. Sorriu com um jeito superior, como se sua recusa fosse marca de distinção social.

Hermia retribuiu o sorriso.

– Eu soube que o número 53 talvez venha a ser alugado – disse.

A atitude da vizinha mudou.

– Ah! – disse, com interesse. – Procurando casa para morar, não é?

– Exatamente. – A mulher era enxerida, como Hermia esperara que fosse. Entrando no jogo dela, Hermia acrescentou:

– Vou me casar. – O olhar da mulher foi automaticamente para a mão esquerda de Hermia e esta lhe mostrou o anel de noivado.

– Muito bonito. Bem, devo lhe dizer que será um alívio ter uma família de respeito como vizinha de porta, depois de todas essas idas e vindas.

– Idas e vindas?

– Isso aí era um ninho de espiões – disse a velha, baixando a voz.

– É mesmo?

A outra cruzou os braços sobre o busto comprimido pelo corpete.

– Foram presos na quarta-feira, todo o grupo.

Hermia sentiu um arrepio de medo, mas continuou fingindo-se interessada nos boatos.

– Meu Deus! Quantos?

– Não sei dizer quantos eram exatamente. Havia o locatário, o jovem Toksvig, que eu não tomaria como um malfeitor, apesar de não ser sempre respeitoso para com os mais velhos como deveria. Nos últimos tempos parece que foi morar lá também um aviador, um rapaz bonito, embora não falasse muito. Mas havia muita gente entrando e saindo o tempo todo, em grande parte tipos que pareciam ser militares.

– E eles foram presos na quarta-feira?

– Naquela mesma calçada ali em frente, onde você pode ver agora o cocker spaniel do Sr. Schmidt levantando a perna para fazer xixi no poste. Houve um tiroteio.

Hermia gemeu de susto e cobriu a boca com a mão.

– Oh, não!

A velha assentiu com a cabeça, satisfeita com as reações provocadas pela sua história e sem suspeitar de que podia estar falando a respeito do homem a quem Hermia amava.

– Um policial de trajes civis atirou em um dos comunistas. Com uma pistola – acrescentou, desnecessariamente.

Hermia teve tanto medo do que podia vir a descobrir que mal conseguiu falar. Teve que forçar três palavras:

– Quem foi ferido?

– Na verdade eu não vi pessoalmente o que houve – confessou a mulher, lamentando ter perdido toda a cena. – Aconteceu de eu estar na casa da minha prima na Fischers Gade, onde fui pegar um molde para um cardigã. Não foi o Sr. Toksvig, isso posso assegurar, porque a Sra. Eriksen, na loja, viu tudo e disse que foi um homem que ela não conhecia.

– Ele... ele morreu?

– Ah, não, a Sra. Eriksen acha que foi ferido na perna. Seja como for, ele gritou de dor quando os homens da ambulância o levantaram para colocá-lo na maca.

Hermia não teve dúvidas de que fora Arne o baleado. Parecia sentir o ferimento da bala ela própria. Estava arquejante e aturdida. Precisava sair de perto daquela velha enxerida que contava uma história trágica daquelas com tanta satisfação.

– Tenho que ir andando – disse. – Que coisa mais terrível!

Virou-se e saiu caminhando.

– De qualquer modo, acho que a casa será alugada muito em breve.

Hermia foi embora sem prestar atenção.

Ela foi dobrando esquinas de modo aleatório até parar em um café, onde sentou-se para pôr em ordem seus pensamentos. Uma taça de chá de ervas quente ajudou-a a se recuperar do choque. Tinha que descobrir o que acontecera a Arne e onde ele estava agora. Mas primeiro precisava de um lugar para passar a noite.

Conseguiu um quarto em um hotel barato na zona do cais do porto. Era um lugar de categoria inferior, mas a porta do quarto tinha uma tranca forte. Lá pela meia-noite uma voz pastosa do lado de fora da porta perguntou se queria beber alguma coisa e ela saltou da cama para escorar a porta com uma cadeira de encontro à maçaneta.

Passou a maior parte da noite sem dormir, imaginando se Arne seria mesmo o homem baleado na Sankt Pauls Gade. Se tivesse sido ele, qual seria a gravidade do ferimento? Caso contrário, teria sido preso com os demais ou já estaria em liberdade? A quem poderia perguntar? Podia entrar em contato com a família de Arne, mas eles provavelmente nada saberiam e morreriam de susto se lhes perguntasse se ele tinha sido baleado. Ela conhecia muitos dos amigos do noivo, mas os que tinham maior probabilidade de saber o que acontecera deviam estar mortos, presos ou escondidos.

Nas primeiras horas da manhã, ocorreu-lhe que havia uma pessoa que, quase certamente, saberia se Arne tinha sido preso: seu comandante.

Quando o sol raiou, foi para a estação de trem e embarcou para Vodal.

Enquanto o trem ia se arrastando rumo ao sul, parando em cada lugarejo pacato, ela ia pensando em Digby. A essa altura ele já teria voltado para a Suécia e esperado impacientemente, no cais de Kalvsby, que ela chegasse com Arne e o filme. O pescador voltaria sozinho e diria a Digby que Hermia não aparecera no ponto de encontro combinado. Digby ficaria sem saber se ela tinha sido capturada ou se havia simplesmente se atrasado. Ficaria tão preocupado por sua causa quanto ela por causa de Arne.

Hermia achou que a Escola de Aviação estava com um clima terrível. Não havia aeronaves nem no chão nem no céu. Umas poucas máquinas estavam em processo de manutenção e, em um dos hangares, alguns alunos eram apresentados às entranhas de um motor. Ela foi conduzida ao prédio do comando.

Tinha que dar seu nome verdadeiro, pois havia pessoas ali que a conheciam. Pediu para ver o comandante da base, acrescentando:

– Diga a ele que é uma amiga de Arne Olufsen.

Sabia que estava se arriscando. Já fora apresentada ao comandante Renthe e se lembrava dele como um homem alto e magro, com bigode. Não tinha ideia de sua orientação política. Se acontecesse de ser pró-nazistas, ela talvez se desse mal. Renthe podia pegar um telefone e denunciar que uma inglesa aparecera e fazia perguntas. Mas ele gostava de Arne, como tanta gente, e a esperança de Hermia era de que, por causa do noivo, ele não a denunciasse. Foi admitida imediatamente e Renthe logo a reconheceu.

– Meu Deus, você é a noiva de Arne! – exclamou. – Pensei que tivesse voltado para a Inglaterra.

Renthe se apressou em fechar a porta, o que era um bom sinal, pois, se desejava privacidade, certamente não ia querer alertar a polícia – pelo menos não de imediato.

Hermia decidiu não explicar sua presença na Dinamarca. Ele que tirasse suas conclusões.

– Estou tentando descobrir onde Arne está – disse ela. – Receio que ele esteja metido em alguma encrenca.

– É pior que isso – disse Renthe. – É melhor que você se sente.

Hermia permaneceu em pé.

– Por quê? Por que devo me sentar? O que aconteceu?

– Ele foi preso na quarta-feira passada.

– Só foi preso?

– Foi baleado e ferido ao tentar escapar da polícia.
– Então foi ele.
– Como?
– Uma vizinha disse que um deles tinha sido baleado. Como ele está?
– Por favor, minha cara, sente-se.
Dessa vez Hermia sentou-se.
– Está mal, não é?
– Olhe – Renthe hesitou –, sinto muitíssimo por ter que lhe dizer que Arne está morto.
Hermia deixou escapar um grito de angústia. No fundo do coração sabia que Arne talvez tivesse morrido, mas a possibilidade de perdê-lo era tão pavorosa que não quisera pensar nela. Agora a confirmação do que tanto temera deu-lhe a impressão de ter sido esmagada por um trem.
– Não – disse ela. – Não é verdade.
– Ele morreu enquanto estava sob custódia da polícia.
– O quê? – Foi com enorme esforço que Hermia se obrigou a escutar. – Ele morreu no quartel-general da polícia?
Uma terrível possibilidade veio-lhe à cabeça.
– Eles o torturaram?
– Acho que não. Parece que, a fim de não dar informações sob tortura, ele deu cabo da própria vida.
– Oh, meu Deus!
– Sacrificou-se para proteger os amigos, acho.
A imagem de Renthe pareceu embaçada; só então Hermia se deu conta de que o estava vendo por entre as lágrimas que lhe escorriam pelo rosto. Antes que conseguisse encontrar um lenço, Renthe passou-lhe o seu. Ela se secou, mas as lágrimas continuaram a escorrer.
– Acabo de saber o que aconteceu – acrescentou Renthe. – Ainda preciso pegar o telefone e avisar os pais de Arne.
Hermia conhecia bem o pastor e sua esposa. Achava o pai do noivo uma pessoa difícil de lidar; parecia-lhe que só era capaz de se relacionar com as pessoas se as dominasse – e subserviência era algo de que Hermia queria distância. Ele amava os filhos, mas expressava seu amor estabelecendo regras. Quanto à mãe de Arne, a lembrança mais vívida de Hermia era a de suas mãos eternamente vermelhas e rachadas de tanto estarem metidas na água, lavando roupas, preparando verduras e esfregando o chão. Lembrar dos pais de Arne fez com que os pensamentos de Hermia se

desviassem da própria perda e ela sentiu uma onda de compaixão. Eles sofreriam muito.

– Não o invejo por ser o portador de uma notícia tão ruim – disse para Renthe.

– É verdade. O primogênito deles.

O comentário fez com que Hermia se lembrasse do outro filho, Harald. Pensou em algumas diferenças entre os irmãos: Harald era louro, Arne era moreno; Harald era mais sério, mais intelectual, não tinha o charme que caracterizava Arne, mas também era atraente a seu modo. Arne tinha lhe dito que ia conversar com Harald sobre a melhor maneira de entrar sem ser visto na base de Sande. Até que ponto Harald sabia o que se passava? Será que tinha se envolvido?

Sua cabeça voltava a se ocupar de questões práticas, mas Hermia sentia-se oca. O estado de choque em que estava permitiria que seguisse adiante com a vida, mas tinha a forte impressão de que nunca mais voltaria a ser como antes.

– O que mais a polícia lhe contou? – perguntou a Renthe.

– Oficialmente, disseram apenas que ele morreu enquanto prestava informações e que "não houve envolvimento de nenhuma outra pessoa", o que é o eufemismo que usam para suicídio. Mas um amigo que tenho no Politigaarden me disse que Arne se matou para evitar que o entregassem à Gestapo.

– Encontraram alguma coisa em poder dele?

– Como assim?

– Fotografias, por exemplo?

Renthe ficou tenso.

– Meu amigo não falou nada, e é perigoso para nós discutirmos essa possibilidade. Srta. Mount, eu gostava de Arne, e por esse motivo gostaria muito de ajudá-la, mas, por favor, lembre-se de que, como oficial do Exército, jurei lealdade ao rei da Dinamarca, cujas ordens são para que cooperemos com a força de ocupação. Quaisquer que sejam minhas opiniões pessoais, não posso aprovar atos de espionagem, e mais, se eu pensasse que há alguém envolvido em tal atividade, seria meu dever relatar esses fatos a quem de direito.

Hermia aquiesceu. O aviso não poderia ter sido mais claro.

– Agradeço a sua franqueza, comandante. – Ela se levantou, enxugando o rosto. Lembrou-se de que o lenço era dele e acrescentou: – Vou lavar seu lenço e o mando de volta depois.

– Nem pense nisso – ele contornou a mesa e colocou as mãos sobre seus ombros. – Sinceramente, sinto muitíssimo pelo que houve. Aceite os meus mais profundos sentimentos.

– Muito obrigada. – Ela agradeceu e foi embora.

Assim que pisou do lado de fora da escola, as lágrimas recomeçaram. O lenço de Renthe transformou-se num trapo molhado. Nunca imaginara que fosse capaz de chorar tanto. Vendo tudo distorcido pela tela de lágrimas, conseguiu dar um jeito de caminhar até a estação ferroviária.

Vazia, mas calma, foi como se sentiu ao pensar no que devia fazer em seguida. A missão que matara Poul e Arne não fora realizada. Ainda tinha que conseguir as fotos do equipamento de radar existente na ilha de Sande antes da próxima lua cheia. Mas agora havia um motivo adicional – vingança. Levar a cabo aquela tarefa seria a mais dolorosa retribuição que podia infligir aos homens que haviam provocado a morte de Arne. E tinha agora um novo trunfo a ajudá-la: não se preocupava mais com a própria segurança. Sentia-se pronta para enfrentar qualquer risco. Caminharia pelas ruas de Copenhague com a cabeça erguida – e infeliz de quem tentasse detê-la.

Mas o que, exatamente, iria fazer?

O irmão de Arne podia ser a solução. Harald provavelmente saberia se Arne voltara a Sande antes que a polícia o pegasse e podia inclusive saber se Arne estava com as fotos quando foi preso. Além do mais, ela sabia onde procurar Harald.

Pegou o trem de volta para Copenhague, mas a viagem foi tão vagarosa que quando chegou era tarde demais para outra viagem. Foi dormir no mesmo hotel barato da outra noite, com a porta trancada contra bêbados com inclinações sexuais, e chorou até cair no sono. Na manhã do dia seguinte tomou o primeiro trem para a aldeia suburbana de Jansborg.

"A meio caminho de Moscou" era o que dizia a manchete do jornal que ela comprou na estação. Os nazistas tinham avançado de maneira assombrosa. Em apenas uma semana tinham tomado Minsk, a capital da Bielorrússia, e se encontravam diante de Smolensk, já 320 quilômetros em solo soviético.

A lua cheia seria dali a dez dias.

Ela disse à secretária do diretor da escola que era noiva de Arne Olufsen e foi conduzida ao seu gabinete imediatamente. O homem que tinha sido o responsável pela educação de Arne e Harald mais parecia uma girafa de óculos, olhando por cima do nariz comprido para o mundo lá embaixo.

– Então você é a futura esposa de Arne – disse, amável. – É um imenso prazer conhecê-la.

Ele parecia não ter conhecimento da tragédia. Sem preâmbulo, Hermia perguntou:

– Não soube da notícia?

– Notícia? Não sei se...

– Arne está morto.

– Oh, meu Deus! – Ele arriou o corpo pesadamente na cadeira.

– Achei que o senhor talvez soubesse.

– Não, não. Quando foi que aconteceu?

– Ontem de manhã, em um quartel da polícia de Copenhague. Ele se suicidou para não ser interrogado pela Gestapo.

– Que coisa horrível!

– Isso quer dizer que o irmão dele ainda não sabe?

– Não tenho ideia. Harald não está mais aqui.

Ela ficou surpresa.

– Por que não?

– Lamento dizer que ele foi expulso.

– Pensei que ele fosse um dos alunos mais brilhantes!

– Sim, mas se comportou mal.

Hermia não tinha tempo para discutir indisciplinas escolares.

– Onde ele está agora?

– Acho que na casa dos pais. – Heis franziu a testa. – Por que pergunta?

– Eu gostaria de falar com ele.

Heis ficou pensativo.

– A respeito de alguma coisa em particular?

Hermia hesitou. A prudência mandava que não dissesse nada a Heis sobre sua missão, mas suas duas últimas perguntas davam a entender que ele sabia de alguma coisa.

– Arne podia estar de posse de algo que era meu quando foi preso – disse.

Heis fingiu que a sua pergunta fora casual, mas segurava a borda da mesa com tanta força que os nós dos dedos estavam brancos.

Ela hesitou de novo, mas resolveu se arriscar:

– Umas fotos.

– Ah...

– Isso significa alguma coisa para o senhor?

– Sim.

Hermia se perguntou se Heis confiaria nela. Ela podia ser uma detetive passando-se por noiva de Arne.

– Arne morreu por causa daquelas fotos. Estava tentando fazer com que chegassem às minhas mãos.

Heis aquiesceu e pareceu ter chegado a uma decisão.

– Depois que Harald foi expulso, voltou à escola uma noite e invadiu a sala escura do gabinete fotográfico no laboratório de química.

Hermia deixou escapar um suspiro de satisfação. Harald revelara o filme.

– O senhor viu as fotos?

– Vi, sim. Eu disse a todo mundo que eram fotos de mocinhas em poses sensuais, mas isso foi apenas uma desculpa. Eram retratos de uma instalação militar.

Hermia ficou entusiasmada. As fotos tinham sido tiradas. A missão fora bem-sucedida, até certo ponto. Mas onde estava o filme? Teria havido tempo para Harald entregá-lo a Arne? Nesse caso, estava agora nas mãos da polícia e o sacrifício de Arne fora por nada.

– Quando Harald fez isso?

– Quinta-feira passada.

– Arne foi preso na quarta-feira.

– Então as fotos ainda estão com Harald.

– Exatamente. – Hermia ficou animadíssima.

A morte de Arne não fora em vão. O filme crucial ainda andava por aí, em algum lugar. Ela se levantou.

– Muito obrigada pela sua ajuda.

– Você vai a Sande?

– Vou. Para encontrar Harald.

– Boa sorte – desejou Heis.

CAPÍTULO VINTE E TRÊS

O EXÉRCITO ALEMÃO TINHA um milhão de cavalos. Na maioria das divisões havia uma companhia de veterinária, dedicada a tratar de animais feridos ou doentes, encontrar forragem e resgatar animais fugidos. Uma dessas companhias tinha sido designada para estacionar em Kirstenslot.

Isso representava a maior falta de sorte para Harald. Os oficiais se instalaram no castelo e cerca de cem homens foram alojados no mosteiro em ruínas. O velho claustro, ao lado da igreja onde Harald tinha seu esconderijo, fora transformado em hospital para cavalos.

O Exército fora persuadido a não usar a igreja. Karen suplicara ao pai para negociar isso, dizendo que não queria que os soldados danificassem os tesouros da sua infância ali guardados. O Sr. Duchwitz ressaltara para o comandante da tropa, o capitão Kleiss, que a sucata existente na antiga igreja deixava pouco espaço para ser utilizado pelo pessoal dele. Depois de espiar por uma janela – Harald estava fora, depois de ter sido avisado por Karen –, Kleiss concordou que permanecesse fechada. Como compensação, requisitara três quartos para oficiais no castelo, e assim ficaram combinados.

Os alemães eram polidos, amáveis – e curiosos. Além de todas as dificuldades que Harald enfrentava para reparar o Hornet Moth, agora tinha que fazer tudo bem debaixo do nariz dos soldados.

Ele estava retirando as porcas que prendiam a forquilha do eixo empenado. Seu plano era retirar a seção danificada e levá-la para a oficina do fazendeiro Nielsen. Se ele deixasse, Harald faria o conserto lá. Enquanto isso, a terceira perna, intacta, com o amortecedor, sustentaria o peso da aeronave parada.

O freio provavelmente estava danificado, mas Harald não ia se preocupar com freios. Eram usados principalmente na hora de taxiar e Karen lhe dissera que podia se virar sem eles.

Harald trabalhava olhando para as janelas de dois em dois minutos, na expectativa de ver a qualquer momento o rosto do capitão Kleiss, com o grande nariz e o queixo saliente, que lhe davam uma expressão beligerante. Mas não apareceu ninguém e em poucos minutos Harald tinha nas mãos o suporte em forma de V.

Subiu num caixote para dar uma olhada pela janela. A face leste da igreja era parcialmente tapada por uma castanheira que se encontrava em plena floração. Aparentemente não havia ninguém por perto. Harald passou o suporte empenado pela janela, largou-o no chão do outro lado e pulou em seguida.

Para além da castanheira dava para ver o amplo gramado que se estendia diante do castelo. Os soldados tinham montado quatro grandes barracas e lá estacionaram viaturas, jipes e reboques para cavalos, além de um caminhão-tanque de gasolina. Uns poucos homens podiam ser vistos passando de uma barraca para outra, mas era de tarde e a maioria dos integrantes da companhia estava longe, cumprindo missões, trazendo e levando cavalos para a estação ferroviária, negociando feno com fazendeiros ou então tratando cavalos doentes em Copenhague e outras cidades.

Harald pegou o suporte e saiu andando rapidamente em direção ao bosque. Quando virou na lateral da igreja, viu o capitão Kleiss.

O capitão era um homem grande, com ar agressivo, e estava em pé, com os braços cruzados e as pernas afastadas, falando com um sargento. Os dois se viraram ao mesmo tempo e olharam diretamente para Harald.

Harald sentiu a súbita náusea do medo. Iria ser preso tão cedo? Parou, com vontade de dar meia-volta, e percebeu que sair correndo seria altamente incriminador. Hesitou e seguiu em frente, sabendo que seu comportamento parecia suspeito e que estava carregando parte do trem de pouso de um aeroplano. Fora surpreendido em flagrante e só lhe restava apelar para um blefe. Tentou segurar o suporte empenado com displicência, como se fosse uma raquete de tênis ou um livro.

Kleiss dirigiu-se a ele em alemão:

– Quem é você?

Ele engoliu em seco, tentando permanecer calmo.

– Harald Olufsen – falou.

– E o que é isso que está carregando?

– Isto? – Harald podia ouvir os batimentos do próprio coração enquanto pensava desesperadamente numa mentira que fosse plausível. – É, hum... – ele sentiu que corava, mas foi salvo por um sopro de inspiração: – ...parte do conjunto cortador de uma ceifadeira.

Só depois que falou é que se deu conta de que um camponês dinamarquês com pouco estudo não devia falar bem o alemão. Esperou, ansioso, para ver se Kleiss seria sagaz a ponto de perceber esse detalhe.

– O que há de errado com a máquina? – perguntou Kleiss.

– Atingiu uma pedra que empenou a estrutura.

Kleiss pegou a peça. Harald tinha esperança de que o capitão não soubesse o que tinha nas mãos. A especialidade do homem eram os cavalos e não havia motivo para que ele soubesse identificar uma peça de um trem de pouso. Harald conteve a respiração, aguardando o veredicto. Finalmente Kleiss devolveu a peça empenada.

– Está bem, vá em frente – disse.

Harald entrou no bosque.

Quando se viu fora das vistas de Kleiss, parou e se recostou numa árvore. Tinha sido um momento horroroso. Achou até que fosse vomitar, mas conseguiu conter a reação.

Ele recuperou o controle. Podia haver outros momentos como aquele. Teria que se acostumar.

Harald continuou andando. O tempo estava quente, mas nublado, uma combinação de verão terrivelmente comum na Dinamarca, onde nenhum ponto fica longe do mar. Ao se aproximar da fazenda, foi pensando em como o velho Nielsen deveria estar furioso com ele por ter saído sem avisar depois de ter trabalhado apenas por um dia.

Encontrou o velho fazendeiro no pátio, olhando com cara de poucos amigos para um trator de cujo motor se desprendia uma coluna de vapor.

Nielsen dirigiu-lhe um olhar hostil.

– O que você quer, seu fujão?

Mau começo.

– Desculpe ter saído sem dar uma explicação – disse Harald. – Fui chamado a casa de repente pelos meus pais e não tive tempo para falar com o senhor antes de sair.

Nielsen não perguntou qual tinha sido a emergência.

– Não posso me dar ao luxo de pagar trabalhadores em quem não posso confiar.

Harald sentiu-se mais esperançoso. Se dinheiro era o que preocupava o velho mesquinho, o problema estava resolvido. Ele que ficasse com o dinheiro.

– Não estou lhe pedindo que me pague.

Nielsen se limitou a resmungar qualquer coisa, mas pareceu um pouco mais aberto a ouvi-lo.

– O que é que você quer, então?

Harald hesitou. Aquela era a parte difícil. Não queria abrir muito o jogo com Nielsen.

– Um favor – disse.

– De que tipo?

Harald mostrou-lhe a peça empenada do trem de pouso.

– Eu gostaria de usar sua oficina para consertar uma peça da minha motocicleta.

Nielsen o encarou, espantado.

– Por Deus, você é atrevido, rapaz.

Eu sei que sou, pensou Harald.

– É muito importante – alegou. – Talvez o senhor possa me deixar usar sua oficina como pagamento pelo dia que trabalhei.

– Talvez. – Nielsen hesitou, obviamente relutante em fazer algo que beneficiasse Harald, mas a ideia de não ter de pagar pelos serviços de Harald falou mais alto. – Está bem. Pode usar – disse por fim.

Harald disfarçou a alegria que sentiu.

E Nielsen acrescentou:

– Desde que você conserte primeiro este trator.

Harald gritou mentalmente. Não queria perder uma hora com um trator tendo tão pouco tempo para trabalhar no Hornet Moth. Mas era apenas um radiador fervendo.

– Tudo bem – concordou.

Nielsen saiu pisando forte para ver se encontrava outra coisa que o fizesse reclamar da vida.

Logo o vapor parou de sair e Harald conseguiu examinar o motor. Viu imediatamente que a mangueira tinha apodrecido no ponto onde uma braçadeira a prendia ao tubo do radiador, deixando que a água do sistema de arrefecimento vazasse por ali. Não havia possibilidade de conseguir uma mangueira sobressalente, claro, mas por sorte aquela tinha um pouco de folga e ele conseguiu cortar o pedaço estragado e prender a mangueira novamente ao tubo. Depois pegou um balde de água quente na cozinha da fazenda e completou o radiador novamente – se usasse água fria estragaria o motor superaquecido. Por fim, deu a partida para ver se a braçadeira estava bem presa. Estava.

Chegou finalmente a hora de ir para a oficina.

Precisava de uma folha de aço fina para reforçar o trecho rachado do suporte. E já sabia onde consegui-la. Havia quatro prateleiras de metal presas na parede. Tirou tudo de cima da prateleira superior e rearranjou os itens que lá estavam nas outras três. Em seguida baixou a prateleira superior e, usando a tesoura de cortar metal do velho Nielsen, aparou as abas e cortou quatro tiras.

Ia usá-las como talas.

Prendeu uma das tiras no torno de bancada e, com o martelo, repuxou o material, recurvando-o de forma a ajustar-se ao perfil oval do suporte. Fez o mesmo com as outras três e por fim soldou-as todas, encobrindo os enrugamentos do montante.

Recuou um pouco para apreciar seu trabalho.

– Feio, mas resolve – disse em voz alta.

Atravessando o bosque na direção do castelo, podia ouvir os ruídos do acampamento do Exército: soldados chamando uns aos outros, motores acelerando, cavalos relinchando. Ainda estava cedo e os soldados com certeza tinham acabado de chegar de suas obrigações diárias. Harald achou que podia ter problemas para voltar à igreja sem que reparassem nele.

Aproximou-se do mosteiro pelos fundos. No lado norte da igreja, um jovem soldado fumava um cigarro encostado na parede. Harald cumprimentou-o com um gesto de cabeça e o soldado lhe falou em dinamarquês:

– Bom dia, eu me chamo Leo.

Harald tentou sorrir.

– Bom dia, sou Harald, prazer em conhecê-lo.

– Aceita um cigarro?

– Muito obrigado, fica para outra vez. Agora estou com pressa.

Harald seguiu andando até a lateral da igreja. Antes já havia encontrado um tronco e o rolara para debaixo de uma das janelas. Agora ele trepou em cima do tronco e deu uma olhada dentro da igreja. Passou a estrutura em V através da janela sem vidro e largou-a em cima do caixote que ficava embaixo da janela pelo lado de dentro. A peça quicou no caixote e caiu no chão. Em seguida ele se contorceu e pulou a janela.

– Olá! – exclamou alguém.

O coração de Harald parou, mas ele logo viu Karen. Ela estava junto à cauda do avião, parcialmente escondida pelo aparelho, trabalhando na asa com a ponta danificada. Harald pegou o eixo que consertara e foi mostrá-lo a Karen.

– Pensei que isto aqui estivesse vazio! – exclamou uma voz em alemão.

Harald se virou. O jovem soldado, Leo, estava olhando pela janela. Harald fitou-o, apavorado, lamentando a má sorte.

– É um depósito – disse.

Leo pulou a janela e aterrissou no chão. Harald disfarçou uma olhada rápida na direção da cauda da aeronave. Karen desaparecera. Leo olhou em torno, parecendo mais curioso que desconfiado.

O Hornet Moth estava coberto da hélice até a cabine e as asas estavam dobradas para trás, mas a fuselagem era visível e o estabilizador vertical podia ser notado de longe. Até que ponto Leo seria observador?

Por sorte, o soldado se interessou mais pelo Rolls-Royce.

– Belo carro – disse. – É seu?

– Quem me dera! A motocicleta é minha. – Ele mostrou a estrutura do trem de pouso do Hornet Moth que acabara de restaurar. – Isto aqui é para o meu *sidecar*. Estou tentando consertar.

– Ah! – Leo não demonstrou o menor sinal de desconfiança. – Eu gostaria de ajudá-lo, mas não entendo nada de máquinas e motores. Minha especialidade são os cavalos.

– Naturalmente.

Os dois eram mais ou menos da mesma idade e Harald sentiu pena do jovem alemão solitário, longe de casa. Mas assim mesmo queria que Leo fosse embora antes que visse o que não devia.

De repente soou um apito agudo.

– Hora da ceia – explicou Leo.

Graças a Deus, pensou Harald.

– Foi um prazer conversar com você, Harald. Estou ansioso por encontrá-lo de novo.

– Eu também.

Leo trepou no caixote e saiu pela janela.

– Jesus! – exclamou Harald.

Karen surgiu de trás da cauda do Hornet Moth, parecendo trêmula.

– Essa foi por pouco – disse ela.

– Ele não estava desconfiado, só queria conversar.

– Deus nos livre de alemães amistosos – disse ela com um sorriso.

– Amém.

Harald adorava quando Karen sorria. Era como o nascer do sol. Ficou olhando para o seu rosto por tanto tempo quanto se atreveu.

Depois voltou a atenção para a asa em que Karen estava trabalhando. Viu que ela estava reparando os rasgões. Aproximou-se mais e parou ao seu lado. Ela vestia uma calça velha de veludo cotelê que devia ter sido usada para trabalhos de jardinagem e uma camisa de homem com as mangas enroladas.

– Estou colando pedaços de pano sobre as áreas danificadas – explicou ela. – Quando a cola secar, vou passar uma mão de tinta em cima dos remendos para impermeabilizá-los.

– Onde conseguiu o tecido, a cola e a tinta?

– No teatro. Flertei com um cenógrafo.

– Sorte sua. – Obviamente era fácil para ela conseguir que os homens fizessem o que queria. Harald ficou com ciúmes do cenógrafo. – O que você faz no teatro o dia inteiro, afinal?

– Sou a substituta do papel principal de "Les Sylphides".

– Vai aparecer dançando?

– Não. Há dois elencos. Portanto, para eu ser escalada as duas outras têm que ficar doentes.

– Que pena. Eu adoraria ver você dançando.

– Se essa sequência improvável de acontecimentos se concretizar, eu lhe consigo um ingresso. – Ela voltou a atenção para a asa. – Temos que nos assegurar de que não haja fraturas internas.

– Isso significa que temos que examinar as longarinas de madeira sob o tecido.

– Isso.

– Bem, agora que temos o material para fazer os reparos, suponho que possamos cortar um painel de inspeção e dar uma olhada.

Ela não ficou muito convencida.

– Está bem...

Harald imaginou que uma faca comum não cortaria com facilidade o tecido tratado, mas encontrou uma talhadeira afiada na prateleira das ferramentas.

– Onde devemos cortar?

– Perto das escoras.

Ele comprimiu o fio da talhadeira contra a superfície do pano. Uma vez feito o corte inicial, o resto foi relativamente fácil. Harald fez uma incisão em forma de L e dobrou uma aba, o que resultou em uma abertura de tamanho razoável.

Karen apontou o facho de luz da lanterna para o buraco e se abaixou para dar uma espiada. Ficou bastante tempo examinando tudo, até que retirou a cabeça e meteu o braço pelo buraco. Agarrou alguma coisa e sacudiu vigorosamente.

– Acho que estamos com sorte – disse. – Nada se mexe.

Ela recuou e Harald tomou o seu lugar. Enfiou o braço e agarrou um esteio, empurrando-o e puxando-o. A asa toda se mexeu, mas ele não sentiu pontos fracos.

Karen ficou satisfeita.

– Estamos fazendo progresso – disse. – Se eu puder acabar de consertar os remendos amanhã e você puder montar a peça que consertou e deixar pronto o trem de pouso, a estrutura do aparelho estará completa, exceto pelos cabos que foram retirados. E ainda dispomos de oito dias.

– Na verdade não é bem assim – retrucou Harald. – Provavelmente temos de chegar na Inglaterra no mínimo 24 horas antes da incursão para que nossa informação surta algum efeito. Assim sendo, dispomos apenas de sete dias. Para chegar no sétimo dia, precisamos sair na véspera e voar a noite inteira. O que significa que, na verdade, dispomos apenas de seis dias, na melhor das hipóteses.

– Então preciso terminar os remendos hoje. – Ela deu uma olhada no relógio. – É melhor eu aparecer lá em casa na hora do jantar, mas volto assim que puder.

Karen pôs a cola num canto e lavou as mãos na pia usando o sabonete que trouxera de casa para Harald. Ele a observou. Sempre lamentava quando ela ia embora. A vontade que tinha era a de ficar ao lado de Karen o dia inteiro, todos os dias. Devia ser isso que fazia com que as pessoas quisessem se casar. Será que queria se casar com Karen? Pergunta tola – claro que queria. Não tinha a menor dúvida. Às vezes tentava imaginar os dois, dez anos mais tarde, cansados um do outro e chateados, mas era impossível. Karen jamais seria chata.

Ela enxugou as mãos num retalho de toalha.

– Por que está tão pensativo?

Ele sentiu que corava.

– Imaginando o que o futuro nos reserva.

Karen fitou-o diretamente nos olhos e por um momento Harald achou que ela havia lido seus pensamentos. Um instante depois ela desviou o olhar.

– Um longo voo cruzando o mar do Norte – disse. – Quase 1.000 quilômetros sem escala. É melhor a gente se certificar de que esta lata velha consiga chegar lá.

Em seguida ela se dirigiu para a janela e subiu no caixote.

– Não olhe... esta não é uma manobra digna para uma dama.

– Não vou olhar, juro – garantiu Harald, dando uma risada.

Karen se agarrou na janela e levantou o corpo. Quebrando jovialmente a promessa feita, ele ficou admirando sua bunda enquanto ela se contorcia para passar para o outro lado. Logo desapareceu.

Harald voltou sua atenção para o Hornet Moth. Não seria preciso muito tempo para consertar o trem de pouso. Pegou os parafusos e as porcas no lugar em que os deixara na bancada. Ajoelhou-se ao lado da roda, encaixou o montante em V e em seguida começou a fixar os parafusos que o prendiam, de um lado, à fuselagem e, do outro, ao suporte da roda.

Já estava terminando quando Karen reapareceu, bem antes do esperado. Ele sorriu, satisfeito com a sua volta, e viu que ela estava desfigurada.

– O que foi?

– Sua mãe telefonou.

Harald ficou zangado.

– Droga! Eu não devia ter dito a ela para onde estava indo. Com quem ela falou?

– Meu pai. Mas ele disse que você definitivamente não estava aqui e ela pareceu acreditar.

– Graças a Deus. – Ainda bem que ele não dissera à mãe que ia ficar no mosteiro abandonado. – O que ela queria, afinal?

– Dar uma péssima notícia.

– O quê?

– É sobre Arne.

Harald se deu conta, com um sobressalto de culpa, que nesses últimos dias quase não pensara no irmão que estava definhando na cadeia.

– O que foi que aconteceu?

– Arne... Arne está morto.

A princípio Harald não aceitou o que ouvira.

– Morto? – Era como se não entendesse o sentido da palavra. – Como ele pode estar morto?

– A polícia disse que ele se matou.

– Suicídio? – Harald teve a impressão de que o mundo desabava à sua volta, paredes da igreja ruíam, árvores no parque eram derrubadas e o castelo de Kirstenslot era levado para longe por um vento forte. – Por que ele iria fazer uma coisa dessas?

– Para evitar ser interrogado pela Gestapo, foi o que o comandante de Arne disse à sua mãe.

– Para evitar... – Harald percebeu imediatamente o que ela queria dizer. – Ele teve medo de não ser capaz de aguentar a tortura.

Karen aquiesceu.

– É o que se pode deduzir.

– Se ele tivesse falado, teria me traído.

Ela ficou em silêncio, sem concordar nem contradizê-lo.

– Arne se matou para me proteger. – De repente Harald precisava que Karen confirmasse sua dedução e a segurou pelos ombros. – Estou certo, não estou? – gritou. – Só pode ser isso! Ele se matou por minha causa! Diga alguma coisa, pelo amor de Deus!

– Acho que você está certo, sim – murmurou ela por fim.

Em um instante a raiva de Harald se transformou em dor. O sofrimento foi tão grande que ele se descontrolou. Os olhos se encheram de lágrimas e ele soluçava sem parar.

– Oh, meu Deus! – exclamou, cobrindo o rosto molhado de lágrimas com ambas as mãos. – Oh, meu Deus, que coisa horrível!

Harald sentiu os braços de Karen o envolverem. Delicadamente, ela puxou a cabeça dele para o seu ombro. Suas lágrimas caíram no cabelo dela e escorreram pelo seu pescoço. Karen lhe acariciou a nuca e beijou seu rosto molhado.

– Pobre Arne! – disse Harald, a voz entrecortada de soluços. – Pobre Arne!

– Sinto muito – murmurou Karen. – Meu querido Harald, eu sinto tanto, mas tanto...

CAPÍTULO VINTE E QUATRO

NO MEIO DO Politigaarden, o quartel-general da polícia em Copenhague, havia um espaçoso pátio circular ao ar livre. Era cercado por uma arcada de pilastras clássicas duplas que se repetiam em um padrão absolutamente perfeito. Para Peter Flemming aquele traçado era uma representação do modo como a ordem e a regularidade permitiam que a luz da verdade brilhasse sobre a perversidade humana. Frequentemente perguntava-se se o arquiteto tivera essa intenção ou se pensara apenas em construir um pátio bonito.

Ele e Tilde Jespersen conversavam na arcada, encostados nas pilastras, fumando. Tilde usava uma blusa sem mangas que exibia a pele suave dos braços. Seus antebraços eram cobertos de finos pelos dourados.

– A Gestapo acabou com Jens Toksvig – disse Peter.

– E?

– Nada. – Frustrado, ele sacudiu os ombros como se assim se livrasse da decepção. – Jens disse tudo o que sabe, claro. É um dos Vigilantes Noturnos, passava informações a Poul Kirke e concordou em dar abrigo a Arne Olufsen quando este fugiu. Disse também que o projeto todo foi organizado pela noiva de Arne, Hermia Mount, que trabalha no MI6, na Inglaterra.

– Interessante, mas não nos leva a parte alguma.

– Exatamente. Para nosso azar, Jens não sabe quem se infiltrou na base de Sande e não tem conhecimento do filme revelado por Harald.

Tilde deu uma tragada no cigarro. Peter observou sua boca. Ela parecia estar beijando o cigarro. Depois exalou a fumaça pelas narinas.

– Arne se matou para proteger alguém – disse ela. – Presumo que essa pessoa tenha o filme.

– Ou o filme estava com o seu irmão, Harald, que a esta altura já o entregou a outra pessoa. Em todo caso, temos que falar com ele.

– Onde?

– Na casa do pastor Olufsen, em Sande, acho. Ele não tem outro lugar para ir.

Peter deu uma olhada no relógio.

– Vou pegar um trem dentro de uma hora.

– Por que não telefona?

– Não quero lhe dar uma oportunidade de fugir.

Tilde pareceu inquieta.

– O que é que você vai dizer aos pais dele? Não acha que podem culpá-lo pelo que aconteceu a Arne?

– Eles não sabem que eu estava lá quando Arne se matou. Não sabem sequer que eu o prendi.

– Suponho que não saibam – disse ela, na dúvida.

– De qualquer forma, não ligo a mínima para o que eles pensam – disse Peter, impaciente. – O general Braun ficou furioso quando eu lhe disse que os espiões podem ter fotografado a base de Sande. Deus sabe o que os alemães têm lá, mas é secretíssimo. E ele me culpa. Se o filme sair da Dinamarca, não sei o que será de mim.

– Mas foi você quem descobriu o círculo de espiões!

– E já quase me arrependo da descoberta. – Ele jogou o cigarro no chão e pisou em cima, esmagando-o com a sola do sapato. – Gostaria que você fosse a Sande comigo.

Tilde o avaliou com seus olhos azul-claros.

– Claro, se quiser a minha ajuda.

– E eu gostaria que você conhecesse meus pais.

– Onde vou ficar?

– Conheço um hotelzinho em Morlunde, limpo e tranquilo, que deverá lhe agradar.

O pai dele tinha um hotel, claro, mas era perto demais da sua casa. Se Tilde ficasse lá, toda a população de Sande saberia tudo o que ela fizesse a qualquer hora do dia ou da noite.

Peter e Tilde não tinham falado a respeito do que acontecera no apartamento dele, muito embora já tivessem se passado seis dias. Peter não sabia ao certo o que dizer. Sentira vontade de fazer sexo com ela na frente de Inge e Tilde aceitara e fora em frente, também movida pela paixão e parecendo compreender a necessidade dele. Depois disso, parecera perturbada e Peter a levara para casa de carro, despedindo-se com um beijo de boa-noite.

Não tinham repetido aquilo. Uma vez bastava para provar o que quer que ele tivesse de provar. Fora ao apartamento de Tilde na noite seguinte, mas o filho dela estava acordado, pedindo água e se queixando de pesadelos, o que fez com que Peter saísse cedo. Agora ele via a viagem a Sande como uma chance para estar a sós com ela.

Mas Tilde parecia hesitar. E fez outra pergunta prática:

– E Inge?

– Vou combinar com a agência de enfermagem para cuidar dela em tempo integral, como fiz quando fomos a Bornholm.

– Tudo bem.

Ela desviou o olhar para o pátio, pensando, e ele aproveitou para estudar seu perfil: o nariz pequeno, a boca em forma de arco, o queixo determinado. Peter recordou-se da forte emoção que sentiu ao possuí-la. Certamente ela não podia ter esquecido daquilo.

– Não quer passar uma noite comigo?

Ela se virou com um sorriso.

– Claro que quero – respondeu. – É melhor eu ir arrumar a mala.

~

Na manhã seguinte, Peter acordou no Oesterport Hotel, em Morlunde. O Oesterport era um estabelecimento respeitável, mas seu proprietário, Erland Berten, não era casado com a mulher que se passava por sua esposa. Erland tinha uma esposa em Copenhague que não queria lhe conceder o divórcio. Ninguém em Morlunde sabia, exceto Peter Flemming, que tinha descoberto isso por acaso enquanto investigava o assassinato de um tal Jacob Berten, que não era parente de Erland. Peter contara a Erland que descobrira a existência da verdadeira Sra. Berten mas guardara segredo, sabendo que assim ganharia ascendência sobre Erland. Agora podia confiar na discrição dele. O que quer que acontecesse entre Peter e Tilde no Oesterport Hotel não sairia de lá.

O casal, contudo, acabara não dormindo junto. O trem sofrera um atraso e Peter e Tilde tinham chegado a Morlunde no meio da noite, muito tempo depois da última barca para Sande. Exaustos e de mau humor depois da viagem frustrante, hospedaram-se em quartos de solteiro, separados, e dormiram durante algumas horas. Iam pegar agora a primeira barca da manhã.

Ele se vestiu rapidamente e foi bater na porta do quarto de Tilde. Ela estava ajeitando um chapéu de palha, olhando-se no espelho que havia em cima da lareira. Peter beijou-a no rosto sem querer estragar sua maquiagem.

Foram caminhando até o cais. Um policial local e um soldado alemão verificaram seus documentos de identidade. Aquele posto de controle era novo. Peter achou que devia ser uma medida de segurança adicional adotada pelos alemães por causa do interesse dos espiões em Sande. Mas podia ser útil para ele também. Mostrou o crachá ao policial e pediu que ele lhe preparasse uma relação de todas as pessoas que visitassem a ilha nos próximos dias. Seria interessante ver quem viria ao funeral de Arne.

Do outro lado do canal, a charrete esperava por eles. Peter mandou que se dirigisse à casa paroquial.

O sol começava a aparecer por cima da linha do horizonte e a brilhar nas janelas das casas. Chovera à noite e as gotículas presas à vegetação das dunas faiscavam. Uma fraca brisa encrespava a superfície do mar. Era como se a ilha tivesse vestido suas melhores roupas para a visita de Tilde.

– Que lugar lindo – disse.

Peter ficou contente por ela ter gostado. No caminho, mostrou-lhe o hotel, a casa de seu pai – a maior da ilha – e a base militar que era o alvo do grupo de espiões.

Ao se aproximarem da casa do pastor, Peter notou que a porta da igrejinha estava aberta e ouviu o som de um piano.

– Talvez seja Harald tocando – disse. Percebeu a excitação na própria voz. Seria assim tão fácil? Tossiu e obrigou a voz a sair mais grave e calma: – É melhor ir ver, não é mesmo?

Saltaram da charrete e o condutor perguntou:

– A que horas devo voltar, Sr. Flemming?

– Espere aqui, por favor.

– Tenho outros fregueses...

– Espere aqui!

O homem resmungou qualquer coisa.

– Se não estiver aqui quando eu sair, vai ser despedido.

O condutor da charrete ficou emburrado, mas não se mexeu.

Peter e Tilde entraram na igreja. Lá na frente havia um homem sentado ao piano. Estava de costas para a entrada, mas Peter reconheceu os ombros largos e o formato da cabeça. Era Bruno Olufsen, o pai de Harald.

A frustração de Peter foi grande. Embora ansiasse por prender Harald, precisava ter cuidado para não se deixar dominar por essa necessidade.

O pastor executava um hino lento em tom menor. Peter deu uma olhada em Tilde e viu que sua expressão era pesarosa.

– Não se deixe enganar – disse. – O velho tirano é duro como bronze.

Olufsen terminou o hino e deu início a outro. Peter não estava disposto a esperar.

– Pastor! – exclamou.

O pastor não parou de tocar imediatamente: terminou a frase musical e deixou que a música soasse por um instante. Finalmente, se virou.

– Jovem Peter – disse em tom inexpressivo.

Peter ficou momentaneamente chocado ao ver como o pastor parecia ter envelhecido. Seu rosto estava vincado pelo cansaço e os olhos azuis haviam perdido o brilho.

– Estou procurando Harald – disse Peter após um instante de surpresa.

– Não imaginei que fosse uma visita de condolências – disse o pastor com frieza.

– Ele está aqui?

– A indagação é oficial?

– Por que pergunta? Harald está envolvido em algum malfeito?

– Claro que não.

– Fico feliz em saber. Ele está em casa?

– Não. Ele não está na ilha. E não sei onde está.

Peter olhou para Tilde. Aquilo era uma decepção, mas, por outro lado, aumentavam as suspeitas sobre Harald. Por que outro motivo teria desaparecido?

– Onde o senhor pensa que ele possa estar?

– Vá embora.

Arrogante como sempre, mas dessa vez o pastor não ia escapar impune, pensou Peter, satisfeito.

– Seu filho mais velho se matou porque foi apanhado espionando – disse asperamente.

O pastor se encolheu como se Peter o tivesse golpeado fisicamente.

Peter ouviu Tilde ofegar atrás dele e percebeu que a chocara com a sua crueldade, mas continuou a pressionar:

– Seu filho mais moço pode ser culpado do mesmo crime. O senhor não está em condições de bancar o arrogante com a polícia.

O rosto normalmente orgulhoso do pastor pareceu magoado e vulnerável.

– Já falei que não sei onde Harald está – disse, aborrecido. – Tem mais alguma pergunta a fazer?

– O que está escondendo?

O pastor suspirou.

– Você é um dos integrantes do meu rebanho e, se vier me procurar pedindo ajuda espiritual, não me furtarei a oferecê-la. Mas não falarei com você por nenhum outro motivo. Você é arrogante e cruel e não vale quase nada aos olhos de Deus. Saia da minha frente!

– Não pode expulsar ninguém da igreja; ela não lhe pertence.

– Se quiser orar, será bem-vindo. Se não for para isso, vá embora.

Peter hesitou. Não queria ceder, mas sabia que fora derrotado. Após um instante, pegou o braço de Tilde e levou-a para fora da igreja.

– Eu lhe disse que ele era durão – comentou.

Tilde parecia abalada.

– Acho que o pobre homem está sofrendo.

– Sem dúvida. Mas estava dizendo a verdade?

– É evidente que Harald está escondido. O que significa, quase certamente, que está com o filme.

– Então temos de encontrá-lo – ponderou Peter. – Só não sei se o pai realmente não sabe onde ele está.

– É de seu conhecimento que o pastor tivesse mentido alguma vez?

– Não. Mas pode estar começando agora, para proteger o filho.

Tilde fez um gesto desdenhoso e disse:

– De qualquer maneira, não vamos conseguir tirar nada dele.

– Concordo. Mas estamos no caminho certo, isso é o mais importante. Vamos tentar a mãe. Ela pelo menos é de carne e osso.

Os dois se dirigiram para a casa. Peter conduziu Tilde para os fundos. Ele bateu na porta da cozinha e foi entrando, como era o hábito ali na ilha.

Lisbeth Olufsen estava sentada à mesa da cozinha sem fazer nada. Peter nunca a vira ociosa em toda a sua vida: estava sempre cozinhando ou limpando. Até mesmo na igreja, estava sempre atarefada, endireitando as fileiras de cadeiras, distribuindo ou recolhendo os hinários ou atiçando o fogo do aquecedor que era usado no inverno para esquentar um pouco o grande salão. Agora ela olhava para as mãos, cuja pele estava rachada e esfolada em alguns lugares, como a das mãos de um pescador.

– Sra. Olufsen?

Ela virou o rosto para Peter. Tinha os olhos congestionados e as bochechas caídas. Custou um momento para reconhecê-lo.

– Peter – disse inexpressiva.

Ele decidiu tentar uma abordagem mais amena:

– Sinto muito pelo Arne.

Ela balançou a cabeça vagamente.

– Esta é minha amiga Tilde. Trabalhamos juntos.

– Prazer.

Ela fez um gesto para que Tilde também se sentasse. Talvez uma pergunta simples de ordem prática fizesse com que a Sra. Olufsen saísse daquele transe.

– Quando é o enterro?

Ela pensou por um momento antes de responder.

– Amanhã.

Assim era melhor.

– Falei com o pastor – disse Peter. – Estivemos com ele na igreja.

– Ele está com o coração partido. Mas não deixa que ninguém perceba.

– Compreendo. Harald deve estar também terrivelmente abalado.

Ela o encarou e baixou de novo os olhos para as mãos. Foi um olhar que não durou mais que uma fração de segundo, mas permitiu que Peter detectasse medo e mentira.

– Não temos falado com Harald – murmurou ela.

– Por quê?

– Porque não sabemos onde ele está.

Peter não podia garantir que ela estava mentindo, mas não tinha dúvidas de que sua intenção era enganar. Ficou enfurecido ao ver que o pastor e sua mulher, que posavam de moralmente superiores aos outros, estavam ocultando deliberadamente a verdade da polícia. Ele levantou a voz:

– Para seu bem, é melhor que coopere conosco!

Tilde colocou a mão no braço dele para contê-lo e dirigiu-lhe um olhar indagador. Ele fez um gesto para que ela seguisse com o diálogo.

– Sra. Olufsen, lamento muito ter que lhe dizer que Harald pode estar envolvido nas mesmas atividades ilegais de Arne.

A Sra. Olufsen pareceu amedrontada.

– Quanto mais longe ele for – continuou Tilde –, mais encrencado estará quando finalmente conseguirmos pegá-lo.

A velha senhora balançou a cabeça de um lado para outro, parecendo angustiada, mas nada disse.

– Se a senhora nos ajudar a encontrá-lo, estará fazendo o melhor para o seu filho.

– Não sei onde ele está – repetiu ela, mas com menos firmeza.

Peter sentiu o momento de fraqueza. Levantou-se e se debruçou sobre a mesa da cozinha, aproximando o rosto do dela.

– Eu vi Arne morrer – disse ele em tom áspero.

Os olhos da Sra. Olufsen se arregalaram, horrorizados.

– Vi seu filho encostar a arma no próprio pescoço e puxar o gatilho – prosseguiu ele.

– Peter, não – pediu Tilde.

Ele a ignorou.

– Vi o sangue e os miolos de Arne respingarem na parede às suas costas.

A Sra. Olufsen deixou escapar um grito de choque e dor.

Peter viu com satisfação que ela estava prestes a ceder e pressionou mais, para aproveitar sua vantagem:

– Seu filho mais velho era um espião, um criminoso, e teve um fim violento. Aqueles que vivem pela espada morrerão pela espada, é o que diz a Bíblia. Quer que aconteça o mesmo com seu outro filho?

– Não – ela murmurou. – Não.

– Então me diga onde ele está!

A porta se abriu abruptamente, o pastor irrompeu na cozinha e exclamou:

– Você é asqueroso!

Peter se endireitou, assustado, mas desafiador.

– Tenho o direito de interrogar...

– Saia da minha casa.

– Vamos, Peter – disse Tilde.

– Eu ainda quero saber...

– Agora! – urrou o pastor. – Saia daqui agora!

Ele se adiantou para contornar a mesa.

Peter recuou. Sabia que não podia permitir que gritassem com ele daquele jeito. Ele estava em uma missão legítima e oficial da polícia e tinha o direito de fazer perguntas. Mas a presença dominadora do pastor o assustou, a despeito da pistola que trazia sob o paletó. Acabou batendo em retirada.

Tilde saiu.

– Não terminei com vocês dois – murmurou Peter ao recuar na direção da porta.

O pastor bateu a porta na sua cara.

Peter se virou.

– Malditos hipócritas! – disse. – Os dois.

A charrete os esperava.

– Para a casa do meu pai – disse Peter e entrou, junto com Tilde.

Enquanto se afastavam, tentou expulsar da mente a cena humilhante e se concentrar nos passos seguintes.

– Harald tem de estar morando em algum lugar – disse.

– É evidente – o tom de voz de Tilde foi cortante e ele adivinhou que ela devia estar aflita com o que acabara de testemunhar.

– Ele não está na escola e não está em casa, e não tem parentes, exceto uns primos em Hamburgo.

– Poderíamos fazer circular uma foto dele.

– Teremos dificuldade de encontrar uma. O pastor não acredita em fotos... são sinais de vaidade. Você não viu nenhuma foto na cozinha, viu?

– Talvez uma foto da escola?

– Não é uma tradição de Jansborg. A única foto de Arne que encontramos foi a do seu alistamento militar. Duvido que haja uma foto de Harald em algum lugar.

– Então, qual é o nosso próximo passo?

– Acho que ele deve estar escondido com amigos... Você não acha possível também?

– Faz sentido.

Tilde não olhou para ele. Peter suspirou. Se queria ficar zangada, que ficasse.

– Eis o que você vai fazer – disse Peter, em tom de comando. – Telefonar para o Politigaarden. Mandar Conrad para a Jansborg Skole. Dizer-lhe que pegue uma lista com os endereços residenciais de todos os garotos da classe de Harald. Depois arranjar alguém que vá visitar cada casa, faça algumas perguntas, procure xeretar um pouco.

– Eles devem morar por todo o país. Seria preciso um mês inteiro para visitá-los. De quanto tempo dispomos?

– Bem pouco. Não sei quanto tempo será preciso para Harald imaginar um jeito de levar o filme para Londres, mas ele é um sujeito ardiloso. Usaremos a polícia local quando for necessário.

– Muito bem.

– Se ele não estiver hospedado com amigos, deve estar escondido com outro membro do círculo de espiões. Vamos ficar e fazer um levantamento de todo mundo que aparecer no enterro de Arne. Alguém tem de saber onde Harald está.

A charrete reduziu a marcha ao se aproximar da entrada da casa de Axel Flemming, o pai de Peter.

– Você se importa se eu voltar para o hotel? – perguntou Tilde.

Seus pais os aguardavam para almoçar, mas Peter compreendeu que ela não estava com disposição para isso.

– Está bem. – Ele deu um tapinha no ombro do condutor da charrete. – Vá para o cais.

Seguiram em silêncio por algum tempo. Ao se aproximarem do cais, Peter perguntou:

– O que é que você vai fazer no hotel?

– Na verdade, acho que devia voltar para Copenhague.

– Que diabo há de errado com você? – perguntou Peter, enfurecido, quando a charrete parou ao lado do cais.

– Não gostei do que aconteceu.

– Nós tínhamos que fazer aquilo!

– Não tenho tanta certeza.

– Era nosso dever tentar fazer com que aquelas pessoas dissessem o que sabem.

– O dever não é tudo.

Peter se lembrou de que ela dissera a mesma coisa quando discutiram por causa de judeus.

– Isso são só palavras. Dever é aquilo que a pessoa tem que fazer. Não se pode fazer exceções. É isso o que está errado neste mundo.

A barca estava atracada no cais. Tilde saltou da charrete.

– É só a vida, Peter, mais nada.

– É por isso que temos crimes! Você não prefere viver em um mundo onde todo mundo cumpra com seu dever? Imagine só! Pessoas bem-comportadas, trajando uniformes limpos e elegantes, cumprindo as suas obrigações, sem relaxamentos, sem atrasos, sem meias medidas. Se todos os crimes fossem punidos e nenhuma desculpa aceita, haveria muito menos trabalho para a polícia!

– É isso realmente o que você quer?

– É... e se eu algum dia for o chefe de polícia e os nazistas ainda estiverem mandando, é como será! O que há de errado nisso?

Ela balançou a cabeça, mas não respondeu.

– Adeus, Peter.

Tilde já ia se afastando quando ele insistiu:

– E então? – gritou. – O que há de errado nisso?

Mas ela embarcou sem olhar para trás.

PARTE QUATRO

CAPÍTULO VINTE E CINCO

HARALD SABIA QUE a polícia estava procurando por ele.

Sua mãe telefonara para Kirstenslot de novo, ostensivamente para informar a Karen o dia e a hora do enterro de Arne. Durante a conversa, contou que tinha sido interrogada pela polícia acerca do paradeiro de Harald. "Mas eu não sei onde ele está, de modo que não pude informar", disse. Era um aviso. Harald admirou a coragem da mãe em enviá-lo, assim como a astúcia de imaginar que Karen provavelmente poderia fazer com que o alerta chegasse até ele.

Apesar dos riscos, ele precisava ir à Escola de Aviação.

Karen pegou umas roupas velhas do pai para que Harald não precisasse usar o blazer da escola, que faria com que fosse facilmente identificado. Ele vestiu uma jaqueta esportiva americana maravilhosamente leve, um boné e óculos escuros. Parecia mais um milionário playboy que um espião fugitivo quando pegou o trem em Kirstenslot. Mesmo assim estava nervoso. Sentiu-se encurralado no vagão. Se um policial o abordasse, não tinha como fugir.

Em Copenhague, percorreu a pé a curta distância da estação suburbana de Vesterport à estação da linha principal sem ver um único uniforme policial. Poucos minutos depois tomou outro trem, agora no rumo de Vodal.

No caminho, pensou no irmão. Todo mundo achara que Arne não se prestava aos trabalhos da Resistência: demasiado brincalhão, descuidado, talvez não corajoso o suficiente. E no fim ele acabara se revelando um grande herói. Os olhos de Harald se encheram de lágrimas por trás dos óculos escuros.

Ver Renthe, o comandante da Escola de Aviação, fez com que ele se lembrasse de Heis, o diretor da escola, por serem ambos altos e de nariz comprido. Por causa dessa semelhança, Harald achou difícil mentir para ele.

– Vim... vim pegar as coisas do meu irmão. As coisas pessoais, se não houver problema.

Renthe pareceu não notar seu desconforto.

– Claro – disse. – Um dos colegas de Arne, Hendrik Janz, arrumou tudo. Tem só uma mala e uma bolsa de lona.

– Obrigado. – Harald não queria as coisas de Arne, mas precisava de uma desculpa para estar ali. O que na verdade ele queria eram cerca de 15 metros de cabo de aço para substituir os que faltavam no Hornet Moth, e ali era o único lugar em que achava que seria possível conseguir.

Mas, agora que estava ali na Escola de Aviação, a tarefa lhe parecia muito mais difícil do que quando bolara seu plano. Uma leve onda de pânico o atingiu. Sem o cabo de aço, o Hornet Moth não poderia voar. Depois pensou de novo no sacrifício que seu irmão havia feito e obrigou-se a se acalmar. Se ficasse de cabeça fria talvez encontrasse uma saída.

– Eu ia mandar tudo para os seus pais – acrescentou Renthe.

– Pode deixar que eu cuido disso. – Harald perguntou-se se poderia confiar em Renthe.

– Só hesitei porque achei que talvez devesse enviar para a noiva dele.

– Hermia? – perguntou Harald, espantado. – Na Inglaterra?

– Ela está na Inglaterra? Esteve aqui três dias atrás.

– O que estava fazendo aqui? – perguntou Harald, estupefato.

– Presumi que tivesse se naturalizado e estivesse morando aqui. De outro modo, a presença dela no país seria ilegal e eu teria sido obrigado a relatar sua visita à polícia. Mas obviamente Hermia não teria vindo aqui se fosse esse o caso. Ela saberia, claro, que, como oficial do Exército, sou obrigado a participar à polícia qualquer ato ilícito que chegue ao meu conhecimento.

Ele se interrompeu, dirigindo um olhar duro a Harald, e acrescentou:

– Entende o que quero dizer?

– Acho que sim.

– Harald percebeu que aquilo era um recado. Renthe devia suspeitar que ele e Hermia estivessem envolvidos em atividades de espionagem, juntamente com Arne, e o estava avisando para não falar nada a esse respeito. Obviamente simpatizava com a causa da Resistência, mas não queria contrariar as regras. Harald se levantou.

– O senhor esclareceu tudo perfeitamente. Fico muito agradecido.

– Vou chamar alguém para levar você ao alojamento de Arne.

– Não precisa, sei o caminho. – Harald estivera no quarto de Arne duas semanas antes, quando teve sua aula de voo no Tiger Moth.

Renthe balançou a cabeça.

– Meus mais sinceros pêsames.

– Muito obrigado.

Harald deixou o prédio do comando e saiu andando pelo caminho que interligava todas as construções que compunham a base. Deslocou-se vagarosamente, dando uma boa olhada no interior dos hangares. Não havia muita atividade. O que há para fazer em uma base aérea cujas aeronaves não voam?

Estava frustrado. O cabo de aço de que precisava devia estar ali em algum lugar. Tudo o que tinha a fazer era descobrir onde e se apossar dele. Mas não era assim tão fácil.

Em um dos hangares viu um Tiger Moth inteiramente desmontado. As asas tinham sido removidas, a fuselagem estava em cima de cavaletes, o motor, em cima de uma bancada. Suas esperanças aumentaram. Harald cruzou o enorme portal. Encontrou um mecânico, de macacão, sentado em cima de um latão de óleo bebendo chá em uma caneca.

– Que incrível! – foi dizendo. – Eu nunca tinha visto um avião desmontado desse jeito.

– Tem que ser feito – respondeu o homem. – As peças se desgastam e não se pode deixar que quebrem lá em cima. Em uma aeronave tudo tem que ser perfeito. Do contrário, você cai.

Aquele era o tipo de pensamento que preocupava Harald, que estava planejando atravessar o mar do Norte em um avião que não era examinado por um mecânico há anos.

– Quer dizer que você troca tudo?

– Tudo que se move, sim.

Aquele homem talvez pudesse dar a Harald o que ele precisava.

– As peças sobressalentes devem ser um problema e tanto.

– Com certeza.

– Há o quê... uns 30 metros de cabos de controle em cada avião?

– Um Tiger Moth precisa de 48 metros e meio de cabos de aço de meia tonelada para acionamento dos controles.

Exatamente o que preciso, pensou Harald, cada vez mais animado. De novo ele hesitou em pedir, com medo de se entregar a uma pessoa que não fosse simpática à causa. Olhou em volta. Tinha imaginado vagamente que as peças do avião estariam espalhadas por ali, ao alcance de quem as quisesse pegar.

– E onde é que você guarda tudo?

– No depósito, claro. Isto aqui é o Exército. Tudo em seu respectivo lugar.

Aquilo era muito irritante. Se ao menos ele visse um pedaço de cabo e o apanhasse casualmente... Mas não adiantava querer soluções fáceis.

– Onde é o depósito?

– Aí ao lado. – O mecânico franziu a testa, desconfiado. – Por que tantas perguntas?

– Pura curiosidade. – Harald achou que pressionara demais aquele homem. Tinha que seguir adiante sem despertar suspeitas. Acenou, despedindo-se.

– Foi legal conversar com você – disse, virando-se.

Ele caminhou até o prédio do lado e entrou. Um sargento, sentado atrás de um balcão, fumava enquanto lia um jornal. Harald viu uma foto de soldados russos se rendendo e a manchete "Stalin assume o controle do Ministério da Defesa soviético".

Examinou a infinidade de prateleiras de aço do outro lado do balcão. Sentiu-se como uma criança em uma loja de doces. Ali estava tudo o que ele queria, de arruelas a motores inteiros. Dava para construir um avião com todas aquelas peças.

E lá estava uma seção inteira com quilômetros de cabos das mais diversas especificações, todos cuidadosamente enrolados em cilindros de madeira, como carretéis de linha.

Harald vibrou. Agora sabia exatamente onde o cabo estava. Tinha, portanto, que imaginar um modo de pôr as mãos nele.

Pouco depois, o sargento levantou os olhos do jornal.

– Pois não?

Será que ele podia ser subornado? Mais uma vez Harald hesitou. Tinha uma boa soma de dinheiro no bolso, que Karen lhe dera exatamente para isso. Mas ele não sabia como formular uma proposta desse tipo. Até mesmo um encarregado corrupto podia se ofender com uma proposta grosseira. Quisera ter pensado um pouco mais a respeito da abordagem que deveria escolher. Mas tinha que tentar.

– Posso lhe fazer uma pergunta? – começou. – Todas essas peças sobressalentes aí... haveria alguma maneira para que uma pessoa, quer dizer, um civil, pudesse comprar ou...

– Não – interpôs o sargento abruptamente.

– Mesmo que o preço não fosse, sabe como é, um fator importante...

– Absolutamente não.

Harald não sabia mais o que dizer.

– Desculpe se o ofendi...

– Tudo bem.

A porta era de madeira maciça, com três trancas, ele observou ao sair. Não seria fácil entrar naquele depósito. Talvez não fosse o primeiro civil a se dar conta de que componentes em falta no mercado podiam ser encontrados em almoxarifados militares.

Sentindo-se derrotado, dirigiu-se para o pavilhão onde ficavam os alojamentos dos oficiais e chegou ao quarto de Arne. Como Renthe prometera, havia duas malas arrumadas cuidadosamente ao pé da cama. Fora isso, o aposento estava vazio.

Era patético que a vida de seu irmão pudesse ser acondicionada em duas malas e que o quarto onde morara não apresentasse um único rastro da sua existência. Ao pensar nisso, os olhos de Harald mais uma vez ficaram marejados. Mas ele procurou reagir – o importante era o que se deixava na lembrança dos outros, refletiu. Arne viveria para sempre na memória de Harald – ensinando-lhe a assobiar, fazendo a mãe rir como uma colegial, penteando o cabelo lustroso diante do espelho. Pensou na última vez em que vira seu irmão, sentado no piso de ladrilhos da igreja de Kirstenslot, cansado e amedrontado, mas decidido a cumprir sua missão. E, mais uma vez, viu que o modo de honrar a memória de Arne era terminar o serviço que ele começara.

Um homem parou junto à porta e deu uma olhada.

– Você é parente de Arne Olufsen? – perguntou, sem entrar.

– Irmão dele. Meu nome é Harald.

– Benedikt Vessell, mas me chame de Ben. – Ben era um homem de uns 30 anos cujo sorriso amável exibia dentes manchados de nicotina. – Eu estava esperando encontrar alguém da família. – Ele enfiou a mão no bolso e pegou dinheiro.

– Devo 40 coroas a Arne – explicou.

– Por quê?

O oficial fez uma cara de sonso.

– Bem, não diga nada a ninguém, mas eu coordeno um esquema de apostas em corridas de cavalo e Arne escolheu um vencedor.

Harald pegou o dinheiro, sem saber o que mais poderia fazer.

– Muito obrigado.

– Está tudo certo, então!

Harald não compreendeu o que exatamente ele queria dizer.

– Claro – respondeu.

– Ótimo.

Ao notar um certo ar furtivo em Ben, passou pela cabeça de Harald que a soma devida podia ser superior a 40 coroas, mas ele não ia discutir.

– Vou dar o dinheiro à minha mãe.

– Meus pêsames, filho. Era um bom sujeito, o seu irmão.

O cabo Benedikt Vessell obviamente não era dado a cumprir regulamentos. Parecia ser do tipo que murmurava "Não conte para ninguém" a todo instante. Pela idade, só podia ser militar profissional, mas, como era apenas cabo, devia dirigir suas energias para atividades ilegais. Possivelmente vendia de livros pornográficos a cigarros roubados, ou algo do gênero. Talvez pudesse resolver o problema de Harald.

– Ben – disse Harald –, posso lhe perguntar uma coisa?

– Pode perguntar qualquer coisa. – Ben pegou uma bolsa de fumo e começou a enrolar um cigarro.

– Se uma pessoa quisesse, para fins particulares, obter 15 metros de cabo de controle para um Tiger Moth, você conhece algum jeito de ela conseguir?

Ben o encarou com os olhos semicerrados.

– Não – respondeu.

– Digamos que essa pessoa tenha umas 200 coroas para pagar pelos cabos.

Ben acendeu o cigarro.

– Isso tem a ver com o motivo pelo qual Arne foi preso, não tem?

– Tem.

Ben balançou a cabeça.

– Não, meu rapaz. Não tem jeito. Sinto muito.

– Não faz mal. – Harald tentou não deixar transparecer sua frustração.

– Onde posso encontrar Hendrik Janz?

– Duas portas adiante. Se não estiver no quarto, tente a cantina.

Harald encontrou Hendrik sentado diante de uma mesinha, estudando um livro de meteorologia. Pilotos tinham que compreender o tempo, saber quando era seguro voar e se havia alguma tempestade a caminho.

– Sou Harald Olufsen – apresentou-se.

Hendrik apertou sua mão.

– Que pena o que aconteceu com Arne.

– Quero lhe agradecer por ter arrumado as coisas dele.

– Fiquei satisfeito por poder fazer alguma coisa.

Será que Hendrik aprovava o que Arne fizera? Harald precisava de alguma indicação antes de arriscar o pescoço.

– Arne fez o que achava correto para o seu país – disse Harald.

Hendrik imediatamente se mostrou cauteloso.

– Eu não sei de nada disso – ponderou. – Para mim ele era um colega leal e um bom amigo.

Harald ficou desapontado. Hendrik obviamente não ia ajudá-lo a roubar os cabos. O que fazer?

– Mais uma vez, obrigado – disse Harald. – Adeus.

Voltou para o quarto de Arne e pegou as malas. Não tinha a menor ideia do que fazer a seguir. Não podia ir embora sem os cabos de que precisava – mas como pegá-los? Tinha tentado todas as alternativas que pudera imaginar.

Talvez houvesse outro lugar onde pudesse arranjar os cabos, mas não conseguia imaginar que lugar seria esse. E estava ficando sem tempo. A lua cheia seria dentro de seis dias – o que significava que tinha apenas quatro dias para trabalhar no avião.

Harald saiu do prédio e se dirigiu para o portão, carregando as malas. Ia voltar para Kirstenslot – mas para quê, se sem os cabos o Hornet Moth não voaria? Não tinha ideia de como diria a Karen que falhara.

Quando passava pelo pavilhão onde ficava o depósito, ouviu alguém gritar seu nome:

– Harald!

Havia um caminhão estacionado ao lado do almoxarifado e Ben, meio escondido por ele, acenava. Harald se aproximou depressa.

– Aqui está – disse Ben estendendo um rolo grosso de cabo de aço. – Quinze metros e mais um pouco de sobra.

Harald vibrou de entusiasmo.

– Muito obrigado!

– Pegue logo, pelo amor de Deus, é pesado.

Harald pegou os cabos e se virou.

– Não, não! Você não pode ir saindo pelo portão com esse rolo de cabo na mão! Ponha dentro de uma das malas.

Harald abriu a mala de Arne. Estava cheia.

– Dê esse uniforme aqui, rápido – disse Ben.

Harald tirou o uniforme de Arne e o substituiu pelo rolo.

Ben pegou o uniforme.

– Eu me livro disto, não se preocupe. Agora suma daqui!

Harald fechou a mala e enfiou a mão no bolso.

– Prometi a você 200 coroas...

– Guarde o dinheiro – disse Ben. – E tenha boa sorte, filho.

– Obrigado!

– Dê o fora! Nunca mais quero vê-lo!

– Certo – disse Harald, afastando-se rapidamente.

~

No dia seguinte, Harald estava parado diante do castelo ao raiar do dia. Eram três e meia da madrugada. Segurava um bujão de óleo vazio e limpo. O tanque de combustível do Hornet Moth tinha capacidade para 140 litros, pouco menos que nove bujões cheios. Como não havia um modo legítimo de conseguir gasolina, Harald precisava furtá-la dos alemães.

Exceto pela gasolina, não faltava nada. Mais algumas horas de trabalho e o Hornet Moth estaria pronto para levantar voo. A questão agora era encher o tanque de combustível.

A porta da cozinha se abriu silenciosamente e Karen apareceu. Vinha acompanhada por Thor, o velho setter de pelo vermelho que tinha feito Harald sorrir por se parecer tanto com o pai de Karen. Ela parou na soleira da porta olhando em volta cautelosamente, como um gato quando há estranhos na casa. Vestia um suéter verde grosso que escondia suas formas e a calça velha de veludo cotelê que Harald chamava de seu uniforme de jardinagem. Mas estava linda. "Ela me chamou de querido", disse para si próprio, deleitando-se com a lembrança. "Ela me chamou de querido."

Karen dirigiu-lhe um sorriso luminoso, deixando-o deslumbrado.

– Bom dia!

Sua voz pareceu-lhe perigosamente alta e Harald levou um dedo aos lábios para pedir que não falasse. Seria mais seguro manterem silêncio absoluto. Não havia nada a tratar: tinham formulado os planos na noite anterior, sentados no chão da igreja abandonada, comendo bolo de chocolate da despensa de Kirstenslot.

Harald foi na frente, por dentro do bosque. Assim escondidos pela vegetação, eles caminharam metade do comprimento do parque. Quando atingiram o nível das barracas dos soldados, espiaram cuidadosamente por entre os arbustos. Conforme tinham antecipado, viram um só homem de guarda, em pé junto da barraca do rancho, bocejando. Àquela hora, todos os demais estavam dormindo. Harald ficou aliviado ao ver suas expectativas confirmadas.

O suprimento de combustível da companhia de veterinária era feito por um pequeno caminhão-tanque estacionado a uns 100 metros das barracas – sem dúvida por medida de segurança. Aquela distância seria útil para Harald, mas ele gostaria que fosse maior. O caminhão tinha uma bomba manual, ele já observara antes, e não havia mecanismo para trancá-la.

O caminhão estava estacionado ao longo do caminho que levava à porta do castelo, para que as viaturas a serem abastecidas pudessem se aproximar pela pista pavimentada. A mangueira, para facilitar, ficava do lado da pista. Em consequência, o próprio caminhão impedia que quem a estivesse usando fosse visto por quem estava no acampamento.

Tudo exatamente como Harald esperara, mas ele hesitou. Parecia loucura roubar gasolina bem debaixo do nariz dos soldados. Mas era perigoso pensar demais. O medo pode paralisar e a ação é seu antídoto. Sem mais considerações, ele saiu do esconderijo, deixando Karen e o cão para trás, e cruzou rapidamente a grama molhada até o caminhão-tanque.

Tirou a empunhadura do gancho, enfiou o bico no gargalo do bujão e estendeu a mão para a bomba. Quando a baixou, ouviu o gorgolejo que vinha do interior do tanque e em seguida o som do combustível passando para o bujão. Aos ouvidos de Harald aquilo tudo soou muito alto, mas talvez não o suficiente para ser ouvido por uma sentinela a 100 metros de distância.

Olhou ansioso para Karen. De acordo com o combinado, ela ficara vigiando, protegida pela vegetação, pronta para avisar Harald se alguém se aproximasse.

O bujão se encheu depressa. Harald atarraxou a tampa e levantou-o do chão. Com quatro galões, mais de 16 litros de gasolina, ficara bem pesado. Recolocou a empunhadura no gancho com cuidado e voltou rapidamente para o abrigo da vegetação. Uma vez protegido, abriu um sorriso triunfante para Karen. Tinha roubado quatro galões de gasolina e escapara impune. O plano estava funcionando!

Deixando Karen ali, cortou caminho pelo bosque até o mosteiro. Deixara a grande porta da igreja aberta para poder entrar e sair. Teria sido muito difícil e demorado passar o bujão pesado pela janela alta. Aliviado, largou-o no chão e em seguida abriu o painel de acesso ao tanque de combustível da aeronave e desatarraxou a tampa. Fez isso com dificuldade, porque estava com os dedos dormentes de carregar tanto peso. Então pegou o bujão, encheu o tanque e depois atarraxou de novo ambas as tampas, para reduzir ao mínimo o cheiro de gasolina. Depois saiu.

Enchia o bujão pela segunda vez quando a sentinela decidiu dar início a uma ronda.

Harald não podia ver o soldado alemão, mas soube que havia algo errado quando Karen assobiou. Levantou a cabeça e viu-a saindo do bosque com Thor nos calcanhares. Tirou a mão da bomba e se ajoelhou para olhar por baixo do caminhão-tanque para o outro lado do gramado. Viu as botas do soldado se aproximando.

Karen e Harald tinham previsto essa possibilidade e se preparado para lidar com ela. Ainda de joelhos, ele viu Karen avançar pelo gramado. Ela se encontrou com o soldado a uns 50 metros do caminhão-tanque. Thor farejou-o amigavelmente. Karen puxou um maço de cigarros. Será que o alemão seria amável e fumaria um cigarro com uma garota bonita? Ou seria fanático pela disciplina e pediria que ela fosse passear com o cachorro em outro lugar, enquanto ele continuava sua ronda? Harald prendeu a respiração. O soldado pegou um cigarro e acendeu.

Era um tipo pequeno, com a pele feia. Harald não podia ouvir as palavras que trocavam, mas sabia o que Karen estava dizendo: não conseguia dormir, sentira-se só e queria alguém para conversar. "Não acha que ele pode desconfiar?", questionara quando discutiram o plano na véspera. Harald garantira que o soldado gostaria tanto de ser alvo do interesse dela que não questionaria seus possíveis motivos. Ele não tinha tanta certeza quanto fingira ter, mas, para seu alívio, o planejado estava dando certo.

Viu Karen apontar para um toco de árvore mais ou menos afastado e depois levar o soldado para lá. Ao sentar-se, posicionou-se de tal modo que ele teria que ficar de costas para o caminhão-tanque se quisesse ficar ao seu lado. Harald sabia que ela agora deveria estar dizendo que os rapazes das redondezas eram muito chatos, que gostava de conversar com homens que tivessem viajado um pouco e conhecido o mundo, que fossem mais maduros. Karen deu um tapinha na superfície do toco ao seu lado a fim de encorajá-lo a sentar-se. O alemão, como era de esperar, cedeu ao convite.

Harald voltou a bombear.

Encheu o bujão e correu para o bosque. Oito galões!

Quando voltou, Karen e a sentinela estavam na mesma posição. Enquanto reabastecia o bujão, calculou quanto tempo mais precisaria. Encher o bujão levava cerca de um minuto, a ida até a igreja cerca de dois, despejar a gasolina no tanque do Hornet Moth outro minuto e a volta, mais dois. Seis minutos para o processo completo, ida e volta, 54 para nove bujões. Presumindo que se cansasse mais para o final, podia considerar que precisaria de uma hora.

Será que ela conseguiria manter a sentinela batendo papo durante tanto tempo? O homem, naquele horário, não tinha outra coisa a fazer. Os soldados acordavam às cinco e meia, dentro de mais de uma hora, e o expediente começava às seis. Desde que os ingleses não invadissem a Dinamarca durante a hora seguinte, não havia motivo para a sentinela parar de conversar com uma garota bonita. Mas ele era um soldado, sujeito à disciplina militar, e podia sentir que seu dever era patrulhar a região do acampamento, e não ficar batendo papo.

Tudo o que Harald podia fazer era torcer pelo que mais o favorecia e acelerar a transferência de combustível.

Levou o terceiro bujão cheio para a igreja. Doze galões, pensou, tentando ser otimista. Mais de 300 quilômetros – um terço da distância até a Inglaterra.

Ele continuou seu circuito. De acordo com o manual que encontrara na cabine, o DH87B voava 1.017,105 quilômetros com o tanque cheio, desde que não houvesse vento. A distância até a costa da Inglaterra, tanto quanto ele conseguira medir no atlas, era de cerca de 960 quilômetros. A margem de segurança era praticamente nula. Um vento de proa reduziria esse alcance e os derrubaria no mar. Harald decidiu levar um bujão cheio de gasolina na cabine, o que acrescentaria 11 por cento à sua capacidade de permanência no ar, ou ao seu alcance, desde que conseguisse imaginar um modo de abastecer o avião em pleno voo. Ele bombeava com a mão direita e transportava o bujão com a esquerda, e ambos os braços estavam doendo quando despejou o quarto bujão no tanque da aeronave. Retornando para pegar o quinto, viu que a sentinela estava se levantando, movimentando-se para ir embora, mas Karen ainda mantinha o rapaz falando. Ela riu com qualquer coisa que ele disse e deu um tapinha brincalhão em seu ombro. Foi um gesto coquete nada característico dela, mas assim mesmo Harald sentiu uma pontada de ciúme. Ela nunca dera um tapinha no seu ombro.

Mas o chamara de querido.

Harald carregou o quinto e o sexto bujões e sentiu como se já tivesse percorrido dois terços da distância que o separava da costa inglesa.

Sempre que sentia medo pensava no irmão. Era difícil aceitar sua morte. Harald estava sempre se perguntando se Arne aprovaria o que estava fazendo, pensando no que ele diria quando lhe contasse alguns aspectos dos seus planos, querendo saber se ficaria impressionado, entretido ou cético. Nesse sentido, Arne ainda fazia parte da sua vida.

Harald não acreditava no fundamentalismo obstinadamente irracional do pai. Aquela conversa de céu e inferno para ele não passava de superstição. Mas via agora que, de certo modo, os mortos continuavam vivendo na mente dos que os amavam e que isso era uma espécie de vida após a morte. Sempre que sua determinação fraquejava, ele recordava que Arne dera tudo por aquela missão e um impulso de lealdade lhe dava forças para seguir – mesmo que o irmão a quem devia essa lealdade não estivesse mais vivo.

Retornando à igreja com o sétimo bujão, ele foi visto.

Aproximava-se da porta da igreja quando surgiu, vindo do claustro, um soldado de cueca e camiseta. Harald parou, imóvel, o bujão de gasolina na mão, tão incriminador quanto uma pistola fumegante. O soldado, meio adormecido, dirigiu-se até uma moita e começou a urinar e bocejar ao mesmo tempo. Foi quando Harald viu que era Leo, o jovem que fora tão ostensivamente amistoso três dias antes.

Leo percebeu que estava sendo observado por Harald, levou um susto e fez cara de culpado.

– Desculpe – murmurou.

Harald adivinhou que era contra o regulamento urinar no mato. Eles tinham cavado uma latrina atrás do mosteiro, mas era uma longa caminhada e Leo teve preguiça.

Harald tentou tranquilizá-lo com um sorriso.

– Não se preocupe – disse em alemão. Mas ouviu o tremor do medo na própria voz.

Leo não pareceu reparar. Endireitou a roupa, ainda preocupado.

– O que tem aí nesse bujão?

– Água, para minha motocicleta.

– Oh... – Leo bocejou e indicou a moita com um gesto. – Nós não temos autorização para...

– Esqueça.

Leo balançou a cabeça e saiu tropeçando.

Harald entrou na igreja. Fez uma pausa, fechando os olhos, para liberar a tensão. Logo depois abasteceu mais uma vez o Hornet Moth.

Ao se aproximar do caminhão-tanque pela oitava vez, viu que seu plano começava a desmoronar. Karen estava se afastando do tronco onde tinha se sentado e voltava para o bosque. Despediu-se do soldado com um gesto amável, o que indicava que tudo devia ter corrido bem. Ele devia ter alguma obrigação a cumprir, mas, como estava se afastando do caminhão-tanque e indo para a barraca do rancho, Harald achou que podia continuar a encher o bujão.

Quando ia entrando no bosque, Karen se aproximou e murmurou:

– Ele tem que acender o fogão.

Harald despejou o oitavo bujão no tanque do Hornet Moth e voltou para pegar o nono. A sentinela não estava à vista em parte alguma e Karen fez o sinal de positivo indicando que ele podia seguir em frente. Harald encheu o bujão pela nona vez e voltou para a igreja. Como calculara, o tanque ficou cheio até a borda e ainda sobrou um pouco no bujão. Mas ele precisava de um bujão extra para levar na cabine. Voltou ao carro-tanque para o último abastecimento.

Karen o deteve no caminho e apontou. A sentinela estava em pé junto ao caminhão-tanque. Harald viu, angustiado, que na pressa tinha esquecido de recolocar a empunhadura da mangueira no gancho e com isso a mangueira balançava, solta. O soldado olhou para um lado e para outro, intrigado, e pendurou a empunhadura no lugar apropriado. Depois permaneceu ali em pé por algum tempo. Pegou o maço de cigarros. Pôs um na boca e abriu uma caixa de fósforos. Antes de riscar o palito de fósforo, afastou-se do caminhão-tanque.

– Você ainda não tem toda a gasolina de que precisa? – perguntou ela a Harald cochichando.

– Preciso de mais um bujão.

O soldado afastava-se do caminhão-tanque, fumando, e Harald resolveu arriscar-se. Atravessou rapidamente o gramado. Para sua angústia, viu que o caminhão não o escondia inteiramente do soldado naquele ângulo. Mesmo assim, enfiou o bocal da mangueira no bujão e começou a bombear, sabendo que seria visto se o homem por acaso se virasse. Encheu o bujão, pendurou a empunhadura, atarraxou a tampa do bujão e começou a se afastar.

Já estava quase no bosque quando ouviu um grito.

Fingiu-se de surdo e continuou andando sem se virar nem apertar o passo.

A sentinela gritou de novo e Harald ouviu o barulho de botas correndo às suas costas.

Ele entrou no bosque. Karen surgiu.

– Desapareça! – sussurrou. – Vou distraí-lo.

Harald saiu voando e se atirou em uma moita de arbustos. Deitado de barriga, arrastou-se com o bujão até debaixo de uma trepadeira. Thor tentou segui-lo, achando que era uma brincadeira. Harald deu-lhe um tapa com força no focinho e o cão bateu em retirada, magoado.

Harald ouviu a voz do soldado:

– Onde está aquele homem?

– Você está falando do Christian? – indagou Karen.

– Quem é ele?

– Um dos nossos jardineiros. Você fica mais bonito quando se zanga, Ludie.

– Esqueça isso. O que ele estava fazendo?

– Tratando árvores doentes com um troço que carrega naquele latão, um troço que mata aqueles cogumelos horrorosos que a gente vê nascendo nos troncos de algumas árvores.

Karen era muito criativa, pensou Harald, mesmo que tivesse esquecido a palavra alemã para fungicida.

– A esta hora da manhã? – retrucou Ludie, desconfiado.

– Ele me disse que o tratamento é mais eficaz quando está frio.

– Eu o vi saindo de perto do tanque de gasolina.

– Gasolina? O que Christian teria a ver com gasolina? Ele não tem carro. Devia estar cortando caminho pelo gramado.

– Hum... – Ludie não se convencera. – Não vi nenhuma árvore doente.

– Bem, olhe só isso aqui. – Harald percebeu que eles davam alguns passos. – Está vendo aquilo ali crescendo no tronco como se fosse uma grande verruga? Matará a árvore se Christian não tratar.

– Suponho que sim. Bem, por favor, diga aos seus criados para permanecerem longe do acampamento.

– Vou dizer, e peço desculpas. Tenho certeza de que Christian não teve má intenção.

– Muito bem.

– Adeus então, Ludie. Talvez eu o veja amanhã de manhã.

– Estarei aqui.

– Certo.

Harald teve de esperar alguns minutos até Karen indicar que podia sair em segurança.

Ele engatinhou para fora da moita.

– Você foi brilhante!

– Estou mentindo tão bem que começo a me preocupar.

Eles saíram andando na direção do mosteiro... e levaram outro susto.

Quando já iam abandonar o abrigo do bosque, Harald viu Per Hansen, o policial da aldeia e nazista local, em pé diante da igreja.

Que diabo Hansen estaria fazendo ali? E tão cedo? Harald praguejou.

Hansen estava praticamente imóvel, pernas afastadas e braços cruzados, observando o acampamento militar. Harald segurou o braço de Karen, mas não conseguiu segurar Thor, que no mesmo instante sentiu a hostilidade da dona em relação ao policial. O cão irrompeu do bosque a galope, avançou na direção de Hansen, parou a uma distância segura e latiu para ele. Hansen ficou ao mesmo tempo com medo e furioso, e levou a mão à pistola que trazia no coldre pendurado no cinto.

– Vou falar com ele – cochichou Karen. Sem esperar pela resposta de Harald, ela adiantou-se e assobiou, chamando o cachorro: – Vem cá, Thor!

Harald largou o bujão, agachou-se e ficou observando por entre as folhas.

– Você devia controlar esse cachorro – disse Hansen, dirigindo-se a Karen.

– Por quê? Ele mora aqui.

– Porque ele é agressivo.

– Ele late para intrusos. É o trabalho dele.

– Se ele atacar um membro da força policial, poderá levar um tiro.

– Não seja ridículo! – exclamou Karen, e Harald não pôde deixar de observar que, quando desejava, ela exibia toda a arrogância peculiar à sua fortuna e à sua posição social. – O que está fazendo aqui, bisbilhotando meu jardim ao raiar do dia?

– Estou aqui a serviço, mocinha, portanto é melhor se comportar.

– A serviço? – ela repetiu, incrédula. Harald adivinhou que estava fingindo não acreditar a fim de obter mais informações. – Que serviço?

– Vim procurar um sujeito chamado Harald Olufsen.

– Que bosta – murmurou Harald. Não estava esperando por aquilo.

Karen ficou chocada, mas conseguiu disfarçar.

– Nunca ouvi falar.

– Ele é colega de escola de seu irmão e é procurado pela polícia.

– Bem, não sou obrigada a conhecer todos os colegas do meu irmão.

– Ele já esteve aqui no castelo.

– É mesmo? E qual é a aparência desse tal de Harald?

– Sexo masculino, 18 anos, 1,85 metro, cabelo louro e olhos azuis, provavelmente usando um blusão azul da escola, com uma tira na manga – falou Hansen como se estivesse recitando o texto de um relatório da polícia que decorara.

– Pela sua descrição, exceto pelo blusão, deve ser muitíssimo atraente, mas não me lembro dele.

Karen manteve o ar de desdém, mas Harald podia ver a tensão e a preocupação no seu rosto.

– Ele esteve aqui duas vezes. Eu mesmo o vi.

– Eu não devia estar em casa. Qual foi o crime que ele cometeu? Esqueceu de devolver um livro à biblioteca?

– Eu não... quer dizer, não posso dizer. Quer dizer, é uma investigação de rotina.

Hansen obviamente não sabia de que crime se tratava, pensou Harald. Devia estar ali cumprindo uma missão para outro policial – Peter Flemming, provavelmente.

– Bem – disse Karen –, meu irmão foi para Aarhus e não tem ninguém em casa, exceto cem soldados alemães, claro.

– Na última vez em que vi Olufsen, ele tinha uma motocicleta de aspecto perigoso.

– Ah, aquele rapaz – disse Karen, fingindo lembrar. – Ele foi expulso da escola. Papai não o deixa mais vir aqui.

– Não mesmo? Bem, em todo caso, acho que terei uma palavrinha com seu pai.

– Ele ainda está dormindo.

– Eu espero.

– Como quiser. Vamos, Thor! – Karen se afastou e Hansen prosseguiu na direção do castelo.

Harald esperou. Karen andou mais um pouco, virou-se para verificar se Hansen não estava olhando e se esgueirou para o interior da igreja. Harald torceu para que Hansen não parasse para conversar com Ludie. Se isso acontecesse, ele ia descobrir que o soldado vira um homem alto e louro comportando-se de modo suspeito nas proximidades do caminhão-tanque. Por sorte, Hansen passou direto pelo acampamento e, finalmente, desapareceu atrás do castelo, certamente à procura da porta da cozinha.

Harald correu para a igreja, entrou e largou o último bujão de gasolina no piso ladrilhado.

Karen fechou a porta, girou a chave na fechadura e colocou a tranca em posição, como medida adicional de segurança. Depois se virou para Harald e disse:

– Você deve estar exausto.

E estava mesmo. Além dos braços, suas pernas doíam de tanto correr pelo mato carregando peso. Assim que voltou um pouco à calma, sentiu-se ligeiramente nauseado com o cheiro da gasolina. Mas sentia-se imensamente feliz.

– Você foi maravilhosa! – disse. – Flertando com Ludie como se ele fosse o solteiro mais cobiçado da Dinamarca.

– Ele é uns 5 centímetros mais baixo do que eu!

– E enganou completamente o Hansen.

– Bem, isso não é difícil.

Harald pegou o bujão e colocou-o no compartimento de bagagem atrás dos bancos, na cabine do Hornet Moth. Quando fechou a porta e se virou, viu que Karen estava bem ao seu lado, com um largo sorriso nos lábios.

– Conseguimos! – exclamou ela.

Karen o envolveu com os braços e o encarou, com uma expressão de expectativa no rosto. Era quase como se quisesse que ele a beijasse. Harald pensou em pedir, mas resolveu ser mais direto. Fechou os olhos e inclinou-se para a frente. Os lábios dela eram quentes e macios. Ele podia ter ficado assim, imóvel, desfrutando o contato dos seus lábios por muito tempo, mas Karen tinha outras ideias. Afastou-se dele e beijou-o de novo. Beijou primeiro seu lábio superior, depois o inferior, aí passou para o queixo e por fim voltou aos lábios. Sua boca não parava, brincando, explorando. Ele nunca fora beijado assim antes. Abriu os olhos e espantou-se ao ver que ela o fitava com um brilho de alegria nos olhos.

– O que é que você está pensando? – perguntou ela.

– Você realmente gosta de mim?

– Claro que gosto, seu bobo.

– Gosto de você também.

– Ótimo.

Ele hesitou e afinal disse:

– Para falar a verdade, eu amo você.

– Eu sei – disse Karen e beijou-o de novo.

CAPÍTULO VINTE E SEIS

AO ATRAVESSAR O centro de Morlunde em uma clara manhã de verão, Hermia Mount viu que ali corria muito mais perigo do que em Copenhague, pois naquela cidadezinha as pessoas a conheciam.

Dois anos antes, depois que ela e Arne ficaram noivos, ele a levara à casa de seus pais na ilha de Sande. Hermia esteve na igreja, assistiu a uma partida de futebol, visitou o bar favorito de Arne e foi fazer compras com a mãe dele. Agora partia seu coração recordar aquele tempo feliz.

Mas era em função daquele passeio pela cidade que muitos dos habitantes locais se lembrariam da noiva inglesa do filho mais velho dos Olufsens e ela corria o sério risco de ser reconhecida. Se isso acontecesse, o falatório ia começar e logo a polícia tomaria conhecimento.

Naquela manhã ela estava de chapéu e óculos escuros, mas ainda assim sentia-se perigosamente visível. De qualquer maneira, tinha que correr o risco.

Tinha passado a noite anterior no centro da cidade, na esperança de esbarrar em Harald. Sabendo quanto ele gostava de jazz, fora primeiro ao clube Hot, mas estava fechado. Também não o encontrou em nenhum dos bares e cafés frequentados pelos jovens. Tinha sido uma noite desperdiçada.

Naquela manhã ela iria à sua casa.

Chegou a pensar em dar um telefonema, mas achou que seria perigoso. Se desse seu nome verdadeiro, alguém podia ouvir e traí-la. Se desse um nome falso ou um telefonema anônimo, podia assustar Harald e fazer com que ele fugisse. Precisava falar com ele pessoalmente.

Só que fazer isso seria ainda mais arriscado. Morlunde era uma cidadezinha pequena, mas na ilha de Sande todos se conheciam. A única esperança era a de que a tomassem por uma turista e não a olhassem de perto. Hermia não tinha uma alternativa melhor. A lua cheia era dentro de cinco dias.

Foi andando até o cais, carregando sua maleta, e embarcou. No topo da prancha de embarque e desembarque havia um soldado alemão ao lado de um policial dinamarquês. Mostrou seus documentos no nome de Agnes Ricks. Aqueles documentos já tinham passado por três inspeções, mas mesmo assim ela sentiu um calafrio de medo quando apresentou os documentos falsos aos dois homens uniformizados.

O policial estudou sua identidade.

– Está muito longe de casa, Srta. Ricks.

Ela havia preparado uma história para explicar sua presença ali.

– Vim para o funeral de um parente – disse. Era um bom pretexto para uma viagem tão longa. Não sabia ao certo quando seria o enterro de Arne, mas não havia nada suspeito em um membro da família chegar um ou dois dias antes da cerimônia, especialmente tendo em vista as dificuldades das viagens em tempo de guerra.

– Deve ser o funeral de Olufsen.

– Sim. Sou prima em segundo grau, mas minha mãe era muito chegada a Lisbeth Olufsen. – Os olhos dela se encheram de lágrimas ardentes.

O policial notou a sua dor, a despeito dos óculos escuros, e disse, gentilmente:

– Minhas condolências. – Ele devolveu os documentos. – Mas posso lhe dizer que vai chegar a tempo.

– Vou? – Aquilo dava a entender que o enterro seria hoje. – Eu não sabia ao certo, não consegui telefonar.

– Acredito que o serviço religioso seja às três horas da tarde.

– Muito obrigada.

Hermia adiantou-se e se debruçou na amurada. Quando a barca desatracou, ela contemplou o perfil da ilha rasa, sem um único acidente topográfico que a destacasse, e recordou-se da sua primeira visita. Ficara chocada ao ver os aposentos frios e austeros onde Arne fora criado e conhecer seus severos pais. Era um mistério que uma família tão solene tivesse produzido uma pessoa tão divertida quanto Arne.

Ela própria era de certa forma uma pessoa severa, ou pelo menos seus colegas pareciam pensar assim. Ela desempenhara na vida de Arne, portanto, um papel similar ao da mãe dele. Obrigara-o a ser pontual, desencorajara que bebesse a ponto de se embriagar e, ao mesmo tempo, ele lhe ensinara a relaxar e se divertir. Uma vez ela lhe dissera que "havia tempo e hora para a espontaneidade" e Arne rira o dia inteiro.

Hermia voltara a Sande mais uma vez, para os festejos de Natal. Mas achou o clima mais parecido com a Quaresma. Para os Olufsen, o Natal era um evento religioso, não uma festança. No entanto, Hermia achara agradáveis aqueles dias de tranquilidade, fazendo palavras cruzadas com Arne, conhecendo Harald, comendo a comidinha caseira da Sra. Olufsen e caminhando pela praia gelada metida num casaco de pele, de mãos dadas com seu amado.

Nunca imaginara voltar ali para o seu funeral.

Ansiava por comparecer à cerimónia fúnebre, mas sabia que era impossível. Muitas pessoas a veriam e a reconheceriam. Podia inclusive encontrar um detetive da polícia examinando a fisionomia das pessoas presentes. Afinal, se ela podia imaginar que a missão de Arne estava sendo levada a cabo por outra pessoa, a polícia podia fazer a mesma dedução.

Na verdade, dava-se conta agora de que o funeral ia atrasá-la algumas horas. Teria de esperar que tudo estivesse terminado para ir à casa dos Olufsen. Antes da cerimônia haveria vizinhas na cozinha preparando comida, paroquianos na igreja arrumando as flores e um agente funerário às voltas com detalhes. Praticamente tão ruim quanto chegar durante o serviço religioso em si. Mas depois, assim que todos os presentes tivessem tomado seu chá e *smørrebrød*, iriam embora, deixando a família sozinha com seu luto.

Significava que teria que perder algum tempo agora, mas cautela era tudo. Se conseguisse pegar o filme com Harald naquela noite, poderia pegar o primeiro trem para Copenhague de manhã, atravessar de barca para Bornholm de noite, cruzar para a Suécia no dia seguinte e estar em Londres doze horas depois, dois dias antes da lua cheia. Valia a pena desperdiçar algumas horas.

Desembarcou no cais de Sande e foi caminhando até o hotel. Como não podia entrar, com medo de que alguém a reconhecesse, andou até a praia. O tempo não favorecia o banho de mar – o céu estava parcialmente nublado e do mar vinha uma brisa fria –, mas as antiquadas barracas listradas tinham sido montadas e algumas pessoas banhavam-se nas águas ou faziam piquenique na areia. Hermia achou uma depressão em meio às dunas e se aninhou ali para esperar.

Com o passar do tempo, a maré subiu e um cavalo do hotel veio puxar as barracas de praia montadas sobre rodas, afastando-as da água. Hermia passara grande parte das últimas duas semanas sentada, esperando.

Estivera com os pais de Arne uma terceira vez, na viagem que faziam a cada dez anos a Copenhague. Arne levara todos ao Tivoli e se mostrara em sua melhor forma, jovial e divertido, seduzindo as garçonetes, fazendo sua mãe rir, conseguindo inclusive arrancar reminiscências dos tempos de escola em Jansborg do seu circunspecto pai. Poucas semanas depois, os nazistas chegaram e Hermia deixara o país, vergonhosamente, segundo seu modo de ver, em um trem fechado junto com diplomatas de países hostis à Alemanha.

E agora estava de volta atrás de um segredo mortal, arriscando a própria vida e a de outras pessoas.

Abandonou o esconderijo às quatro e meia da tarde. A residência paroquial ficava a uns 16 quilômetros do hotel, uma boa caminhada de duas horas e meia, de modo que ela chegaria lá por volta das sete horas. Tinha certeza de que todos os convidados já teriam ido embora e que encontraria Harald e seus pais sentados na cozinha.

A praia não estava deserta. Por diversas vezes em sua longa caminhada ela encontrou pessoas. Manteve distância de todas, deixando que presumissem que se tratava de uma turista antipática, e ninguém a reconheceu.

Finalmente, ela identificou os contornos da igreja e do anexo onde morava o pastor Olufsen. Ao pensar que ali tinha sido a casa de Arne sentiu um aperto no coração, de tanta tristeza. Não havia ninguém à vista. Ao se aproximar, viu a terra revolvida de uma sepultura recente no pequeno cemitério.

Abalada, ela atravessou o cemitério e parou ao lado do túmulo do noivo. Tirou os óculos escuros. Havia muitas flores, observou: as pessoas sempre ficam comovidas com a morte de um jovem. A agonia da perda se apossou dela, que começou a soluçar. As lágrimas escorreram pelo seu rosto. Hermia se ajoelhou e pegou um punhado da terra fresca, pensando no corpo dele que jazia lá embaixo. *Duvidei de você, querido Arne, mas você foi o mais bravo de nós todos.*

Por fim a tempestade emocional cedeu e ela foi capaz de se levantar. Enxugou o rosto com a manga. Tinha um trabalho a fazer.

Quando se virou, viu o vulto alto e a cabeça arredondada do pai de Arne em pé, a alguns metros de distância, observando-a. Devia ter se aproximado silenciosamente e esperado que ela se levantasse.

– Ora, Hermia... Deus a abençoe.

– Obrigada, pastor. – Ela teve vontade de abraçá-lo, mas ele não era homem de abraços e Hermia limitou-se a apertar sua mão.

– Você chegou tarde demais para o funeral.

– Foi de propósito. Não posso ser vista.

– Então é melhor entrar.

Hermia atravessou o gramado maltratado ao lado dele. A Sra. Olufsen estava na cozinha, mas dessa vez não trabalhava na pia. Hermia adivinhou que as vizinhas deviam ter recolhido tudo após o velório e lavado os pratos. Ela estava sentada à mesa, usando um vestido preto e um chapéu. Quando viu Hermia, caiu no choro.

Hermia abraçou-a, mas seus sentidos estavam distantes. A pessoa que ela queria não estava ali. Assim que pôde falar decentemente, disse:

– Eu estava esperando ver Harald.

– Ele não está – disse a Sra. Olufsen.

Hermia teve a terrível sensação de que a longa e perigosa viagem que fizera tinha sido em vão.

– Ele não veio ao funeral?

A Sra. Olufsen abanou a cabeça, chorando.

– Então onde é que ele está? – perguntou Hermia, contendo sua irritação o melhor que pôde.

– É melhor você se sentar – disse o pastor.

Hermia se obrigou a ser paciente. O pastor estava acostumado a ser obedecido. Ela não ganharia nada desafiando-o.

– Quer tomar um chá? – ofereceu a mãe de Arne. – Não é de verdade, claro.

– Sim, por favor.

– E um sanduíche? Sobrou muita coisa.

– Não, obrigada. – Hermia não tinha comido nada o dia inteiro, mas estava tensa demais para comer. – Onde está Harald? – perguntou, impaciente.

– Nós não sabemos – disse o pastor.

– Como assim?

O pastor pareceu envergonhado, uma expressão rara em sua fisionomia.

– Harald e eu trocamos palavras ásperas. Fui tão teimoso quanto ele. De lá para cá, o Senhor me lembrou de como é precioso o tempo que um homem tem para gastar com seus filhos.

Uma lágrima escorreu pelo seu rosto enrugado.

– Harald saiu de casa enfurecido, recusando-se a dizer para onde estava indo. Cinco dias depois retornou por algumas horas e tivemos uma espécie de reconciliação. Nessa ocasião ele disse à mãe que ia ficar na casa de um colega de escola, mas, quando telefonamos, disseram que ele não estava lá.

– Acha que ele ainda está zangado com o senhor?

– Não. Bem, talvez esteja, mas não foi por isso que desapareceu.

– Como assim?

– Meu vizinho, Axel Flemming, tem um filho na polícia de Copenhague.

– Eu me lembro – disse Hermia. – Peter Flemming.

– Ele teve o atrevimento de vir ao funeral – interveio a Sra. Olufsen, num tom de voz amargo nada característico.

O pastor prosseguiu:

– Peter afirma que Arne era espião dos ingleses e que Harald está continuando o trabalho dele.

– Ah...

– Você não parece surpresa.

– Não vou mentir para vocês. Peter tem razão. Pedi a Arne para tirar fotografias da base militar alemã aqui na ilha. Harald está com o filme.

– Como você foi capaz de fazer uma coisa dessas?! – exclamou a Sra. Olufsen. – Arne morreu por causa disso! Perdemos o nosso filho e você, o seu noivo! Como foi capaz?

– Sinto muito – murmurou Hermia.

– Há uma guerra, Lisbeth – disse o pastor. – Muitos rapazes morreram lutando contra os nazistas. A culpa não foi de Hermia.

– Tenho de pegar o filme que está com Harald – disse Hermia. – Preciso encontrá-lo. Vocês poderiam me ajudar?

– Não quero perder meu outro filho! – exclamou a Sra. Olufsen. – Eu não suportaria perder Harald também!

O pastor segurou a mão da mulher.

– Arne estava trabalhando contra os nazistas. Se Hermia e Harald puderem terminar o trabalho que ele começou, sua morte terá algum significado. Temos que ajudar.

– Eu sei – disse a Sra. Olufsen balançando a cabeça. – Eu sei. É que estou com medo.

– Aonde Harald disse que ia? – perguntou Hermia.

Foi a Sra. Olufsen que respondeu:

– Kirstenslot. É um castelo nas cercanias de Copenhague onde mora a família Duchwitz. O filho deles, Josef, estudou com Harald.

– Mas eles dizem que ele não está lá?

Ela aquiesceu.

– Ele não pode estar muito longe. Falei com a irmã gêmea de Josef, Karen. Ela está apaixonada por Harald.

– Como é que você sabe disso? – perguntou o pastor, incrédulo.

– Pelo tom da voz dela quando falou a respeito de Harald.

– Você não me contou isso.

– Você teria dito que eu não tinha como saber.

O pastor sorriu, pesaroso.

– Sim, tem razão. Eu teria dito isso.

– Então a senhora acha que Harald está nas vizinhanças de Kirstenslot e que Karen sabe onde é o seu esconderijo?

– Sim.

– Nesse caso, vou ter que ir até lá.

O pastor tirou um relógio do bolso do colete.

– Você perdeu o último trem. É melhor passar a noite aqui em casa. Eu a levarei às barcas de manhã bem cedo.

A voz de Hermia reduziu-se a um murmúrio:

– Como pode ser tão bondoso? Arne morreu por minha causa.

– O Senhor dá, o Senhor tira. Abençoado seja o nome do Senhor.

CAPÍTULO VINTE E SETE

O HORNET MOTH ESTAVA pronto para voar.

Harald instalara os cabos novos que conseguira em Vodal. Sua última tarefa foi o pneu furado. Usou o macaco do Rolls-Royce para levantar a aeronave e depois levou a roda à oficina mais próxima, onde pagou ao borracheiro para fazer o conserto. Tinha imaginado um modo de reabastecer o avião em voo, passando uma mangueira por uma janela da cabine e prendendo-a na boca do tanque do avião. Finalmente tinha desdobrado as asas, fixando-as em posição de voo com os pinos de aço destinados a isso. Agora o aparelho ocupava toda a largura da igreja.

Ele deu uma olhada do lado de fora. Era um dia calmo, com um vento fraco e uma camada baixa de nuvens esparsas que serviriam para esconder o Hornet Moth da Luftwaffe. Partiriam naquela noite.

Só de pensar nisso seu estômago embrulhava de ansiedade. Dar uma voltinha na Escola de Aviação de Vodal em um Tiger Moth já lhe parecera uma aventura de arrepiar os cabelos. Agora estava planejando voar centenas de quilômetros sobre mar aberto.

Uma aeronave desse tipo devia limitar-se a voos pelo litoral, de modo que pudesse planar até um pouso de emergência em terra caso enfrentasse problemas na sua rota. Teoricamente seria mais seguro alcançar a Inglaterra voando pelo litoral da Dinamarca, Alemanha, Holanda, Bélgica e França. Mas, para se afastar ao máximo do território ocupado pelas tropas alemãs, Harald e Karen precisariam cruzar os muitos quilômetros do mar do Norte. Se algo desse errado, não teriam para onde escapar.

Harald ainda estava concentrado, pensando em tudo isso, quando Karen passou pela janela carregando uma cestinha como se fosse Chapeuzinho Vermelho. Seu coração deu um pulo de felicidade ao vê-la. Durante todo o dia, enquanto trabalhava no avião, pensara no modo como tinham se beijado de manhã, depois de roubarem a gasolina. De vez em quando passava a ponta dos dedos nos lábios para reavivar a memória.

– Uau! – exclamou ela ao ver o Hornet Moth.

Harald ficou satisfeito por ver que a impressionara.

– Lindo, não é?

– Mas não se pode tirá-lo daqui assim. Não vai passar pela porta.

– Eu sei. Vou ter que dobrar as asas de novo e depois desdobrar lá fora.
– Por que, então, as montou agora?
– Para praticar. Vou ser mais rápido na segunda vez.
– Quanto tempo?
– Não sei exatamente.
– E os soldados? Se eles nos virem...
– Estarão dormindo.
Ela fez uma cara séria.
– Estamos prontos, não?
– Estamos.
– Quando partiremos?
– Hoje à noite, claro.
– Oh, meu Deus!
– Esperar só aumenta a chance de nos encontrarem antes de podermos fugir.
– Eu sei, mas...
– O quê?
– Acho que não imaginei que o tempo fosse passar tão depressa.
Ela pegou um pacote na cesta e entregou a ele, distraída.
– Trouxe para você um pouco de rosbife. – Karen lhe trazia comida todas as noites.
– Obrigado. – Ele a examinou detidamente. – Você não está querendo mudar de ideia, está?
Ela balançou a cabeça, decidida.
– Não. Só estou lembrando que não piloto há três anos.
Ele se dirigiu até a bancada de ferramentas e apanhou a machadinha menor e um rolo de corda resistente; guardou-os no porta-luvas sob o painel de instrumentos.
– Para que é isso aí? – perguntou Karen.
– Se cairmos no mar, imagino que o avião afunde por causa do peso do motor. Mas as asas, separadas da fuselagem, teriam condições de flutuar. Assim, se as cortássemos, poderíamos amarrá-las para fazer uma jangada improvisada.
– No mar do Norte? Acho que morreríamos de frio antes que se passasse muito tempo.
– Melhor que morrermos afogados.
Ela estremeceu.

– Se é o que você diz.

– Temos que levar uns biscoitos e umas duas garrafas de água.

– Vou pegar lá na cozinha. Por falar em água...Vamos voar por mais de seis horas.

– E daí?

– Como é que a gente faz xixi?

– A solução é abrir a porta e esperar que dê certo.

– Isso resolve o seu caso.

Ele sorriu.

– Desculpe.

Ela olhou em torno e apanhou um punhado de jornais velhos.

– Ponha isso dentro do avião.

– Para quê?

– Para o caso de eu ter que fazer xixi.

Ele franziu a testa.

– Não vejo como...

– Peça a Deus para que nunca venha a descobrir.

Ele pôs os jornais em cima do banco.

– Temos mapas?

– Não. Achei que bastava a gente voar na direção oeste até ver terra, e que essa terra seria a Inglaterra.

Ela balançou a cabeça.

– Lá de cima é muito difícil saber a nossa localização. Eu vivia me perdendo mesmo aqui por perto. Suponha que a gente siga uma rota errada. Poderíamos descer na França por engano.

– Meu Deus, eu não tinha pensado nisso.

– O único modo de verificar a sua posição é comparar o terreno lá embaixo com um mapa. Vou ver o que tenho lá em casa.

– Ok.

– É melhor eu providenciar tudo de que precisamos. – Ela refez o caminho da vinda e pulou a janela com a cesta vazia.

Harald estava tenso demais para comer a carne que ela lhe trouxera. Resolveu dobrar de novo as asas do Hornet Moth. O processo fora projetado para ser rápido. A ideia era que o proprietário repetiria aquela operação todas as noites, guardando o avião na garagem ao lado do carro da família.

Para impedir que a asa superior batesse no teto da cabine quando as asas fossem dobradas, a seção interna do bordo de fuga era articulada para dobrar para cima, liberando os movimentos seguintes. Assim, o primeiro passo era destravar as seções articuladas e empurrá-las para cima.

Na parte inferior de cada uma das asas superiores havia um esteio, um montante de apoio, que Harald desprendeu e depois fixou às superfícies internas das asas superior e inferior, para impedir que viessem abaixo juntas.

As asas eram mantidas em posição de voo por dois pinos em forma de L introduzidos nas longarinas frontais das quatro asas. Nas asas superiores, o pino era mantido em posição pelo montante de apoio, que Harald removeu, de modo que tudo o que lhe restava fazer era girar o pino 90 graus e puxá-lo para a frente cerca de 10 centímetros.

Os pinos das asas inferiores eram mantidos em posição por tiras de couro. Harald soltou a tira da asa esquerda, girou o pino e puxou-o.

Assim que se libertou, a asa começou a se movimentar.

Harald percebeu que deveria ter previsto aquilo. Estacionada, com a cauda apoiada no chão e o nariz mais alto apontando para o céu, a aeronave ficava inclinada. Ele a segurou, apavorado com os danos que pudessem resultar do choque na fuselagem. Ele tentou agarrar a borda frontal da asa inferior, mas não conseguiu porque era grossa demais.

– Merda! – gritou. Apressou-se em pegar a asa e conseguiu agarrar o cabo de aço que regulava a tensão entre as asas.

Agarrou o cabo com força e reduziu a velocidade do giro da asa, mas os fios cortaram a pele da sua mão e ele automaticamente a abriu com um grito de dor. A asa completou o giro, que só se interrompeu ao chocar-se dolorosamente com a fuselagem.

Irritado com seu descuido, Harald se dirigiu à cauda do avião, agarrou a ponta da asa inferior com ambas as mãos e balançou-a para ver se havia alguma avaria. Para seu imenso alívio, parecia não ter acontecido nada. As bordas posteriores, tanto da asa de cima quanto da de baixo, e a fuselagem nada sofreram. Nada se partira, salvo a pele da mão direita de Harald.

Lambendo o sangue da palma da mão, ele passou para o lado direito. Dessa vez escorou a asa inferior com um caixote cheio de revistas velhas. Ele puxou os pinos e, então, deu a volta para segurar a asa, afastou o caixote e retardou o giro para que ela viesse a se deslocar vagarosamente até a posição dobrada.

Foi nessa hora que Karen voltou.

– Pegou tudo? – perguntou Harald, ansioso.

Ela largou a cesta no chão.

– Não podemos ir hoje.

– O quê? – Ele se sentiu enganado. Tinha se assustado tanto por nada. – E por quê? – indagou, aborrecido.

– Vou dançar amanhã.

– *Dançar?* – Harald sentiu-se ultrajado. – Como é que você pode colocar isso à frente da nossa missão?

– Porque é uma coisa realmente especial. Falei com você que eu era substituta do papel principal. Metade da companhia caiu de cama com uma infecção gástrica qualquer. Há dois elencos, mas as protagonistas de ambos estão doentes, portanto fui chamada. Uma sorte incrível!

– Má sorte, eu diria.

– Vou dançar no palco principal do Teatro Real e... adivinhe só! O rei estará presente!

Ele passou os dedos pelo cabelo, confuso.

– Não posso acreditar que você esteja dizendo isso.

– Reservei um ingresso para você. Para pegar na bilheteria.

– Eu não vou.

– Não seja tão rabugento! Podemos ir amanhã de noite, depois que eu dançar. Esse balé só será encenado de novo dentro de uma semana e até lá as outras duas com certeza estarão curadas.

– Não dou a mínima para a droga desse balé... O que me diz da guerra? Heis acreditava que a RAF está planejando um ataque aéreo maciço. Eles precisam das nossas fotos antes desse ataque! Pense só no número de vidas em jogo!

Ela suspirou e sua voz se abrandou:

– Eu sabia que você ia se sentir assim e pensei em deixar passar a oportunidade, mas simplesmente não posso. De qualquer modo, se levantarmos voo amanhã, estaremos na Inglaterra três dias antes da lua cheia.

– Mas correremos risco aqui por mais 24 horas!

– Olhe, ninguém sabe da existência deste avião... por que iriam descobrir amanhã?

– É possível.

– Oh, não seja infantil, tudo é *possível*.

– Infantil? A polícia está me procurando, você sabe disso. Sou um fugitivo e quero sair deste país o mais rápido possível.

Ela começou a se zangar.

– Você tem que entender como me sinto a respeito desse espetáculo.

– Pois bem, não entendo.

– Olhe, pode ser que eu morra na droga deste avião.

– Eu também.

– Enquanto eu estiver me afogando no mar do Norte ou morrendo de frio na sua jangada improvisada, gostaria de ser capaz de lembrar que antes de morrer realizei a maior ambição da minha vida e dancei maravilhosamente no palco do Teatro Real diante do rei. Será que você não consegue entender isso?

– Não, não consigo!

– Então vá para o inferno! – disse ela, e com isso foi embora.

Harald ficou observando Karen pular a janela. Estava estupefato. Um minuto se passou até que ele voltasse a poder se mover. Deu uma olhada na cesta que ela trouxera. Havia duas garrafas de água mineral, um pacote de biscoitos, uma lanterna elétrica, uma pilha e duas lâmpadas sobressalentes. Não havia mapas, mas ela trouxera um velho atlas escolar, que Harald pegou e abriu. Na contracapa estava escrito, em letra feminina, "Karen Duchwitz, Turma 3".

– Que droga!

CAPÍTULO VINTE E OITO

PETER FLEMMING, EM pé no cais de Morlunde, observava a última barca do dia que vinha de Sande, esperando por uma mulher misteriosa.

Ficara desapontado, embora não realmente surpreso, com o fato de Harald não ter aparecido para o funeral do irmão. Peter examinara cuidadosamente cada uma das pessoas presentes. A maioria era composta por moradores de Sande, gente que Peter conhecia desde criança. Os outros é que o interessavam. Depois do serviço religioso, tomando chá na casa do pastor, falara com todos os estranhos. Havia uns dois antigos colegas de escola, alguns companheiros de farda, amigos de Copenhague e o diretor da escola onde Arne estudara, a Jansborg Skole. Peter ticou o nome de todos na lista que o policial de plantão no cais lhe dera. E notou que não havia ticado um nome: Agnes Ricks.

Ao voltar para o cais, perguntou ao policial se Agnes Ricks tinha voltado para o continente.

– Ainda não – respondeu o homem. – Eu teria me lembrado dela. É um pedaço de mulher.

Ele riu e pôs as mãos em concha sobre o peito procurando descrever seios grandes.

Peter verificou no hotel do pai que nenhuma Agnes Ricks tinha se hospedado lá.

Ficou intrigado. Quem seria aquela Srta. Ricks e o que estava fazendo em Sande? O instinto lhe dizia que tinha alguma ligação com Arne Olufsen. É claro que podia ser mais a sua vontade de que fosse assim que o seu instinto. Mas era a única pista que tinha.

Achando que estava à toa ali no cais de Sande, atravessou para o continente e fez-se discreto no grande porto comercial. A tal Srta. Ricks, no entanto, não apareceu. Quando a barca atracou pela última vez antes da manhã seguinte, Peter se retirou para o Oesterport Hotel.

Havia um telefone em uma pequena cabine situada no saguão e ele ligou para a casa de Tilde Jespersen, em Copenhague.

– Harald foi ao funeral? – perguntou ela imediatamente.

– Não.

– Droga!

– Examinei todos os presentes. Nada. Mas apareceu outra pista que estou seguindo, uma tal de Agnes Ricks. E você, o que fez?

– Passei o dia inteiro telefonando para delegacias de polícia em todo o território nacional. Tenho gente verificando cada um dos colegas de turma de Harald. Devo ter notícias amanhã de manhã.

– Você abandonou o serviço e foi embora – disse ele, mudando abruptamente de assunto.

– Não era um serviço normal, era?

Obviamente ela estava preparada.

– Por que não?

– Você me levou porque queria dormir comigo.

Peter cerrou os dentes. Tinha comprometido seu profissionalismo ao fazer sexo com ela e agora não podia adverti-la.

– Essa é a sua desculpa? – perguntou, furioso.

– Não é uma desculpa.

– Você disse que não gostou do modo como interroguei os Olufsens. Isso não é razão para um agente policial abandonar a missão.

– Não abandonei nada. Só não quis dormir com um homem capaz de fazer aquilo.

– Eu só estava cumprindo minha obrigação!

A voz dela mudou:

– Não foi bem assim.

– Como assim?

– Estaria tudo bem se você tivesse sido duro pensando exclusivamente em cumprir seu dever. Eu poderia compreender e respeitar isso. Mas você sentiu prazer no que estava fazendo, Peter. Você torturou o pastor e foi cruel com a mulher dele, e gostou do que estava fazendo. A dor deles lhe causou satisfação. Não posso ir para a cama com um homem assim.

Peter desligou.

Passou grande parte da noite acordado pensando em Tilde. Deitado na cama, furioso com ela, imaginou-se a esbofeteá-la. Gostaria de ir a seu apartamento, arrancá-la da cama de camisola e tudo e dar-lhe uma surra. Na sua fantasia Tilde suplicava por misericórdia, mas Peter ignorava seus gritos. Na luta, a camisola se rasgava e ele, excitado, a estuprava. Ela gritava e se debatia, mas ele a mantinha subjugada. No fim de tudo, ela implorava perdão com os olhos cheios de lágrimas, mas ele a deixava sem dizer uma palavra.

Por fim acabou dormindo.

Na manhã seguinte foi para as docas para esperar a primeira barca de Sande. Observou, esperançoso, a embarcação manchada de sal quando atracou. Agnes Ricks era sua última aposta. Se ela fosse inocente, não sabia ao certo o que faria dali em diante.

Desembarcaram apenas uns poucos passageiros. O plano de Peter era perguntar ao policial quem seria a Srta. Ricks, mas não foi preciso. Notou imediatamente, no meio dos homens em roupas de trabalho que se apressavam para o primeiro turno da fábrica de enlatados, uma mulher alta com óculos escuros e um lenço na cabeça. Quando ela chegou perto, percebeu que a conhecia. Peter viu o cabelo preto escapando sob o lenço, mas foi o nariz grande e um pouco recurvado que a denunciou. Ela andava de um jeito confiante e um tanto masculino, e Peter lembrou-se de que tinha reparado naquele modo de andar na primeira vez em que a vira, dois anos antes.

Era Hermia Mount.

Mais magra e mais velha do que quando lhe fora apresentada como a noiva de Arne Olufsen, em 1939. Mas Peter não teve dúvida.

– Sua cadela traiçoeira, peguei você – disse ele com profunda satisfação.

Com medo de que ela pudesse reconhecê-lo, pôs uns óculos de armação grossa e puxou o chapéu para a frente, encobrindo o cabelo ruivo. Depois a seguiu até a estação, onde ela comprou um bilhete para Copenhague.

Depois de longa espera, tomaram um trem velho e vagaroso, a carvão, que percorria o território dinamarquês de leste a oeste, numa rota sinuosa, parando em estações de balneários que cheiravam a algas marinhas e de cidadezinhas muito pacatas. Peter estava em um vagão de primeira classe, ardendo de impaciência, e Hermia no carro seguinte, de terceira classe. Ela não podia se livrar dele enquanto estivessem no trem, mas, por outro lado, ele não poderia progredir com a investigação enquanto ela não saltasse.

No meio da tarde o trem parou em Nyborg, na ilha central de Fyn. Dali teriam de fazer uma baldeação para uma barca em que atravessariam o Grande Belt para Sjaelland, a ilha maior, onde tomariam outro trem para Copenhague.

Peter ouvira falar de um plano ambicioso para substituir a barca por uma ponte de 20 quilômetros de extensão. Os tradicionalistas gostavam das numerosas travessias por barcas características da Dinamarca, dizendo que sua lentidão fazia parte da atitude descontraída própria do país em relação à vida. Mas Peter não – ele gostaria de acabar com todas as barcas. Tinha muito a fazer – preferia pontes.

Enquanto esperava a barca, achou um telefone e ligou para Tilde no Politigaarden.

Ela foi glacialmente profissional:

– Não encontrei Harald, mas tenho uma pista.

– Ótimo!

– No último mês ele visitou duas vezes Kirstenslot, onde reside a família Duchwitz.

– Judeus?

– Sim. Um policial de lá se lembra de ter se encontrado com ele. Diz que Harald tinha uma motocicleta a vapor. Mas jura que ele não está lá agora.

– Certifique-se. Vá ver pessoalmente.

– Eu estava mesmo planejando ir.

Tinha vontade de falar sobre o que ela dissera na véspera. Queria saber se ela nunca mais ia dormir com ele mesmo, mas, como não conseguiu imaginar um modo de puxar esse assunto, continuou falando sobre o caso:

– Encontrei a tal Srta. Ricks. Na verdade ela é Hermia Mount, a noiva de Arne Olufsen.

– A inglesa?

– Sim.

– Boa notícia!

– Boa notícia mesmo. – Peter ficou contente por ver que Tilde não tinha perdido o entusiasmo pelo caso. – Ela está a caminho de Copenhague agora e eu a estou seguindo.

– Alguma chance de ela reconhecer você?

– Sim.

– Não quer que eu espere o trem para o caso de ela tentar escapar?

– Prefiro que você vá a Kirstenslot.

– Talvez possa fazer as duas coisas. Onde você está agora?

– Nyborg.

– Você está a pelo menos duas horas daqui.

– Mais. Este trem não anda. Muito lerdo.

– Posso ir de carro a Kirstenslot, dar uma espiada lá por uma hora e ainda esperar você na estação.

– Excelente. Faça isso.

CAPÍTULO VINTE E NOVE

QUANDO HARALD RECUPEROU a calma, viu que a decisão de Karen de adiar o voo por um dia não era completamente louca. Colocou-se no lugar dela, imaginando que tivessem lhe oferecido uma oportunidade para realizar uma importante experiência com o físico Niels Bohr. Era provável que tivesse retardado a fuga para a Inglaterra para não perder essa chance única. Talvez ele e Bohr, trabalhando juntos, mudassem o entendimento da humanidade sobre como o universo funciona. Se ia morrer, gostaria de saber que tinha feito algo assim.

Em todo caso, passou o dia muito tenso. Verificou tudo no Hornet Moth duas vezes. Estudou o painel de instrumentos, familiarizando-se com cada um dos mostradores, para poder ajudar Karen. O painel não era iluminado, porque o avião não tinha sido projetado para voar à noite, portanto ele teria que usar a lanterna para fazer a leitura dos instrumentos. Praticou dobrar e desdobrar as asas, melhorando seu tempo. Experimentou seu sistema de abastecimento em voo, derramando um pouco de gasolina na mangueira que saía da cabine através da janela quebrada e ia até o tanque. Avaliou as condições climáticas, que eram boas, com nuvens esparsas e uma brisa fraca. A lua quase cheia aparecia no fim da tarde. Vestiu roupas limpas.

Estava deitado em sua cama improvisada acariciando Pinetop, o gato, quando alguém sacudiu a grande porta da igreja.

Harald sentou-se, pôs Pinetop no chão e ficou escutando.

– Eu disse que estava trancada...

Era a voz de Per Hansen.

– Mais uma razão para ver o que há aí dentro – retrucou uma voz de mulher.

A voz era autoritária, notou Harald, receoso. Imaginou uma mulher com cerca de 30 anos, atraente, mas severa. Obviamente era da polícia. Devia ter sido ela que mandara Hansen procurar Harald no castelo, na véspera. Com toda a certeza não ficara satisfeita com o trabalho e viera investigar pessoalmente.

Harald praguejou. Provavelmente ela seria mais meticulosa que Hansen e não levaria muito tempo para descobri-lo na igreja. Não lhe restava outra coisa a fazer senão se esconder na mala do Rolls-Royce, e mesmo assim qualquer investigador dotado de um mínimo de competência a abriria.

Harald teve medo de que já fosse tarde demais para sair pela janela de sempre, que era a primeira na parede lateral, logo depois da porta. Mas havia janelas em volta de toda a parede arredondada que cercava a área onde ficava o altar e ele rapidamente fugiu por uma delas.

Quando pisou no chão, olhou em torno cautelosamente. Aquela parte da igreja era escondida apenas parcialmente por árvores e ele poderia ter sido visto por algum soldado; mas estava com sorte e não havia ninguém por perto.

Harald ficou confuso. Queria fugir para longe, mas ao mesmo tempo precisava saber o que ia acontecer. Encolheu-se junto à parede da igreja e ficou ouvindo.

– Sra. Jespersen – era a voz de Hansen –, se a gente ficar de pé naquele tronco dá para passar pela janela.

– Sem dúvida essa é a razão pela qual o tronco está ali – retrucou ela rispidamente.

Claro que ela era muito mais inteligente que Hansen. Harald teve a terrível sensação de que ela descobriria tudo.

Ele ouviu o barulho de pés subindo pela parede, um gemido de Hansen (provavelmente no momento em que ele se espremeu para passar pela janela) e o baque dele aterrissando no piso de cerâmica da igreja. Uns poucos segundos depois, ouviu um baque mais leve.

Harald deslocou-se furtivamente até a parede lateral, trepou no tronco e deu uma espiada pela janela.

A tal Sra. Jespersen era uma mulher bonita com seus 30 anos. Não gorda, mas bem-dotada de curvas, vestida elegantemente com roupas práticas, saia e blusa, sapatos sem salto e uma boina azul-celeste sobre o cabelo louro encaracolado. Como não estava de uniforme, devia ser detetive, foi o que Harald deduziu. Carregava uma bolsa a tiracolo onde, certamente, levava uma arma.

Hansen tinha o rosto congestionado por causa do esforço empenhado para pular a janela e parecia irritado. Harald intuiu que o policial da aldeia devia estar achando estressante lidar com a detetive de raciocínio rápido.

Em primeiro lugar ela viu a motocicleta.

– Aqui está a moto de que você me falou. O motor funciona a vapor. Muito engenhoso.

– Ele deve ter deixado aqui – disse Hansen, em tom defensivo, dando a entender que dissera à detetive que Harald tinha ido embora.

– Talvez – disse a Sra. Jespersen, sem se convencer.

Ela se aproximou do carro.

– Lindo – comentou.

– Pertence ao judeu.

Ela passou um dedo ao longo da curva do para-lama e avaliou a poeira.

– Não sai há muito tempo.

– Claro que não, as rodas foram retiradas. – Hansen achou que tinha sido mais rápido que ela e abriu um sorriso de felicidade.

– Não quer dizer grande coisa, rodas podem ser recolocadas depressa. Mas é difícil fabricar uma camada de poeira.

Ela cruzou o salão e pegou uma camisa de Harald. Ele se contorceu. Por que não a guardara em algum lugar? A detetive cheirou a camisa.

Pinetop apareceu e esfregou a cabeça na perna da Sra. Jespersen. Ela se abaixou para fazer-lhe um afago.

– O que você está querendo, gatinho? Alguém andou lhe dando comida?

Nada podia ser escondido daquela mulher, concluiu Harald, desanimado. Era muito meticulosa. Ela se deslocou para a prateleira que servia como cama. Levantou o cobertor que ele deixara cuidadosamente dobrado e pôs no lugar de novo.

– Alguém está morando aqui – disse.

– Talvez seja um vagabundo.

– E talvez seja o filho da puta do Harald Olufsen.

Hansen ficou chocado.

Ela se voltou para o avião.

– O que temos aqui?

Em desespero, Harald viu que ela puxava a coberta que escondia o Hornet Moth.

– Acredito que seja um aeroplano.

É o fim, pensou Harald. Está tudo acabado agora.

– Duchwitz tinha um avião, me lembro agora. Mas não voa há anos.

– Não está em mau estado.

– Não tem asas!

– As asas estão dobradas para trás, caso contrário não poderia passar pela porta.

Ela abriu a porta da cabine, meteu a mão lá dentro e acionou o manche ao mesmo tempo que ficava de olho na cauda. Viu que o profundor se movimentava.

– Os controles parecem funcionar – comentou.

Deu uma espiada no mostrador de combustível.

– O tanque está cheio.

Ela examinou a pequena cabine e acrescentou:

– Além disso, há um bujão de quatro galões atrás do banco. E duas garrafas de água e um pacote de biscoitos dentro de um compartimento aqui. Mais uma machadinha, um rolo de corda boa e forte, uma lanterna a pilha e um atlas, nada disso com poeira em cima.

Ela tirou a cabeça de dentro da cabine e olhou para Hansen.

– Harald está planejando voar.

– Ora, que desgraçado!

Uma ideia maluca passou pela cabeça de Harald – matar os dois policiais. Não sabia ao certo se seria capaz de matar um ser humano em qualquer circunstância, mas percebeu imediatamente que com as mãos nuas não conseguiria se sobrepor a dois policiais armados e afastou a ideia.

A Sra. Jespersen assumiu uma atitude muito despachada.

– Tenho quer ir a Copenhague. O inspetor Flemming, que é o encarregado do caso, está vindo de trem. Tendo em vista o modo como estão as estradas de ferro hoje em dia, ele poderá chegar a qualquer momento nas próximas doze horas. Quando ele chegar, voltaremos aqui. Prenderemos Harald, se ele ainda estiver aqui, e prepararemos uma armadilha para o caso de ele não estar.

– O que a senhora quer que eu faça?

– Permaneça aqui. Encontre um bom posto de observação no bosque e fique de olho na igreja. Se Harald aparecer, não fale com ele, basta telefonar para o Politigaarden.

– A senhora não vai mandar ninguém para me ajudar?

– Não. Não podemos fazer nada que assuste Harald. Se ele o vir, não entrará em pânico, você é só o policial da aldeia. Mas uma dupla de policiais estranhos pode assustá-lo. Não quero que ele fuja e se esconda por aí. Agora que sabemos onde está, não podemos perdê-lo de novo. Está claro?

– Sim, senhora.

– Por outro lado, se Harald tentar levantar voo, detenha-o.

– É para prendê-lo?

– Atire nele se for preciso, mas, pelo amor de Deus, detenha-o.

Harald achou seu tom de voz direto e objetivo absolutamente aterrorizante. Se ela tivesse sido exageradamente dramática, talvez ele não se assustasse tanto. Mas ela era uma mulher atraente falando sobre coisas práticas – e tinha acabado de dizer a Hansen para atirar nele se fosse necessário. Até aquele momento, Harald nunca tinha pensado na possibilidade de que a polícia pudesse simplesmente matá-lo. A serena impiedade da Sra. Jespersen o chocou.

– Você pode abrir a porta para me poupar de pular a janela de novo – disse ela. – Tranque depois que eu sair, para que Harald não suspeite de nada.

Hansen girou a chave e removeu a tranca; os dois saíram.

Harald aproveitou para pular no chão e bater em retirada contornando a parte de trás da igreja. Afastando-se do prédio, ele observou a distância a Sra. Jespersen andar até seu carro, um Buick preto. Ela examinou sua imagem refletida no vidro da janela e ajustou a boina azul num gesto bem feminino. Depois retomou sua postura policial, apertou bruscamente a mão de Hansen e se afastou pisando com força no acelerador.

Hansen voltou e desapareceu do campo visual de Harald, oculto pela igreja.

Harald se apoiou no tronco de uma árvore por um instante, pensando. Karen prometera ir para a igreja assim que chegasse em casa do balé. Se fizesse isso poderia encontrar a polícia à sua espera. E como ela explicaria o que estava fazendo? Sua culpa seria mais que evidente.

Harald tinha que impedir de qualquer maneira que isso acontecesse. Pensando em qual seria o melhor modo de interceptar e avisar Karen, acabou por concluir que o ideal seria ir ao teatro. Assim poderia ter certeza de que não deixaria de vê-la.

Por um momento sentiu raiva de Karen. Se tivessem partido na noite anterior, poderiam já estar na Inglaterra. Ele a avisara que estaria pondo a vida de ambos em perigo, e estava provado que tinha razão. Mas recriminações a essa altura eram inúteis. Não poderia alterar o que já estava feito e só lhe restava arcar com as consequências.

Inesperadamente, Hansen apareceu contornando a igreja. Ao ver Harald, ele ficou imóvel.

Os dois ficaram atônitos. Harald pensara que Hansen tinha voltado para dentro da igreja para fechar e trancar a porta. Hansen, por sua vez, não podia ter imaginado que sua presa estivesse tão perto. Os dois se fitaram por um instante que pareceu uma eternidade.

Então Hansen sacou a arma.

As palavras da Sra. Jespersen vieram à mente de Harald: "Atire nele se for preciso." Hansen, um policial de aldeia, provavelmente nunca havia atirado em alguém em toda a sua vida. Mas podia estar louco para aproveitar a oportunidade.

Harald reagiu instintivamente. Sem pensar nas consequências, lançou-se para a frente. No exato momento em que Hansen sacava a pistola do coldre, Harald colidiu com ele. Hansen foi jogado para trás e bateu na parede da igreja com um ruído surdo, mas não largou a arma.

Pelo contrário, levantou-a para fazer pontaria. Harald viu que tinha apenas uma fração de segundo para se salvar. Recuou o braço e acertou um soco na ponta do queixo de Hansen. O golpe teve toda a força do seu desespero e a cabeça do policial foi lançada bruscamente para trás, vindo a bater na parede com um barulho que mais parecia um tiro de fuzil. Seus olhos rolaram para cima, o corpo desabou e ele caiu no chão.

Harald entrou em pânico, temendo que o homem tivesse morrido, e se ajoelhou ao lado do corpo inconsciente. Viu imediatamente que Hansen estava respirando. Graças a Deus, pensou. Era horrível imaginar que poderia ter matado um homem – mesmo que fosse violento e idiota como Hansen.

A luta durara apenas alguns segundos – mas teria sido vista? Ele deu uma olhada na direção do acampamento dos soldados. Viu uns poucos homens transitando, mas ninguém olhava na sua direção.

Meteu a arma de Hansen no bolso, levantou o corpo inerte, colocou-o sobre o ombro e correu para a porta principal da igreja, que ainda estava aberta. Continuava com sorte e ninguém o vira.

Assim que entrou, largou o corpo do policial no chão e rapidamente fechou e trancou a porta da igreja. Pegou a corda que pusera na cabine do Hornet Moth e amarrou os pés de Hansen. Depois virou o corpo de bruços e prendeu-lhe as mãos nas costas. Em seguida pegou a camisa que a Sra. Jespersen descobrira e enfiou boa parte dela na boca de Hansen, para que não pudesse gritar, e passou a corda pela cabeça dele para a mordaça não cair.

Finalmente colocou Hansen dentro da mala do Rolls-Royce e fechou-a a chave.

Consultou o relógio. Ainda tinha tempo para ir à cidade e avisar Karen.

Acendeu a caldeira da motocicleta. Era bem possível que fosse visto saindo da igreja, mas não era mais hora de grandes cautelas.

Podia, no entanto, se meter em algum problema sério por estar com a arma de um policial fazendo volume no bolso. Sem saber o que fazer com a pistola, abriu a porta direita do Hornet Moth e colocou-a no chão, onde ninguém a veria, a menos que entrassem na aeronave e pisassem nela.

Assim que acumulou a quantidade mínima de vapor para percorrer o trajeto até o teatro, abriu a porta da igreja, levou a moto para fora, voltou, fechou a porta e saiu pela janela. Estava com sorte e não viu ninguém.

Foi até a cidade, nervoso, com medo de encontrar algum policial, e estacionou ao lado do Teatro Real. Havia um tapete vermelho estendido na entrada e ele se lembrou de que o rei estaria presente. Um aviso informava que "Les Sylphides" seria o último dos três balés do programa. Uma multidão de gente bem-vestida estava no saguão, tomando drinques, e Harald deduziu que tinha chegado durante o intervalo.

Dirigiu-se à porta do palco e encontrou um obstáculo. A entrada era guardada por um funcionário uniformizado.

– Preciso falar com Karen Duchwitz – disse Harald.

– Fora de questão – respondeu o funcionário. – Ela está prestes a entrar em cena.

– É muito importante.

– Vai ter que esperar até o fim do espetáculo.

Harald viu que o homem não ia ceder.

– Quanto tempo dura o balé?

– Cerca de meia hora, dependendo do andamento que a orquestra imprima.

Harald se lembrou de que Karen deixara um ingresso para ele na bilheteria. Decidiu vê-la dançar.

Entrou no foyer de mármore, pegou seu ingresso e se dirigiu para o salão de concertos. Nunca estivera em um teatro antes e contemplou, admirado, os luxuosos enfeites dourados, os diferentes níveis de poltronas, do balcão à galeria, e as fileiras de assentos forrados de veludo vermelho na plateia. Descobriu seu lugar na quarta fileira e sentou-se. Havia dois oficiais alemães uniformizados bem na sua frente. Deu uma olhada no relógio. Por que o balé não começava? A cada minuto Peter Flemming se aproximava mais.

Harald pegou um programa que haviam deixado na poltrona ao seu lado e procurou o nome de Karen. Não aparecia no elenco, mas um papel que caiu de dentro do folheto dizia que a *prima ballerina* estava indisposta e que em seu lugar atuaria Karen Duchwitz. Dizia também que o principal papel masculino ficaria a cargo de um substituto chamado Jan Anders

– possivelmente o bailarino principal fora abatido pela mesma infecção gástrica que acometera praticamente todo o elenco. Devia ser um momento de preocupação para a companhia, pensou Harald, estando os papéis principais a cargo de estudantes com o rei presente na plateia.

Momentos depois ele levou um susto ao ver o Sr. e a Sra. Duchwitz se sentarem duas fileiras à sua frente. Devia ter deduzido logo que eles não iam perder o grande momento da filha. A princípio se preocupou, com medo de que o vissem. Depois concluiu que não tinha mais importância. Agora que a polícia descobrira seu esconderijo, não tinha mais razão para conservá-lo em segredo.

Harald lembrou, culpado, que estava usando a jaqueta americana do Sr. Duchwitz. Tinha quinze anos, de acordo com a etiqueta do alfaiate no bolso interno, mas na verdade Karen não pedira permissão ao pai para pegá-la. Será que ele a reconheceria? Harald disse a si próprio que era tolice pensar nisso. Ser acusado de roubar uma jaqueta era a menor de suas preocupações no momento.

Tocou no rolo de filme que trazia no bolso e perguntou-se se ainda haveria alguma chance de ele e Karen fugirem no Hornet Moth. Muita coisa dependia do trem de Peter Flemming. Se ele chegasse cedo, Flemming e a Sra. Jespersen estariam de volta a Kirstenslot antes de Harald e Karen. Talvez pudessem escapar dos agentes, mas era difícil imaginar como poderiam ter acesso à aeronave sob a vigilância atenta da polícia. Por outro lado, com Hansen fora do caminho, não havia ninguém tomando conta do avião, por ora. Se o trem de Flemming não chegasse a Kirstenslot antes do nascer do sol, eles talvez ainda tivessem uma chance de levantar voo.

A Sra. Jespersen não sabia que Harald a vira. E pensava que dispunha de muito tempo. Era a única coisa que Harald tinha a seu favor.

Quando a droga daquele balé ia começar?

Tão logo todos se sentaram, o rei chegou ao camarote real. Todos os presentes se levantaram. Era a primeira vez que Harald via o rei Cristiano X em pessoa, mas o rosto lhe era familiar de muitas fotografias, o bigode com as pontas viradas para baixo dando-lhe uma expressão permanentemente tristonha, apropriada ao monarca de um país ocupado. Ele vestia um traje a rigor e estava muito empertigado. Nas fotos e ilustrações sempre usava um chapéu qualquer. Agora Harald viu pela primeira vez que ele estava perdendo cabelo.

Quando o rei se sentou, todos os demais o acompanharam e as luzes se apagaram. Até que enfim, pensou Harald.

A cortina foi levantada e apareceram cerca de vinte mulheres imóveis, dispostas em círculo no palco, com um homem diante delas. As bailarinas, todas de branco, eram iluminadas por uma luz azul muito clara, como o luar. O palco nu desapareceu na escuridão. Era uma abertura dramática e Harald ficou fascinado, apesar das suas preocupações.

A orquestra tocou uma frase lenta e descendente, e as bailarinas se moveram. O círculo se alargou, deixando quatro pessoas imóveis no palco: o homem e três mulheres. Uma delas jazia no chão, como se dormisse. Teve início uma valsa lenta.

Onde estava Karen? Todas as garotas vestiam trajes idênticos, com corpetes apertados que deixavam seus ombros à mostra e saias longas que ondulavam, infladas, quando dançavam. Era uma roupa sexy, mas a iluminação fazia com que todas ficassem iguais e Harald não conseguia distinguir Karen.

Quando a que dormia se moveu, ele finalmente reconheceu seu cabelo ruivo. Ela deslizou para o centro do palco. Harald estava tenso de ansiedade, com medo de que ela fizesse qualquer coisa de errado e estragasse seu grande dia; mas Karen parecia segura e controlada. Começou a dançar na ponta dos pés. Devia ser doloroso e Harald estremeceu, mas ela parecia flutuar. A companhia formou desenhos em torno dela, linhas e círculos. A plateia permaneceu silenciosa e imóvel, cativada por Karen, e o coração de Harald se encheu de orgulho. Estava contente por ela ter feito aquilo, fossem quais fossem as consequências.

A música mudou de tom e o bailarino se moveu. Ao vê-lo atravessar o palco aos saltos, Harald o achou um tanto inseguro e se lembrou de que ele, Anders, também era um substituto. Karen demonstrara confiança ao dançar, fazendo com que todos os seus movimentos parecessem sem esforço, mas a tensão visível nos gestos do rapaz dava à sua dança uma sensação de risco.

A cena se encerrou com a mesma frase musical lenta com que abrira e Harald percebeu que não havia uma história, que as danças seriam tão abstratas quanto a música. Consultou o relógio. Apenas cinco minutos tinham se passado.

O grupo se dispersou e formou novas configurações que emolduraram uma série de solos. Toda a música parecia ser em compasso ternário e muito melódica. Harald, que amava as dissonâncias do jazz, achou que era quase doce demais.

O balé o fascinou, mas mesmo assim sua cabeça se desviava a todo instante para o Hornet Moth, para Hansen amarrado dentro da mala do Rolls e para a Sra. Jespersen. Será que Peter Flemming tinha tomado o único trem pontual da Dinamarca? Se sim, será que ele e a Sra. Jespersen já teriam ido para Kirstenslot? Teriam encontrado Hansen? Já estariam à sua espera? Como poderia saber? Talvez conseguisse se aproximar do mosteiro pelo bosque e assim descobrir a existência de uma possível emboscada.

Karen começou a executar um solo e ele descobriu-se mais tenso por ela que pela polícia. Mas não precisava se preocupar: ela seguia relaxada e calma, rodopiando e saltando na ponta dos pés tão alegremente como se estivesse inventando os passos à medida que se deslocava. Harald ficou atônito ao ver como era capaz de executar passos vigorosos, correndo ou saltando no palco, e depois parar fazendo uma pose perfeitamente graciosa, como se fosse imune à ação da inércia. Karen parecia zombar das leis da física.

Harald ficou ainda mais nervoso quando Karen começou a dançar com Jan Anders. Era o chamado *pas de deux*, pensou ele, embora não soubesse ao certo como aprendera isso. Anders a erguia a alturas exageradamente elevadas. Com isso a saia de Karen subia, mostrando suas pernas fabulosas. Ele a segurava, às vezes só com uma das mãos, enquanto fazia uma pose ou andava pelo palco. Harald temia por sua segurança, mas ela sempre voltava ao chão com facilidade e graça. Mesmo assim, Harald sentiu-se aliviado quando o *pas de deux* terminou e o conjunto voltou a dançar. Outra olhada no relógio. Aquela devia ser a última dança, graças a Deus.

Anders executou diversos saltos espetaculares durante a última dança e voltou a erguer Karen algumas vezes. Depois, quando a música aproximava-se do clímax, sobreveio o desastre.

Anders levantou Karen e a sustentou no ar com a mão na parte mais estreita de suas costas. O corpo dela ficou paralelo ao solo e formou um arco. Os dois sustentaram a pose por um momento. E então Anders escorregou.

Ele cambaleou e caiu duro no chão, de costas. Karen veio abaixo quase ao mesmo tempo, caindo em cima da perna e do braço direitos, ao lado dele.

A plateia sufocou um grito, horrorizada. Os demais bailarinos acorreram aos dois corpos caídos. A música prosseguiu mais dois ou três compassos e cessou. Um homem de calças e suéter pretos saiu dos bastidores.

Anders se levantou, segurando o cotovelo, e Harald viu que ele estava chorando. Karen tentou se levantar, mas caiu para trás. O homem de preto fez um gesto e a cortina foi baixada. Todos na plateia começaram a falar ao mesmo tempo, agitados.

Harald se levantou inconscientemente.

Ele viu o Sr. e a Sra. Duchwitz, logo na sua frente, também se levantarem e forçarem caminho ao longo da fileira, desculpando-se com quem ficara sentado. Obviamente estavam indo para o camarim e Harald decidiu fazer o mesmo.

Foi muito difícil e demorado sair de onde estava. Na sua ansiedade, Harald tinha que se conter para não sair andando por cima dos joelhos de todos que estavam no seu caminho. Mas conseguiu chegar ao corredor ao mesmo tempo que os Duchwitzes.

– Vou junto com vocês – disse ele.

– Quem é você? – perguntou o pai de Karen.

Foi a mãe dela quem respondeu:

– É Harald, amigo de Josef, você já foi apresentado a ele. Karen gosta dele, deixe que nos acompanhe.

O Sr. Duchwitz resmungou, mas consentiu. Harald não tinha ideia de como a Sra. Duchwitz sabia que a filha gostava dele, mas foi um alívio ser aceito como parte da família naquele momento.

Quando alcançaram a saída, a plateia ficou repentinamente em silêncio. Os Duchwitzes e Harald se viraram. A cortina tinha subido. O palco estava vazio, exceto pela presença do homem de preto.

– Majestade, senhoras e senhores – começou ele. – Felizmente, o médico da companhia estava presente hoje na plateia.

Harald adivinhou que todas as pessoas que tinham qualquer vínculo com a companhia de dança haviam feito questão de estar presentes à apresentação que contaria com a presença do rei.

– O médico está nos bastidores, tratando dos dois bailarinos principais. Ele já me disse que nenhum dos dois parece estar gravemente ferido.

As palavras dele foram acolhidas por alguns aplausos.

Harald ficou aliviado. Agora que sabia que Karen estava bem, preocupou-se pela primeira vez em saber como o acidente teria afetado a fuga deles. Mesmo que conseguissem chegar ao Hornet Moth, Karen conseguiria pilotar?

O homem de preto prosseguiu com seu comunicado:

– Como todos sabem, e já que constava do nosso programa, na noite de hoje os dois papéis principais ficaram a cargo dos bailarinos substitutos e o mesmo ocorreu com boa parte do elenco. Não obstante isso, espero que concordem comigo quando afirmo que todos dançaram maravilhosamente bem e nos deram uma performance soberba praticamente até o fim do espetáculo. Muito obrigado.

A cortina desceu e a plateia aplaudiu. Quando subiu de novo, apareceram todos os bailarinos, menos Karen e Anders, para uma salva de palmas e o correspondente agradecimento.

Os Duchwitzes saíram e Harald seguiu-os.

Logo estavam na porta que dava acesso aos bastidores e um funcionário os encaminhava ao camarim de Karen.

Sentada, com o braço direito numa tipoia, estava incrivelmente linda, com os ombros de fora e a curva dos seios aparecendo acima do corpete. Harald perdeu o fôlego – fosse por conta da ansiedade ou do desejo que sentia.

O médico estava ajoelhado diante dela, passando uma bandagem em torno do seu tornozelo direito.

– Filhinha! – exclamou a Sra. Duchwitz, abraçando Karen.

Harald também teria adorado poder abraçá-la.

– Estou bem – disse Karen, apesar de estar bastante pálida.

– Qual é o estado dela? – perguntou o pai ao médico.

– Ela está bem – respondeu ele. – Torceu o pulso e o tornozelo. Vai doer por alguns dias e ela deve repousar por pelo menos duas semanas, mas logo vai se recuperar.

Harald ficou aliviado ao saber que os ferimentos não eram sérios, mas seu pensamento imediato foi: Será que consegue pilotar?

O doutor prendeu a atadura com alfinetes de fralda e se levantou. Deu uns tapinhas no ombro nu de Karen e disse:

– É melhor eu ir ver Jan Anders. Ele não caiu tão pesado quanto você, mas estou um pouco preocupado com seu cotovelo.

– Muito obrigada, doutor.

A mão do médico se demorou um pouco no ombro de Karen, para irritação de Harald.

– Você voltará a dançar tão maravilhosamente como sempre, não se preocupe – disse ele e foi embora.

– Pobre Jan – disse Karen. – Ele não consegue parar de chorar.

Harald achava que Jan Anders devia ser fuzilado.

– A culpa foi dele – disse Harald, indignado – Deixou você cair!

– Eu sei, e é justamente por isso que ele está tão abalado.

O Sr. Duchwitz dirigiu um olhar irritado a Harald.

– O que é que você está fazendo aqui?

Mais uma vez, foi sua mulher quem respondeu:

– Harald está morando em Kirstenslot.

Karen ficou chocada.

– Mamãe, como é que você sabia?

– Você acha que ninguém ia reparar que as sobras do jantar desapareciam da cozinha toda noite? Nós, mães, não somos burras, fique sabendo.

– Mas onde é que ele dorme? – perguntou o Sr. Duchwitz.

– Acredito que deva ser na igreja abandonada. O que explicaria por que Karen insiste em mantê-la trancada.

Harald ficou horrorizado ao ver como seu segredo fora revelado com tanta facilidade. O Sr. Duchwitz ficou furioso, mas, antes que pudesse explodir, o rei entrou.

Todos ficaram em silêncio.

Karen tentou se levantar, mas o rei a impediu.

– Minha cara mocinha, por favor, fique como está. Como se sente?

– Dói, Majestade.

– Tenho certeza que dói. Mas não houve nenhum dano permanente, espero.

– Foi o que o doutor disse.

– Você dançou divinamente, quero que saiba.

– Muito obrigada, Majestade.

O rei lançou um olhar curioso a Harald.

– Boa noite, meu jovem.

– Meu nome é Harald Olufsen, Majestade, colega de escola do irmão de Karen.

– Que escola?

– Jansborg Skole.

– Os garotos ainda chamam o diretor de Heis?

– Chamam... e a mulher dele de Mia.

– Bem, cuide direitinho de Karen. – Virou-se para os pais dela. – Olá, Duchwitz, é um prazer vê-lo de novo. Sua filha é dotada de um talento maravilhoso.

– Muito obrigado, Majestade. Vossa Majestade se lembra da minha mulher, Hanna?

– Naturalmente. – O rei apertou a mão dela. – Isto é muito preocupante para uma mãe, Sra. Duchwitz, mas tenho certeza de que Karen ficará boa logo.

– Sim, Majestade. Os jovens se recuperam depressa.

– Sem dúvida! Agora vamos dar uma olhada no pobre rapaz que deixou Karen cair. – O rei se dirigiu para a porta.

Pela primeira vez Harald notou o acompanhante do rei, um homem ainda jovem que era seu assistente, ou guarda-costas – ambos, talvez.

– Por aqui, Majestade – disse ele, segurando a porta.

O rei saiu.

– Bem... – disse a Sra. Duchwitz, emocionada – ...como é encantador!

– Suponho que seja melhor levarmos Karen para casa – disse o Sr. Duchwitz.

Harald perguntou-se quando teria uma chance de falar com Karen a sós.

– Mamãe vai ter que me ajudar a tirar esta roupa – disse Karen.

O Sr. Duchwitz dirigiu-se para a porta e Harald o seguiu, sem saber o que fazer.

– Antes de me trocar, vocês se incomodam de eu ter uma palavrinha com Harald?

O pai dela pareceu ficar irritado, mas a mãe concordou:

– Tudo bem, mas que seja rápido.

Os dois saíram e a Sra. Duchwitz fechou a porta.

– Você está bem mesmo? – perguntou Harald.

– Vou ficar quando você me der um beijo.

Ele se ajoelhou ao lado da cadeira e beijou-lhe os lábios. Depois, incapaz de resistir à tentação, beijou-lhe os ombros nus e o pescoço. Dali, avançou e beijou a curva dos seus seios.

– Oh, meu Deus, pare, é bom demais – murmurou Karen.

Harald recuou, relutante. Viu que a cor voltara ao rosto de Karen e que ela estava ofegante. Era maravilhoso pensar que seus beijos tinham causado aquele efeito.

– Temos que conversar – disse ela.

– Eu sei. Você tem condições de pilotar o Hornet Moth?

– Não.

Era o que ele temera.

– Tem certeza?

– Dói demais. Não posso nem abrir uma droga de uma porta. Mal posso andar. Ou seja, não posso nem pensar em operar o leme com os pés.

Harald enterrou o rosto nas duas mãos.

– Então está acabado.

– O médico disse que só vai doer alguns dias. Poderemos ir assim que eu me sentir melhor.

– Há algo que ainda não lhe contei. Esta noite Hansen foi espionar a igreja.

– Eu não me preocuparia com ele.

– Desta vez estava com uma detetive, a Sra. Jespersen, que é muito mais inteligente que ele. Ouvi a conversa dos dois. Ela entrou na igreja e descobriu tudo. Adivinhou que eu estava morando lá e que planejo fugir no avião.

– Ah, não! O que foi que ela fez?

– Foi buscar o chefe dela, que é Peter Flemming. Deixou Hansen de guarda e mandou que atirasse em mim se eu tentasse levantar voo.

– *Atirasse* em você? E o que é que você vai fazer?

– Derrubei Hansen, que desmaiou, e o amarrei – disse Harald, não sem um toque de orgulho.

– Ah, meu Deus! E onde ele está agora?

– Na mala do carro do seu pai.

Ela achou engraçado.

– Seu monstro!

– Eu achava que nos restava uma única chance. Peter está em um trem que a Sra. Jespersen não sabia quando chegaria. Se eu e você pudéssemos chegar a Kirstenslot antes dela e de Peter, poderíamos levantar voo. Mas agora que você não pode pilotar...

– Ainda é possível.

– Como?

– Você pode pilotar.

– Não posso, só tive uma aula!

– Eu ensino tudo. Poul disse que você tem um talento inato. E posso acionar o manche com a mão esquerda parte do tempo.

– Você está falando sério?

– Claro!

– Tudo bem. – Harald assentiu, determinado. – Então será isso o que faremos. Agora é rezar para que o trem de Peter se atrase.

CAPÍTULO TRINTA

HERMIA RECONHECEU PETER Flemming na barca.

Ela o viu debruçado na amurada, contemplando o mar, e lembrou de um homem com bigode ruivo e um elegante terno de tweed na plataforma de Morlunde. Sem dúvida diversas pessoas de Morlunde podiam estar viajando até Copenhague assim como ela. Mas aquele homem lhe pareceu vagamente familiar. O chapéu e os óculos a atrapalharam por algum tempo, mas por fim ela se lembrou: Peter Flemming.

Ela o conhecera com Arne, nos bons tempos. Os dois homens tinham sido amigos de infância, lembrou, mas se afastaram quando as duas famílias brigaram.

Peter agora era policial.

Assim que se lembrou disso, viu que ele a devia estar seguindo e sentiu um calafrio de medo, como se uma rajada de vento gélido a tivesse atravessado.

O tempo de que dispunha estava acabando. A lua cheia seria dentro de três noites e ainda não encontrara Harald Olufsen. Mesmo que pegasse o filme com ele hoje, não sabia como chegaria à Inglaterra a tempo. Mas não ia desistir – em homenagem à memória de Arne, por Digby e por todos os tripulantes dos aviões da RAF que arriscavam suas vidas para deter os nazistas.

Mas por que Peter ainda não a prendera? Afinal, era uma espiã britânica. O que estaria querendo? Talvez, como ela própria, estivesse procurando Harald.

Quando a barca atracou, Peter seguiu-a até o trem de Copenhague. Assim que o comboio saiu, ela começou a caminhar pelo corredor e o localizou num compartimento de primeira classe.

Voltou para o seu lugar preocupada. As coisas estavam mal encaminhadas. Não podia levar Peter a Harald. Tinha que dar um jeito de despistá-lo. O trem parou repetidamente e chegou a Copenhague lá pelas dez da noite. Quando entrou na estação, ela já havia formulado um plano. Iria para os Jardins do Tivoli e se livraria de Peter lá, no meio da multidão.

Quando saltou, deu uma olhada para trás e viu Peter descendo do vagão em que viajara.

Seguiu adiante com passo normal, subiu a escada, passou pela barreira de controle dos bilhetes de passagem e logo estava fora da estação. Anoitecia, mas o Tivoli era logo ao lado. Hermia comprou um ingresso na bilheteria e foi alertada pelo vendedor de que os portões seriam fechados à meia-noite.

Tinha estado ali com Arne no verão de 1939. Era uma noite de festival e 50 mil pessoas se acotovelavam no parque para assistir ao espetáculo de fogos de artifício. Nessa nova visita aquilo ali parecia-lhe uma triste versão do que fora antes, como uma foto em preto e branco de uma tigela de frutas. As trilhas ainda seguiam, sinuosas e encantadoras, por entre os canteiros de flores, mas as luzes decorativas das árvores tinham sido desligadas e as trilhas eram iluminadas por lâmpadas de baixa intensidade, seguindo o regulamento do blecaute. O abrigo contra incursões aéreas do lado de fora do Teatro de Pantomima acrescentava um toque sinistro ao lugar. Mesmo as bandas pareciam silenciosas. O pior de tudo para Hermia foi constatar que a multidão não era nem um pouco densa, facilitando as coisas para quem quisesse segui-la.

Parou, fingindo se interessar por um malabarista, e olhou para trás. Peter estava bem perto, comprando um copo de cerveja em uma barraca. Como ia se livrar dele?

Hermia se misturou à multidão, reunida em torno de um palco a céu aberto onde estava sendo encenada uma opereta. Ela abriu caminho até a frente e depois para o lado mais distante, mas, quando andou de novo, Peter ainda a seguia. Se demorasse muito, ia acabar descobrindo que estava tentando despistá-lo. E era bem possível que, para evitar mal maior, a prendesse.

Começou a sentir medo. Rodeou o lago e foi dar numa pista de dança onde uma grande orquestra tocava um foxtrote. Havia pelo menos uns cem casais dançando animadamente e muitos mais observando. Finalmente Hermia sentiu algo parecido com a atmosfera do antigo Tivoli. Ao ver um rapaz bonito sozinho ao lado da pista, teve uma inspiração. Aproximou-se dele com o maior dos sorrisos nos lábios.

– Gostaria de dançar comigo? – perguntou.

– Claro que sim!

Ele tomou-a nos braços e os dois saíram dançando. Hermia não era boa dançarina, mas conseguia dar conta do recado se fosse conduzida por um parceiro competente. Arne, por exemplo, era um mestre, soberbo e cheio de estilo. Aquele rapaz era confiante e decidido.

– Qual é o seu nome? – perguntou ele.

Ela quase disse o nome verdadeiro, mas se conteve no último minuto.

– Agnes.

– Eu sou Johan.

– Muito prazer em conhecê-lo, Johan. Você dança maravilhosamente.

Ela deu uma olhada para trás e viu Peter observando os dançarinos.

Mas, de repente, a melodia acabou. Os dançarinos aplaudiram a orquestra. Alguns casais deixaram a pista e outros entraram. Hermia tinha que fazer algo, e bem depressa.

– Outra dança? – perguntou ela.

– O prazer será todo meu.

Hermia decidiu jogar limpo:

– Escute aqui, tem um homem horroroso me seguindo e estou tentando escapar dele. Você quer me conduzir até o outro lado?

– Que coisa mais emocionante! – Ele avaliou os espectadores. – Quem é? Um gordo de cara vermelha?

– Não. É o de terno marrom-claro.

– Estou vendo. É um sujeito bonitão.

A orquestra atacou uma polca.

– Meu Deus! – exclamou Hermia. Era difícil dançar polca, mas ela precisava tentar.

A perícia de Johan foi suficiente para tornar as coisas mais fáceis para ela. E ele conseguia conversar e conduzi-la ao mesmo tempo.

– O homem que a está importunando... ele é um completo estranho ou alguém que você conhece?

– Eu o conheci antes. Leve-me para a outra ponta, perto da orquestra... isso aí.

– É seu namorado?

– Não. Vou deixar você em um minuto, Johan. Se ele correr atrás de mim, dê uma rasteira nele ou algo parecido, sim?

– Como queira.

– Muito obrigada.

– Acho que ele é seu marido.

– De jeito nenhum.

Eles estavam perto da orquestra.

Johan levou-a para a beira da pista de dança.

– Talvez você seja uma espiã e ele, um policial querendo pegar você com segredos militares roubados dos nazistas.

– Algo assim – retrucou ela alegremente e soltou-se dos braços dele.

Hermia saiu rapidamente da pista de dança, contornou o lugar da orquestra e se meteu por entre as árvores. Atravessou o gramado correndo até que encontrou outra trilha e então dirigiu-se para uma saída lateral. Olhou para trás: Peter tinha desaparecido.

Saiu do parque em direção à estação ferroviária suburbana que ficava em frente à rua do outro terminal que atendia às linhas principais. Comprou um bilhete para Kirstenslot. Sentia-se intensamente feliz. Conseguira se livrar de Peter Flemming.

Não havia ninguém na plataforma, exceto uma mulher atraente com uma boina azul-celeste.

CAPÍTULO TRINTA E UM

HARALD APROXIMOU-SE CAUTELOSAMENTE da igreja.

A grama ainda estava molhada, em virtude de uma chuva passageira que já cessara. Uma brisa fraca espalhara as nuvens e a lua quase cheia brilhava nos espaços descobertos do céu. A sombra do campanário ia e vinha com o luar.

Não havia carros estranhos estacionados nas proximidades, mas isso podia não querer dizer nada. A polícia teria escondido seus automóveis se tivesse mesmo a intenção de pegá-lo em uma emboscada.

Não havia uma única luz acesa no mosteiro em ruínas. Era meia-noite e os soldados estavam dormindo, com exceção de dois: a sentinela no parque, do lado de fora da barraca do rancho, e um enfermeiro no hospital veterinário.

Harald parou do lado de fora da igreja, atento. Ouviu um cavalo relinchar no claustro. Com o máximo de cautela, subiu no tronco e deu uma espiada por cima do peitoril da janela.

Conseguiu identificar vagamente o contorno do carro e do avião graças ao luar. Mas poderia haver alguém escondido lá dentro à sua espera.

Em dado instante ouviu um gemido abafado e um golpe surdo. O barulho se repetiu após um minuto e ele viu que só podia ser Hansen lutando para se libertar. O coração de Harald deu um pulo, cheio de esperança. Se Hansen permanecia amarrado, a Sra. Jespersen ainda não retornara com Peter. Ainda havia uma chance de Karen e ele decolarem no Hornet Moth.

Harald passou pela janela e, silenciosamente, foi até o avião. Pegou a lanterna na cabine e fez uma inspeção na igreja. Não havia ninguém.

Abriu a mala do carro. Hansen continuava amarrado e amordaçado. Harald verificou os nós e viu que estavam firmes. Fechou a mala de novo.

– Harald? É você?

Ele virou a lanterna na direção das janelas e viu Karen.

Ela fora levada para casa em uma ambulância, na companhia dos pais. Antes de se separarem, no teatro, ela prometera escapulir de casa assim que pudesse e se juntar a ele na igreja se não houvesse perigo.

Harald desligou a lanterna e foi abrir a porta grande para Karen. Ela entrou mancando, com um casaco de pele sobre os ombros e um cobertor nas mãos. Ele a abraçou delicadamente, preocupado em não machucar seu braço direito na tipoia, e, por um breve momento, deixou-se ficar assim, extasiado com o calor do seu corpo e o perfume do seu cabelo.

Logo voltou para as questões práticas:

– Como é que você se sente, Karen?

– Dói muito, mas vou sobreviver.

Ele olhou para o casaco.

– Você está com frio?

– Ainda não, mas vou sentir a 5 mil pés de altura sobre o mar do Norte. O cobertor é para você.

Ele pegou o cobertor e segurou sua mão boa.

– Está pronta para fazer isto?

– Estou.

Harald beijou-a suavemente.

– Eu amo você.

– Eu amo você também.

– É mesmo? Nunca me disse isso.

– Eu sei, mas estou dizendo agora, para o caso de eu não sobreviver a esta viagem – Karen usou seu costumeiro tom de voz objetivo, como se não estivesse tratando de emoções. – Você é, disparado, o melhor homem que conheci. É inteligente, mas não faz pouco dos outros. É gentil e bondoso, mas tem coragem suficiente para um exército inteiro.

Karen tocou no cabelo dele.

– É até bonito, de um jeito engraçado. O que mais eu poderia querer?

– Algumas garotas gostam que o homem seja bem-vestido.

– Bem lembrado. Mas isso a gente pode consertar.

– Eu gostaria de lhe dizer por que a amo, mas a polícia pode entrar aqui a qualquer minuto.

– Tudo bem, eu sei o porquê: porque sou maravilhosa.

Harald abriu a porta da cabine e jogou o cobertor lá dentro.

– É melhor você embarcar logo – disse. – Quanto menos tivermos a fazer lá fora, mais chances teremos de escapar.

– Ok.

Ele viu que ia ser difícil para ela entrar na cabine. Arrastou um caixote e Karen subiu nele, mas depois não conseguiu pôr o pé machucado lá dentro. Entrar na cabine daquele avião era difícil de qualquer jeito, porque era mais apertada que o banco da frente de um carrinho esportivo – e certamente parecia impossível com um braço e uma perna machucados. Harald concluiu que tinha que colocá-la para dentro da aeronave.

Pegou Karen com o braço esquerdo sob os ombros dela e o braço direito sob seus joelhos, depois subiu no caixote e sentou-a no lado direito da cabine. Desse jeito ela poderia comandar o manche com a mão esquerda, que estava boa, e Harald, ao seu lado no lugar do piloto, usaria a mão direita.

– O que é isto aqui no chão? – perguntou ela, abaixando-se.

– É a arma do Hansen. Eu não sabia o que fazer com ela.

Ele fechou a porta da cabine.

– Você está bem?

Ela abriu a janela, que era de correr.

– Estou ótima. O melhor lugar para a decolagem é ao longo da estrada de acesso dos automóveis. O vento está perfeito, mas soprando na direção do castelo, portanto você vai ter que empurrar o avião toda a vida até a porta do castelo e depois virá-lo de frente para o vento.

– Ok.

Ele escancarou as portas da igreja. Agora tinha que tirar o avião lá de dentro. Por sorte, ele fora estacionado com inteligência, apontando diretamente para a porta. Havia uma corda firmemente amarrada no trem de pouso que, Harald imaginara assim que a vira, era usada para rebocar o aparelho. Pegou-a com firmeza e puxou.

O Hornet Moth era mais pesado do que tinha imaginado. Além do motor, era preciso considerar o peso do combustível e o de Karen. Era muita coisa para puxar.

Para vencer a inércia, Harald deu um jeito de fazer o avião balançar. Conseguiu imprimir algum ritmo e convertê-lo em movimento. Uma vez que começou a se deslocar, a tensão se tornou menor, mas ainda assim era um peso considerável. Foi preciso fazer bastante força para tirar o aparelho da igreja e levá-lo à estrada de acesso ao castelo.

Quando a lua saiu de trás de uma nuvem, o parque ficou iluminado quase como se fosse dia. O avião seria visto por quem quer que olhasse na direção certa. Harald tinha que trabalhar depressa.

Soltou o fecho que prendia a asa esquerda à fuselagem e a empurrou para a posição de voo. Em seguida arriou a seção interna da borda de fuga da asa superior. Com isso, a asa ficava no lugar enquanto ele dava a volta para a borda de ataque. Ali ele empurrou o pino para seu respectivo encaixe. Ficou preso em qualquer coisa. Harald já tinha se deparado com esse problema quando estava praticando. Sacudiu a asa delicadamente e com isso fez com que o pino fosse empurrado até o fim. Prendeu-o com a tira de couro. Depois repetiu o exercício com o pino da asa de cima, que ficou preso com a colocação da escora temporária no lugar.

Gastou ao todo uns três ou quatro minutos com a asa esquerda. Assim que terminou, deu uma olhada no acampamento dos soldados. A sentinela o vira e vinha se aproximando.

Harald repetiu o mesmo procedimento com a asa direita. Quando acabou, o soldado que estava de sentinela já se achava em pé atrás dele, olhando. Era Leo, o bonzinho.

– O que é que você está fazendo aí? – perguntou ele, curioso.

Harald tinha uma história preparada.

– Vamos tirar uma fotografia. O Sr. Duchwitz quer vender o avião porque não pode conseguir gasolina para ele.

– Fotografia? De noite?

– Vai ser uma foto ao luar, com o castelo ao fundo.

– O meu capitão sabe?

– Ah, sim, o Sr. Duchwitz falou com ele e o capitão Kleiss disse que não havia problema.

– Tudo bem – disse Leo, mas logo em seguida franziu a testa, preocupado. – Mas é estranho que o capitão não tenha avisado nada.

– Provavelmente ele achou que não tinha importância.

O sujeito deveria ser um perdedor, pensou Harald. Se os militares alemães fossem todos como ele, não teriam conquistado a Europa.

Leo balançou a cabeça.

– O soldado escalado para o serviço de sentinela deve ser instruído sobre os acontecimentos fora da rotina esperados durante seu turno de serviço – disse ele, como se repetisse um trecho do regulamento.

– Tenho certeza de que o Sr. Duchwitz não teria nos dito para fazer isso sem ter falado antes com o capitão Kleiss.

Harald inclinou o corpo, empurrando a cauda do avião. Ao ver o esforço que ele fazia, Leo pôs-se a ajudá-lo. Juntos, os dois conseguiram completar um giro de um quarto de círculo, levando a aeronave a ficar alinhada com a estrada de acesso de automóveis.

– É melhor eu ir verificar com o capitão – disse Leo.

– Se você acha que ele não vai se importar de ser acordado...

Leo pareceu ficar em dúvida, demonstrando preocupação.

– Talvez ainda não tenha ido dormir.

Harald sabia que os oficiais dormiam no castelo e pensou num jeito de retardar Leo e ao mesmo tempo acelerar sua tarefa.

– Bem, já que você vai até o castelo, bem que pode me ajudar a empurrar este ferro-velho.

– Tudo bem.

– Eu pego a asa esquerda, você pega a direita.

Leo pôs o fuzil a tiracolo e pegou o esteio de metal entre as asas superior e inferior. Com os dois empurrando, o Hornet Moth se deslocou facilmente.

~

Hermia pegou o último trem noturno que saía da estação de Vesterport. Chegou a Kirstenslot depois da meia-noite.

Ela não sabia ao certo o que fazer quando chegasse ao castelo. Não queria chamar a atenção para ela mesma batendo na porta e acordando todo mundo. Talvez tivesse que esperar pela manhã do dia seguinte para poder perguntar por Harald, o que significava passar a noite ao ar livre. Mas não ia morrer por causa disso. Por outro lado, se houvesse luzes no castelo, podia ser que encontrasse alguém com quem pudesse ter uma palavrinha discreta, um criado talvez. Ficava nervosa só de pensar em perder um tempo que era tão precioso.

Uma outra pessoa saltou do trem com ela. Era a mulher da boina azul-celeste.

Hermia sentiu um momento de medo. Teria cometido um erro? Será que aquela mulher a estava seguindo, tendo substituído Peter Flemming?

Teria que se certificar.

Do lado de fora da estação, às escuras, ela parou e abriu a mala, fingindo procurar qualquer coisa. Se a mulher a estivesse seguindo, teria que encontrar uma desculpa para esperá-la.

A mulher saiu da estação e passou por ela sem hesitar.

Hermia continuou a remexer na mala enquanto a observava com o canto do olho.

A tal mulher da boina azul-celeste caminhou energicamente até um Buick preto estacionado nas proximidades. Havia alguém sentado à direção, fumando. Hermia não pôde ver o rosto, só a brasa do cigarro. A mulher embarcou e o carro arrancou.

Hermia respirou aliviada. A mulher passara a noite na cidade e o marido fora esperá-la na estação para levá-la para casa. Alarme falso, pensou, aliviada.

E começou a andar.

~

Harald e Leo empurraram o Hornet Moth pela estrada de acesso de carros, passaram pelo caminhão-tanque de onde Harald roubara a gasolina e seguiram até o pátio bem diante do castelo, onde viraram a aeronave de frente para o vento. Leo entrou correndo para acordar o capitão Kleiss. Harald só tinha um minuto ou dois.

Tirou a lanterna do bolso, acendeu-a e prendeu entre os dentes. Girou os fechos do lado esquerdo da parte dianteira da fuselagem e abriu o capô.

– Gasolina ligada? – exclamou.

– Gasolina ligada – confirmou Karen.

Harald puxou o anel da válvula do carburador e acionou a alavanca de uma das duas bombas de gasolina para alimentar o carburador. Em seguida fechou o capô e prendeu os fechos. Tirou a lanterna da boca.

– Manete em posição e magnetos ligados?

– Manete em posição e magnetos ligados.

Harald parou na frente do motor e acionou a hélice. Imitando o que vira Karen fazer, girou-a uma segunda vez e uma terceira. Finalmente deu um puxão vigoroso e recuou com destreza.

Nada aconteceu.

Ele praguejou. Não havia tempo para lidar com defeitos.

Repetiu os procedimentos. Alguma coisa estava errada, pensou enquanto tentava. Antes, quando girara a hélice, acontecera algo que não estava acontecendo agora. Tentou desesperadamente se lembrar do que fora.

Mais uma vez o motor não pegou.

De repente veio-lhe à cabeça o que estava faltando. Não tinha ouvido um clique quando girara a hélice. Lembrou que Karen lhe dissera que o clique era o sinal de que o motor de arranque estava funcionando. Sem clique não havia centelha.

Ele correu para a janela de Karen.

– Não tem clique! – exclamou.

– É um probleminha do magneto – explicou ela, calma. – Acontece com frequência. Abra o capô do lado direito. Você vai ver o mecanismo de partida entre o magneto e o motor. Bata nele com uma pedra ou algo parecido. Geralmente resolve.

Ele abriu o capô direito e iluminou o motor com a lanterna. A tal peça era um cilindro de metal. Procurou uma pedra no chão perto de onde estava e não achou.

– Não tem pedra, Karen. Passe uma ferramenta aí do estojo.

Ela achou o estojo de ferramentas e lhe passou uma chave inglesa. Harald bateu no cilindro.

– Pare com isso agora mesmo! – exclamou uma voz atrás dele.

Harald virou-se para ver o capitão Kleiss, de calça do uniforme e paletó de pijama, atravessando o pátio na sua direção com Leo logo atrás. Kleiss não estava armado, mas Leo tinha um fuzil.

Harald enfiou a chave inglesa no bolso, fechou o capô e se dirigiu para o nariz do avião.

– Afaste-se do avião! – gritou Kleiss. – Isto é uma ordem!

De repente a voz de Karen fez-se ouvir, autoritária:

– Pare onde está, senão atiro!

Harald viu o braço dela esticado para fora da cabine apontando a pistola de Hansen para Kleiss.

Kleiss parou e Leo também.

Se Karen sabia ou não atirar com aquela pistola, Harald não fazia ideia – e tampouco Kleiss.

– Largue o fuzil no chão, Leo – ordenou Karen.

Leo obedeceu.

Harald esticou o braço e girou a hélice.

Que virou com um clique bem sonoro.

~

Peter seguiu para o castelo na frente de Hermia, com Tilde Jespersen no banco ao seu lado.

– Estacionamos num lugar escondido e ficamos olhando o que ela vai fazer quando chegar lá – disse ele.

– Ok.

– Sobre o que aconteceu em Sande...

– Por favor, não fale nisso.

Ele conteve a raiva.
– Como assim, nunca?
– Nunca.
Peter teve ímpetos de estrangulá-la.
As luzes do farol do Buick revelaram uma pequena aldeia com uma igreja e uma taverna. Logo depois de passar por aquele povoado, eles chegaram a uma entrada imponente.
– Desculpe, Peter. Cometi um erro, mas acabou. Sejamos apenas amigos e colegas.
Ele não queria saber de mais nada.
– Que se dane isso! – exclamou, virando no terreno do castelo.
À direita da pista, havia um mosteiro em ruínas.
– Estranho – comentou Tilde. – As portas da igreja estão escancaradas.
Peter torceu para que algo acontecesse; assim ficaria mais fácil esquecer que fora rejeitado por Tilde. Ele parou o Buick e desligou o motor.
– Vamos dar uma olhada.
Peter pegou uma lanterna no porta-luvas.
Saltaram do carro e entraram na igreja. Peter ouviu um gemido abafado seguido por um golpe surdo. Parecia vir do Rolls-Royce sobre cavaletes no meio do recinto. Ele abriu a mala e o facho da lanterna iluminou um policial amarrado e amordaçado.
– Este é o seu policial, o Hansen?
– O avião não está aqui! – exclamou Tilde.
Naquele exato momento eles ouviram o motor de um avião dar a partida.

~

O Hornet Moth voltou à vida com um ronco e deu a impressão de inclinar-se para a frente, como se ansiasse por ir embora.

Harald se dirigiu rapidamente para o lugar onde Kleiss e Leo estavam. Apanhou o fuzil e o empunhou ameaçadoramente, exibindo um ar de confiança que estava longe de refletir o que de fato sentia. Depois recuou devagar e, contornando o espaço em torno da hélice que girava, foi para junto da porta do lado esquerdo. Meteu a mão no trinco, escancarou a porta e jogou o fuzil no compartimento de bagagem atrás dos bancos.

Estava subindo quando um movimento repentino fez com que desviasse o olhar de Karen. Viu que o capitão Kleiss se jogava para a frente, na direção do avião, e mergulhava no chão. Houve um estampido muito forte, que chegou a ser ouvido mesmo com o ronco do motor, na hora em que Karen disparou a pistola de Hansen. Mas Harald viu que a moldura da janela a impediu de abaixar o pulso suficientemente, de modo que o tiro não acertou o capitão.

Kleiss rolou por debaixo da fuselagem, saiu do outro lado e pulou na asa.

Harald, que já estava no assento do piloto, quis bater a porta, mas Kleiss estava no caminho. O capitão agarrou Harald pela gola e tentou arrancá-lo da cabine. Harald lutou, buscando livrar-se das garras do capitão alemão. Karen, por sua vez, empunhava a pistola de Hansen com a mão esquerda, mas não conseguia se virar na cabine, muito apertada, para ficar em posição de dar um tiro em Kleiss. Leo veio correndo, mas, por causa da porta e das asas, não conseguiu se aproximar o suficiente para entrar na briga.

Harald tirou a chave inglesa do bolso e desferiu um golpe com toda a força. Pegou embaixo do olho do capitão, arrancando-lhe sangue, mas ele não desistiu.

Karen conseguiu segurar o manete e levá-lo todo à frente. O motor roncou mais forte e o avião se deslocou. Kleiss perdeu o equilíbrio, viu-se obrigado a largar um braço, mas continuou segurando Harald com o outro.

O Hornet Moth deslocou-se com mais velocidade, pulando na grama. Harald acertou Kleiss de novo e dessa vez o alemão deu um grito, soltou o braço de Harald e caiu no chão.

Harald bateu a porta.

Ele já ia pegar o manche, mas Karen disse:

– Deixe o manche por minha conta, posso comandá-lo com a mão esquerda.

O avião seguia pela estrada de acesso, mas, assim que começou a ganhar velocidade, desviou-se para a direita.

– Use os pedais do leme! – gritou Karen. – Mantenha o avião na estrada!

Harald comprimiu o pedal da esquerda para trazer a aeronave de volta à pista de automóveis.

Nada aconteceu e ele apertou o pedal com toda a força. Após um momento o aparelho virou tanto para a esquerda que atravessou a estrada e se meteu na grama alta do outro lado.

– Há um atraso entre você ordenar um comando e a aeronave responder a esse comando – gritou ela. – Você tem que prever esse atraso!

Harald compreendeu o que Karen queria dizer. Era como pilotar um barco, só que pior. Comprimiu o pedal da direita para retificar o curso do avião e, assim que começou a surtir efeito, corrigiu com o pé esquerdo. Dessa vez o desvio não foi tão acentuado e, quando o aparelho voltou para a pista, ele conseguiu mantê-lo alinhado.

– Conserve-o assim! – berrou Karen.

A aeronave acelerou.

Na outra ponta da estrada surgiram os faróis de um automóvel.

~

Peter Flemming engrenou a primeira marcha e meteu o pé no acelerador. Justo quando Tilde estava abrindo a porta do carona para embarcar, o carro deu um solavanco e saiu a toda. Com um grito, ela largou a porta e caiu. Peter fez votos de que ela tivesse quebrado o pescoço.

Ele seguiu pela pista de automóveis, deixando a porta do carona aberta. Quando o motor começou a gritar ele engrenou a segunda. O Buick ganhou velocidade.

Iluminado por seus faróis, ele viu um pequeno biplano descendo a pista, vindo diretamente de encontro ao seu carro. Harald Olufsen estava naquele avião, sem dúvida nenhuma. Mas ia detê-lo, nem que tivesse que matar ambos.

Peter engrenou a terceira.

~

Harald sentiu o Hornet Moth empinar quando Karen levou o manche para a frente, levantando a cauda. Ele gritou:

– Está vendo aquele carro?

– Estou. Ele vai tentar bater na gente?

– Vai. – Harald conservava os olhos fixos na pista, concentrado na tarefa de manter o curso do avião com os pedais do leme. – Será que a gente consegue levantar voo a tempo de passar por cima dele?

– Não sei ao certo...

– Veja se descobre logo!

– Fique preparado para desviar se eu mandar!

– Estou pronto!

O carro estava perigosamente perto deles. Harald viu que não iam conseguir passar por cima. Karen gritou:

– Vire!

Ele pressionou o pedal da esquerda. O avião, reagindo menos lentamente devido à maior velocidade, deu uma guinada para fora da estrada – a manobra foi brusca demais. Harald teve receio de que o conserto que fizera no trem de pouso não aguentasse. Apressou-se em corrigir o rumo.

Com o canto do olho, Harald viu que o carro virava na mesma direção, sempre visando colidir com o Hornet Moth. Era um Buick, igual ao Buick em que Peter Flemming fora à Jansborg Skole. Na tentativa de prosseguir em rota de colisão com a aeronave, o carro fez uma curva fechada.

Mas o avião tinha um leme, ao passo que a direção do automóvel era ditada pelas rodas – e isso fazia diferença na grama molhada. Assim que o Buick passou para a grama, derrapou. E, enquanto derrapava de lado, o luar iluminou momentaneamente o rosto do homem ao volante, que lutava para não perder o controle do carro. Harald reconheceu Peter Flemming.

O avião oscilou e se endireitou. Harald viu que estava prestes a bater no caminhão-tanque, meteu o pé no pedal da esquerda e a ponta da asa direita do Hornet Moth passou a poucos centímetros do caminhão.

Peter Flemming não teve a mesma sorte.

Olhando para trás, Harald viu o Buick, completamente desgovernado, deslizar terrivelmente em direção ao caminhão-tanque, chocando-se com ele com toda a força. Houve uma explosão terrível e um segundo mais tarde o parque inteiro foi iluminado por um clarão amarelo. Harald tentou ver se a cauda do Hornet Moth tinha pegado fogo, mas, como era impossível olhar diretamente para trás, só lhe restava torcer pelo melhor.

O Buick virou uma fornalha.

– Mantenha o avião na rota! – gritou Karen. – Já vamos levantar voo!

Ele voltou a atenção para o leme. Viu que estava se encaminhando para a barraca do rancho.

Quando voltaram a andar em linha reta, o avião ganhou velocidade.

~

Hermia começou a correr quando ouviu o barulho do motor do avião. Assim que ela pisou em Kirstenslot viu um carro escuro, muito parecido com o da estação, em louca disparada. Enquanto olhava, o carro derrapou e bateu em um caminhão estacionado ao longo da pista. Houve uma explosão terrível e tanto o carro quanto o caminhão pegaram fogo. Ela ouviu um grito de mulher:

– Peter!

À luz das chamas, ela viu a mulher da boina azul. Então compreendeu. A mulher da boina a *estava seguindo*. O homem que a esperara no Buick era Peter Flemming. Não precisaram segui-la a partir da estação porque sabiam para onde ia. Tinham chegado ao castelo antes dela. Mas e depois?

Hermia viu um pequeno biplano se deslocando pelo gramado, dando a impressão de que ia levantar voo. Aí a mulher da boina se ajoelhou, tirou uma pistola da bolsa e fez pontaria para atirar no avião.

O que estava acontecendo ali? Se a mulher de boina era colega de Peter Flemming, o piloto deveria ser um adversário. Podia inclusive ser Harald, fugindo com o filme no bolso. Ela precisava impedir a mulher de abater a aeronave.

~

O parque estava iluminado pelas labaredas do caminhão-tanque e, naquela claridade, Harald viu a Sra. Jespersen apontar uma arma contra o Hornet Moth.

Não havia nada que pudesse fazer. Estava seguindo diretamente para ela e se virasse para qualquer lado só se colocaria em melhor posição para ser atingido pela detetive. Cerrou os dentes. As balas podiam passar pelas asas ou pela fuselagem sem causar nenhum problema sério. Por outro lado, podiam danificar o motor, incapacitar os controles, furar o tanque de gasolina ou matar um dos dois, ele ou Karen.

Então viu uma segunda mulher correndo pela grama e carregando uma mala.

– Hermia! – gritou, atônito, quando a reconheceu.

Hermia bateu com a mala na cabeça da Sra. Jespersen. A detetive caiu de lado e largou a pistola. Hermia acertou-a mais uma vez e pegou a arma.

Foi quando o avião passou por cima delas e Harald se convenceu de que tinha levantado voo.

Olhando para cima, viu que estava prestes a bater na torre do campanário da igreja.

CAPÍTULO TRINTA E DOIS

KAREN COMANDOU O manche bruscamente para a esquerda, chegando a bater com ele na perna de Harald. O Hornet Moth inclinou as asas enquanto ganhava altura, mas Harald notou que a curva não ia ser suficientemente fechada e o avião ia bater na torre da igreja.

– Pedal esquerdo! – gritou Karen.

Só então ele se lembrou de que também podia pilotar. Comandou com força o pedal esquerdo e sentiu a aeronave inclinar-se imediatamente num ângulo mais acentuado. Mesmo assim, continuou a achar que a asa direita ia bater. O avião fez a curva com uma lerdeza torturante. Harald se preparou para a colisão. A ponta da asa passou a centímetros da torre.

– Jesus Cristo! – exclamou.

O vento forte fazia o avião corcovear como um cavalo. Harald teve a impressão de que podiam despencar do céu a qualquer momento. Mas Karen continuou a ganhar altitude enquanto completava a curva. Harald trincou os dentes. Quando chegou aos 180 graus e o avião ficou de frente para o castelo, ela retificou a rota. À medida que iam ganhando altura, a aeronave ficava mais e mais estabilizada, e Harald lembrou que Poul Kirke dissera que havia mais turbulência perto do solo.

Ele olhou para baixo. O caminhão-tanque ainda estava em chamas e, graças à sua claridade, podiam-se ver os soldados saindo do mosteiro em trajes de dormir. O capitão Kleiss gesticulava muito e berrava ordens. A Sra. Jespersen jazia deitada, imóvel, aparentemente desmaiada. Hermia Mount não podia ser vista em lugar algum. Da porta do castelo, criados olhavam para o avião.

Karen apontou para um instrumento no painel.

– Fique de olho nisso aí – disse. – É o indicador de curvas. Use o leme para manter o ponteiro bem no meio, na posição 12 horas.

O luar entrava pelo teto transparente da cabine, mas, mesmo sendo bastante claro, a iluminação era insuficiente para a leitura dos instrumentos. Harald acendeu a lanterna.

Continuaram a ganhar altura e o castelo foi diminuindo com a distância. Karen mantinha-se atenta, olhava para a esquerda, para a direita e também para a frente, embora não houvesse muito que ver, exceto a enluarada paisagem dinamarquesa.

– Aperte o cinto de segurança – disse. Harald viu que ela já tinha afivelado o seu. – Assim você não bate com a cabeça no teto da cabine se o avião sacudir muito.

Harald prendeu seu cinto. Começava a acreditar que tinham conseguido escapar e não conteve mais a sensação de vitória.

– Achei que eu fosse morrer – disse.

– Eu também... um monte de vezes!

– Seus pais vão ficar loucos de preocupação.

– Deixei um bilhete para eles.

– Fez mais que eu. – Ele nem pensara nisso.

– Basta que fiquemos vivos para deixá-los felizes.

Ele pôs a mão no rosto dela.

– Como se sente?

– Um pouco febril.

– Você está mesmo com febre. Devia beber água.

– Não, obrigada. Temos um voo de seis horas pela frente, sem banheiro. Não quero ter que fazer xixi na sua frente. Poderá ser o fim de uma bela amizade.

– Eu fecho os olhos.

– E pilota de olhos fechados? Esqueça. Vou ficar bem.

Ela estava querendo ser engraçada, mas Harald estava preocupado. Os últimos acontecimentos o tinham deixado exausto e Karen fizera as mesmas coisas com um tornozelo e um pulso destroncados. Rezava para que ela não desmaiasse.

– Olhe a bússola – disse ela. – Qual é o nosso rumo?

Ele tinha estudado a bússola quando o avião estava na igreja e sabia como lê-la.

– Duzentos e trinta.

Karen inclinou o avião um pouco para a direita.

– Imagino que para a Inglaterra ela deva indicar 250 graus. Diga-me quando estivermos no rumo.

Com a lanterna ele iluminou a bússola até esta indicar o rumo desejado.

– Pronto.

– Que horas são?

– Meia-noite e quarenta.

– Devíamos anotar tudo isso, mas não trouxemos lápis.

– Não creio que eu venha a esquecer nada disso.

– Eu gostaria de passar por cima daquela nuvem – disse ela. – Qual é a nossa altitude?

Harald focalizou a lanterna no altímetro.

– Estamos a 5 mil pés.

Momentos depois o avião era engolido pelo que parecia ser fumaça e Harald viu que tinham entrado na nuvem.

– Mantenha a luz em cima do indicador de velocidade – disse Karen. – E me avise de qualquer mudança.

– Por quê?

– Em um voo cego, é difícil manter a aeronave na altitude correta. Posso levantar ou baixar o nariz sem notar. Mas, se isso acontecer, nós saberemos, porque a velocidade vai diminuir ou aumentar.

Era assustador o tal do voo cego. Devia ser assim que aconteciam acidentes, pensou Harald. Dentro de uma nuvem, o avião podia bater facilmente em uma montanha. Por sorte, não havia montanhas na Dinamarca. Mas, se houvesse outro avião voando dentro da mesma nuvem, nenhum dos dois pilotos saberia a tempo.

Após alguns minutos, o luar permitiu que ele visse a nuvem vindo, em espirais, de encontro às janelas da cabine. Logo em seguida, para seu alívio, eles saíram para o céu claro e foi possível distinguir a sombra do Hornet Moth projetada nas nuvens logo abaixo.

Karen acionou o manche para nivelar o aparelho.

– Está vendo o conta-giros?

Harald acendeu a lanterna mais uma vez.

– Dois mil e duzentos RPM.

– Traga o manete para trás devagarzinho, até que indique 1.900 rotações por minuto.

Harald fez o que ela disse.

– Usamos a potência do motor para mudar nossa altitude – explicou ela. – Manete para a frente, subimos; manete para trás, descemos.

– Como controlamos, então, a nossa velocidade?

– Pela inclinação da aeronave – explicou Karen. – Nariz para baixo, para aumentar a velocidade; nariz para cima, para reduzi-la.

– Entendi.

– Mas nunca levante o nariz abruptamente, porque aí a gente entra num estol. Ou seja, perde a sustentação e o avião despenca.

Harald achou essa possibilidade terrível.

– E qual é a solução?

– Baixar o nariz e aumentar a rotação. É fácil... só que o instinto manda levantar o nariz, o que agrava a situação.

– Não vou esquecer disso.

– Pegue o manche agora. Veja se consegue voar reto e nivelado... Tudo bem, o comando está com você.

Ele pegou o manche com a mão direita.

– Você deve dizer "Está comigo", para que o piloto e o copiloto não venham a se meter numa situação em que cada um pense que o outro está controlando o avião.

– Está comigo – disse ele, mas sem sentir que fosse assim realmente.

O Hornet Moth tinha vida própria, virando e mergulhando com as turbulências, e ele tinha que usar toda a sua capacidade de concentração para manter as asas niveladas e o nariz na mesma posição.

– Você tem a sensação de que está puxando o manche o tempo todo? – perguntou Karen.

– Tenho.

– Isso acontece porque já usamos um pouco de gasolina, o que gerou uma alteração no centro de gravidade do avião. Está vendo aquela alavanca perto do canto superior dianteiro da sua porta?

Ele deu uma olhada rápida.

– É o compensador do profundor. Ou simplesmente estabilizador. Eu o tinha colocado em posição adequada à decolagem quando o tanque estava cheio e a cauda, pesada. Agora o avião precisa ser compensado.

– Como se faz isso?

– É simples. Alivie um pouco a pressão da mão que segura o manche. Sente o avião querendo ir para a frente sozinho?

– Sinto.

– Puxe o estabilizador para trás. Depois disso, vai precisar fazer menos pressão ao manche.

Ela estava certa.

– Ajuste o compensador até que não seja mais necessário ficar puxando o manche.

Harald foi movendo o compensador gradualmente para trás. De repente, o manche começou a pressionar sua mão.

– Foi demais – disse ele.

Empurrou o compensador um quase nada para a frente.

– Agora sim.

– Você também pode compensar o leme movimentando seu controle, que se desloca numa barra dentada que fica na parte inferior do painel de instrumentos. Quando o avião está corretamente compensado, ele voa reto e nivelado, sem que seja preciso fazer pressão sobre os controles.

Harald experimentou tirar a mão do manche. O Hornet Moth continuou voando reto e nivelado. Ele reassumiu o comando.

A nuvem embaixo deles não era contínua e de vez em quando podiam ver o solo iluminado pelo luar. Em pouco tempo deixaram para trás a ilha de Sjaelland, onde ficava Copenhague, e passaram a voar sobre o mar.

– Cheque o altímetro – disse Karen.

Harald tinha dificuldade em olhar para o painel de instrumentos, achando instintivamente que precisava se concentrar em comandar a aeronave. Quando conseguiu deixar de olhar para fora, viu que tinham atingido 7 mil pés.

– Como foi que isso aconteceu? – quis saber.

– Você está mantendo o nariz alto demais. É natural. O medo inconsciente de bater no chão faz com que fique tentando ganhar altitude. Baixe o nariz.

Ele empurrou o manche. E, quando o nariz desceu, viu outro avião, que tinha grandes cruzes pintadas nas asas. Harald sentiu náuseas de tanto medo.

Karen viu também, ao mesmo tempo.

– Droga! – exclamou. – A Luftwaffe! – Parecia tão assustada quanto ele.

– Estou vendo.

O aparelho da Luftwaffe estava à esquerda e um pouco abaixo, distante uns 500 metros mais ou menos. Subia em sua direção.

Karen pegou o manche e pôs o nariz violentamente para baixo.

– Está comigo.

– Está com você.

O Hornet Moth mergulhou.

Harald reconheceu a outra aeronave como um Messerschmitt Bf110, um caça noturno bimotor com dois lemes na cauda e uma cabine de comando comprida, feita de painéis transparentes, que lembrava uma estufa. Lembrou-se de Arne falando do armamento do Bf110 com uma mistura de medo e inveja: tinha canhões e metralhadoras no nariz, e Harald podia ver agora as metralhadoras dorsais espetadas onde terminava a cabine. Aquele era o aparelho usado para derrubar bombardeiros aliados depois que a estação de rádio de Sande os detectava.

O Hornet Moth estava completamente indefeso.

– O que é que vamos fazer? – perguntou Harald.

– Tentar voltar para dentro daquela camada de nuvens antes que ele chegue perto o bastante para atirar. Droga, eu não devia ter deixado você subir tanto!

O Hornet Moth mergulhava acentuadamente. Harald deu uma olhada no velocímetro e viu que tinham atingido 130 nós, aproximadamente 240 quilômetros por hora. Era como se estivessem descendo uma montanha-russa. Sem querer, agarrou-se à beirada do assento.

– Isso é seguro? – perguntou.

– Mais seguro que levar um tiro.

O outro avião se aproximava rapidamente. Era muito mais veloz que o Hornet Moth. De repente houve um clarão e eles ouviram uma rajada de metralhadora. Harald esperava que o Messerschmitt atirasse neles, mas ainda assim não pôde conter um grito de espanto e medo.

Karen virou à direita, tentando atrapalhar a mira do artilheiro alemão. O Messerschmitt passou por baixo deles como um relâmpago. Os tiros cessaram e o motor do Hornet Moth continuou funcionando. Não tinham sido atingidos.

Harald lembrou de Arne dizendo que era bastante difícil para um avião rápido atirar num lento. Talvez fosse isso que os tivesse salvado.

Quando viraram, ele olhou pela janela e viu o caça se afastando ao longe.

– Acho que ele está fora do alcance – disse.

– Não por muito tempo – replicou Karen.

De fato, o Messerschmitt estava voltando. Os segundos se arrastaram enquanto o Hornet Moth mergulhava em direção ao abrigo de uma nuvem e o veloz caça executava uma curva larga. Harald viu que a velocidade do Hornet atingira 160 nós. A nuvem estava bem perto – mas não o suficiente.

Harald viu os clarões e ouviu os tiros. Dessa vez o caça estava mais perto e tinha um ângulo melhor para atacá-los. Para seu horror, viu aparecer um rasgão irregular no tecido que recobria a asa inferior esquerda. Karen empurrou o manche e o Hornet Moth inclinou-se lateralmente e para dentro.

De repente, eles mergulharam dentro da nuvem.

Os tiros cessaram.

– Graças a Deus – disse Harald. Embora fizesse frio, ele estava suando.

Karen puxou o manche e eles saíram do mergulho. Harald iluminou o altímetro e viu o ponteiro parar de girar velozmente e firmar-se pouco acima de 5 mil pés. O velocímetro gradualmente voltou a mostrar a velocidade normal de cruzeiro de 80 nós.

Ela inclinou a aeronave mais uma vez, mudando de direção, para que o caça não pudesse alcançá-los seguindo simplesmente o seu curso anterior.

– Reduza os giros para cerca de 1.600 – disse ela. –Vamos seguir por baixo desta nuvem.

– Por que não ficar dentro dela?

– É difícil voar por muito tempo dentro de uma nuvem. Você fica desorientado. Não sabe se está de cabeça para cima ou para baixo. Os instrumentos dizem o que está acontecendo, mas você não acredita neles. É assim que acontecem muitos acidentes.

Harald encontrou o manete no escuro e puxou-o para trás.

– Será que esse caça apareceu por acaso? – perguntou Karen. – Talvez eles possam nos detectar com suas ondas de rádio.

Harald franziu a testa, pensando. Era bom ter um quebra-cabeça para esquecer o perigo que corriam.

– Acho que não – disse. – As ondas de rádio sofrem interferência de coisas metálicas, mas não acho que seja o caso com madeira e tecido. Um grande bombardeiro de alumínio refletiria as ondas de volta para as antenas, mas aqui só o nosso motor poderia fazer algo desse tipo, e provavelmente ele é muito pequeno para aparecer nos seus detectores.

– Espero que você tenha razão. Caso contrário, estamos liquidados.

Eles saíram abaixo da nuvem. Harald aumentou a rotação para 1.900 e Karen puxou o manche.

– Fique atento – disse ela. – Se o virmos de novo, teremos que subir depressa.

Harald fez o que ela disse, mas não havia muito o que ver. Uns 1.500 metros adiante, a lua brilhava por um buraco nas nuvens e Harald pôde apreciar a geometria irregular dos campos e bosques. Deviam estar sobrevoando a grande ilha central de Fyn. Mais perto, um facho de luz intensa cortava a paisagem às escuras e ele achou que deveria ser um trem ou um carro da polícia.

Karen inclinou o avião para a direita.

– Olhe para a sua esquerda – disse ela. Harald não viu nada.

Ela inclinou o aparelho para a direita e deu uma olhada pela sua janela.

– Temos que observar todos os ângulos – explicou. Harald notou que ela estava ficando rouca de tanto gritar por causa do barulho do motor.

O Messerschmitt apareceu na frente deles.

Desceu da nuvem pouco mais de 500 metros de distância à frente, sendo denunciado pela escassa luminosidade refletida no solo banhado pelo luar. Afastava-se.

– Acelere tudo! – gritou Karen, mas Harald se antecipara. Ela puxou o manche para levantar o nariz.

– Talvez ele não nos veja – disse Harald, otimista. Mas suas esperanças foram imediatamente frustradas quando o caça iniciou uma curva acentuada.

O Hornet Moth levou alguns segundos para responder aos comandos. Mas finalmente começaram a subir na direção da nuvem. O caça fez uma curva aberta e aumentou a potência do motor para segui-los na subida. Assim que se alinhou, ele atirou.

Mas nesse momento o Hornet Moth já tinha sumido dentro da nuvem.

Karen mudou de direção imediatamente. Harald vibrou.

– Conseguimos de novo! – exclamou, mas sem conseguir disfarçar o medo que sentia.

Ganharam altitude dentro da nuvem e, quando o clarão do luar começou a iluminar a névoa em volta deles, Harald percebeu que estavam perto do topo da camada de nuvens.

– Reduza a potência – disse Karen. – Teremos que permanecer dentro da nuvem pelo máximo de tempo que conseguirmos.

A aeronave se estabilizou.

– Observe o velocímetro – disse ela. – Não podemos subir nem descer.

– Ok.

Ele checou o altímetro também. Estavam a 5.800 pés.

Exatamente nesse instante o Messerschmitt apareceu a poucos metros de distância.

Estava ligeiramente mais baixo e para a direita, e ia cortar o curso do Hornet Moth. Por uma fração de segundo, Harald viu o rosto aterrorizado do piloto alemão, a boca aberta num grito de pavor. Estavam todos a um centímetro da morte. A asa do caça passou debaixo do Hornet Moth, por pouco não raspando no trem de pouso.

Harald pisou fundo no pedal esquerdo e Karen puxou o manche para trás com toda a força, mas o caça já tinha desaparecido.

– Meu Deus, essa foi por pouco! – exclamou Karen.

Harald fixou os olhos na nuvem, esperando que o Messerschmitt aparecesse a qualquer momento. Passou-se um minuto, depois outro.

– Acho que ele estava tão assustado quanto nós – disse Karen.

– O que é que você acha que ele vai fazer?

– Vai voar por cima e por baixo da camada de nuvens por algum tempo, na esperança de que apareçamos. Com sorte, nossos cursos vão divergir e nós o despistaremos.

Harald conferiu a bússola.

– Estamos seguindo para o norte – disse.

– Perdi o rumo com tantas esquivas – disse ela. Fez uma curva para a esquerda, que Harald ajudou com o pedal do leme, e, quando a bússola indicou 252, ele avisou e ela retificou a rota.

Quando saíram da nuvem, olharam em todas as direções, mas não havia outro avião.

– Estou tão cansada! – disse Karen.

– Não é de espantar. Deixe que eu assumo o comando. Descanse um pouco.

Harald se concentrou em manter o voo reto e nivelado. Os intermináveis ajustes mínimos começaram a se tornar instintivos.

– Fique de olho nos instrumentos – advertiu Karen. – Verifique sempre o indicador de velocidade, o altímetro, a bússola, a pressão do óleo e o medidor do tanque de gasolina. Quando se está voando, é preciso verificar tudo o tempo todo.

– Ok. – Ele obrigou-se a olhar para o painel a cada um ou dois minutos e descobriu, ao contrário do que lhe diziam seus instintos, que o avião não caía se tirasse os olhos do céu à sua frente.

– Devemos estar sobre a Jylland agora – disse Karen. – Gostaria de saber quanto nos desviamos para o norte.

– Como poderemos saber?

– Vamos ter que voar em baixa altitude quando cruzarmos a costa. É indispensável que identifiquemos algumas características do terreno para estabelecer nossa posição no atlas.

A lua estava baixa no horizonte. Harald consultou o relógio e ficou surpreso ao ver que já estavam voando havia duas horas. Tinha a impressão de que estivessem voando há apenas alguns minutos.

– Vamos dar uma olhada – disse Karen após algum tempo. – Reduza a potência para 1.400 RPM e baixe o nariz.

Ela encontrou o atlas e o consultou usando a luz da lanterna.

– Vamos ter que baixar mais – disse. – Não consigo ver o solo direito.

Harald desceu a 3 mil pés e depois a 2 mil. O solo era visível ao luar, mas não havia elementos destacados, apenas campos. Até que Karen disse:

– Olhe lá! Não é uma cidade?

Harald deu uma espiada. Difícil dizer. Não havia luzes por causa do blecaute – imposto justamente para dificultar o reconhecimento das cidades pelos aviões. Mas lá embaixo o terreno que surgia mais adiante certamente parecia ter qualquer coisa diferente.

De repente, pequenos pontos luminosos começaram a aparecer no ar à sua volta.

– Que diabo é isso aí? – berrou Karen.

Será que alguém estaria soltando fogos de artifício na direção do Hornet Moth? Mas fogos de artifício haviam sido banidos depois da invasão.

– Nunca vi balas traçantes, mas... – disse Karen.

– Droga, isso é que são traçantes?

Sem aguardar instruções, Harald empurrou o manete até o batente e levantou o nariz para ganhar altitude.

Nesse exato momento holofotes foram acesos.

Houve um estouro e alguma coisa explodiu perto deles.

– O que foi isso? – perguntou Karen.

– Acho que deve ter sido uma granada.

– Estão disparando contra nós?

De repente Harald descobriu onde estavam.

– Isso deve ser Morlunde! Estamos bem em cima da defesa aérea do porto!

– Vire!

Ele inclinou a asa.

– Não suba num ângulo muito acentuado. Vai estolar.

Outra granada explodiu perto. Holofotes cortavam a escuridão por todos os lados. Harald tinha a sensação de que estava mantendo o avião no ar exclusivamente por ação da sua força de vontade.

Ele parou a curva quando completou 180 graus. Nivelou as asas e continuou a subir. Outra granada explodiu, mas atrás deles. Harald começou a sentir que ainda podiam sobreviver.

Os tiros cessaram. Ele fez outra curva e retornou à rota original, sempre subindo.

Um minuto depois estavam cruzando o litoral, avançando mar adentro.

– Estamos deixando a terra firme para trás – disse ele.

Como Karen não respondeu, Harald se virou e viu que ela estava com os olhos fechados.

Ele deu uma olhada para trás e viu a linha da costa desaparecendo na distância, iluminada pela luz da lua.

– Só queria saber se algum dia voltaremos a ver a Dinamarca – disse.

CAPÍTULO TRINTA E TRÊS

A LUA SE PÔS, mas durante algum tempo não houve nuvens no céu, e Harald pôde ver as estrelas. Era bom que pudesse vê-las, já que elas eram a única coisa que permitia que ele soubesse se estava de cabeça para cima ou para baixo. O motor produzia um ronco constante e regular extremamente tranquilizador. Estavam voando a 5 mil pés e 80 nós. Havia menos turbulência do que se lembrava do seu primeiro voo e ele não saberia dizer se era porque estavam sobre o mar ou porque estava de noite – ou ambos. Checava o rumo a toda hora, verificando a bússola, mas não saberia dizer quanto o Hornet Moth poderia ter desviado da rota por conta do vento.

Tirou a mão do manche e colocou-a no rosto de Karen. Estava ardendo de febre. Ele ajustou a aeronave para voar reto e estabilizada e pegou uma garrafa de água do porta-luvas sob o painel. Derramou um pouco de água na mão e então deu tapinhas bem leves na testa dela para refrescá-la. Ela estava respirando normalmente, embora seu hálito, na mão dele, estivesse muito quente. Parecia ser um típico sono febril.

Quando voltou a atenção outra vez para o mundo lá fora, viu que o dia estava raiando. Consultou o relógio: passava pouco das três da manhã. Deviam estar a meio caminho da Inglaterra.

A claridade, ainda que mínima, permitiu que ele visse uma nuvem mais adiante. Não havia uma definição do topo ou da base, de modo que a solução foi entrar nela. E também chovia, e a água se acumulava no para-brisa. Ao contrário de um carro, o Hornet Moth não tinha limpador de para-brisa.

Lembrou-se do que Karen dissera sobre desorientação e decidiu não fazer gestos bruscos. No entanto, ficar olhando fixamente o rodopio do nada que o envolvia era estranhamente hipnótico. Gostaria de poder falar com Karen, mas sabia que ela precisava dormir depois de tudo pelo que passara. E assim Harald perdeu a noção do tempo. Começou a identificar formas na nuvem. Viu uma cabeça de cavalo, o capô de um Lincoln Continental e a cara bigoduda de Netuno. À sua frente, na direção de 11 horas e poucos pés abaixo, viu um barco de pesca com os marinheiros no convés olhando para ele espantados.

Ele percebeu que aquilo não era uma ilusão e despertou totalmente.

A névoa se desfizera e o que estava vendo era um barco de verdade. Checou o altímetro. Os dois ponteiros apontavam para cima. Estava ao nível do mar. Perdera altitude sem perceber.

Instintivamente, puxou o manche para trás, levantando o nariz, mas ao fazê-lo ouviu a voz de Karen na sua cabeça dizendo: "Mas nunca levante o nariz abruptamente, porque aí a gente entra num estol. Ou seja, perde sustentação e o avião despenca." Harald sabia o que tinha feito e se lembrava de como corrigir, só não sabia ao certo se teria tempo para isso. O aparelho já estava perdendo altitude. Ele baixou o nariz e empurrou o manete até o batente. Estavam no mesmo nível do barco de pesca. Levantou o nariz bem pouquinho. Achou que as rodas fossem bater nas ondas. O avião continuava voando. Levantou o nariz mais um pouquinho. Arriscou uma olhada no altímetro. Estava subindo. Deixou escapar o ar dos pulmões.

– Preste atenção, seu idiota! – disse para si mesmo, em voz alta. – Fique acordado.

Continuou subindo. A nuvem se dissipou e o avião emergiu numa manhã clara. Deu uma olhada no relógio. Eram quatro horas. O sol já ia nascer. Olhando para cima, através do teto transparente da cabine, pôde ver a estrela Polar à sua direita. Isso significava que a bússola era precisa e que ele ainda estava indo para oeste.

Com medo de permanecer perto demais do mar, Harald continuou subindo por meia hora. A temperatura caiu e o ar frio entrava pela janela que ele havia quebrado para improvisar o sistema de abastecimento de gasolina em voo. Enrolou-se no cobertor para se aquecer um pouco. Aos 10 mil pés, já ia nivelar o avião quando o motor tossiu.

A princípio não identificou o que seria aquele barulho. O som do motor se mantivera tão regular por tantas horas que ele deixara de ouvi-lo.

Quando aconteceu de novo, Harald não teve dúvida de que se tratava de falha no motor.

A impressão que teve foi de que seu coração tinha parado. Estava a mais de 300 quilômetros da terra firme, não importando a direção que tomasse. Se o motor falhasse agora iam cair no mar.

O motor tossiu novamente.

– Karen! – gritou Harald. – Acorde!

Nada. Harald tirou a mão do manche e sacudiu-a pelo ombro.

– Karen!

Ela abriu os olhos. Parecia bem melhor após o sono, mais calma e menos febril, mas uma expressão de medo apareceu no seu rosto assim que ouviu o motor falhando.

– O que está acontecendo?

– Eu não sei!

– Onde estamos?

– A muitos quilômetros de terra firme.

O motor continuou a tossir e falhar.

– Podemos ter que pousar na água – disse Karen. – Qual é nossa altitude?

– 10 mil pés.

– O manete está todo aberto?

– Sim, eu estava subindo.

– Esse é o problema. Reduza o manete para a metade.

Ele atrasou o manete.

– Quando a aceleração é máxima, o motor puxa o ar de fora e não aquele que está no compartimento dele, e o ar de fora é mais frio na altitude em que estamos, frio o bastante para formar gelo no carburador.

– O que podemos fazer?

– Descer. – Ela pegou o manche e o empurrou para a frente. – Quando a gente desce, a temperatura do ar aumenta e o gelo derrete depois de algum tempo.

– E se não derreter...

– Procure um navio. Se cairmos perto de um, pode ser que nos salvem.

Harald esquadrinhou o mar de horizonte a horizonte, mas não conseguiu ver uma única embarcação.

Com o motor falhando, eles tinham pouca potência e perderam altitude rapidamente. Harald pegou a machadinha, pronto para levar a cabo seu plano de cortar uma asa para usar como jangada. Pôs as garrafas de água nos bolsos da jaqueta. Não podia saber se sobreviveriam no mar tempo suficiente para morrerem de sede.

Deu uma olhada no altímetro. Desceram primeiro para 1.000 pés, depois para 500. O mar parecia negro e frio. Não havia navios à vista.

Uma estranha calma se apossou de Harald.

– Acho que vamos morrer – disse. – Sinto muito ter metido você nesta enrascada.

– Ainda não estamos liquidados – retrucou ela. – Veja se consegue dar mais alguns giros nesse motor, para não batermos com muita força na água.

Harald avançou o manete. O registro sonoro do motor mudou. Falhou, funcionou de novo e falhou mais uma vez. Harald disse:

– Eu não acho...

De repente o motor pareceu pegar.

Produziu um ronco constante por alguns segundos e Harald prendeu a respiração. Mas falhou de novo. Finalmente passou a funcionar com a firmeza de antes e o avião começou a ganhar altura.

Harald e Karen gritaram de felicidade.

O conta-giros atingiu a marca das 1.900 rotações por minuto, sem falhar uma única vez.

– O gelo derreteu! – exclamou Karen.

Harald beijou-a, o que não foi nada fácil. Embora estivessem lado a lado, ombro com ombro, coxa com coxa, naquela cabine apertada era muito difícil se virar, especialmente com o cinto de segurança apertado. Mas ele conseguiu.

– Isso foi legal – disse ela.

– Se sobrevivermos, vou beijar você todos os dias pelo resto da minha vida – disse ele alegremente.

– É mesmo? Olhe que o resto da sua vida pode ser um tempo muito longo.

– Espero que seja.

Karen pareceu satisfeita.

– Devíamos verificar o combustível.

Harald se virou para examinar o liquidômetro, que ficava entre o encosto dos dois assentos. Não era fácil de ler: ele tinha duas escalas, uma para uso em voo e outra para uso no solo, quando o aparelho estava inclinado, com o nariz para cima.

Mas ambas indicavam "quase vazio".

– Droga, o tanque está quase seco! – disse Harald.

– Não há terra à vista. – Ela consultou o relógio. – Estamos voando há cinco horas e meia, portanto provavelmente ainda falta meia hora para sobrevoarmos terra firme.

– Tudo bem, eu posso completar o tanque.

Harald desafivelou o cinto de segurança e se virou desajeitado para se ajoelhar no assento. O bujão de gasolina estava na prateleira de bagagens atrás dos assentos. Ao seu lado havia um funil e a ponta de uma mangueira de jardim. Antes da decolagem, Harald quebrara a janela e passara a mangueira pelo buraco, amarrando a outra ponta no gargalo de abastecimento externo.

Mas agora podia ver essa ponta da mangueira solta, batendo na fuselagem. Ele praguejou.

– O que é? – perguntou Karen.

– A mangueira se soltou durante o voo. Não a amarrei bem.

– O que é que vamos fazer? Temos que reabastecer!

Harald olhou para o bujão, o funil, a mangueira e a janela.

– Tenho que pôr a mangueira no gargalo do tanque. E isso não pode ser feito daqui de dentro.

– Você não pode ir lá fora!

– O que acontecerá com o avião se eu abrir a porta?

– Meu Deus, é como um gigantesco freio aéreo. Vai reduzir a nossa velocidade e nos obrigar a fazer uma curva para a esquerda.

– Você consegue resolver esse problema?

– Posso manter a velocidade baixando o nariz. E acho que posso pisar no pedal direito do leme com o meu pé esquerdo.

– Vamos tentar.

Karen pôs a aeronave numa descida suave e em seguida pisou com o pé esquerdo no pedal direito do leme.

– Ok.

Harald abriu a porta. Na mesma hora o avião guinou bruscamente para a esquerda. Karen pressionou o pedal, mas eles continuaram a virar para esse lado.

– Não adianta, não consigo manter o rumo! – exclamou.

Harald fechou a porta.

– Se eu quebrar essas janelas, vou reduzir praticamente à metade a área de resistência ao vento – disse ele, pegando a chave inglesa que guardara no bolso. As janelas eram feitas de um tipo de celuloide que era mais duro que vidro, mas que ele sabia não ser inquebrável, porque tinha aberto um buraco na janela de trás poucos dias antes. Recuou o braço direito tanto quanto foi possível, golpeou com força e o celuloide se espatifou. Mais umas pancadinhas e ele retirou o material restante da moldura.

– Pronta para tentar de novo?

– Espere um minuto, precisamos de mais velocidade. – Karen estendeu o braço, abriu o manete mais um pouco e levou o compensador à frente.

– Ok.

Harald abriu a porta.

Mais uma vez o avião guinou para a esquerda, só que agora com menos violência, e Karen conseguiu corrigir o desvio com o leme.

Ajoelhado no banco, Harald pôs a cabeça para fora. Viu logo a ponta da mangueira dançando em torno da tampa de abastecimento da gasolina. Manteve a porta aberta com o ombro direito, esticou o braço direito e agarrou a mangueira. Agora só faltava enfiá-la no tanque. Podia ver a tampa aberta, mas não o gargalo. Posicionou a ponta da mangueira mais ou menos na altura do painel, mas o pedaço que tinha na mão rodopiava em torno da tampa de abastecimento com o movimento do avião e ele não conseguiu enfiar a ponta no tanque. Era como se quisesse enfiar uma linha pelo buraco de uma agulha no meio de um furacão.

Tentou durante alguns minutos, mas a coisa foi ficando mais e mais difícil à medida que sua mão ia ficando mais enregelada.

Karen bateu no seu ombro.

Harald puxou a mão de volta para dentro da cabine e fechou a porta.

– Estamos perdendo altitude – disse Karen. – Precisamos subir.

Ela puxou o manche.

Harald soprou a mão para esquentá-la.

– Não dá para fazer desse jeito – disse ele. – Não consigo enfiar a mangueira no tanque. Preciso firmar a outra ponta.

– Como?

Ele pensou por um minuto.

– Talvez eu possa botar um pé do lado de fora.

– Ah, meu Deus!

– Me avise quando a gente ganhar altura suficiente.

Após uns dois minutos, ela disse:

– Ok, mas esteja pronto para fechar a porta assim que eu bater no seu ombro.

Virado para trás, com o joelho esquerdo sobre o assento, Harald passou o pé direito pela porta e pisou na parte reforçada da asa. Agarrado no cinto de segurança, debruçou-se e pegou a mangueira. Correu a mão por ela até segurar a ponta. Aí então se inclinou mais um pouco para enfiar a ponta dentro do tanque.

Justo nessa hora o Hornet Moth pegou uma corrente de ar descendente e deu um pinote como um cavalo bravo. Harald perdeu o equilíbrio e achou que fosse cair da asa. Agarrou com força a mangueira e o cinto de segurança ao mesmo tempo, tentando se conservar firme. A outra ponta da mangueira, dentro da cabine, soltou-se da corda que a prendia. Quando se soltou, Harald largou-a involuntariamente e o vento levou-a embora.

Tremendo de medo, ele voltou para dentro e fechou a porta.

– O que foi que aconteceu? – perguntou Karen. – Não pude ver!

Por um momento ele não foi capaz de responder. Quando se recuperou, disse:

– Larguei a mangueira.

– Ah, não!

Ele verificou o liquidômetro de gasolina.

– O tanque está vazio.

– Não sei o que podemos fazer!

– Vou ter que ficar em pé na asa e despejar a gasolina diretamente do bujão. Vai ser preciso usar as duas mãos; não posso segurar um bujão de quatro galões só com uma das mãos, é pesado demais.

– Mas você não vai poder se segurar!

– Você vai ter que segurar meu cinto com a mão esquerda – Karen era forte, mas não tinha certeza de que seria capaz de aguentar seu peso caso ele escorregasse. No entanto, não havia alternativa.

– Nesse caso, não vou poder comandar o manche.

– O jeito é torcer para que não seja necessário.

– Está bem, mas então vamos ganhar mais um pouco de altitude.

Ele olhou em volta. Não havia terra à vista.

– Aqueça as mãos – disse Karen. – Ponha-as debaixo do meu casaco.

Ele se virou, ainda ajoelhado no assento, e apertou a cintura dela com as mãos. Por baixo do casaco de pele, Karen estava usando um suéter leve.

– Ponha as mãos debaixo do suéter. Vamos, sinta minha pele, não me incomodo.

O corpo dela estava bem quente.

Harald conservou as mãos assim aquecidas enquanto subiam. De repente o motor falhou.

– Acabou a gasolina – disse Karen.

O motor pegou de novo, mas Harald sabia que ela estava certa.

– Vamos acabar logo com isso – disse ele.

Karen estabilizou a aeronave. Harald destampou o bujão e a cabine se encheu com o cheiro desagradável da gasolina, apesar do vento que soprava pelas janelas quebradas.

O motor falhou de novo.

Harald levantou o bujão. Karen segurou-o pelo cinto.

– Está seguro – disse ela. – Não se preocupe.

Ele abriu a porta e pôs o pé direito do lado de fora. Em seguida transferiu o bujão para cima do assento. Então passou o pé esquerdo para o lado de fora, de modo que os pés ficavam sobre a asa e o tronco debruçado para dentro da cabine. Estava absolutamente apavorado.

O passo seguinte foi levantar o bujão e se aprumar em cima da asa. Nessa hora ele cometeu o erro de olhar para baixo para ver o mar. As náuseas que sentiu foram tão fortes que ele quase largou o bujão. Fechou os olhos, engoliu em seco e recuperou o autocontrole.

Quando abriu os olhos de novo, estava decidido a não olhar para baixo novamente. Curvou-se sobre a boca do tanque e sentiu, na pressão do cinto, a força que Karen fazia para segurá-lo. Inclinou o bujão.

O movimento constante da aeronave dificultava muito o despejo da gasolina diretamente, mas em poucos momentos ele descobriu um jeito de compensar, balançando o tronco para a frente e para trás, confiante na segurança proporcionada por Karen.

O motor continuou a ratear por alguns segundos e retornou ao normal.

Ele queria desesperadamente voltar para o interior da cabine, mas eles precisavam da gasolina para atingir terra firme. A gasolina parecia fluir tão lentamente quanto mel. Uma certa quantidade era espalhada pelo fluxo de ar e outro tanto se perdia em torno do bocal do tanque, mas a maior parte parecia ter chegado ao destino certo, o tanque.

Por fim o bujão se esvaziou. Ele o largou no ar e, aliviado, agarrou a estrutura da porta com a mão esquerda. Passou para o lado de dentro e fechou a porta.

– Olhe lá – disse Karen, apontando para a frente.

A distância, bem na linha do horizonte, era possível ver uma forma escura. Terra.

– Aleluia – murmurou Harald.

– Vamos rezar para que seja a Inglaterra – disse Karen. – Não sei quanto podemos ter nos desviado da rota.

O tempo parecia não passar, mas finalmente a forma escura ganhou a cor verde e se transformou em uma paisagem. Logo foi possível ver uma praia, uma cidade com um porto, uma extensão de terra plana e uma série de elevações.

– Vamos olhar mais de perto – disse Karen.

Desceram para 2 mil pés para que pudessem examinar a cidade.

– Não posso dizer se é a França ou a Inglaterra – disse Harald. – Nunca estive em nenhuma das duas.

– Já estive em Paris e em Londres, mas nem uma nem outra se parece com isso aqui.

Harald checou o liquidômetro.

– De qualquer maneira, vamos ter que aterrissar dentro de pouco tempo.

– Mas precisamos saber se estamos em território inimigo.

Harald olhou para cima e viu dois aviões através do teto transparente da cabine.

– Estamos prestes a descobrir – disse ele. – Olhe para cima.

Os dois ficaram olhando fixamente as duas pequenas aeronaves que se aproximavam rapidamente vindo do sul. Enquanto se aproximavam, Harald concentrou-se nas suas asas, esperando que as marcas se tornassem mais nítidas. Seriam as cruzes alemães? Todo aquele sacrifício teria sido inútil?

Quando chegaram mais perto, Harald viu que eram dois Spitfire com os círculos concêntricos característicos da RAF, a Força Aérea Real, pintados nas asas. Estavam na Inglaterra.

Harald soltou um grito de triunfo.

Os Spitfire se aproximaram, um de cada lado do Hornet Moth. Era possível distinguir as feições dos pilotos, que olhavam fixamente para eles.

– Espero que não pensem que somos inimigos e nos derrubem – disse Karen.

Era uma possibilidade terrível. Harald tentou imaginar um jeito qualquer de dizer que eram amigos.

– Bandeira branca – disse.

Ele tirou a camisa e segurou-a fora da janela. O tecido branco de algodão tremulou ao vento.

E deu certo. Um dos Spitfire passou para a frente do Hornet Moth e balançou as asas.

– Isso quer dizer “Siga-me” – disse Karen. – Acho. Mas não tenho gasolina suficiente. – Ela avaliou a paisagem lá embaixo.

– O vento está soprando do mar, a julgar pela fumaça da chaminé daquela casa de fazenda – disse. – Vou aterrissar naquele campo.

Ela baixou o nariz do avião e o virou.

Harald olhou ansioso para os Spitfire. Após um momento eles começaram a voar em círculos, mas mantendo a mesma altitude, como se quisessem ver o que ia acontecer em seguida. Talvez tivessem chegado à conclusão de que um Hornet Moth não poderia constituir uma ameaça ao Império Britânico.

Karen desceu para 1.000 pés e foi se aproximando do campo que escolhera. Não havia construções visíveis. Em seguida virou contra o vento para aterrissar. Harald se encarregou do leme, ajudando a manter o aparelho em linha reta.

Quando estavam a 20 pés acima da grama, Karen pediu para puxar todo o manete e levantou delicadamente o nariz do avião com o manche. Harald teve a impressão de que já estavam quase tocando o chão, mas continuaram voando por mais uns 50 ou 60 metros. Até que as rodas tocaram o solo com um solavanco fraco.

O Hornet Moth perdeu velocidade rapidamente. Já ia parando quando Harald viu pelo buraco da janela um rapaz de bicicleta parado em uma trilha ao longo do campo, olhando boquiaberto para eles.

– Queria saber onde estamos – disse Karen.

– Ei, você aí! – exclamou Harald, dirigindo-se ao ciclista em inglês. – Que lugar é este aqui?

O rapaz olhou para ele como se Harald tivesse acabado de chegar do espaço sideral.

– Bem – disse ele por fim –, com toda a certeza não é a droga do aeroporto!

EPÍLOGO

VINTE E QUATRO horas depois que Harald e Karen aterrissaram na Inglaterra, as fotos que ele havia tirado em Sande na estação de radar alemã tinham sido reveladas, ampliadas e penduradas na paredes de uma sala enorme de um prédio situado em Westminster. Algumas haviam sido marcadas com setas e anotações. Na sala havia três homens com uniformes da RAF examinando as fotografias e falando baixo, em tom urgente.

Digby Hoare entrou na sala com Karen e Harald e fechou a porta. Os oficiais se viraram e um deles, um tipo alto de bigode grisalho, disse:

– Olá, Digby.

– Bom dia, Andrew – respondeu Digby. – Este é o vice-marechal-do-ar Sir Andrew Hogg. Sir Hogg, tenho o prazer de apresentar-lhe a Srta. Duchwitz e o Sr. Olufsen.

Hogg apertou a mão esquerda de Karen, porque a direita continuava na tipóia.

– A senhorita é uma jovem excepcionalmente corajosa – disse ele.

Hogg falava depressa, comendo as sílabas de tal modo que dava a impressão de que tinha qualquer coisa na boca, obrigando Harald a prestar muita atenção para compreender o que dizia.

– Um piloto experiente teria hesitado antes de atravessar o mar do Norte em um Hornet Moth – acrescentou Hogg.

– Para falar a verdade, eu não tinha ideia de quão perigoso era antes de levantar voo – respondeu ela.

Hogg virou-se para Harald.

– Digby e eu somos velhos amigos. Ele me fez uma exposição completa do seu relatório e, para ser sincero, não tenho palavras para dizer como sua informação é importante. Mas quero repassar a sua teoria a respeito de como aquelas três peças do aparelho funcionam acopladas.

Harald se concentrou, repassando as palavras em inglês de que precisaria. Apontou para a foto em que focalizara as três estruturas.

– A antena grande gira em velocidade constante, como se estivesse esquadrinhando o céu. Mas as pequenas se inclinam para cima e para baixo e de um lado para outro. A impressão que tive foi de que rastreavam aviões.

Hogg o interrompeu para se dirigir aos outros dois oficiais:

– Mandei um perito em sistemas de rádio em um voo de reconhecimento sobre a ilha hoje de madrugada. Ele captou ondas de 2,4 metros, provavelmente sendo emitidas pela antena grande, a Freya. Captou também ondas de 50 centímetros, supostamente oriundas das máquinas menores, que devem ser as Wurtzburgs.

Ele se voltou outra vez para Harald.

– Continue, por favor.

– O que pensei foi que a máquina grande dá o aviso de longa distância da aproximação de bombardeiros. Quanto às menores, uma rastreia um único bombardeiro e a outra rastreia o caça enviado para interceptá-lo. Desse modo, um controlador poderia orientar um caça, com muita precisão, até o bombardeiro.

Hogg se virou para os colegas de novo.

– Acredito que ele esteja certo – disse. – E vocês?

– Eu ainda gostaria de saber o significado de "Himmelbett".

– Himmelbett? – repetiu Harald. – É a palavra alemã para aquelas camas...

– ...De quatro postes, como chamamos na Inglaterra – completou Hogg. – Soubemos que o equipamento de radar opera em uma "Himmelbett", mas não sabemos o que isso quer dizer.

– Ah! – exclamou Harald. – Pensei esse tempo todo em como seria a organização deles, e isso explica tudo!

Fez-se silêncio na sala.

– Explica? – perguntou Hogg.

– Bem, para a defesa aérea da Alemanha faz sentido dividir a fronteira em blocos de espaço aéreo, digamos, com 8 quilômetros de largura e 30 de profundidade, designando um conjunto de três máquinas para cada bloco... ou "Himmelbett".

– Talvez você esteja com a razão – disse Hogg, pensativo. – Isso daria a eles uma defesa quase impenetrável.

– Se os bombardeiros voarem lado a lado, sim – retrucou Harald. – Mas, se os pilotos da RAF voarem em fila e passarem pela mesma Himmelbett, a Luftwaffe poderia rastrear apenas um único bombardeiro e os demais teriam uma chance muito maior de passar.

Hogg olhou fixamente para ele por um longo momento. Depois para Digby, em seguida para seus dois colegas e, finalmente, voltou a se concentrar em Harald.

– Como uma fileira de bombardeiros – disse Harald, sem saber ao certo se eles tinham entendido.

O silêncio perdurou e Harald ficou achando que deveria haver algo errado com o seu inglês.

– Compreendem o que estou querendo dizer? – perguntou.

– Ah, sim – respondeu Hogg finalmente. – Entendo exatamente o que você quer dizer.

~

Na manhã seguinte, Digby levou Harald e Karen de carro para fora de Londres. Depois de três horas de viagem na direção geral nordeste, chegaram a uma casa de campo que tinha sido requisitada pela Força Aérea para alojamento de oficiais. Cada um recebeu um quartinho com um catre e depois Digby lhes apresentou seu irmão, Bartlett.

À tarde foram todos, juntamente com Bart, para a base da RAF que ficava ali perto, onde o esquadrão dele era sediado. Digby providenciara para que Karen e Harald assistissem ao *briefing* dizendo ao comandante que era parte de um exercício secreto de inteligência e não houve perguntas. Foi assim que os dois ouviram o comandante do esquadrão explicar a nova formação que os pilotos usariam para a incursão daquela noite – a fileira de bombardeiros.

O alvo deles era Hamburgo.

A mesma cena se repetiu, com alvos diferentes, em campos de aviação espalhados de norte a sul no Leste da Inglaterra. Digby disse a Harald que mais de seiscentos bombardeiros tomariam parte na desesperada tentativa daquela noite para atrair parte do efetivo da Luftwaffe que se encontrava na frente russa.

A lua apareceu poucos minutos após as seis da tarde. No grande quadro-negro que ficava na sala de operações, as horas de decolagem eram anotadas ao lado da letra-código de cada aeronave. Bart pilotaria "G" de George.

Quando a noite caiu e os operadores de rádio dos bombardeiros começaram a dar suas posições, essas foram sendo assinaladas no grande mapa estendido sobre uma mesa. Os marcadores eram deslocados cada vez mais para perto de Hamburgo. Digby, ansioso, fumava um cigarro após outro.

O avião líder, "C" de Charlie, relatou que estava sendo atacado por um caça e sua transmissão foi interrompida. Quando "A" de Alfa se aproximou da cidade, informou fogo pesado de artilharia antiaérea e largou bombas incendiárias destinada a iluminar os alvos para os bombardeiros que vinham depois dele.

Quando começou efetivamente o bombardeio, o pensamento de Harald foi para seus primos de Hamburgo. Esperava que se salvassem. Como parte do seu trabalho escolar do ano anterior, tivera de escolher um romance em inglês para ler e optara por *War in the Air*, de H. G. Wells, que trazia a descrição de uma cidade atacada pelo ar que era um verdadeiro pesadelo. Sabia que aquela era a única maneira de derrotar os nazistas, mas assim mesmo temia o que podia acontecer com Monika.

Em dado instante um oficial entrou e avisou, com voz tranquila e controlada, que tinham perdido o contato pelo rádio com o avião de Bart.

– Pode ser apenas um problema do equipamento – disse ele.

Um por um, os bombardeiros foram informando que missão fora cumprida e o retorno à base – todos menos "C" de Charlie e "G" de George.

O mesmo oficial voltou para dizer:

– O artilheiro da cauda de "F" de Freddie viu um dos nossos ser abatido. Ele não sabe exatamente qual foi, mas receio que seja "G" de George.

Digby colocou as mãos no rosto.

Os marcadores que representavam as aeronaves estavam sendo deslocados de volta à Inglaterra no mapa da Europa estendido na mesa. Só "C" e "G" permaneceram sobre Hamburgo.

Digby deu um telefonema para Londres e virou-se para Harald.

– A fileira de bombardeiros funcionou. Segundo as estimativas, tivemos o menor número de baixas em um ano.

– Espero que Bart esteja bem – disse Karen.

Nas primeiras horas da madrugada, os bombardeiros começaram a chegar. Digby saiu. Karen e Harald se juntaram a ele para ver as aeronaves aterrissarem e despejarem suas tripulações cansadas, mas jubilosas.

Quando a lua se pôs, todos tinham voltado, menos Charlie e George.

Bart Hoare jamais voltou.

~

Harald estava deprimido ao tirar a roupa e vestir o pijama emprestado por Digby. Devia estar contentíssimo. Sobrevivera a um voo incrivelmente perigoso, dera informações cruciais aos britânicos e vira essas informações salvarem a vida de centenas de homens integrantes das tripulações dos bombardeiros da RAF. Mas a perda da aeronave de Bart e a dor expressa no rosto de Digby fizeram com que Harald se lembrasse de Arne, que dera a própria vida por aquilo, de Poul Kirke e de outros dinamarqueses que tinham sido presos e certamente seriam executados pela participação que tiveram no triunfo daquela noite. E tudo o que podia sentir era tristeza.

Olhou pela janela. O dia estava raiando. Ele puxou a frágil cortina amarela e foi se deitar. Permaneceu acordado na cama por bastante tempo, incapaz de dormir, sentindo-se péssimo.

Karen apareceu após alguns minutos. Também estava usando um pijama emprestado, com as mangas e as calças enroladas. A expressão do rosto dela era séria. Sem dizer uma palavra, deitou-se ao seu lado. Harald abraçou seu corpo quente. Ela comprimiu o rosto no seu ombro e começou a chorar. Harald não perguntou o motivo. Tinha certeza de que Karen estava pensando nas mesmas coisas que ele. Ela chorou até cair no sono.

Pouco depois ele também começou a cochilar e, quando abriu os olhos de novo, o sol brilhava através da cortina amarela. Olhou, pasmo, para a garota que tinha nos braços. Tantas e tantas vezes tivera aquele sonho de dormir com ela, mas nunca imaginara que seria assim.

Ele podia sentir os joelhos dela, e um quadril encaixado nas suas coxas, e algo macio, que supôs ser um seio. Observou o rosto dela enquanto dormia, estudando-lhe os lábios, o queixo, os cílios avermelhados, as sobrancelhas. Tinha a impressão de que seu coração ia estourar de tanto amor.

Por fim Karen abriu os olhos. Sorriu e disse:

– Olá, meu querido. – E o beijou.

Passado algum tempo, Harald e Karen fizeram amor.

~

Três dias depois, Hermia Mount apareceu.

Harald e Karen entraram em um pub perto do palácio de Westminster esperando encontrar Digby e lá estava ela, sentada diante de uma mesa, com um copo de gim-tônica.

– Mas como você saiu de lá? – quis saber Harald. – A última vez que a vimos você estava batendo na cabeça da detetive Jespersen com uma mala.

– Houve tanta confusão em Kirstenslot que consegui fugir antes que me vissem – disse Hermia. – Entrei em Copenhague protegida pela noite.

Depois saí do mesmo jeito que entrei: de Copenhague para Bornholm de barca, um barco de pesca até a Suécia e, por fim, um avião de Estocolmo para cá.

– Tenho certeza de que não foi tão fácil quanto você está dando a entender – comentou Karen.

Hermia deu de ombros.

– Não foi nada comparado com a aventura de vocês. Que viagem!

– Sinto-me profundamente orgulhoso de todos vocês – disse Digby, embora Harald achasse, pela sua expressão afetuosa, que ele se sentia especialmente orgulhoso de Hermia.

Digby deu uma olhada no relógio.

– E agora temos um encontro marcado com Winston Churchill.

Soou um alerta de ataque aéreo justo na hora em que os quatro atravessavam Whitehall, portanto, o encontro com o primeiro-ministro britânico deu-se num complexo subterrâneo conhecido como Cabinet War Rooms [Sala de Guerra do Gabinete].

Churchill estava sentado diante de uma mesa pequena no meio de um escritório abarrotado de coisas. Na parede atrás dele havia um mapa da Europa em grande escala. Encostada em uma das paredes, coberta por um edredom verde, podia-se ver uma cama de solteiro. Churchill vestia um terno escuro de risca de giz e havia tirado o paletó, mas sua aparência era imaculada.

– Então você é a mocinha que atravessou o mar do Norte pilotando um Tiger Moth – disse ele para Karen, apertando sua mão esquerda.

– Um Hornet Moth – ela o corrigiu. O Tiger Moth era uma aeronave aberta. – Acho que eu teria morrido de frio num Tiger Moth.

– Ah, sim, é claro.

Ele se virou para Harald.

– E você é o rapaz que inventou a fileira de bombardeiros.

– Foi uma das ideias surgidas em uma discussão – disse Harald, envergonhado.

– Não foi assim que eu soube da história, mas a sua modéstia conta pontos a seu favor.

Churchill finalmente voltou-se para Hermia.

– E foi você quem organizou a coisa toda. Minha cara, você vale por dois homens!

– Muito obrigada, senhor – agradeceu Hermia, embora Harald pudesse perceber, por seu sorriso irônico, que ela não tinha gostado muito daquele cumprimento.

– Com sua ajuda, forçamos Hitler a desviar centenas de aviões de caça da frente russa para a defesa do território alemão. E, em parte graças a esse sucesso, posso adiantar que assinei hoje um pacto de cobeligerância com a União Soviética. A Inglaterra não está mais sozinha. Temos como aliada uma das maiores potências do mundo. A União Soviética pode ter dobrado, mas não está de jeito nenhum vencida.

– Meu Deus! – disse Hermia.

– Estará nos jornais de amanhã – murmurou Digby.

– E o que é que os dois jovens pretendem fazer agora?

– Eu gostaria de ingressar na RAF – disse Harald imediatamente. – Aprender a pilotar direito. Depois ajudar a libertar minha terra.

Churchill virou-se para Karen.

– E você?

– Algo parecido. Tenho certeza de que não vão me deixar ser piloto, embora saiba pilotar muito melhor que Harald. Mas gostaria de ingressar na Força Aérea feminina, se é que há uma.

– Bem – disse o primeiro-ministro –, tenho uma alternativa a sugerir.

Harald ficou surpreso.

Churchill meneou a cabeça na direção de Hermia, que disse:

– Queremos que vocês dois voltem para a Dinamarca.

Era a única coisa em que Harald não pensara.

– Voltar para a Dinamarca?

Hermia prosseguiu:

– Primeiro mandamos vocês para um curso de treinamento... bastante longo, com seis meses de duração. Lá aprenderão a operar rádios, usar códigos, lidar com explosivos e armas de fogo, e assim por diante.

– E para que seria? – quis saber Karen.

– Vocês seriam lançados de paraquedas na Dinamarca, equipados com aparelhos de rádio, armas e documentos falsos. Sua tarefa seria dar início a um novo movimento de resistência que substituiria os Vigilantes Noturnos.

O coração de Harald bateu mais depressa. Era um trabalho muitíssimo importante.

– Meu grande sonho era pilotar – disse ele. Mas a nova ideia era bem mais estimulante, embora perigosa.

Churchill interveio:

– Tenho milhares de jovens que sonham em ser pilotos – interveio. – Mas até agora não encontramos quem fizesse aquilo que estamos pedindo que façam. Vocês dois são inigualáveis. São dinamarqueses, conhecem o país e falam a língua como os nativos. E já provaram que são extraordinariamente corajosos e competentes. Permitam-me que eu coloque deste modo: se vocês não fizerem, ninguém fará.

Era difícil resistir a Churchill – e Harald, por sinal, não queria mesmo resistir. Tinha diante dele uma oferta para o que sempre ansiara fazer e a perspectiva o deixava entusiasmado. Olhou para Karen.

– O que é que você acha?

– Nós estaríamos juntos – respondeu Karen, como se isso fosse para ela a coisa mais importante de todas.

– Então, vocês aceitam? – quis saber Hermia.

– Sim – disse Harald.

– Sim – disse Karen.

– Ótimo – disse o primeiro-ministro. – Então está resolvido.

CONCLUSÃO

A RESISTÊNCIA DINAMARQUESA VEIO a se tornar um dos movimentos clandestinos mais bem-sucedidos da Europa. Por intermédio dela, foi assegurado um fluxo contínuo de informações militares para os Aliados, foram realizados milhares de atos de sabotagem contra as forças de ocupação e garantidas rotas secretas pelas quais quase todos os judeus dinamarqueses escaparam dos nazistas.

AGRADECIMENTOS

COMO SEMPRE, FUI ajudado no meu processo de pesquisa por Dan Starer, do Research for Writers, em Nova York (dstarer@researchforwriters.com). Foi ele quem me pôs em contato com a maior parte das pessoas citadas a seguir.

Mark Miller, da De Havilland Support Ltd., foi meu conselheiro para os aviões da série Moth, me indicando quais os seus problemas e as respectivas soluções. Rachel Lloyd, da Northamptonshire Flying School, se empenhou ao máximo para me ensinar a pilotar um Tiger Moth. Peter Gould e Walt Kessler também me ajudaram nessa área, assim como meus amigos pilotos Ken Burrows e David Gilmour.

Meu guia para todos os elementos dinamarqueses foi Erik Langkjaer. Para detalhes da vida em tempos de guerra na Dinamarca, sou grato a Claus Jessen, Bent Jorgensen, Kurt Hartogsen, Dorph Petersen e Soren Storgaard.

Os detalhes sobre a vida em um internato dinamarquês me foram gentilmente narrados por Klaus Eusebius Jakobsen, da Helufsholme Skole og Gods; Erik Jorgensen, do Birkerod Gymnasium; e Helle Thune, do Bagsvaerd Kostskole og Gymnasium, a quem agradeço muito. Todos me receberam muitíssimo bem em suas respectivas escolas e responderam pacientemente as minhas perguntas.

Meus agradecimentos, por todas as informações que me forneceram, se estendem a: Hanne Harboe, dos Jardins do Tivoli; Louise Lind, do Stockholm Postmuseum; Anita Kempe, Jan Garnert e K. V. Tahvanainen, do Stockholm Telemuseum; Hans Schroder, da Flyvevabnets Bibliotek; Anders Lunde, do Dansk Boldspil-Union; e Henrik Lundbak, do Museu da Resistência Dinamarquesa de Copenhague.

Jack Cunningham me falou sobre o cinema do Almirantado e Neil Cook, da HOK International, me deu fotos de lá. Candice DeLong e Mike Condon ajudaram com dados a respeito de armas. Josephine Russell me falou sobre a vida de uma estudante de balé. Titch Allen e Pete Gagan me ajudaram com motocicletas antigas.

Sou grato a meus editores e agentes Amy Berkower, Leslie Gelbman, Phyllis Grann, Neil Nyren, Imogen Tate e Al Zuckerman.

Finalmente, agradeço aos membros da minha família por lerem rascunhos e esboços: Barbara Follett, Emanuele Follett, Marie-Claire Follett, Richard Overy, Kim Turner e Jann Turner.

INFORMAÇÕES SOBRE A ARQUEIRO

Para saber mais sobre os títulos e autores
da EDITORA ARQUEIRO,
visite o site www.editoraarqueiro.com.br
e curta as nossas redes sociais.
Além de informações sobre os próximos lançamentos,
você terá acesso a conteúdos exclusivos e poderá participar
de promoções e sorteios.

Se quiser receber informações por e-mail,
basta se cadastrar diretamente no nosso site
ou enviar uma mensagem para
atendimento@editoraarqueiro.com.br

Editora Arqueiro
Rua Funchal, 538 – conjuntos 52 e 54 – Vila Olímpia
04551-060 – São Paulo – SP
Tel.: (11) 3868-4492 – Fax: (11) 3862-5818
E-mail: atendimento@editoraarqueiro.com.br